Y0-AGH-812

POLISH GROFF
Groff, Lauren,
Fatum i furia /
$28.00

FATUM

I

FURIA

LAUREN GROFF

FATUM I FURIA

Tłumaczenie
Mateusz Borowski

Wydawnictwo Znak
Kraków 2016

Tytuł oryginału
Fates and Furies

Copyright © 2015 by Lauren Groff

Projekt okładki
Rodrigo Corral i Adalis Martinez

Ilustracja na okładce
Wykorzystano rycinę wykonaną i opublikowaną
przez Nathaniela Curriera
(fotografia: MPI / Getty Images)

Polska wersja okładki
Oksana Shmygol

Opieka redakcyjna
Dorota Gruszka

Adiustacja
Urszula Horecka

Korekta
Barbara Gąsiorowska
Katarzyna Onderka

Łamanie
Edycja

Copyright © for the translation by Mateusz Borowski
© Copyright for this edition by SIW Znak sp. z o.o., 2016

ISBN 978-83-240-4103-9

znak

Książki z dobrej strony: www.znak.com.pl
Więcej o naszych autorach i książkach: www.wydawnictwoznak.pl
Społeczny Instytut Wydawniczy Znak, 30-105 Kraków, ul. Kościuszki 37
Dział sprzedaży: tel. (12) 61 99 569, e-mail: czytelnicy@znak.com.pl
Wydanie I, 2016. Printed in EU

Dla Claya [oczywiście]

Fatum

I

Gęsta mżawka spadła z nieba jak nagle opuszczona kurtyna. Mewy przestały stroić głosy, ocean zamilkł. Latarnie przygasły niczym zanikające światła rampy. Plażą szły dwie osoby. Ona, jasnowłosa o wyrazistej urodzie, w zielonym bikini, choć w Main w maju było jeszcze zimno. On, wysoki i energiczny, tak promienny, że nie sposób było oderwać od niego wzroku. Mieli na imię Mathilde i Lotto.

Przez chwilę przyglądali się, jak w wodzie wiją się kolczaste morskie stworzenia i na moment wzbijają się obłoczki piasku. On objął jej twarz dłońmi i pocałował jej blade usta. Teraz mógłby umrzeć ze szczęścia. Oczyma wyobraźni zobaczył, jak ocean wzbiera i pochłania ich, przeżuwa ich ciała i gdzieś w głębinach rozciera ich kości na rafach koralowych. Ale z nią u boku uszedłby cało, wynurzyłby się ze śpiewem na ustach.

Cóż, był młody, miał dwadzieścia dwa lata i tego ranka w sekrecie wziął z nią ślub. W tych okolicznościach można im było wybaczyć tę szczyptę szaleństwa.

Jej palce parzyły jego skórę, kiedy przesuwała nimi z tyłu po jego kąpielówkach. Oderwała się od niego i poprowadziła go w stronę wydm porośniętych plątaniną groszku nadmorskiego, tam gdzie ściana piasku chroniła przed wiatrem, gdzie zrobiło im się trochę cieplej. Pod górą jej bikini gęsia skórka nabrała odcienia księżycowego

9

błękitu, a jej sutki z powodu zimna stwardniały. Klęczeli, choć ostry piasek drapał ich kolana. To nie miało znaczenia. Byli tylko ustami i dłońmi. On owinął sobie biodra jej nogami, przycisnął ją do ziemi, otulił ją swoim ciepłem, aż przestała się trząść, jego plecy stały się wydmą. Jej obolałe kolana uniosły się w stronę nieba. Pragnął czegoś bezsłownego i potężnego. Czego? Chciał się nią okryć jak ubraniem. Wyobraził sobie, że na zawsze zamieszkał w jej cieple. Ludzie w jego życiu oddalali się od niego, jeden po drugim, jak przewracające się kostki domina. Ją z każdym ruchem przygważdżał coraz mocniej, żeby nie mogła go opuścić. Pomyślał sobie, że przez całe życie mogliby się pieprzyć na plaży, aż staliby się jednym z tych starych dobrych małżeństw, parą staruszków ze skórą pofałdowaną i lśniącą niczym włoski orzech, którzy co rano dziarskim krokiem spacerują brzegiem oceanu. Nawet wtedy prowadziłby ją na wydmy i zajmował się jej seksownymi, delikatnymi, ptasimi kośćmi, plastikowymi biodrami i bionicznymi kolanami. Na niebie zawisłyby ratownicze drony, błyskając światłami i rycząc: „Nieprzyzwoitość! Nieprzyzwoitość!", żeby poczucie winy kazało im uciekać. I tak przez całą wieczność. Zamknął oczy i się rozmarzył. Jej rzęsy na jego policzku, jej uda na jego biodrach, pierwszy raz skonsumowali tę potworność, którą razem stworzyli. Ślub bierze się raz, na zawsze.

[Zatroszczył się o porządne łóżko, żeby stworzyć podniosłą atmosferę. Od piętnastego roku życia zakradał się do domku na plaży należącego do rodziny Samuela, swojego współlokatora, i spędzał tam większą część lata – dowiedział się, że klucz jest ukryty w leżącej w ogrodzie pustej skorupie żółwia szylkretowego. Dom pełen był szkockiej kraty, kwiatowych tapet i glazurowanej zastawy stołowej w stylu art déco i pokryty grubą warstwą kurzu. Z pokoju gościnnego widać było miejsce, gdzie zaczyna się urwisko, a w nocy potrójny błysk latarni morskiej. Właśnie tak Lotto wyobrażał sobie pierwszy raz z tą cudowną dziewczyną, która pod jego urokiem zgodziła się za niego wyjść. Ale Mathilde miała rację, domagając się spełnienia na wolnym powietrzu. Zawsze miała rację. Już wkrótce miał się o tym przekonać].

Skończyli za szybko. Kiedy krzyknęła, mewy ukryte za wydmą jak śrut podziurawiły nisko wiszące chmury. Kiedy coraz głębiej wgniatał ją w piasek, muszla omułka otarła jej skórę na wysokości ósmego kręgu – pokazała mu to. Przywarli do siebie tak mocno, że kiedy się zaśmiali, jego śmiech wydobywał się z jej brzucha, jej śmiech dźwięczał w jego gardle. Całował jej kości policzkowe, obojczyki, nadgarstki po wewnętrznej stronie z rozgałęzionymi błękitnymi żyłkami. Wbrew swoim oczekiwaniom nie zaspokoił swego okropnego głodu. Mógł przewidzieć, że tak to się skończy.

– Moja żona – szepnął. – Moja.

Może zamiast okrywać się nią jak ubraniem, lepiej połknąć ją w całości.

– Och – westchnęła. – No tak. Przecież jestem dobrem ruchomym. Przecież moja królewska rodzina wymieniła mnie na trzy muły i wiadro masła.

– Uwielbiam twoje wiadro masła – powiedział. – Teraz to moje wiadro masła. Słonawe. Słodkie.

– Przestań – skarciła go. Przeraził się, kiedy z bliska zobaczył, jak z jej twarzy znika nieśmiały uśmiech, do którego się przyzwyczaił. – Nikt do nikogo nie należy. Zrobiliśmy coś ważniejszego. Coś nowego.

Spojrzał na nią w zamyśleniu i delikatnie ugryzł koniuszek jej nosa. Przez ostatnie dwa tygodnie kochał ją z całych sił, pod wpływem tej miłości stała się dla niego niewidzialna, przezroczysta niczym szyba. W jej wnętrzu zobaczył dobro. Ale szkło jest kruche, musiał zachować ostrożność.

– Masz rację – przytaknął w skupieniu, choć tak naprawdę myślał tylko o tym, jak mocno są związani. Nic ich nie rozłączy.

Ich ciała oddzielała najmniejsza ze szczelin, ledwie wnikało w nią powietrze – warstewka potu na ich skórze teraz stygła. Ale i tak w tę lukę wdarł się ktoś trzeci, ich związek.

2

W zapadającym zmroku pięli się po skałach w stronę domu, w którym zostawili zapalone światło. Małżeństwo, jedność złożona z pojedynczych elementów. Lotto – głośny i roztaczający wokół blask, Mathilde – cicha i czujna. Można by uwierzyć, że to on był lepszą połową, że to on nadawał ton. To prawda, że przez całe dotychczasowe życie torował sobie drogę do Mathilde. Że gdyby los nie przygotował go na ich spotkanie, nie byliby ze sobą. Mżawka zgęstniała i zamieniła się w deszcz. Ostatni odcinek przebiegli.

[Tutaj zastygają w wyobraźni: szczupli, młodzi, wychodzą z ciemności w ciepło, przelatują ponad zimnym piaskiem i kamieniami. Wróćmy do nich. Na razie od niego nie możemy oderwać wzroku. To on lśni].

Lotto uwielbiał tę historię. Zawsze powtarzał, że urodził się w cichym oku huraganu.

[Zawsze miał doskonałe wyczucie czasu].

Wtedy jego matka wciąż była piękna, a ojciec jeszcze żył. Wakacje pod koniec lat sześćdziesiątych. Hamlin na Florydzie. Dom na plantacji tak nowy, że z mebli nie odklejono jeszcze metek. Okiennic nie przykręcono, więc w czasie pierwszej dzikiej burzy narobiły strasznego hałasu.

I wtedy, na moment, zza chmur wychynęło słońce. Deszcz ściekał z drzewek gorzkiej pomarańczy. Zaryczała rozlewnia stojąca na dwuipółhektarowym zarośniętym terenie należącym do jego rodziny. W korytarzu dwie pokojówki, kucharz, ogrodnik i brygadzista z rozlewni przyciskali uszy do drewnianych drzwi. W pokoju Antoinette wiła się wśród prześcieradeł, a potężnie zbudowany Gawain trzymał rozpaloną głowę żony. Ciotka Sallie kucnęła, żeby złapać dziecko.

Pojawił się Lotto podobny do goblina z długimi rękami i nogami, wielkimi dłońmi i stopami, i niezwykle silnymi płucami. Gawain podniósł go i przyjrzał mu się w świetle wpadającym przez okno. Znowu zerwał się wiatr, ożywiając dęby, które omszałymi ramionami dyrygowały burzą. Gawain płakał. To był punkt kulminacyjny.

– Gawain junior – powiedział.

Ale przecież to Antoinette wykonała całą robotę i połowę ciepła, którym kiedyś obdarowywała wyłącznie męża, teraz skierowała na syna.

– Nie – zaprotestowała. Przypomniała sobie randkę z Gawainem, kasztanowy plusz w kinie, a na ekranie *Camelot*. – Lancelot – oznajmiła.

Jej mężczyźni powinni nosić imiona rycerzy. Miała osobliwe poczucie humoru.

Zanim burza rozpętała się na nowo, przybył doktor, żeby poszywać Antoinette. Sallie natarła skórę dziecka oliwą z oliwek. Wydawało jej się, że trzyma w rękach własne bijące serce.

– Lancelot – wyszeptała. – Co to za imię? Na pewno nieraz dostaniesz za nie w skórę. Nie martw się. Dopilnuję, żebyś stał się Lottem. A choć z wyglądu przypominała niepozorną mysz, zaczęto na niego mówić Lotto.

Dziecko stawiało wymagania. Zniszczyło ciało Antoinette, wyssało wszystko z jej piersi. Niełatwo było się nim opiekować. Ale wybaczyła mu wszystko, kiedy tylko Lotto zaczął się uśmiechać,

13

a ona rozpoznała w nim miniaturowy obraz samej siebie, swoje dołeczki w policzkach i nieodparty urok. Z ulgą dostrzegła w nim swoje piękne rysy twarzy. Rodzina jej męża nie grzeszyła urodą, przodkami Gawaina byli mieszkańcy Florydy, rdzenni Indianie Timucua, Hiszpanie, Szkoci, zbiegli niewolnicy, Indianie Seminole i Jankesi, którzy przywędrowali na Południe. Większość z nich przypominała przypalone krakersy. Sallie była koścista i miała ostre rysy twarzy. Gawain był włochaty, olbrzymi i milczący. W Hamlin powtarzano żartem, że jest tylko w połowie człowiekiem, bo jego matkę napastował niedźwiedź, kiedy szła do wychodka. Królowa Maria Antonina mogła sobie wybierać zawsze eleganckich, wypomadowanych, lekko kroczących i obrzydliwie bogatych mężczyzn, ale na Antoinette jeszcze rok po ślubie właśnie mąż działał tak mocno, że któregoś wieczoru jak w transie weszła za nim pod prysznic kompletnie ubrana.

Wychowała się w domu ze spadzistym dachem na wybrzeżu w stanie New Hampshire. Pięć młodszych sióstr, a w zimie przeciąg tak przeraźliwy, że rankiem wydawało jej się, że umrze, zanim zdąży coś na siebie włożyć. Szuflady pełne zachomikowanych guzików i wyczerpanych baterii. Przez sześć dni w tygodniu pieczone ziemniaki. Dostała pełne stypendium w Smith College, ale nie mogła zmusić się, by wysiąść z pociągu. Otwarte czasopismo na siedzeniu obok pokazało jej Florydę, drzewa uginające się pod ciężarem złotych owoców, słońce, luksus. Ciepło. Kobiety z rybimi ogonami unoszące się na falach. To było jej pisane. Wydała ostatnie pieniądze na dopłatę do biletu, wysiadła na ostatniej stacji i dojechała autostopem do Weeki Wachee. Kiedy weszła do biura kierownika, on jednym spojrzeniem omiótł jej długie do pasa złotorude włosy i wszystkie jej krągłości i wyszeptał: „Tak".

Paradoks życia syreny: najciężej haruje wtedy, gdy wygląda na rozleniwioną. Antoinette uśmiechała się leniwie i błyszczała. Manaty przemykały obok, lekko się o nią ocierając, kolorowe ryby skubały jej włosy. Woda miała zaledwie dwadzieścia trzy stopnie, prąd był silny, a regulując ilość powietrza w płucach, syreny potrafiły unosić się lub opadać na dno. Dopływały do teatru przez ciemny i długi tunel, czasem zahaczały o coś włosami i nie mogły ruszyć dalej. Nie widziała publiczności, ale przez szybę czuła na sobie ciężar spojrzeń. Wysyłała falę ciepła w stronę niewidzialnych obserwatorów, nawiązywała z nimi więź. Czasem z uśmiechem na ustach przypominała sobie, co wie o syrenach, które w niczym nie przypominały granej przez nią słodkiej małej syrenki – w zamian za nieśmiertelność oddawały język, ogon i dom. Kiedy śpiewały, statki pełne marynarzy rozbijały się o rafy, a one dzikim wzrokiem patrzyły, jak bezwładne ciała toną w głębinie.

Oczywiście, kiedy ją wzywano, szła do bungalowu na spotkanie z aktorami z telewizji, komikami i bejsbolistami, a raz nawet z piosenkarzem o gibkich biodrach, który właśnie postanowił zostać gwiazdą filmową. Składali jej obietnice, lecz ich nie dotrzymywali. Nie przysyłali po nią samolotów. Nie umawiali jej z reżyserami. Nie zamieszkała w domu w Beverly Hills. Skończyła trzydzieści lat. Trzydzieści dwa. Trzydzieści pięć. Zdmuchując świeczki, uświadomiła sobie, że już nie zostanie gwiazdką. Czekały ją tylko zimna woda i spowolniony taniec.

Wtedy na podwodnej scenie zjawiła się Sallie. Siedemnastoletnia, spalona słońcem. Uciekła, bo chciała żyć! Chciała czegoś więcej niż jej brat, który osiemnaście godzin dziennie spędzał w swojej rozlewni i wracał do domu tylko po to, żeby się przespać. Ale kierownik syreniego teatru ją wyśmiał. Taki chudzielec mógł zagrać co najwyżej węgorza, a nie syrenę. Założyła ręce na piersi i usiadła na podłodze jego gabinetu. Zaproponował jej zniżkę na hot doga, żeby się jej pozbyć. Weszła do ciemnego amfiteatru i jak zaczarowana wpatrywała się w lśniącą szybę, za którą właśnie występowała Antoinette w czerwonym biustonoszu od bikini i z ogonem. Ściągała na siebie wszystkie światła.

Sallie zastygła skoncentrowana wyłącznie na kobiecie unoszącej się za szybą.

Postanowiła, że na coś się przyda. Szyła cekinowe ogony wykorzystywane w czasie sesji zdjęciowych i nauczyła się za pomocą rurki do oddychania usuwać algi po wewnętrznej stronie szyby. Minął rok. Któregoś dnia, kiedy Antoinette siedziała skulona w długim i wąskim pokoju, ściągając z nóg przemoczony ogon, Sallie przycupnęła obok niej. Podała Antoinette ulotkę z nowego Disneylandu w Orlando.

– Jesteś Kopciuszkiem – wyszeptała.

Antoinette po raz pierwszy w życiu poczuła, że ktoś ją rozumie.

– To prawda – powiedziała.

I stało się. Wciśnięto ją w satynową suknię na fiszbinach i włożono jej tiarę z cyrkonii. Zamieszkała z Sallie w pomarańczowym gaju jako jej współlokatorka. Antoinette opalała się na balkonie w czarnym bikini, z ustami pomalowanymi na czerwono, kiedy po schodach wszedł Gawain, niosąc fotel na biegunach.

Wypełnił całą framugę. Miał ponad dwa metry wzrostu, był tak zarośnięty, że pod brodą i długimi włosami zniknęła jego twarz, i tak samotny, że mijające go kobiety doskonale to wyczuwały. Nikt nie podejrzewał go o nadmiar inteligencji, ale kiedy w wieku dwudziestu lat stracił rodziców w wypadku samochodowym i musiał zaopiekować się siedmioletnią siostrą, tylko on pojął prawdziwą wartość rodzinnej nieruchomości. Za oszczędności wybudował rozlewnię, w której butelkował czystą zimną wodę ze źródła bijącego na terenie posiadłości. Być może sprzedawanie mieszkańcom Florydy tego, co należało im się z racji urodzenia na tej ziemi, graniczyło z niemoralnością, ale przecież tak właśnie robi się pieniądze w Ameryce. Gromadził oszczędności, nie szastał forsą. Kiedy zaczął mu doskwierać głód kobiety, zbudował dom otoczony olbrzymimi, koryńckimi kolumnami. Słyszał, że panie je uwielbiają. Kandydatka na żonę się jednak nie zjawiła.

Któregoś razu siostra zadzwoniła do niego z prośbą, żeby przywiózł rodzinne rupiecie do jej nowego mieszkania. Przyjechał i zaparło mu dech w piersiach na widok krągłości Antoinette, dziewczyny o jasnej cerze. Nie można jej winić za to, że się na nim nie poznała. Biedny Gawain ze skołtunionymi włosami, w brudnym ubraniu roboczym. Uśmiechnęła się i pozostała na leżaku, pozwalając słońcu, by ją podziwiało.

Sallie spojrzała na przyjaciółkę i brata. Zobaczyła, jak łączą się ze sobą elementy układanki.

– Gawain, to Antoinette. Antoinette, to mój brat. Ma na koncie kilka milionów.

Antoinette wstała, posuwistym krokiem przeszła przez pokój i odsunęła okulary na czoło. Gawain zobaczył, jak tęczówkę w jej oku pożera czarna źrenica, w której pojawia się wreszcie jego odbicie.

Pośpiesznie zorganizowali ślub. Syreny, przyjaciółki Antoinette, siedziały na schodach kościoła z połyskującymi ogonami i obrzucały nowożeńców jedzeniem dla rybek. Jankesi z kwaśnymi minami pokornie znosili upał. Sallie zrobiła z marcepanu figurki na tort: jej brat jedną ręką podnosił leżącą na wznak Antoinette, niczym w scenie z wielkiego finału pokazu syren. W ciągu tygodnia zamówiono nowe meble do domu, zatrudniono służbę, a buldożery zaczęły wyrywać w ziemi dziurę pod basen. Antoinette zapewniono taki komfort, że nie starczało jej inwencji w wymyślaniu, na co jeszcze można by wydać pieniądze. Otaczały ją przedmioty z katalogów, dzięki czemu czuła, że nie brak jej niczego do szczęścia.

Uważała, że komfort jej się należy. Nie oczekiwała miłości. Gawain zaskoczył ją jasnością umysłu i delikatnością. Zajęła się nim. Kiedy zgoliła mu zarost, znalazła pod nim łagodną twarz i delikatnie zarysowane usta. Dzięki okularom w czarnej oprawce, które mu kupiła, i szytym na miarę garniturom zrobił się dystyngowany, wręcz urodziwy. Z drugiego końca pokoju uśmiechnął się do niej zupełnie odmieniony. Tląca się w niej iskra wybuchła płomieniem.

Dziesięć miesięcy później nadciągnął huragan. Ich dziecko.

Cała trójka uznała, że Lotto jest kimś szczególnym. Złotym dzieckiem. Gawain przelał na niego całą miłość, jaką dławił w sobie przez tyle lat. Dziecko wydawało mu się kłębuszkiem nadziei. Gawain, całe życie wyzywany od głupków, trzymając syna w ramionach, czuł ciężar jego geniuszu. To Sallie zarządzała domem. Zatrudniała jedną nianię po drugiej i zwalniała je, bo nie były dla niego takie jak ona. Kiedy dziecko przestało ssać pierś, gryzła banany i awokado na papkę i dawała mu jak kura pisklęciu.

Kiedy tylko Lotto odwzajemnił uśmiech matki, Antoinette poświęciła mu całą energię. Puszczała Beethovena na cały regulator, wykrzykiwała terminy muzyczne, o których gdzieś kiedyś czytała. Ukończyła korespondencyjne kursy na temat amerykańskiego meblarstwa pod koniec XVII wieku, mitologii greckiej, lingwistyki i czytała mu w całości swoje prace pisemne. Wiedziała, że ten upaprany zielonym groszkiem dzieciak na krzesełku do karmienia rozumie jedną dwunastą jej pomysłów, ale kto mógł wiedzieć, ile zostaje w umyśle dziecka. Była pewna, że jej syn będzie wielkim człowiekiem, więc postanowiła od początku zatroszczyć się o jego wykształcenie.

Jej wysiłki zostały nagrodzone, kiedy okazało się, że dwuletni Lotto ma znakomitą pamięć. [Mroczny dar. Wiele mu ułatwił, ale jednocześnie go rozleniwił]. Któregoś wieczoru Sallie czytała mu do snu dziecinny wierszyk, a kiedy rano zszedł na śniadanie, stanął na krześle i głośno go wyrecytował. Gawain z zachwytu bił brawo, a Sallie otarła oczy zasłoną.

– Brawo – powiedziała chłodno Antoinette i podsunęła kubek, prosząc o więcej kawy i z trudem ukrywając drżenie ręki.

Sallie czytała mu coraz dłuższe wierszyki, które Lotto co rano odtwarzał z pamięci bez zająknienia. Z każdym sukcesem nabierał większej pewności siebie, jakby piął się w górę po niewidzialnych schodach. Kiedy na plantację przyjeżdżali marynarze z żonami, chłopak chyłkiem przemykał się na dół i chował w ciemnościach pod stołem w jadalni dla gości. Ze swojej pieczary widział wybrzuszone podbicia stóp w męskich mokasynach i damskie figi przypominające wilgotne pastelowe muszle. Wyskakiwał, wykrzykując wiersz *Jeżeli* Kiplinga, za co nagradzano gromkimi brawami. Aplauz nieznajomych napawał go radością, którą mącił tylko nerwowy uśmiech Antoinette.

– Wracaj do łóżka, Lancelocie – polecała łagodnie, zamiast go pochwalić.

Zauważyła, że syn lubi osiadać na laurach. Purytanie doskonale znają wartość opóźnionej gratyfikacji.

Lotto dorastał w parnym i stęchłym powietrzu środkowej Florydy, wśród długonogich ptaków, jedząc owoce prosto z drzew. Kiedy tylko nauczył się chodzić, spędzał poranki z Antoinette, a popołudniami spacerował wśród krzewów rosnących na piaskach, zimnych źródeł z bulgotem wytryskujących spod ziemi i bagien, z których łypały na niego ukryte w trzcinie aligatory. Lotto, stary maleńki, wygadany, promienny. Matka posłała go do szkoły z rocznym opóźnieniem i dopiero kiedy poszedł do pierwszej klasy, poznał inne dzieci, bo małe miasteczko nie mogło sprostać ambicjom Antoinette. Ich brygadzista miał tłustawe, dzikie córki, wiedziała, czym to się skończy, i nie zamierzała do tego dopuścić. W domu zatrudniła ludzi, którzy bez słowa usługiwali jej synowi. Gdyby upuścił ręcznik, ktoś by go podniósł. Gdyby zgłodniał o drugiej w nocy, jedzenie zjawiłoby się przed nim jak za dotknięciem czarodziejskiej różdżki. Wszyscy mu nadskakiwali, a ponieważ Lotto nie poznał innych wzorców, też im nadskakiwał. Szczotkował włosy Antoinette, pozwalał Sallie, by go nosiła na rękach, nawet kiedy był niemal jej wzrostu, po południu przesiadywał obok Gawaina w jego gabinecie ukojony cichą dobrocią ojca, a kiedy od czasu do czasu jego temperament dawał o sobie znać niczym wybuch na Słońcu, wszyscy wokół patrzyli na niego z niedowierzaniem. Ojciec cieszył się, kiedy tylko syn przypomniał mu o swoim istnieniu.

Gdy miał cztery lata, Antoinette w środku nocy wyciągnęła go z łóżka. Nasypała kakao do kubka, ale zapomniała je zalać. Zjadł je, zanurzając w nim widelec i zlizując proszek. Siedzieli w ciemności. Antoinette na rok zrezygnowała z kursów korespondencyjnych na rzecz telewizyjnego kaznodziei, który wyglądał jak popiersie wyrzeźbione przez dziecko w styropianie i pomalowane akwarelkami. Jego żona miała permanentne kreski wokół oczu, a na głowie gigantyczny niczym katedra tapir, który Antoinette usilnie próbowała kopiować. W sklepie wysyłkowym kupiła taśmy z kazaniami i słuchała ich na ośmiośladowym magnetofonie, leżąc przy basenie w wielkich słuchawkach na uszach. Potem wypisywała czeki na pokaźne sumy, które Sallie paliła w zlewozmywaku.

– Kochanie – wyszeptała tamtej nocy do Lotta. – Musimy zbawić twoją duszę. Wiesz, co się stanie na Sądzie Ostatecznym z takimi bezbożnikami jak twój ojciec i ciocia?

Nie czekała na jego odpowiedź. Och, próbowała pokazać Gawainowi i Sallie światło. Tak bardzo chciała dzielić z nimi niebo, ale oni tylko uśmiechali się nieśmiało i gdzieś znikali. Razem z synem miała zasiąść w obłokach i z góry patrzeć, jak ci dwoje przez całą wieczność smażą się w piekle. Musiała ocalić chociaż Lotta. Zapaliła zapałkę i zaczęła cichym, drżącym głosem czytać Apokalipsę. Kiedy zapałka zgasła, zapaliła następną i czytała dalej. Lotto patrzył, jak ogień zjada cienki patyczek. Kiedy płomień docierał do palców matki, czuł gorąco na własnej skórze, jakby to jego oparzył. [Ciemność, trąby, morskie stworzenia, smoki, anioły, jeźdźcy, wielookie potwory zagościły w jego snach na całe dekady]. Patrzył, jak piękne usta matki się poruszają, a oczy znikają w ciemnych oczodołach. Rankiem obudził się z przekonaniem, że przez cały czas ktoś go obserwuje i ocenia. Całe dnie spędzał w kościele. Kiedy nachodziły go grzeszne myśli, robił niewinną minę. Grał nawet w samotności.

Gdyby Lotto żył w ten sposób przez następne lata, byłby kolejnym radosnym dzieckiem z bogatego domu ze zwyczajnymi dziecięcymi smutkami.

Ale w końcu nadszedł dzień, kiedy Gawain jak zwykle zrobił sobie o wpół do czwartej przerwę w pracy i przeszedł przez rozległy zielony trawnik, zmierzając do domu. Przy basenie, po głębszej stronie, jego żona spała z otwartymi ustami i dłońmi zwróconymi wnętrzem do słońca. Delikatnie przykrył ją prześcieradłem, żeby zanadto się nie opaliła, i pocałował jej nadgarstek po wewnętrznej stronie. W kuchni Sallie wyciągała właśnie ciasteczka z piekarnika.

Gawain poszedł na tyły domu, zerwał owoc niesplika, przez chwilę rozkoszował się jego kwaskowatym smakiem, usiadł na pompie tuż przy dzikich ketmiach, patrząc na ścieżkę, aż wreszcie zobaczył swojego chłopca, komara, muchę, modliszkę na rowerze. To był ostatni dzień siódmej klasy. Lato rozciągało się przed Lottem niczym szeroka, powoli płynąca rzeka. Czekały go orgie powtórek seriali telewizyjnych, których nie mógł obejrzeć z powodu szkoły. *Diukowie Hazzardu, Domek na prerii*. O północy w jeziorze będą rechotały żaby. Promienna radość chłopca oświetlała całą ścieżkę.

To, że miał syna, stanowiło dla Gawaina źródło wzruszeń, uważał swoje wspaniałe, radosne i piękne dziecko za cud, za kogoś znacznie lepszego niż ludzie, którzy powołali go do istnienia.

Nagle jego syn stanął w centrum świata. Zdumiewające. Gawain zobaczył jasność przeszywającą powietrze, widział wokół siebie każdy atom.

Lotto zsiadł z roweru na widok ojca, który wyglądał tak, jakby zdrzemnął się na starej pompie. Dziwne. Gawain nigdy nie spał w ciągu dnia. Chłopiec stał nieruchomo. Dzięcioł stukał w pień magnolii. Po stopie ojca przemknął anolis. Lotto puścił rower i podbiegłszy do Gawaina, wziął w dłonie jego twarz i krzyczał jego imię tak głośno, że kiedy podniósł głowę, zobaczył pędzącą co tchu matkę, która nigdy nie biegała, a teraz leciała ku nim z krzykiem na ustach, jak biały pikujący ptak.

Świat odsłonił swoje prawdziwe oblicze, okazał się podszyty złowrogą ciemnością. Lotto widział kiedyś, jak nagle lej krasowy otwiera się i pochłania stary wychodek. Teraz na każdym kroku otaczały go takie leje. Biegł piaszczystą dróżką między orzesznikami, bojąc się, że za chwilę pod jego stopami zapadnie się ziemia i pochłonie go ciemność, i jednocześnie obawiając się, że to się nie stanie. Dawne przyjemności wyblakły. Pięciometrowy krokodyl z bagien, którego kiedyś karmił wykradzionymi z zamrażarki kurczakami, teraz stał się zwykłą jaszczurką. Rozlewnia zamieniła się w dużą maszynę. Całe miasto patrzyło, jak wdowa wymiotuje na azalie, a syn poklepuje ją po plecach. Te same wysokie kości policzkowe i złotorude włosy. Piękno doskonale podkreśla smutek, posyła strzałę prosto w serce. Całe Hamlin płakało nad losem wdowy i jej dziecka, a nie nad wielkim Gawainem, synem tej ziemi.

Nie wymiotowała tylko z powodu stresu. Antoinette znowu była w ciąży – miała zalecony odpoczynek w łóżku. Przez kilka miesięcy całe miasto obserwowało, jak konkurenci do jej ręki wysiadają ze swoich eleganckich samochodów w czarnych garniturach, trzymając w dłoniach aktówki z teczkami, i zastanawiało się, którego wybierze. Kto nie chciałby ożenić się z tak bogatą i uroczą wdową?

Lotto pogrążał się w smutku coraz bardziej. Usiłował storpedować szkołę, ale nauczyciele z przyzwyczajenia uważali go za geniusza i nie dali się zwieść. Próbował siedzieć z matką i oglądać z nią programy religijne, trzymając ją za spuchniętą dłoń, ale z Bogiem nie było mu po drodze. Zapamiętał tylko podstawy: opowieści, sztywne zasady moralne, manię czystości.

Antoinette całowała go w rękę i puszczała wolno – leżała w łóżku łagodna jak krowa morska. Jej emocje zaszyły się gdzieś głęboko. Na wszystko patrzyła z ogromnego dystansu. Robiła się okrągła, coraz okrąglejsza. Wreszcie pękła niczym wielki, dojrzały owoc i Rachel wypadła z niej jak mała pestka.

Kiedy siostra budziła się w nocy, Lotto biegł do niej pierwszy, siadał na krześle, karmił ją z butelki i kołysał w ramionach. Rachel pomogła mu przetrwać pierwszy rok, bo kiedy zgłodniała, mógł ją nakarmić.

Na jego twarzy pojawił się trądzik, gorące pryszcze pulsujące pod skórą. Nie był już ślicznym chłopcem. To nie miało znaczenia. I tak dziewczyny się zabijały, żeby się z nim całować – z litości, a może dlatego że był bogaty. W miękkich niczym rzeczny muł ustach dziewczyn znajdował gumę winogronową i ciepły język, kiedy się skoncentrował, potrafił rozproszyć dopadający go lęk. Przyjęcia z całowaniem w świetlicach i w parkach nocą. Wracał na rowerze przez florydzką ciemność, z całych sił naciskając pedały, jakby chciał przegonić smutek, ale smutek zawsze okazywał się szybszy, bez trudu go dopadał.

Rok i dzień po śmierci Gawaina czternastoletni Lotto o świcie przyszedł do jadalni na śniadanie. Chciał zabrać kilka jajek na twardo, żeby je zjeść podczas jazdy na rowerze do miasta, gdzie już czekała na niego Trixie Dean, której rodzice wyjechali na weekend. W kieszeni miał pojemnik WD-40. Koledzy ze szkoły powiedzieli mu, że lubrykant jest bardzo ważny.

W ciemności rozległ się głos jego matki.

– Kochanie. Mam wieści.

Spłoszony, odwrócił się, włączył światło i zobaczył ją na drugim końcu stołu, w czarnym kostiumie, z wysoko upiętymi włosami przypominającymi ognistą koronę.

Biedna mama – pomyślał. Zupełnie się rozsypała. Utyła. Wydawało jej się, że nikt nie zauważył, że po połogu nie przestała zażywać leków przeciwbólowych. Myliła się.

Kilka godzin później Lotto stał na plaży, mrużąc oczy. Mężczyźni z aktówkami nie byli kandydatami do ręki, tylko prawnikami. Wszystko przepadło. Służba zniknęła. Kto miał pracować? Przepadł dom, jego dzieciństwo, rozlewnia, basen i całe Hamlin, gdzie od zawsze mieszkali jego przodkowie. Zniknął duch jego ojca. Został przehandlowany za nieprzyzwoitą sumę. Okolica była fajna, Crescent Beach, ale dom zbudowany na palach na wydmach był mały, różowy i przypominał kostkę z betonowych klocków lego ustawioną na tyczkach. W dole tylko gęstwina palm sabalowych i pelikany kołujące na gorącym, słonym wietrze. Po tej plaży dało się jeździć. Gdzieś wśród wydm skrywały się pick-upy, z których rozbrzmiewał trash metal, ale w domu nie było ich słychać.

– Ta rudera? – zapytał. – Mogłaś kupić całe kilometry plaży, mamo. Czemu mamy mieszkać w tym ciasnym pudełku? Czemu tutaj?

– Bo tu jest tanio. Nasz dom zajęto z powodu długów. To nie moje pieniądze, kochanie – odparła matka – tylko twoje i twojej siostry. Otworzyłam dla was fundusz powierniczy. – Posłała mu uśmiech męczennicy.

Miał gdzieś pieniądze. Nienawidził ich. [Przez całe życie nie dbał o nie, pozostawiał to zmartwienie innym, zakładając, że ma tyle, ile mu trzeba]. Pieniądze nie mogły zastąpić mu ojca, ziemi ojca.

– Zdrada! – krzyknął, płacząc z wściekłości.

Matka objęła dłońmi jego twarz, próbując nie dotknąć pryszczy.

– Nie, kochanie – powiedziała. – Wolność.

Lotto się dąsał. Przesiadywał samotnie na plaży. Dźgał kijem martwe meduzy. Pił mrożoną lemoniadę pod sklepem spożywczym przy autostradzie A1A.

Kiedyś poszedł na tacos do budki, przy której zbierali się fajni młodzi ludzie, stary malutki w koszulce polo, bawełnianych szortach w kratę i butach żeglarskich, choć w tym miejscu dziewczyny chodziły do sklepu w górach od bikini zamiast koszulek, a chłopcy nie wkładali T-shirtów, żeby opalić wyrzeźbione muskuły. Lotto miał już wtedy ponad metr osiemdziesiąt, pod koniec lipca kończył piętnaście lat. [Lew, to wiele wyjaśnia]. Szorstkie łokcie i kolana, z tyłu głowy zapalenie mieszków włosowych. Okropna cera obsypana trądzikiem. Zdezorientowany półsierota z rozbieganym wzrokiem. Aż chciało się go przytulić i ukoić. Spodobał się kilku dziewczynom, zapytały go o imię, ale on był zbyt przytłoczony, żeby cieszyć się ich zainteresowaniem, więc zostawiły go w spokoju. Jadł sam przy stole piknikowym. Do wargi przykleił mu się listek kolendry i jakiś wymuskany Azjata się zaśmiał. Obok niego siedziała dziewczyna z burzą włosów, kreskami wokół oczu, pomalowanymi na czerwono ustami, kolczykiem w brwi i imitacją szmaragdu w nosie. Wpatrywała się w Lotta z taką intensywnością, że poczuł mrowienie w nogach. Nagle, nie wiedzieć czemu, pomyślał, że byłaby dobra w łóżku. Obok niej siedział grubas w okularach z chytrym wyrazem twarzy, jej bliźniak. Azjata miał na imię Michael, wgapiona w Lotta dziewczyna Gwennie. Grubas okazał się najważniejszy. Miał na imię Chollie.

Tamtego dnia przy budce z tacos znalazł się jeszcze jeden Lancelot, mówiono na niego Lance. Jak często zdarza się taki zbieg okoliczności? Lance był chuderlawy, blady, bo nie jadł warzyw, udawał, że kuleje, nosił na bakier czapeczkę z daszkiem i długi, sięgający do kolan podkoszulek. Rapując pod nosem, poszedł do toalety, a kiedy wrócił, ciągnął się za nim fetor. Jakiś chłopiec kopnął go w tyłek i spomiędzy fałd koszulki wypadł kawałek kupy. Ktoś krzyknął:

– Lance osrał sobie koszulkę!

Informacja krążyła wśród zgromadzonych, aż wreszcie ktoś sobie przypomniał, że jest wśród nich inny Lancelot, ten delikatny, nowy i dziwny, i ktoś zapytał Lotta:

– Ty, nowy, tak cię przestraszyliśmy, że się posrałeś? Jak masz naprawdę na imię? Sir Luvsalo?

Lotto skulił się żałośnie. Zostawił jedzenie i odszedł. Bliźniaki i Michael dogonili go pod palmą daktylową.

– To prawdziwe polo? – zapytał Chollie, dotykając palcami rękawka jego koszulki. – Takie coś kosztuje osiem dolców.

– Choll – upomniała go Gwennie.

– Skończyłem z konsumeryzmem – odparł Lotto, wzruszając ramionami. – To podróba – dodał, choć było widać, że koszulka jest oryginalna.

Przyglądali mu się przez chwilę.

– Interesujący – uznał Chollie.

– Uroczy – oznajmił Michael.

Spojrzeli na Gwennie, która tak wnikliwie wpatrywała się w Lotta, że jej oczy zamieniły się w dwie szparki obrysowane tuszem.

– No dobra – powiedziała z westchnieniem. – Może z nami zostać.

Kiedy się uśmiechnęła, w jej policzku zrobił się dołeczek. Byli trochę starsi, chodzili do jedenastej klasy. Wiedzieli więcej od Lotta. Treścią jego życia stały się plaża, piwo i narkotyki. Kradł matce środki przeciwbólowe i dzielił się z przyjaciółmi. W ciągu dnia jego smutek z powodu śmierci ojca słabł, choć Lotto wciąż budził się z płaczem w środku nocy. Nadeszły jego urodziny, w kopercie znalazł tygodniowe kieszonkowe – co za głupota, przecież miał już piętnaście lat. Lato wciąż trwało, choć rok szkolny już dawno się rozpoczął, dziewiąta klasa, zabawa w kotka i myszkę z własną pamięcią. Cały czas przesiadywał na plaży, od końca lekcji do wieczora.

– Spróbuj tego – mówili przyjaciele. – Zajaraj.

Próbował, jarał, na chwilę zapominał.

Najbardziej z trojga nowych przyjaciół intrygowała go Gwennie. Dostrzegł w niej jakieś pęknięcie, ale nikt nie powiedział mu, co się stało. Ignorowała czerwone światło i przechodziła przez czteropasmową ulicę. W sklepie spożywczym ukradkiem chowała bitą śmietanę w sprayu do plecaka. Wyglądała jak wilcze dziecko, choć bliźnięta mieszkały na ranczu, miały oboje rodziców, a Gwennie w trzeciej klasie liceum realizowała rozszerzony program z trzech przedmiotów. Pragnęła Michaela, ale on, kiedy tylko nikt nie patrzył, kładł dłoń na kolanie Lotta, tymczasem jemu co noc śniło się, że rozbiera Gwennie, a ona cała drży. Kiedyś, późnym wieczorem, wziął jej chłodną dłoń, a ona pozwoliła mu ją przez chwilę potrzymać, aż wreszcie uścisnął ją i puścił. Lotto wyobrażał sobie czasem, co widzi ptak krążący nad ich głowami: gonią się w kółko, tylko Chollie siedzi gdzieś z boku, ponuro im się przygląda, jak bez końca zataczają kółka, i rzadko się przyłącza.

– Wiesz co? – powiedział kiedyś Chollie do Lotta. – Chyba nigdy wcześniej nie miałem prawdziwego przyjaciela.

Byli w pasażu, grając w gry wideo i rozmawiając o filozofii – Chollie poznał ją z kaset od Armii Zbawienia, a Lotto z podręcznika do dziewiątej klasy, na który się powoływał i który cytował bez zrozumienia. Lotto podniósł głowę i zobaczył odbicie Pac Mana ze skórą przetłuszczoną na czole i podbródku w okularach Cholliego. Chłopiec poprawił szkła na nosie i się odwrócił. Lotto poczuł wzruszenie.

– Lubię cię – powiedział.

Dotarło to do niego dopiero wtedy, kiedy powiedział to na głos. Chollie, niezdarny, samotny, tak niewinnie stęskniony za wielką fortuną, przypominał mu ojca.

Dzikie życie Lotta zakończyło się w październiku. Zaledwie kilka miesięcy przyniosło wiele zmian.

To był punkt kulminacyjny: późne popołudnie w sobotę. Od rana siedzieli na plaży. Chollie, Gwennie i Michael drzemali na czerwonym kocu. Spaleni słońcem, słoni od oceanu, w ustach kwaśny smak po piwie. Bekasy, pelikany, wzdłuż plaży rybacy wyciągający z wody półmetrowe złotawe ryby. Przed Lottem malował się obrazek, jaki kiedyś widział w książce: czerwone morze z wcinającą się w nie kamienistą mierzeją przypominającą zakręcony języczek kolibra. Podniósł zostawioną przez jakieś dziecko łopatkę i zaczął kopać. Jego skóra napięła się, jakby pokryto ją klejem kauczukowym. Boleśnie poparzyło ją słońce, ale pod nią mięśnie poruszały się z rozkoszą. Ciało w pełni sił. Morze syczało i bulgotało. Powoli cała trójka się obudziła. Gwennie wstała, pod bikini nagie ciało. Boże, wylizałby ją od stóp do głów. Obserwowała go przez chwilę. Wreszcie zrozumiała. Twardzielka, piercing, więzienne tatuaże wykonane własnoręcznie igłą i długopisem, oczy tak wielkie, że ledwie mieściły się w narysowanym tuszem konturze. Uklękła i zaczęła zagarniać piasek rękami. Chollie i Michael ukradli łopaty z półciężarówki należącej do policjantów patrolujących plażę. Michael potrząsnął zabraną matce fiolką ze speedem, wysypał pigułki na dłoń, a oni je zlizali. Kopali na zmianę, wysuwając szczęki. Czworo dzieciaków z problemami, na początku października, zmrok powoli przechodził w ciemność. Wzeszedł rozmemłany księżyc, obsikał na biało wodę. Michael zebrał drewno naniesione na plażę przez wodę, rozpalił ognisko. Obsypane piachem kanapki zjedli już dawno temu. Ręce poranili sobie do krwi. Mieli to gdzieś. Przewrócili wieżyczkę z krzesłem ratownika, położyli ją w samym środku spirali i zasypali piaskiem. Po kolei zgadywali, co miała przedstawiać wymyślona przez Lotta rzeźba: łodzika, pastorał paproci, galaktykę. Nić nawiniętą na wrzeciono. To mogły być też siły natury, idealnie piękne. Był za bardzo zawstydzony, żeby powiedzieć: „Czas". Obudził się, czując suchość w ustach i nieodpartą potrzebę nadania abstrakcji konkretnych kształtów, zaproponował nową interpretację: tak właśnie wygląda czas, jest spiralą. Cieszyła go bezcelowość tego wysiłku, ulotność tej pracy. W ich stronę sunął ocean. Lizał im stopy. Napierał na zewnętrzną ściankę spirali, po omacku wdzierał się do środka. Kiedy woda obmyła piach z wieżyczki ratownika, odsłaniając jej biały szkielet, coś pękło i wszystkie odłamki poszybowały w przyszłość. [Ten dzień odchylił się w tył i obmył wszystko swoim światłem].

Następnej nocy wszystko się skończyło. Chollie, na niebotycznym haju, skoczył w ciemność z wieżyczki ratownika, którą z powrotem postawili pionowo. Na ułamek sekundy zawisł na tle Księżyca w pełni, a kiedy spadł na golenie, rozległo się mrożące krew w żyłach trzaśnięcie. Michael pojechał z nim czym prędzej do szpitala, zostawiając Gwennie i Lotta samych na plaży, na zimnym jesiennym wietrze, w ciemności. Gwennie chwyciła Lotta za rękę. Chłopak czuł mrowienie na skórze – to był jego moment – miał stracić niewinność. Dziewczyna usiadła na kierownicy jego roweru i pojechali na imprezę do opuszczonego domu na bagnach. Pili piwo, patrzyli, jak starsi koledzy zaczynają się całować wokół wielkiego ogniska, aż wreszcie Gwennie zaciągnęła Lotta do chaty. Świece na parapetach, na materacach plątanina lśniących kończyn, pośladków, dłoni. [Żądza! Stara historia odżywa w młodych ciałach]. W pokoju na piętrze Gwennie otworzyła okno i wydostali się przez nie na daszek nad gankiem. Płakała? Cienie do powiek utworzyły upiorne ciemne zacieki na jej policzkach. Przysunęła usta do jego ust, a on, który nie całował się z dziewczyną, od kiedy zamieszkał na plaży, poczuł w sobie znajomą, rozpaloną do białości ciecz. Z dołu dobiegał hałas. Położyła go na plecach, na krytym papą dachu, i gdy patrzył na jej rozświetloną twarz, uniosła spódnicę i przesunęła na bok krok majtek, a Lotto, który zawsze był gotowy – wystarczyło mu nawet mgliste wyobrażenie dziewczyny: ślady biegusa na piasku przypominające kształtem krocze, pękate butelki z mlekiem jak wielkie piersi – tym razem dał się zaskoczyć. Ale to nie miało znaczenia. Gwennie wepchnęła go w siebie, choć była sucha. Zamknął oczy i wyobraził sobie mango, pęknięte papaje, owoce cierpkie i słodkie, ociekające sokiem, i nagle koniec, jęknął, jego ciało ogarnęła słodycz, a Gwennie patrzyła na niego z góry, na jej pogryzionych ustach powoli pojawił się uśmiech, zamknęła oczy i odsunęła się od niego, im bardziej się oddalała, tym bardziej Lotto próbował się do niej zbliżyć, jakby gonił nimfę w lesie. Przypomniał sobie oglądane ukradkiem czasopisma pornograficzne, ułożył ją tyłem do siebie, spojrzała przez ramię i się zaśmiała, zamknął oczy, wszedł w nią z impetem i poczuł, że ona wygina grzbiet jak kot, zanurzył palce w jej włosach – wtedy zobaczył płomienie wysuwające się z okien jak języki. Nie mógł przestać. Nie mógł. Miał nadzieję, że dom wytrzyma, aż on skończy. Co za uniesienie, do tego został stworzony. Wokół rozlegały się trzaski, żar palił jak słońce, Gwennie zadrżała pod nim, raz, dwa, trzy, wybuchnął w niej.

Potem krzyczał jej do ucha, że muszą uciekać, uciekać, uciekać. Nawet nie podciągnął spodni, zsunął się na skraj dachu i zeskoczył na rosnące w dole palmy. Gwennie zeskoczyła za nim, jej sukienka uniosła się w górę jak płatki tulipana. Wyczołgali się z krzaków, penis wystawał mu z rozporka, powitały ich szydercze oklaski strażaków.

– Dobra robota, Romeo – zadrwił jeden z nich.

– Lancelot – wyszeptał.

– A na mnie mów Don Juan – powiedział policjant, zakładając kajdanki najpierw jemu, a potem Gwennie.

Podróż nie trwała długo. Ona nawet na niego nie spojrzała. Nigdy więcej jej nie zobaczył.

Potem czekała go jaskrawo oświetlona cela z brudnym sedesem jak dla karłów w rogu. Lotto zebrał wszystko, co było pod ręką, i rzucił – jarzeniówka hałasująca całą noc wreszcie pękła i spadł na niego deszcz szklanych odłamków.

W domu. Smutna twarz Sallie, Rachel wtulona w brata, ssąca kciuk. Zaledwie roczek, a już dręczył ją niepokój. Postanowiono: trzeba wyrwać Lotta ze szponów tych młodocianych przestępców. Antoinette zamknęła za sobą drzwi, strzeliła kostkami kciuków i podniosła słuchawkę telefonu. Dostateczna ilość gotówki naoliwi każdy trybik. Po południu sprawa była załatwiona. Wieczorem jej syn wlókł się po schodkach do samolotu. Obejrzał się za siebie. Sallie trzymała Rachel, obie beczały. Antoinette stała obok z dłońmi na biodrach i wykrzywioną twarzą. Gniewa się – pomyślał. [Mylił się].

Drzwi samolotu zamknęły się za nim, Lotto za swoje grzechy został wygnany.

Z podróży na północ zapamiętał tylko szok. Rankiem na Florydzie obudziło go słońce, wieczorem zasypiał w ciemności w chłodnym New Hampshire. Internat śmierdzący jak stopy nastolatka. W trzewiach bolesny głód.

Tamtego wieczoru w jadalni dostał w czoło plasterkiem buraka. Kiedy podniósł głowę, zobaczył śmiejących się z niego chłopaków. Ktoś krzyknął: „Pryszczata twarz z zadupia". Ktoś inny powiedział: „Biedny burak z Florydy". A ktoś jeszcze dorzucił: „Burak z Zadupia". Z tego śmiali się najbardziej i tak go zaczęli nazywać. On, który kiedyś skąpany w słońcu, kroczył tak, jakby cały świat należał do niego [bo faktycznie wszystko do niego należało], czuł, że ramiona podchodzą mu do uszu, kiedy przemykał po zimnej, twardej ziemi. Burak z Zadupia, był wieśniakiem dla tych chłopców z Bostonu i Nowego Jorku. Pryszczaty, odarty z uroku dzieciństwa, za wysoki i za chudy. Południowiec, ktoś gorszy. Jego bogactwo, które kiedyś go wyróżniało, nic nie znaczyło wśród innych bogaczy.

Obudził się przed świtem i siedział, trzęsąc się, na krawędzi łóżka – patrzył, jak za oknem dnieje. Waliło mu serce: ŁUP, łup, ŁUP, łup. W stołówce zimne naleśniki i niedogotowane jajka, przejście przez mroźny dziedziniec do kaplicy.

Dzwonił w każdą niedzielę o szóstej wieczorem, ale Sallie nie lubiła rozmów o niczym, Antoinette rzadko ruszała się z domu i nie miała do opowiedzenia nic więcej poza tym, co obejrzała w telewizji, a Rachel była za mała, żeby składać zdania. Rozmowa kończyła się po pięciu minutach. Do następnej musiał przepłynąć ciemne morze. W New Hampshire brakowało mu ciepła. Nawet z nieba emanował żabi chłód. Kiedy tylko siłownia otwierała się o wpół do szóstej, Lotto szedł do gorącego jacuzzi przy basenie, próbując stopić lód w swoich kościach. Unosił się na wodzie, wyobrażając sobie swoich przyjaciół w palącym słońcu. Nawet gdyby został z Gwennie, to i tak wyczerpali repertuar relacji, które mogły ich połączyć. Tylko Chollie przysyłał mu listy, choć zawierały niewiele oprócz żartów na pornograficznych pocztówkach.

Lotto puszczał wodze fantazji, patrząc na belki na suficie hali z basenem co najmniej dwadzieścia metrów nad swoją głową. Skok na główkę po płytkiej stronie mógłby to wszystko zakończyć. Nie zdołałby wyjść na ostatnie piętro obserwatorium, zawiązać pętli wokół szyi i skoczyć. Nie. Mógłby się zakraść do fabryki, znaleźć ten biały proszek do czyszczenia ubikacji i jeść go jak lody, aż wypali mu wnętrzności. Już wtedy teatralność naznaczyła jego wyobraźnię. Nie dostał pozwolenia na powrót do domu na Święto Dziękczynienia.

– To kara? – zapytał.

Próbował mówić jak mężczyzna, ale głos mu się trząsł.

– Och, kochanie – powiedziała Sallie. – To nie kara. Twoja mama chce dla ciebie lepszego życia.

Lepszego życia? Tu był Burakiem z Zadupia. Nigdy nie przeklinał, więc nawet nie mógł się pożalić, że go wyzywają. Jego samotność wyła coraz głośniej. Wszyscy chłopcy uprawiali sport, a jego zmuszono do treningów w ósemce wioślarskiej, na dłoniach zrobiły mu się pęcherze, które potem stały się odciskami twardymi jak skorupy.

Wezwał go dyrektor. Słyszał, że Lancelota coś gryzie. Chłopak miał doskonałe oceny, nie był głupi, tylko nieszczęśliwy. Brwi dyrektora wyglądały jak wielkie gąsienice, które w jedną noc mogłyby pożreć całą jabłoń. Tak, Lotto przyznał, że jest nieszczęśliwy. Hm, westchnął dyrektor. Lotto był wysoki, inteligentny i bogaty. [Biały]. Takich chłopców jak on czekała przyszłość na kierowniczym stanowisku. Może, zaryzykował dyrektor, gdyby Lotto kupił sobie mydło do twarzy, awansowałby w szkolnej hierarchii? Znał kogoś, kto mógłby wypisać receptę, szukał notatnika, żeby zapisać numer. W otwartej szufladzie Lotto zauważył znajomy oleisty połysk pistoletu. [Stolik nocny Gawaina, skórzana kabura]. Tylko to widział oczyma wyobraźni, kiedy wlókł się przez kolejne dni: zobaczony przez krótki moment pistolet, którego ciężar czuł w dłoniach.

W lutym otworzyły się drzwi do sali, w której odbywała się lekcja angielskiego, i weszła ropucha w czerwonej pelerynie. Twarz jak czerw. Ziemista cera, rzadkie włosy. Złośliwe chichoty. Mały człowieczek zamaszyście zdjął pelerynę i napisał „Denton Thrasher" na tablicy. Zamknął oczy, a kiedy otworzył jedno, miał twarz pełną bólu i wyciągał ramiona, jakby trzymał coś ciężkiego.

– „Jęcz, jęcz, jęcz, świecie! – wyszeptał. – O, wy wszyscy z głazu! Gdybym miał wasze oczy, wasze usta, wstrząsłbym niebiosa mym jękiem. Już po niej! Po niej, na zawsze! Umiem ja rozpoznać, kto żyje, a kto trup: z niej już trup tylko. Może się mylę. Podajcie zwierciadło: jeśli jej oddech na jego powierzchni zostawi jaki ślad, to jeszcze żyje"*.

Cisza, żadnych chichotów. Chłopcy milczeli jak zaklęci.

Lotto czuł, że rozświetla się w nim miejsce, którego jeszcze nie odwiedził. Tam kryły się odpowiedzi na wszystkie pytania. Można przekroczyć siebie samego, stać się kimś innym. Można zmusić salę pełną chłopców, tego najgroźniejszego z potworów, by się uciszyła. Lotto od śmierci ojca żył jak we mgle. W tym momencie jego świat odzyskał ostrość.

Mężczyzna westchnął ciężko i wyszedł z roli.

– Waszego nauczyciela zmogła jakaś choroba. Zapalenie opłucnej. Chyba obrzękowe. Zajmę jego miejsce. Nazywam się Denton Thrasher. No dobrze – powiedział. – Powiedzcie mi, pacholęta, co czytacie.

– *Zabić drozda* – wyszeptał Arnold Cabot.

– Boże, miej nas w opiece – powiedział Denton Thrasher, wziął kosz na śmieci i przeszedł wzdłuż ławek, wrzucając do niego należące do chłopców egzemplarze w miękkiej oprawie. – Boże, miej nas w opiece… I oni to nazywają porządnym wykształceniem. Za dwadzieścia lata znajdziemy się we władaniu Japończyków.

---

* William Szekspir, *Król Lir*, tłum. Józef Paszkowski, Warszawa 1963–1964, t. VI, s. 334.

Nie należy zajmować się przeciętnymi śmiertelnikami, jeśli nie tknęło się dzieł Barda. Jak z wami skończę, będziecie przesiąknięci Szekspirem. – Usiadł na krawędzi biurka, podpierając się na ręce, którą położył przy pachwinie. – Przede wszystkim powiedzcie mi, czym się różni tragedia od komedii.

– Pierwsza jest poważna, druga wesoła. Pierwsza podejmuje trudny, a druga lekki temat – odparł Francisco Rodríguez.

– Źle – powiedział Denton Thrasher. – To podchwytliwe pytanie. Nie ma żadnej różnicy. To kwestia perspektywy. Opowieść to krajobraz, a tragedia zasadniczo niczym się nie różni od komedii i dramatu. Wszystko zależy od tego, w jakiej ramie ogląda się wydarzenia. Spójrzcie – powiedział, układając dłonie w ramkę i wodząc nią po sali, aż wreszcie zatrzymał się na chłopaku nazywanym Galareta, smutasie, któremu szyja wylewała się z kołnierzyka. Denton chciał coś powiedzieć, ale ugryzł się w język, przeniósł ramkę na Samuela Harrisa, inteligentnego, lubianego, ciemnoskórego chłopaka, sternika z drużyny Lotta. – Tragedia – powiedział.

Chłopcy się zaśmiali, Samuel najgłośniej. Jego pewność siebie była jak ściana wiatru. Denton Thrasher przesunął swoją ramkę, aż znalazła się w niej twarz Lotta, który teraz zobaczył guzikowate oczy nauczyciela.

– Komedia – powiedział Thrasher.

Lotto śmiał się z wszystkimi, nie przejął się tym, że wymierzono w niego ostrze dowcipu, odczuwał tylko wdzięczność dla Dentona Thrashera, bo ten pokazał mu teatr. Lotto odnalazł wreszcie jedyny sposób na przeżycie w tym strasznym świecie.

Wiosną zagrał Falstaffa w szkolnym przedstawieniu. Spod charakteryzacji wyzierało jego żałosne ja.

– Brawo! – zachwycał się Denton Thrasher w czasie lekcji, kiedy Lotto wyrecytował monolog z *Otella*, uśmiechnął się niewyraźnie i wrócił na miejsce. Na jednym z treningów jego drużyna

wygrała wyścig z reprezentacją szkoły, a jego awansowano na sza‑
kowego, który nadawał tempo osadzie. Ale i tak świat go przerażał,
choć drzewa wypuściły pączki i wróciły ptaki.

W kwietniu zadzwoniła Sallie, płakała. Lotto nie mógł wrócić
do domu na wakacje.

– Tu jest… niebezpiecznie – powiedziała, a on wiedział, że
chodzi jej o jego przyjaciół, którzy wciąż czają się w pobliżu.

Wyobraził sobie, że Sallie zobaczyła ich, jak szli wzdłuż auto‑
strady, pewnie ręce ją świerzbiły, żeby skręcić i ich rozjechać. Tak
bardzo chciał wziąć siostrę na ręce. Rosła, bał się, że przestanie go
poznawać. Tęsknił za smakiem potraw gotowanych przez Sallie, za
zapachem perfum matki, chciał, by swoim rozmarzonym głosem
opowiedziała mu o Mojżeszu albo Hiobie, jakby ich naprawdę
znała. Błagam, błagam, nie będę wychodził z domu – szeptał,
a Sallie na pocieszenie odparła, że we trzy odwiedzą go i pojadą
latem do Bostonu. Wyobraził sobie rozświetloną słońcem Flory‑
dę. Bał się, że oślepnie, jeśli na nią spojrzy. Jasność zasłoniła jego
dzieciństwo, stracił je z oczu.

Odłożył słuchawkę, ogarnęła go beznadzieja. Bez przyjaciół.
Porzucony. Jego żal graniczył z histerią.

Plan nabrał kształtu w czasie kolacji, po bitwie na brownie
z kremem miętowym.

Kiedy zapadła ciemność, a kwiaty na drzewach wyglądały jak
wyblakłe ćmy, Lotto wyszedł z internatu.

Gabinet dyrektora mieścił się w budynku administracyjnym.
W gabinecie była szuflada, a w niej leżał pistolet. Wyobraził sobie,
jak rano dyrektor otwiera drzwi i na widok rozpryśniętej krwi
wycofuje się chwiejnym krokiem.

Sallie i matka rozpadłyby się na kawałki ze smutku. I bar‑
dzo dobrze! Chciał, żeby płakały przez resztę życia. Chciał, żeby
z płaczem umierały za to, co mu zrobiły. Zawahał się tylko na
myśl o siostrze. Ale ona była taka mała. Nawet by nie wiedziała,
co straciła.

W przysadzistym budynku panowała ciemność. Po omacku odnalazł drzwi – nie były zamknięte na klucz, otworzyły się pod naciskiem jego dłoni. Szczęście mu sprzyjało. [Ktoś nad nim czuwał]. Nie odważył się włączyć światła. Idąc po omacku, wyczuł na ścianie tablicę korkową, wieszak na płaszcze, drzwi, ścianę, drzwi, kąt. Krawędź wielkiej ciemnej przestrzeni, która była ogromną salą. Oczyma wyobraźni zobaczył ją w świetle dziennym: po drugiej stronie kręte schody. Wzdłuż galeryjki na piętrze olejne obrazy przedstawiające pulchnych mężczyzn. Model starożytnej łodzi podwieszony na belkach sufitowych. W ciągu dnia przez wysokie okna clerestorium wpadało do środka światło. Teraz zamieniły się w ciemne otchłanie.

Zamknął oczy. Postanowił odważnie dojść do końca. Zrobił krok, potem następny. Dywan przyjemnie szemrał pod jego stopami, przed nim pustka przyprawiająca o zawrót głowy, zrobił trzy radosne, szybkie kroki.

Dostał w twarz.

Upadł na kolana, próbował się pozbierać. Oberwał drugi raz, w nos. Wyciągnął rękę, ale niczego nie złapał. Nie, znowu to coś, upadł, poczuł, jak to coś się o niego ociera. Wymachując rękami, dotknął materiału. Materiał na drewnie, nie drewnie, stali owiniętej gąbką, nie gąbką, pudding z grubym kożuchem? Przesunął rękę niżej. Poczuł skórę. Sznurówki? Buty? Coś go uderzyło w zęby.

Wycofał się na czworakach, skądś dobiegł wysoki, przenikliwy dźwięk, pędem przebiegł wzdłuż ściany, minęła wieczność, nim znalazł włącznik światła, w powodzi okropnego blasku zobaczył, że łódź zwisa z sufitu pionowo, a pod nią kołysze się najgorsza z możliwych ozdób świątecznych. Chłopiec. Martwy chłopiec. Siny na twarzy. Z wystającym z ust językiem. W przekrzywionych okularach. Po chwili go rozpoznał: och, to ten biedak Galareta zwisający teraz na kulce na dziobie łodzi. Wspiął się na górę, zawiązał pętlę. Skoczył. Cała koszula upaprana brownie z kremem miętowym z kolacji. Z piersi Lotta nie wydobywał się żaden odgłos. Biegł.

Na posterunek przyszedł dyrektor. Przyniósł Lottowi pączki i kubek kakao. Jego brwi tańczyły na całej twarzy, w wyobraźni już czytał pozwy, opisy podobnych samobójstw, przecieki prasowe. Odwiózł Lotta do internatu, ale kiedy tylne światła samochodu zniknęły w oddali, chłopak znowu wyszedł. Nie mógł zostać tak blisko kolegów, którzy beztrosko śnili gorączkowe sny o ciałach dziewczyn i letnich praktykach.

Wciąż siedział na widowni sali teatralnej, kiedy zegar w kaplicy wybił trzecią nad ranem.

Długie rzędy krzeseł jeszcze pamiętały ciała widzów. Wyciągnął jointa, którego zamierzał wypalić tuż przed przystawieniem sobie lufy do skroni.

Wszystko straciło sens. Po prawej stronie niedaleko sceny rozległo się beztroskie gwizdanie. Denton Thrasher, bez okularów, w przetartej piżamie w kratę, przeszedł przez scenę z kosmetyczką w dłoni.

– Denton? – odezwał się Lotto.

Mężczyzna spojrzał w mrok, przyciskając kosmetyczkę do piersi.

– Kto to? – zapytał.

– „Ty najpierw odpowiedz”*.

Denton podszedł do rampy.

– Och, Lancelocie. Wystraszyłeś mnie nie na żarty. – Chrząknął. – Czy czuję tutaj duszny aromat konopi?

Lotto podał mu jointa w wyciągniętych palcach, a Denton się zaciągnął.

– Co pan tu robi w piżamie? – zapytał Lotto.

---

* William Shakespeare, *Hamlet*, tłum. Stanisław Barańczak, Kraków 1999, s. 9.

– Pytanie brzmi, mój drogi, co ty tutaj robisz. – Denton usiadł obok Lotta i uśmiechnął się półgębkiem. – A może mnie szukałeś?

– Nie – odparł Lotto.

– Och – westchnął Denton.

– Ale pana znalazłem.

Kiedy skończyli palić, Denton wyjaśnił:

– Oszczędzam każdego centa. Sypiam w garderobie. Pogodziłem się z ubóstwem na starość. Nie narzekam. Nie ma tu pluskiew. Nawet polubiłem to dzwonienie.

Jak na sygnał zegar wybił wpół do czwartej i obaj się zaśmiali.

– Dziś znalazłem chłopca, który się powiesił – wyznał Lotto. – Powiesił się. Powiesił.

Denton zamilkł na chwilę.

– Och, moje dziecko – powiedział wreszcie.

– Nie znałem go. Mówili na niego Galareta.

– Harold – powiedział Denton. – Próbowałem z nim porozmawiać, był taki smutny. Traktowaliście go okrutnie. Barbarzyńcy. Och, nie ty, Lotto. Nie ciebie miałem na myśli. Przykro mi, że to ty go znalazłeś.

Coś wypełniło gardło Lotta, zobaczył siebie samego, łódź zwisa pionowo z sufitu, a pod nią kołysze się on, otwierają się drzwi, zapala się światło. Dotarło do niego, że nawet gdyby zakradł się po schodach na górę, a gabinet dyrektora nie był zamknięty, gdyby otworzył szufladę i poczuł w dłoni ciężar pistoletu, coś w nim stawiłoby opór. Nie skończyłby z sobą. [To prawda. Jego czas jeszcze nie nadszedł].

Denton Thrasher wziął Lotta w ramiona i wytarł jego twarz rąbkiem piżamy, odsłaniając biały owłosiony brzuch, a Lotto balansował na krawędzi sceny, czując zapach oczaru, płynu do płukania ust i zdecydowanie za rzadko pranej piżamy.

Dziecko Lancelot na kolanach Dentona. Taki młody, cały we łzach, przeszedł już fazę czystego smutku, zanurzył się głębiej w siebie. Denton się przeraził. Czwarta nad ranem. Słodki Lancelot, taki utalentowany, no może nie aż tak bardzo, chociaż na tyle, że Denton zobaczył w nim cenną iskrę. Wyglądał jednocześnie obiecująco i tak, jakby jakaś wielka obietnica uciekła z niego i zostawiła za sobą pusty wrak, co było dziwne, bo chłopiec miał najwyżej piętnaście lat. Jego uroda mogła zawsze wrócić. Może za dziesięć lat stanie się zniewalający, wrośnie w to swoje niezgrabne ciało, w swój urok: już teraz na scenie była w nim wielkość prawdziwego aktora. Niestety, Denton wiedział, że świat jest pełen prawdziwych aktorów. Jezu, zegar wybił wpół do piątej, chłopak coraz bardziej zapadał się w siebie. Denton nie potrafił rozproszyć jego smutku. Był za słaby. [Smutek jest dla silnych, spalają go jak paliwo]. Utknę tu z tym chłopakiem na zawsze – pomyślał. Znał tylko jeden sposób, by zatrzymać potok jego łez, w panice popchnął to dziecko, żeby wstało, pogrzebał w jego jeansach i wyciągnął z nich zaskoczonego, bladego robaka, który zdumiewająco urósł w jego ustach, dzięki Bogu, samo to wystarczyło, żeby powstrzymać łkanie. Batuta młodości! I jaka młodzieńczo zwinna. O, jaka szkoda, że to tak twarde ciało teraz się roztapia, rozpływa, rozpryskuje jak żywa rosa. Denton Thrasher wytarł usta i wstał. Co on najlepszego narobił? Oczy chłopca zniknęły w cieniu.

— Idę spać – wyszeptał, przebiegł między siedzeniami i zniknął za drzwiami.

Jaka szkoda – pomyślał Denton. – Co za dramat, muszę uciekać w środku nocy. Wiedział, że zatęskni za tym miejscem. Żałował, że nie zobaczy, jak Lancelot dorasta. Wstał i się ukłonił.

— Bądź błogosławiony – powiedział do wielkiego pustego teatru i poszedł do garderoby, żeby się spakować.

Samuel Harris wstał wcześnie na trening wioślarski. Wyjrzał przez okno i zobaczył biednego Buraka z Zadupia, jak biegnie przez dziedziniec i płacze. Od kiedy ten chłopak przyjechał tu w środku semestru zimowego, był tak przygnębiony, że zrobił się przezroczysty od smutku. Samuel był sternikiem w osadzie Buraka, prawie codziennie niemal siedział mu na kolanach i choć ten chłopak był pariasem, Samuel się o niego martwił. Burak miał ponad metr dziewięćdziesiąt wzrostu, a ważył tylko siedemdziesiąt kilo, wyglądał, jakby wiecznie marzł, a jego policzki przypominały plastry ubitej wołowiny. Należało się spodziewać, że chłopak zrobi sobie krzywdę. Kiedy Samuel usłyszał, jak Lotto wbiega na górę po schodach, zaciągnął go do swojego pokoju, nakarmił ciasteczkami owsianymi, które matka przysłała mu z domu, i wyciągnął z niego całą historię. O Boże, Galareta! Lotto powiedział, że po przyjeździe policji przez kilka godzin siedział w teatrze, żeby się uspokoić. Chciał chyba powiedzieć coś jeszcze, ale zastanowił się i ugryzł w język. Samuel się zamyślił. Wyobraził sobie, co by w takiej sytuacji zrobił jego ojciec senator, i na twarz przywdział maskę męskiej powagi. Wyciągnął rękę i poklepał Lotta po ramieniu, żeby go uspokoić. Czuł się tak, jakby most zawalił się tuż po ich przejściu.

Przez miesiąc Samuel obserwował, jak Lotto błąka się po kampusie. Kiedy skończyły się zajęcia, zabrał chłopaka ze sobą do letniego domu w Maine. Tam, wraz z ojcem senatorem i jego przypominającą charta matką, królową wysoko urodzonych czarnoskórych debiutantek z Atlanty, na Lotta czekały żaglówki, pikniki, owoce morza, przyjaciele w swetrach od Lilly Pulitzer i Brooks Brothers, szampan, placki stygnące na parapetach i labradory. Matka Samuela kupiła mu mydło do twarzy, porządne ubranie, kazała mu jeść i trzymać się prosto. Wrósł w siebie. Odniósł sukces z czterdziestoletnią kuzynką Samuela, która zapędziła go w kąt szopy na łódki; brązowa skóra smakowała tak samo jak ta różowa, co Lotto stwierdził z nieskrywaną rozkoszą. Kiedy wrócili do szkoły i rozpoczęła się druga klasa, blizny po trądziku na jego policzkach były już zatuszowane opalenizną. Wypłowiały mu włosy, rozluźnił się. Uśmiechał się, żartował, nauczył się rozkładać skrzydła na scenie i poza nią. Nigdy nie klął, tak okazywał swój luz. No trudno, kumpel Samuela stał się bardziej popularny niż Samuel, chłopak o niezłomnej pewności siebie i lśniących wielkich brązowych oczach, ale nie ma co płakać nad rozlanym mlekiem. Kiedy tylko Samuel spoglądał na swojego przyjaciela przez te wszystkie lata, widział, że to on dokonał tego cudu, to on przywrócił Lotta do życia.

Któregoś dnia tuż przed Świętem Dziękczynienia w drugiej klasie Lotto wrócił do swojego pokoju po lekcji matematyki i na korytarzu przed drzwiami zastał Cholliego o woskowej twarzy, śmierdzącego, skulonego na podłodze.

– Gwennie – powiedział Chollie, jęknął i zgiął się wpół.

Lotto zaciągnął go do pokoju. Usłyszał pokrętną i chaotyczną opowieść. Gwennie przedawkowała. Miała nie umierać, dzika, pełna życia Gwennie. Ale umarła. Chollie ją znalazł. Uciekł. Nie miał dokąd pójść, więc przyjechał tutaj. Lotto wydawało się, że beżowe linoleum faluje pod jego stopami. Zakręciło mu się w głowie i usiadł. Jak szybko następowały zmiany. Dwie minuty temu był jeszcze dzieciakiem, myślał o konsoli Nintendo, martwił się asymptotami i sinusami. Teraz nagle zmężniał, wydoroślał. Potem, kiedy się uspokoili i poszli do miasteczka na pizzę, Lotto powiedział Cholliemu to, co chciał powiedzieć Gwennie od czasu tamtego pożaru w nocy:

– Zaopiekuję się tobą.

Poczuł przypływ odwagi. Lotto oddał Cholliemu swoje łóżko na resztę semestru – sam mógł spać na podłodze. [Aż do końca liceum, a potem na studiach, Lotto z radością dawał Cholliemu pieniądze, a ten wyruszał w świat i wracał; chodził na wszystkie zajęcia, na które mógł; nie zrobił magisterki, ale nauczył się więcej, niż trzeba. Nikt nie doniósł na Lotta, bo wszyscy go uwielbiali, a nie dlatego, że leżał im na sercu los Cholliego, którego potrafił znieść tylko Lotto].

Lotto zrozumiał, że nic nie jest pewne na tym świecie. Wystarczyło pomylić się w rachubach i człowiek znikał. Skoro można umrzeć w każdej chwili, to trzeba żyć na całego!

Tak rozpoczęła się era kobiet. Wycieczki do miasta, przepocone koszulki polo w nocnych klubach, kreski koki na stolikach do kawy z lat pięćdziesiątych, „Spoko, stary, nie świruj, gosposia ma to w nosie". Trójkąty z dwiema dziewczynami w czyjejś łazience.

– Może przyjedziesz latem do domu? – zaproponowała Antoinette.

– Ach, teraz mnie chcesz zobaczyć – odparł z sarkazmem Lotto i odmówił.

Córka dyrektora na boisku do lacrosse'a. Malinki na szyi. I znowu Maine, czterdziestojednoletnia kuzynka w obskurnym motelu, córka sąsiadów w hamaku, turystka, która nocą przypłynęła na łódź. Samuel przewracał oczami z zazdrości. Za pokaźne kieszonkowe Lotto kupił volvo kombi. Do września kolejne dziesięć centymetrów, metr dziewięćdziesiąt osiem. Otello, tytułowy bohater, i Desdemona z miasta, siedemnastoletnia, jak odkrył Lotto, wygolona tam w dole, jak dziewczynka. Wiosna i lato w Maine, jesień, regaty Head of the Charles, reprezentacja szkoły na dobrym miejscu. Święto Dziękczynienia w domu Samuela w Nowym Jorku. W Boże Narodzenie Sallie zabrała Lotta z Rachel do Montrealu.

– Bez mamy? – zapytał, próbując ukryć rozczarowanie.
Sallie się zaczerwieniła.

– Wstydzi się swojego wyglądu – odparła łagodnie. – Zrobił się z niej tłusty pulpet. Nie wychodzi z domu.

Przyjęty na studia do Vassar, gdzie tylko złożył papiery, pewność siebie granicząca z brawurą; tam zorganizowali wspaniałą imprezę, imprezę wszystkich imprez, to było jedyne kryterium, jakim się kierował. W łazience dla niepełnosprawnych świętował z piętnastoletnią siostrą Samuela, która przyjechała na weekend. Nigdy, przenigdy nie przyznawaj się przed Samuelem. Przeszywające spojrzenie. Masz mnie za idiotkę? Niespodzianka! Samuel też się dostał do Vassar, mógłby się dostać wszędzie, ale wolałby umrzeć, niż przepuścić choć jedną okazję do zabawy z Lottem. Tylko chuda

42

Sallie i czteroletnia Rachel przyjechały na ceremonię wręczenia świadectw maturalnych. Mama nie. Żeby rozproszyć smutek, Lotto wyobraził sobie matkę jako syrenę, a nie grubą kobietę, która ją połknęła. Niestety, w Maine okazało się, że czterdziestotrzyletnia kuzynka Samuela wyjechała do Szwajcarii. Siostra Samuela w pomarańczowym bikini, z wlokącym się za nią wszędzie chłopakiem z burzą loków, dzięki Bogu. Tylko jedna dziewczyna przez całe lato, baletnica z językiem żmii: potrafiła wyczyniać cuda nogami! Mecze krykieta. Fajerwerki. Piwo z beczki na plaży. Regaty żeglarskie.

Nadszedł ostatni tydzień lata. Rodzice Samuela, wyplątawszy szczeniaka labradora z obrusa, zrobili się melancholijni.

– Nasi chłopcy – powiedziała matka, jedząc homara w restauracji. – Dorastają.

Jak to? Przecież chłopcy już przez ostatnie cztery lata uważali się za dorosłych. Teraz byli na tyle mili, że zachowali kamienne twarze.

Z dusznego kampusu liceum prosto do cudownej krainy uniwersytetu. Wspólne łazienki: namydlone piersi. W stołówce: dziewczyny liżące włoskie lody. Po dwóch miesiącach Lotto zyskał przydomek Mistrza Jebaki. To nieprawda, że nie miał żadnych zasad, po prostu w każdej kobiecie dostrzegał coś zachwycającego. Płatki uszu jak skórka brzoskwini. Miękki złoty puszek na skroniach. Takie detale przyćmiewały nieco mniej oszałamiającą resztę. Lotto wyobrażał sobie siebie jako antyksiędza, który swoją duszę złożył w ofierze na ołtarzu seksu. Mógłby umrzeć jako stary satyr w domu pełnym smukłych nimf, które wśród pląsów złożyłyby go do grobu. Może swój największy talent wykazywał w łóżku? [Złudzenia! Serce wysokiego mężczyzny z powodu kilometrowych kończyn z trudem pompuje krew do intymnych części ciała. To jego urok sprawiał, że kobiety przymykały oko na rzeczywistość].

Współlokatorzy z niedowierzaniem patrzyli na tę przechodzącą przez ich pokój paradę dziewczyn. Zaniedbana studentka *gender studies* z przekłutymi sutkami; dziewczyna z miasta z wałkami tłuszczu wylewającymi się ze spranych jeansów; udająca cnotkę studentka neurokognitywistyki w grubych okularach, specjalistka odwróconej pozycji na jeźdźca. Koledzy obserwowali ten pochód w świetlicy, a kiedy Lotto znikał z dziewczyną w swoim pokoju, otwierali zeszyt, w którym ku swojej uciesze tworzyli taksonomię kobiet.

Australianopithecus: Australijka z włosami w strąkach, później słynna skrzypaczka jazzowa.

Virago stridentica: nieokreślona płciowo punkówka, którą Lotto poderwał w mieście.

Sirena ungulatica: prymuska o aksamitnej twarzy i stupięćdziesięciokilowym ciele.

Dziewczyny nigdy się o tym nie dowiedziały. Chłopakom wydawało się, że nie robią niczego okrutnego. Ale kiedy po dwóch miesiącach pokazali zeszyt Lottowi, wpadł w szał. Darł się, zwyzywał ich od mizoginów. Wzruszyli ramionami. Kobiety, które posuwał, według nich zasługiwały na pogardę. To nie oni wymyślili standardy. Lotto robił to co wszyscy mężczyźni. Lotto nigdy nie przyprowadzał do domu facetów. Nie trafili do żadnego zeszytu. Pozostali niewidoczni jak słabe powidoki jego łóżkowych pragnień, poza polem widzenia.

Tego wieczoru po raz ostatni grali sztukę w uniwersyteckim teatrze. *Hamleta*. Widzowie, którzy weszli po trzecim dzwonku, byli przemoczeni; chmury wiszące przez cały dzień nad doliną wreszcie pękły. Ofelia była naga, jej wielkie piersi z siateczką niebieskich żył wyglądały jak dwa kawałki sera pleśniowego. Hamletem był Lotto i *vice versa*. Co wieczór dostawał owację na stojąco.

W ciemnych kulisach rozcierał kark i głęboko oddychał przeponą. Ktoś łkał, ktoś zapalał papierosa. Krzątanina jak w stodole o zmierzchu. Szepty. „Tak, dostałem pracę w banku… Trzmiel na trzosie w trzcinie siedzi, z trzmiela śmieją się sąsiedzi… Złam nogę. Złam obie!"

Ostatnie odgłosy. Kurtyna w górę. Na scenę wytaczają się strażnicy.

– Kto idzie?

Lotto poczuł, jak powoli wchodzi w rolę. Ulżyło mu. Zostawił w kulisach swoje prawdziwe ja, kiedy jako Hamlet wyszedł na scenę. Znowu stał się sobą, kiedy w mokrym od potu kaftanie kłaniał się na scenie, na widowni narastał aplauz, przeradzając się wreszcie w owację na stojąco. Profesor Murgatroyd w pierwszym rzędzie, wspierany przez swoją kochankę i kochanka swojej kochanki, wykrzykujący: „Brawo, brawo", głosem wiktoriańskiego arystokraty. Naręcze kwiatów. Dziewczyny, z którymi sypiał, jedna po drugiej, uściski, oleiste smużki błyszczyka do ust na jego języku. A to kto? Bridget, dziewczyna o twarzy spaniela, przytula go. Ile razy ze sobą spali? Dwa? [Osiem]. Podobno ona twierdziła, że ze sobą chodzą, biedactwo.

– Do zobaczenia na imprezie, Bridget – powiedział, łagodnie wyplątując się z jej uścisku.

Publiczność zniknęła w deszczu. Ofelia uścisnęła jego ramię. Do zobaczenia później? Dobrze wspominał ich dwie schadzki w toalecie dla niepełnosprawnych w czasie prób.

– Tak, do zobaczenia – szepnął, a ona odeszła, zabierając ze sobą swoje ciało wariatki.

Zamknął się w ubikacji. Budynek opustoszał, zamknięto główne wejście. Kiedy wyszedł, garderobę już pozamiatano. Zgaszono światło. Powoli zmył charakteryzację, patrząc na swoje odbicie w przyćmionym świetle. Nałożył podkład, żeby przykryć blizny na twarzy. Zostawił kreski wokół oczu, bo podkreślały błękit jego tęczówek. Lubił zostawać sam w tym świętym miejscu, choć w innych okolicznościach nie znosił braku towarzystwa. Ale tego wieczoru, w ostatniej chwili młodzieńczej chwały, wypełniły go wszystkie dotychczasowe wspomnienia: jego utracona parna Floryda, ból w pustym miejscu pozostawionym przez ojca, matka, która w niego ślepo wierzyła, Bóg, który go stale obserwował, wspaniałe ciała, w których wnętrzu na chwilę się zatracał. Pozwolił, by wszystko to obmyło go jak fala. Żar swoich uczuć niósł w ciemności, kiedy szedł w deszczu na imprezę dla członków obsady, których słychać było z odległości kilometra, wszedł witany entuzjastycznie, ktoś włożył mu w dłoń butelkę piwa. Kilka minut, a może eonów później stał na parapecie, a świat za jego plecami rozświetlała błyskawica.

Drzewa rozjarzyły się jak gigantyczne neurony. Kampus się rozświetlił, w powietrzu unosił się popiół.

U jego stóp kotłował się roztańczony tłum w najmodniejszych strojach z początku lat dziewięćdziesiątych, odsłonięte brzuchy, piercingi, czapeczki baseballowe ukrywające zakola, zęby jasnoniebieskie w świetle ultrafioletowym, brązowa szminka do brązowej konturówki, kolczyki wysoko na małżowinach usznych, wysokie buty, wystające ze spodni bokserki, przeboje R & B, Salt-n-Pepa, błyszcząca zieleń łupieżu, smugi od dezodorantu i kości policzkowe z jaśniejącym różem.

Ktoś bandażem elastycznym przymocował mu do głowy butelkę po wodzie. Rozległy się okrzyki: „Niech żyje król wody mineralnej!". Oj, niedobrze. Przyjaciele dowiedzieli się, skąd pochodzą jego pieniądze. Przecież tak pieczołowicie to ukrywał, jeździł rozpadającym się volvem. Uświadomił sobie, że nie ma koszuli i wszyscy mogą zobaczyć jego mięśnie. Dobrze wiedział, że widać go z każdego miejsca w pokoju, zaś butelka na głowie, choć odebrała mu godność, jednocześnie dodała mu żołnierskiego animuszu. Wypiął pierś. Teraz trzymał w ręce butelkę ginu, a przyjaciele krzyczeli: „Lotto! Lotto! Lotto!", kiedy przystawił ją do ust i wypił jednym haustem, który rankiem zamienił jego mózg w grudkę odtleniacza do lutowania i spowodował, że jego myśli stały się nieprzeniknione, nie potrafił się przez nie przedrzeć.

– Świat się kończy – krzyknął. – Pieprzmy się!

Okrzyk radości tańczących u jego stóp.

Uniósł ramiona. [Złowróżbne spojrzenie w górę].

Nagle w drzwiach ona.

Wysoka czarna sylwetka, światło z korytarza rozpraszało się, tworząc aureolę wokół jej mokrych włosów, za nią na schodach strumień ciał. Patrzyła na niego, ale on nie widział jej twarzy.

Odwróciła głowę, zobaczył jej wyrazisty, jasny profil. Wysokie kości policzkowe, aksamitne usta. Malutkie uszy. Zmoczył ją deszcz, ociekała wodą. Pokochał ją w pierwszej chwili dlatego, że oszołomiła go wśród dzikiego, hałaśliwego tłumu.

Widział ją już wcześniej, wiedział, kim jest. Mathilde jakonasięnazywa. Taka uroda rzuca refleksy na ściany, nawet w kampusie jaśniała każda dotknięta przez nią rzecz. Górowała nad Lottem – nad wszystkimi w szkole – niczym istota mitologiczna. Nie miała przyjaciół. Lodowata. W weekendy jeździła do miasta; była modelką, stąd modne ciuchy. Nigdy nie imprezowała. Olimpijska elegancka bogini na szczycie góry. Tak. Mathilde Yoder. Ale jego triumf sprawił, że był na nią gotowy tej nocy. Pojawiła się tu dla niego.

Coś zasyczało w szalejącej za jego plecami burzy, a może w nim samym. Wskoczył w kotłujący się tłum, uderzył Samuela kolanem w oko, przewrócił jakąś małą, biedną dziewczynkę.

Wynurzył się z ciżby i przeszedł przez salę do Mathilde. Miała metr osiemdziesiąt, była w wywijanych do kostek białych skarpetkach i butach na obcasie, dzięki którym jej oczy znalazły się na wysokości jego ust. Spojrzała na niego chłodno. On już pokochał śmiech, który w sobie skrywała i którego nikt inny nie dostrzegał.

Uświadomił sobie dramatyzm tej sceny. Czuł na sobie spojrzenia, wiedział, jak pięknie razem wyglądają.

Po chwili narodził się na nowo. Jego przeszłość zniknęła. Padł na kolana, wziął dłonie Mathilde i przycisnął je sobie do serca.

– Wyjdź za mnie! – krzyknął do niej.

Odrzuciła głowę do tyłu, odsłaniając białą jak brzuch węża szyję, zaśmiała się, coś powiedziała, ale hałas ją zagłuszył. Z jej wspaniałych ust Lotto wyczytał tylko: „Tak". Potem opowiadał tę historię dziesiątki razy, przypominając ultrafioletowe światło i miłość od pierwszego wejrzenia. Przez lata wszyscy przyjaciele, w głębi duszy romantycy, z uśmiechem kiwali głowami. Mathilde obserwowała go z drugiego końca stołu enigmatyczna. Zawsze twierdził, że ona powiedziała: „No jasne".

No jasne. Tak. Za jego plecami zamknęły się drzwi. Kolejne otworzyły się przed nim na oścież.

3

To kwestia punktu widzenia. Z perspektywy Słońca ludzkość to abstrakcja. Ziemia to światełko krążące w kółko. Wystarczy trochę się zbliżyć, a miasto staje się splotem światła wśród innych podobnych splotów. Jeszcze bliżej i budynki jaśnieją, powoli się od siebie oddzielając. Dopiero światło poranka, wpadając przez okna, oświetla ciała. Trzeba się skupić, żeby dostrzec detale, pieprzyk koło nosa, ząb wysunięty przez sen na spierzchniętą dolną wargę, delikatną jak bibułka skórę pod pachą.

Lotto nalał śmietanki do kawy i obudził żonę. Z magnetofonu sączyła się piosenka, jajka się smażyły, naczynia się myły, podłogi się zamiatały. Przyniesiono piwo i lód, przygotowano przekąski. Wczesnym popołudniem wszystko było gotowe i dom lśnił czystością.

– Jeszcze nikogo nie ma. Moglibyśmy… – wyszeptał Lotto do ucha Mathilde.

Uniósł jej długie włosy znad karku, ucałował wypukłości kręgów. Ten kark należał do niego, należał do jego żony, a ona należała do niego, lśniła pod jego dotykiem.

Miłość, która z taką siłą wybuchła w ich ciałach, rozlała się hojnie na wszystko inne. Byli ze sobą od pięciu tygodni. Przez pierwszy nie uprawiali seksu, Mathilde się tylko z nim droczyła. Potem pojechali w weekend na wycieczkę pod namiot, kiedy rano sikał, oszołomiony, ujrzał swój interes od góry do dołu cały we krwi i zrozumiał, że była dziewicą i dlatego nie chciała się z nim przespać. Zobaczył ją w zupełnie innym świetle, gdy zanurzyła twarz w lodowatym strumieniu, żeby ją obmyć – podniosła się z czerwonymi policzkami lśniącymi od wody, a on, tak bardzo łaknący czystości, pojął, że nigdy nie spotkał tak czystej osoby. Już wtedy był pewien, że ucieknie, skończą studia, zamieszkają w mieście i będą szczęśliwi. Byli szczęśliwi, choć wciąż niewiele o sobie wiedzieli. Poprzedniego dnia powiedziała mu o swojej alergii na sushi. Rano, kiedy rozmawiał przez telefon z ciotką i obserwował, jak Mathilde wyciera się po prysznicu, uświadomił sobie, że ona nie ma żadnej rodziny. Z ich rozmów wywnioskował, że nad jej dzieciństwem zawisła zmora przemocy. Wyobraził je sobie w szczegółach: bieda, rozwalająca się przyczepa, złośliwy – choć dała do zrozumienia, że to eufemizm – wujek. Jej najbardziej wyrazistym wspomnieniem z dzieciństwa był telewizor, którego nigdy nie wyłączano. Szkoła okazała się wybawieniem, dostała stypendium, dorabiała jako modelka. Zaczęli wspólnie gromadzić swoje opowieści. O tym, jak na odległej wsi była mała i tak samotna, że przez tydzień hodowała pijawkę po wewnętrznej stronie uda. O tym, jak w pociągu została odkryta jako modelka przez faceta o wyglądzie gargulca. Mathilde musiała wykazać ogromny hart ducha, żeby zostawić za sobą tę smutną i mroczną przeszłość. Teraz miała tylko jego. Wzruszało go to, że stał się dla niej wszystkim. Nie prosił o więcej, niż chciała mu dać z własnej woli.

Na zewnątrz z mgły wyłaniał się nowojorski czerwcowy dzień. Wkrótce miało rozpocząć się przyjęcie, zaprosili tuziny przyjaciół ze studiów na parapetówkę, w powietrzu czuło się atmosferę lata. Tu, w środku, nic im nie groziło.

– Jest szósta. Zaprosiliśmy ich na wpół do szóstej. Nie możemy – odparła Mathilde.

On jednak nie słuchał, wsunął dłonie pod jej spódnicę ze wzorem w pawie pióra i za gumkę jej bawełnianych majtek przepoconych w kroku. Byli małżeństwem. Miał prawo. Ona wysunęła biodra w jego stronę i położyła dłonie po obu stronach wysokiego taniego lustra – wraz z materacem i piramidą z walizek, w których trzymali ubrania, stanowiło ono całe wyposażenie ich sypialni. Tygrys z cętkowanego światła padającego przez szybki w drzwiach przemykał po czystej sosnowej podłodze.

Zsunął jej majtki do kolan i powiedział:

– Zrobimy to szybko.

Mało satysfakcjonujący kompromis. Widział w lustrze, jak ona zamyka oczy, jej policzki, wargi, zagłębienia przy obojczykach czerwienią się. Z tyłu jej nogi były wilgotne i drżały, kiedy dotykał ich kolanami.

Lotto osiągnął pełnię. Miał wszystko. Mieszkanie w West Village z przepięknym ogrodem, którym opiekowała się ta angielska wiedźma z góry – jej grube uda nawet teraz widać było wśród lilii w oknie. Z jedną sypialnią, ale za to ogromną, co prawda, mieściło się w suterenie, ale było objęte kontrolą czynszów. Z kuchni i łazienki widać było stopy przechodniów, ich koślawe paluchy i tatuaże na kostkach. Ale tu na dole byli bezpieczni, głęboko zagrzebani, osłonięci przed katastrofami, huraganami i bombami przez warstwę ziemi i asfaltu. Tak długo był nomadą, a teraz zapuścił korzenie w tym miejscu, w swojej żonie z delikatnymi rysami twarzy, smutnymi kocimi oczami, piegami, długim, wysmukłym ciałem pachnącym tym, co zakazane. Matka wygadywała straszne rzeczy, kiedy zadzwonił do niej z informacją, że się ożenił. Okropne rzeczy. Kiedy sobie to przypominał, nachodził go smutek. Ale dziś całe miasto stało przed nim otworem jak menu degustacyjne. Lata dziewięćdziesiąte właśnie się roziskrzyły. Dziewczyny z brokatem na policzkach; ubrania zdobione srebrną nitką; na każdym kroku obietnica seksu i bogactwa. Lotto wypił to wszystko duszkiem. Wszystko było piękne, obfite. Nazywał się Lancelot Satterwhite. Nosił w sobie rozpalone słońce. Teraz pieprzył to wspaniałe wszystko.

Patrzył sam na siebie zza czerwonej twarzy ciężko dyszącej Mathilde. Jego żona jak królik w pułapce. Jej pulsowanie i rozedrganie. Wygięte ręce, blada twarz, uderzenie w lustro, trzask – ich głowy pękły na nierówne kawałki.

Dzwonek zaświergotał powoli i długo.

– Minutkę! – zawołał Lotto.

W korytarzu Chollie przesuwał po podłodze olbrzymiego mosiężnego Buddę znalezionego po drodze na śmietniku.

– Założę się o stówę, że się pieprzą.

– Świnia – warknęła Danica.

Od matury straciła mnóstwo kilogramów. Wyglądała jak kilka patyków owiniętych gazą. Chciała powiedzieć Lottowi i Mathilde, kiedy tylko otworzą drzwi – jeśli zamierzali to, do cholery, zrobić – że nie przyszła razem z Cholliem, tylko spotkała go przed budynkiem, że wolałaby się dać pokroić, niż przebywać z nim, tym małym trollem, w tym samym pomieszczeniu. Okulary sklejone na nosie taśmą samoprzylepną. Ohydne usta jak dziób wrony, która bez ustanku kracze swoją gorzką pieśń. Nienawidziła go, kiedy odwiedzał Lotta podczas studiów – jego wizyty ciągnęły się miesiącami, aż ludzie zaczynali uważać go za studenta Vassar, choć nim nie był, ledwie zdał maturę, znali się z Lottem od dzieciństwa. Teraz nienawidziła go jeszcze bardziej. Tłusty pozer.

– Śmierdzisz śmietnikiem – fuknęła.

– Musiałem zanurkować w kuble – odparł, triumfalnie ciągnąc Buddę. – Na ich miejscu cały czas uprawiałbym seks. Mathilde trochę dziwnie wygląda, ale chętnie bym ją zaliczył. A Lotto pieprzył się na prawo i lewo, teraz to prawdziwy ekspert.

– No tak, nie znam większego dziwkarza – powiedziała Danica. – Uchodzi mu to na sucho, bo tylko spojrzy na kobiety, a uginają się pod nimi kolana. Gdyby był przystojny, to nie byłby tak zniewalający, tymczasem po pięciu minutach w jego towarzystwie każda baba ma ochotę się rozebrać do naga. Poza tym to facet. Dziewczynę, która puszcza się tak jak on, wszyscy traktują jak zarazę. Staje się nikim. Ale facet może zamoczyć milion razy i wszyscy uważają, że po prostu zachowuje się jak facet. – Danica raz po raz gwałtownie naciskała dzwonek. Ściszyła głos. – Zresztą daję temu małżeństwu najwyżej rok. Kto normalny bierze ślub w wieku dwudziestu dwóch lat? Może górnicy. Albo farmerzy. Ale nie my. Lotto za osiem miesięcy będzie posuwał tę potworną sąsiadkę z góry. I jeszcze jakąś reżyserkę z menopauzą, która obsadzi go jako króla Leara. I pierwszą lepszą, która wpadnie mu w oko. A Mathilde weźmie szybki rozwód i wyjdzie za księcia Transylwanii.

Zaśmiali się. Danica nadała dzwonkiem sygnał SOS alfabetem Morse'a.

– Przyjmuję zakład – powiedział Chollie. – Lotto jej nie zdradzi. Znam go od czternastego roku życia. Jest cholernie arogancki, ale do bólu lojalny.

– Stawiam milion dolarów – powiedziała Danica.

Chollie zostawił na chwilę Buddę i uścisnęli sobie ręce.

Drzwi się otworzyły i stanął w nich Lotto z lśniącą twarzą i kropelkami potu na skroniach. Po drugiej stronie pustego salonu mignęła im Mathilde, która zamykała za sobą drzwi do łazienki, jak błękitny motyl składający skrzydła. Danica z całych sił powstrzymywała się, żeby nie polizać policzka Lotta, kiedy go całowała. Słony, o Boże, pyszny jak gorący, miękki precel. W jego towarzystwie zawsze robiła się słabą kobietką.

– „Tysiąc uścisków dla każdego z was! Miałbym ochotę i śmiać się, i płakać; głowę mam ciężką od myśli i lekką. Witaj!"* – powiedział Lotto.

Och, mieli tak niewiele. Regały z cegieł i płyt paździerzowych, kanapę ze świetlicy uniwersyteckiej, chybotliwy stół i krzesła ogrodowe. Ale czuło się tu szczęście. W Danice pulsowała zazdrość.

---

* William Shakespeare, *Koriolan*, tłum. Stanisław Barańczak, Poznań 1995, s. 68.

– Spartańskie warunki – powiedział Chollie i z wysiłkiem postawił na kominku Buddę, który zaczął stamtąd z zadowoleniem obserwować biały pokój.

Chollie pogładził posążek po brzuchu, poszedł do kuchni i używając odrobiny płynu do mycia naczyń i wody, zmył z siebie smród śmietnika. Z tego miejsca patrzył, jak nadciąga fala pozerów, fałszywców i radosnych uczelnianych hipsterów, których musiał tolerować, od kiedy Lotta wysłano do szkoły z internatem, a potem na studia. Przyjaciel zaopiekował się Cholliem, kiedy ten został sam jak palec. Ten okropny Samuel tylko udawał najlepszego przyjaciela Lotta. Obłudnik. Bez względu na to, jak bardzo Chollie go obrażał, Samuel zachowywał kamienną twarz: Chollie wiedział doskonale, że nic dla nich nie znaczy, jest robakiem, z którego zdaniem Samuel w ogóle się nie liczy. Lotto górował nad wszystkimi, jego oczy wysyłały promienie radości i ciepła, wszyscy musieli mrużyć oczy, bo jego uśmiech ich oślepiał. Dawali mu zielistki w kamionkowych doniczkach, zgrzewki piwa, książki, butelki wina. Małe japiszony, naśladujące maniery rodziców. Wyobrażał ich sobie za dwadzieścia lat w domach na wsi, z dziećmi o pretensjonalnych imionach postaci literackich, na lekcjach tenisa, romansujących z seksownymi, młodymi stażystkami. Huragany pretensji przynoszące tylko zawirowania, hałas i zniszczenie, puste w środku.

Za dwadzieścia lat – oznajmił Chollie bezgłośnie – będę miał was wszystkich w kieszeni. Prychnął pogardliwie. Zawrzał gniewem.

Mathilde stała przed lodówką i spod uniesionych brwi przyglądała się kałuży wokół stóp Cholliego i mokrym plamom na jego lnianych szortach. Na podbródku miała jaskrawoczerwone otarcie widoczne pod warstwą pudru.

– Hej, nudziaro – powiedział.

– Cześć, niewydymko – odparła.

– Tymi brudnymi od bezeceństw ustami całujesz mojego przyjaciela? – zapytał, ale ona tylko otworzyła lodówkę, wyciągnęła miskę z hummusem i dwa piwa i podała mu jedno.

Czuł jej zapach, rozmarynowy aromat jej jedwabistych włosów, mydło Ivory, trudne do przeoczenia erotyczne rozwibrowanie. Ach, więc miał rację.

– Wmieszaj się w tłum – poradziła na odchodne. – Nie prowokuj nikogo, żeby dał ci w gębę, Chollie.

– Miałbym narazić na szwank ten ideał urody? – zapytał, pokazując na swoją twarz. – Nigdy.

Ciała przemieszczały się w dusznej przestrzeni jak ryby w akwarium. W sypialni zgromadził się wianuszek dziewczyn. Patrzyły na irysy rosnące w oknie nad ich głowami.

– Skąd oni mają na to kasę? – szepnęła Natalie.

Tak się denerwowała przed wizytą – Lotto i Mathilde byli tacy wytworni – że przed wyjściem z domu wypiła kilka głębszych. Właściwie nieźle się wstawiła.

– Objęte kontrolą czynszów – powiedziała dziewczyna w skórzanym mini, rozglądając się za kimś, kto jej pomoże.

Kiedy przyszła Natalie, pozostali się zmyli. Należała do tych osób, z którymi się fajnie rozmawia na lekkim rauszu w czasie imprezy w akademiku, ale teraz byli w prawdziwym świecie, a ona przez cały czas narzekała na brak pieniędzy. To było męczące. Wszyscy byli biedni, przecież tak miało być na studiach, dziewczyno, przejdź nad tym do porządku dziennego. Ta w skórzanym mini chwyciła za rękę przechodzącą obok pieguskę. Kiedyś we trzy przespały się z Lottem i każda uważała, że podoba mu się najbardziej.

– Tak – odparła Natalie. – Ale Mathilde nawet nie ma pracy. Gdyby była modelką, tobym się nie dziwiła, że ich na to wszystko stać, ale kiedy dorwała męża, to zrezygnowała z pracy itepe, itede. Nie rzuciłabym modelingu, gdyby tylko mnie chcieli. Lotto jest aktorem i choć wszyscy uważamy, że jest wspaniały, przecież wiadomo, że nie zagra w najnowszym filmie Toma Cruise'a. I ma okropną cerę. Nie chcę nikogo obrazić! Jest naprawdę genialny, ale nawet aktorzy należący do związków zawodowych ledwie wiążą koniec z końcem, a on jeszcze się nie zapisał.

Obie spojrzały na Natalie jakby z ogromnej odległości, zobaczyły jej wybałuszone oczy, niewydepilowaną górną wargę i westchnęły.

– O niczym nie wiesz? – zapytała ta w mini. – Lotto odziedziczy fortunę. Rozlewnię wody mineralnej. Nie słyszałaś o wodzie Hamlin Springs? To jego rodzinny interes. Jego matka to właścicielka całej Florydy. Ma forsy jak lodu. Za drobne, które noszą w kieszeni, mogliby sobie kupić apartament z trzema sypialniami w kamienicy z portierem na Upper East Side.

– Właściwie to żyją bardzo skromnie – powiedziała pieguska. – On jest super.

– Ale ona... – Natalie zniżyła głos. Dziewczyny zbliżyły się do niej i schyliły głowy, wytężając słuch. Święta komunia plotki. – Mathilde to zagadka owinięta tajemnicą i polana lukrem. Na studiach z nikim się nie przyjaźniła. A przecież wtedy każdy miał przyjaciół. Dlaczego to ją wybrał? Tego nie wie nikt.

– Ja wiem – odparła ta w mini. – Ona jest spokojna i cicha. Lodowata. A Lotto jest głośny. Ciepły, seksowny. Przeciwieństwa się przyciągają.

– Szczerze mówiąc, zupełnie tego nie rozumiem – szepnęła pieguska.

– Ech, pierwsze małżeństwo – bąknęła ta w mini.

– Zgadnijcie, kto się tu zjawi z ciepłym obiadem, kiedy tylko się rozejdą! – zawołała pieguska. Zaśmiały się.

No cóż – pomyślała Natalie. Teraz wszystko jasne. To mieszkanie, Lotto i Mathilde płynący na wysokiej fali. Żeby wybrać artystyczny zawód, trzeba mieć jaja, ale i być narcyzem. Natalie chciała zostać rzeźbiarką i miała już pewne doświadczenie. Odlała ze stali nierdzewnej trzymetrową podwójną helisę DNA, która stanęła przed pracownią fizyczną w jej szkole. Marzyła o budowaniu gigantycznych ruchomych struktur, wielkich żyroskopów i wiatraczków uruchamianych tylko przez wiatr. Ale rodzice mieli rację, kiedy kazali jej znaleźć jakąś porządną robotę. Studiowała ekonomię i języki iberyjskie w Vassar, co było logiczne, ale i tak do końca stażu musiała mieszkać w wynajętej u kogoś, śmierdzącej naftaliną komórce w Queens. W swoich jedynych szpilkach miała dziurę, którą co wieczór zaklejała. To było takie dołujące. Nie to jej obiecywano tak wyraźnie w broszurach, które oglądała jak pornografię, leżąc w łóżku w domu na przedmieściach, zanim złożyła papiery na studia: ci piękni, roześmiani młodzi ludzie obiecywali, że po ukończeniu Vassar będzie żyła jak królowa. Tymczasem na razie nic tego nie zapowiadało – czeka ją co najwyżej wegetacja w nędznym mieszkanku i picie najgorszego piwa.

Przez drzwi do salonu zobaczyła, jak Lotto śmieje się z jakiegoś żartu Samuela Harrisa, syna najbardziej podejrzanego senatora w całym Waszyngtonie, człowieka, którego zdolność empatii wyczerpała się w trakcie poszukiwań najoryginalniejszej kandydatki na żonę, dlatego teraz pieczołowicie dbał o to, by nikt nie mógł samodzielnie podejmować żadnej decyzji. Nienawidził imigrantów, kobiet i gejów, a to był tylko początek listy. Na korzyść Samuela przemawiało wprawdzie to, że założył w kampusie studenckie stowarzyszenie na rzecz praw obywatelskich, ale on i Lotto przejęli od tej snobki, matki Samuela, jej wrodzoną arystokratyczną pogardę dla innych. Pewnego razu, kiedy Natalie spotykała się przez krótki czas z Samuelem, poczuła się przez nią jak idiotka, bo przy stole wytarła nos w serwetkę. Lotto miał w sobie przynajmniej tyle uroku, że przy nim każdy czuł się wyjątkowo. Przy Samuelu człowiek mógł się poczuć tylko jak ktoś gorszy. Natalie najchętniej skopałaby swoimi martensami głupie gęby tych bogaczy. Westchnęła ciężko.

– Butelkowana woda niszczy środowisko – powiedziała, ale pozostali już się oddalili.

Poszli pocieszać Bridget, która płakała w kącie, bo wciąż kochała Lotta. Wyglądała tak żałośnie przy Mathilde, wysokiej, smukłej blondynce. Natalie spod uniesionych brwi przejrzała się w pękniętym lustrze, zobaczyła w nim tylko rozbitą na kawałki dziewczynę z gorzkim uśmiechem.

Lotto pławił się w zadowoleniu. Ktoś włączył płytę En Vogue, na pewno zrobił to złośliwie, ale on uwielbiał głosy tych dziewczyn. W mieszkaniu zrobiło się gorąco jak w piekle, późnym popołudniem słońce próbowało wedrzeć się do środka jak uparty podglądacz. Liczyło się tylko to, że jego przyjaciele ze studiów znowu są razem. Przez chwilę się im przyglądał, stojąc w drzwiach z piwem w ręku.

Natalie piła piwo prosto ze stalowej beczki, stojąc na niej na rękach podtrzymywana za stopy przez chłopaków pracujących w kawiarni na końcu ulicy. Bluzka zsunęła jej się w dół, odsłaniając blady brzuch. Samuel, z opuchniętymi i podkrążonymi oczami, opowiadał głośno o tym, że w poprzednim tygodniu przepracował dziewięćdziesiąt godzin w banku inwestycyjnym. Piękna Susannah dla ochłody włożyła głowę do zamrażarki, rozpromieniona, bo właśnie podpisała kontrakt na reklamę szamponu. Zdusił w sobie zazdrość. Dziewczyna nie potrafiła grać, ale była świeża i zgrabna jak łania. Kiedyś, na trzecim roku, poszli do łóżka. Smakowała jak świeża śmietanka. Drugi kapitan w jego osadzie, Arnie zarabiający krocie w szkole dla barmanów, właśnie mieszał w shakerze Różową Wiewiórkę, na jego skórze widniały morelowe smugi od balsamu samoopalającego.

Z tyłu rozległ się głos, którego Lotto nie rozpoznał:

– Jakie jest zakazane słowo w zagadce o szachach?

Ktoś inny po chwili milczenia zapytał:

– Szachach?

Pierwsza osoba powiedziała:

– Pamiętasz seminarium o Borgesie na pierwszym roku?!

Lotto zaśmiał się głośno z miłości do tych pretensjonalnych spermojadów.

Postanowił, że będą co roku organizować taką imprezę. To będzie ich czerwcowy bal, zgromadzenie przyjaciół, coraz większe, aż wreszcie będą musieli wynająć hangar na lotnisku, żeby wszystkich pomieścić, pić, krzyczeć i tańczyć przez całą noc. Papierowe lampiony, gulasz z krewetek, zespół bluegrassowy założony przez dzieci znajomych. Kiedy krewni cię odrzucają, jak rodzina Lotta, trzeba stworzyć własną rodzinę. Ten spocony, falujący tłum był wszystkim, czego chciał od życia; osiągnął szczyt. Jezu, ale był szczęśliwy.

A to co? Kropelki wody wpadające z ogrodu przez okno, starsza pani, celując w tłum wylotem szlaucha, wrzeszczy na nich, muzyka i krzyki zagłuszają jej głos. Dziewczyny pisnęły, letnie sukienki przywarły do ich pięknej skóry. Delikatne. Wilgotne. Mógłby zjeść je wszystkie. Zobaczył siebie w plątaninie kończyn i piersi, czerwone otwarte usta przesuwające się po jego ustach, ale, och, przecież nie może. Jest żonaty. Uśmiechnął się do żony, która szybkim krokiem podeszła do grubej kobiety krzyczącej przez okno:

– Barbarzyńcy! Zachowujcie się! Proszę się uciszyć! Barbarzyńcy!

Mathilde ją udobruchała, szlauch zakręcono, okna wychodzące na ogród zamknięto i otworzono te wychodzące na ulicę, na której i tak było chłodniej, bo był tam cień. Jeszcze nie zaszło słońce, a już zaczęły się pocałunki, namiętne tańce. Hałas się wzmógł, mówili coraz głośniej.

– … punkt zwrotny w rewolucji. Wschodnie i zachodnie Niemcy się jednoczą, zacznie się okres ostrej krytyki kapitalizmu.

– Hélène Cixous jest *sexy*. Simone de Beauvoir. Susan Sontag.

– Feminazistki, *ipso facto*, nie mogą być *sexy*.

– … bo samotność to fundament kondycji ludzkiej.

– Tylko taki cynik jak ty może wygadywać takie bzdury w trakcie orgii.

Lotto czuł w klatce piersiowej żabie podskoki serca. W jego stronę sunęła Mathilde w lśniącej niebieskiej spódnicy. Jego lazurowa lwica wyruszyła na łowy. Jej długie włosy spływały na lewą pierś, ona, splot wszystkiego, co dobre na tym świecie. Wyciągnął do niej rękę, ale ona popchnęła go lekko w stronę drzwi wejściowych. Stał w nich ktoś niewysoki. Niespodzianka! Jego młodsza siostra Rachel w ogrodniczkach, z kucykiem, przerażona jak dziecko baptystów, roztrzęsiona patrzyła na pijany tłum całujących się, palących papierosy młodych ludzi. Miała zaledwie osiem lat. Na jej szyi wisiała plakietka informująca, że podróżuje bez opieki dorosłych. Za nią stała para w średnim wieku w identycznych traperach i marszcząc czoło, zaglądała do pokoju.

– Rachel! – zawołał, złapał za uchwyt jej plecaka i wprowadził ją do środka.

Jego przyjaciele się rozpierzchli. Przestali się całować, przynajmniej w salonie; trudno było stwierdzić, co się dzieje w innych pomieszczeniach. Mathilde zdjęła Rachel plecak. Wcześniej spotkały się tylko raz, kilka tygodni temu, kiedy ciotka Lotta przywiozła ją na uroczystość wręczenia dyplomów. Teraz Rachel dotknęła szmaragdowego naszyjnika, który Mathilde pod wpływem nagłego impulsu zdjęła z szyi i podarowała jej tamtego wieczoru przy kolacji.

– Co tu robisz? – Lotto i Mathilde próbowali przekrzyczeć hałas.

Rachel odsunęła się od Mathilde, która trochę śmierdziała. Antyperspiranty – twierdziła Mathilde – powodują chorobę Alzheimera, a perfumy pokrzywkę.

– Lotto? Zaprosiłeś mnie – powiedziała Rachel ze łzami w oczach.

Nie wspomniała o tym, że przez trzy godziny czekała na lotnisku, aż uprzejmi, ale surowi turyści zobaczyli, jak płacze, i zaproponowali, że ją podwiozą. Lotto wreszcie przypomniał sobie, że miała ich odwiedzić, impreza straciła cały blask, bo nie pamiętał, że jego młodsza siostra ma przyjechać na weekend, zapomniał o tym już w chwili, kiedy się na to zgodził w czasie rozmowy telefonicznej z ciocią Sallie, umknęło mu to, zanim zdążył pójść do drugiego pokoju i powiedzieć o tym Mathilde. W jego piersi wezbrała fala wstydu, wyobraził sobie przerażenie siostry, stres, kiedy czekała na niego sama przy stanowisku odbioru bagażu.

Och, cholera. A gdyby dopadł ją jakiś zwyrodnialec? Gdyby zaufała jakiemuś oprychowi, a nie tym pospolicie wyglądającym ludziom w bandanach i z karabinkami do wspinaczki, którzy teraz stali obok beczki z piwem i śmiali się, wspominając dzikie imprezy ze swojej młodości? A gdyby zaufała jakiemuś zboczeńcowi? Zobaczył ją jako białą niewolnicę na kolanach szorującą podłogę, zamykaną w skrzyni pod łóżkiem. Zaczerwienione oczy świadczyły o tym, że płakała. Pewnie umierała ze strachu, jadąc tak długo z lotniska z parą nieznajomych. Miał nadzieję, że o niczym nie powie w domu i że mu się upiecze, w przeciwnym razie znów rozczaruje matkę. Wciąż dźwięczały mu w uszach jej słowa, które padły w rozmowie zaraz po ich nagłym ślubie. Wyszedł w jej oczach na kompletnego debila.

Rachel mocno objęła go w pasie. Twarz Mathilde też się rozpogodziła. Nie zasługiwał na kobiety, które go otaczały i wnosiły ład do jego życia. [Być może faktycznie nie zasługiwał na nie]. Narada szeptem i szybka decyzja: impreza może trwać dalej bez nich, oni zabiorą Rachel na kolację do restauracji na rogu. O dziewiątej położą ją do łóżka, zamkną drzwi do sypialni i ściszą muzykę; przez cały weekend postarają się jej wynagrodzić swoją przewinę. Brunch, kino i popcorn, wycieczka do sklepu z zabawkami FAO Schwarz, żeby mogła poskakać na wielkiej klawiaturze pianina wbudowanej w podłogę.

Rachel schowała swój bagaż do szafy z rzeczami na kemping i płaszczami przeciwdeszczowymi. Kiedy się odwróciła, natychmiast podszedł do niej niski ciemnoskóry mężczyzna – Samuel? – który wyglądał na bardzo zmęczonego, i zaczął opowiadać o swojej bardzo ważnej pracy w banku. Jakby inkasowanie czeków i rozmienianie banknotów było nie wiadomo jak trudne. Rachel też by to potrafiła, a chodziła dopiero do trzeciej klasy.

Wymknęła się i do tylnej kieszeni spodni brata wsunęła kopertę z prezentem na nowe mieszkanie. Z rozkoszą wyobrażała sobie jego minę, kiedy zobaczy, że oszczędzała kieszonkowe przez pół roku, prawie dwa tysiące dolarów. To było niewiarygodnie wielkie kieszonkowe jak na ośmiolatkę. Na co miała je wydawać? Mama by się wściekła, ale Rachel strasznie tęskniła za biednym Lottem i Mathilde, nie mieściło jej się w głowie, że po ślubie zostali odcięci od pieniędzy. Jakby brak forsy mógł stanąć im na przeszkodzie: Mathilde i Lotto urodzili się po to, by wtulić się w siebie niczym łyżki ułożone w szufladzie. Poza tym potrzebowali gotówki. Wystarczyło spojrzeć na tę ciemną, zapadłą dziurę bez mebli. Rachel nigdy nie widziała tak ogołoconego mieszkania. Nie mieli nawet telewizora ani czajnika, ani dywanu. Byli biedni. Wcisnęła się znowu między Mathilde i swojego brata, wtuliła w niego nos, bo pachniał jak ciepły balsam do ciała, a Mathilde trąciła wonią szkolnej sali do treningów zapaśniczych, gdzie spotykał się jej zastęp skautów. Trudno oddychać. Przynajmniej teraz opuścił ją strach, który dopadł ją na lotnisku, ogarnęła ją fala miłości. Ludzie wokół byli tak seksowni, tak pijani. Szokowały ją wszystkie „kurwy" i „gówna", które padały z ich ust: Antoinette wbiła swoim dzieciom do głowy, że przekleństwami posługują się tylko ludzie upośledzeni werbalnie. Lotto nigdy nie przeklinał; on i Mathilde byli tacy porządni. Postanowiła, że będzie jak oni żyła moralnie, w czystości i miłości. Spojrzała na wir ciał w świetle zachodzącego słońca, w mieszkaniu wypełnionym czerwcową duchotą, alkoholem i muzyką. Właśnie tego chciała w życiu: piękna, przyjaźni, szczęścia.

Słońce chyliło się za horyzont. Była ósma wieczorem.

Spokój. Delikatność. Koniec jesieni. W powietrzu chłód niczym zły omen.

Susannah przeszła przez drzwi prowadzące do ogrodu. W mieszkaniu z nowym dywanem z juty panowała cisza. Znalazła Mathilde samą w kuchni, gdzie polewała sałatę sosem vinaigrette.

— Słyszałaś? — szepnęła Susannah, ale umilkła, kiedy Mathilde na nią spojrzała.

Wcześniej, na widok mieszkania świeżo pomalowanego na jasnożółty kolor, Susannah poczuła się tak, jakby weszła prosto w oślepiające słońce. Ale teraz kolor kontrastował z cynamonowymi piegami na twarzy pani domu. Mathilde ostrzygła się asymetrycznie, jej blond włosy wiły się wzdłuż prawej szczęki aż do obojczyka, podkreślały jej wysokie kości policzkowe. Susannah poczuła pulsujące przyciąganie. Dziwne. Mathilde zawsze wydawała jej się pospolita, wiecznie ukryta w cieniu męża, przyćmiona jego światłem, ale teraz zaczęła do niego pasować. Tak naprawdę Mathilde była porywająca.

– Co słyszałam? – zapytała Mathilde.

– Och, Mathilde, nowa fryzura – zachwyciła się Susannah. – Cudowna.

Mathilde przesunęła dłonią po włosach.

– Dzięki. Co słyszałam?

– Słuchaj – zaczęła Susannah, biorąc dwie butelki wina, na które Mathilde skinęła głową. Wyszła za nią z kuchni na schody i zaczęła opowiadać. – Pamiętasz Kristinę z naszej klasy? Śpiewała w Zaftonesach, tej grupie *a cappella*. Atramentowe włosy, bujne kształty. Lotto chyba z nią…

Skrzywiła się do siebie samej. Och, ty idiotko. Mathilde przystanęła na schodach, machnęła ręką, jakby chciała powiedzieć: Ach tak, Lotto z wszystkimi się pieprzył jak królik, a Susannah musiała przyznać, że to prawda, i wyszły do ogrodu. Przystanęły oszołomione widokiem jesieni. Lotto i Mathilde rozłożyli na trawie prześcieradła z komisu, a ich przyjaciele ustawili pośrodku talerze z jedzeniem, wszyscy w milczeniu się relaksowali, z zamkniętymi oczami łapiąc ostatnie promyczki chłodnego jesiennego słońca, pijąc zimne białe wino i belgijskie piwo i czekając, aż ktoś wreszcie pierwszy wyciągnie rękę po jedzenie.

Mathilde postawiła miskę z sałatą.

– Jedzcie, dzieciaki.

Lotto uśmiechnął się do niej i wziął ciepłą, małą spanakopitę. Dwanaście osób zgromadziło się wokół jedzenia, znowu zaczęto rozmawiać. Susannah wspięła się na palce i wyszeptała Mathilde do ucha:

– Kristina. Zabiła się. Powiesiła się w łazience. Nagle, wczoraj. Nikt nie wiedział, że była w złym stanie. Miała chłopaka, pracę w Sierra Club i mieszkanie w lepszej części Harlemu. Co za bezsens.

Mathilde zamarła i z jej twarzy zniknął dyżurny uśmieszek. Susannah uklękła i poczęstowała się arbuzem, pocięła większe kawałki na plasterki: przestała jeść prawdziwe jedzenie, kiedy dostała nową rolę w telewizji, o której wstydziła się opowiadać w obecności Lotta. Przede wszystkim dlatego, że nie był to *Hamlet*, w którym on tak olśniewająco zagrał w ostatnim semestrze na studiach. To była zwykła chałtura, rola nastolatki w telenoweli, wiedziała, że się sprzedaje. Ale i tak od końca studiów osiągnęła więcej niż Lotto. Był dublerem w kilku przedstawieniach offowych; zagrał rólkę w Actors Theatre w Louisville. I tyle przez półtora roku. Lotto odwrócił się do niej, kiedy zbliżał się koniec *Hamleta*, ukłonił się w przepoconym kostiumie, a ona z zachwytem krzyczała: „Brawo!", na widowni, bo straciła rolę Ofelii na rzecz jakiejś dziewczyny z wielkimi cyckami, która w scenie nad stawem rozbierała się do naga. Zwykła szmata. Susannah ugryzła arbuza i stłumiła w sobie narastające poczucie triumfu. Kochała Lotta jeszcze bardziej, kiedy wzbudzał w niej litość.

Mathilde górująca nad tłumem zadrżała z zimna i otuliła się szczelnie kardiganem. Bordowy liść oderwał się od gałęzi i wbił się pionowo w dip szpinakowo-karczochowy. W cieniu pod klonem japońskim było chłodno. Już nadciągała długa, mroźna i biała zima. Miała wkrótce wymazać z pamięci ten wieczór, cały ogród. Mathilde włączyła lampki choinkowe rozwieszone na drzewie, które rozjarzyło się niczym rozgałęziony dendryt. Usiadła za mężem, chciała się ukryć, miał takie piękne plecy, szerokie, umięśnione, z ulgą wtuliła w nie twarz. W klatce piersiowej Lotta słyszała jego zduszony głos, gładkie krągłości południowego akcentu.

– ... dwóch starych facetów siedzi na ganku, gadają o niczym – mówił Lotto; aha, opowiadał dowcip. – Wychodzi stary
pies myśliwski, krąży przez chwilę, siada i zaczyna sobie lizać
interes. Siorbie i mlaska, bawi się w najlepsze swoim różowym
kikutkiem wyglądającym jak szminka wysunięta z oprawki. Jeden z facetów puszcza oko do swojego przyjaciela i mówi: „Stary,
też bym tak chciał". A ten drugi na to: „No co ty! Ten pies by
cię pogryzł".

Wszyscy się zaśmiali, nie z żartu, ale z tego, jak Lotto go opowiedział. Sprawiło mu to przyjemność. Mathilde wiedziała, że
to był ulubiony kawał jego ojca, że kiedy Lotto go opowiadał,
Gawain zawsze śmiał się z niego, zasłaniając usta i czerwieniąc się.
Ciepło męża, promieniujące przez jego szmaragdową koszulkę
polo, zaczęło roztapiać w niej bryłę przerażenia. Na pierwszym
roku studiów mieszkały z Kristiną na tym samym piętrze. Któregoś razu Mathilde zastała ją w łazience płaczącą pod prysznicem, rozpoznała jej piękny alt, wyszła: zamiast pocieszenia dała
jej chwilę prywatności. Dopiero z perspektywy czasu uświadomiła
sobie, że ofiarowała jej gorszy dar. Mathilde poczuła w środku powoli narastający gniew na Kristinę i żeby go rozproszyć, oddychała
miarowo wtulona w męża.

On sięgnął za plecy i swoją wielką łapą przeciągnął Mathilde
do przodu, posadził ją sobie na kolanach. Burczało mu w brzuchu,
ale nie mógł przełknąć więcej niż kilka kęsów: od tygodnia czekał
na telefon w sprawie pracy, nie chciał wychodzić z mieszkania,
żeby go nie przegapić. Mathilde zorganizowała ten piknik, żeby
na chwilę odetchnął. Starał się o rolę Klaudia w *Miarce za miarkę*,
w teatrze na wolnym powietrzu w Central Parku w następne wakacje. Już widział siebie w kaftanie z epoki przed tysiącami widzów
na leżakach. Przelatujące nad nim nietoperze. Różowe promienie
zmierzchu nad morzem głów. Od końca studiów pracował w jed-
nostajnym tempie, choć grał małe role. Zapisał się do związków
zawodowych. To był kolejny krok w górę.

Zajrzał przez okno do mieszkania, gdzie na kominku telefon uparcie milczał. Za nim stał obraz przyniesiony przez Mathilde do domu kilka miesięcy wcześniej z galerii, w której pracowała przez ostatni rok. Kiedy artysta wybiegł, rzucając płótno o ścianę i łamiąc blejtram, Ariel, właściciel galerii, kazał jej wyrzucić obraz do śmieci. Ona jednak zabrała go do domu, naciągnęła na nowy blejtram, oprawiła i powiesiła obok mosiężnego Buddy. Błękitne abstrakcyjne płótno kojarzyło się Lottowi z momentem tuż przed świtem, zamglonym, niewyraźnym światem między światami. Jak można by je opisać? Osobliwe. Jak Mathilde. Czasem wracał do domu z castingu, a ona siedziała w ciemności i patrzyła na obraz, trzymając w obu dłoniach kieliszek wina z nieobecnym wyrazem twarzy.

– Powinienem się martwić? – zapytał, kiedy wrócił z castingu do sztuki, na której mu nie zależało, i zastał Mathilde w powoli ciemniejącym pokoju. Pocałował ją za uchem.

– Nie. Jestem szczęśliwa – odparła.

Nie przyznał się, że miał ciężki dzień, że przez dwie godziny czekał w deszczu na ulicy, a kiedy wreszcie powiedział swoją kwestię i wychodził, usłyszał, jak reżyser mówi: „Genialny. Szkoda, że taki olbrzym". Że jego agent nie oddzwania. Że choć raz chciałby zjeść w domu dobrą kolację. Bo tak naprawdę się o to nie gniewał. Wiedział, że jeśli będzie szczęśliwa, to go nie opuści; a od początku ich krótkiego małżeństwa zdążył się przekonać, że nie jest wart soli z jej potu. Ta kobieta była święta. Oszczędzała, przejmowała się, jakimś cudem opłacała rachunki, choć on nie przynosił do domu ani centa. Siedział przy niej, aż wreszcie się ściemniło, a ona się odwróciła, zaszeleścił jedwab, nagle go pocałowała, a on zaniósł ją do łóżka bez kolacji.

Teraz Mathilde podsunęła mu do ust kawałek burgera z łososia, na którego nie miał ochoty, ale ona spojrzała na niego, w jej oczach zamigotały złote błyski i wziął kęs z jej widelca. Pocałował ją w piegowatą nasadę nosa.

– Ohyda – zawołał Arnie siedzący na prześcieradle z dala od nich. Obejmował ramieniem jakąś dziewczynę ze swojego baru, z którą od niedawna się spotykał. – Jesteście rok po ślubie. Miesiąc miodowy się skończył.

– Wcale nie – odpowiedzieli jednocześnie Mathilde i Lotto. Zapletli małe palce i jeszcze raz się pocałowali.

– Jak to jest – zapytała cicho Natalie – być małżeństwem?

– Niekończący się bankiet, jesz i jesz, i nigdy nie jesteś syta – odparł Lotto.

– Kipling napisał, że to jak bardzo długa rozmowa – dodała Mathilde.

Lotto spojrzał na żonę i dotknął jej policzka.

– Tak.

Chollie nachylił się do Daniki, która się od niego odsunęła.

– Wisisz mi milion dolarów.

– Co? – warknęła.

Miała ogromną ochotę na kurczaka, ale postanowiła, że pożre górę sałaty, zanim pozwoli sobie na coś tłustego.

– W zeszłym roku na parapetówce założyliśmy się o milion dolarów, że dziś będą już po rozwodzie. Przegrałaś – oznajmił Chollie.

Spojrzeli na Lotta i Mathilde, takich pięknych, stojących w centrum ogrodu i kręcącego się wokół nich świata.

– Zastanawiam się, ile w tym wszystkim teatru – rozważała Danica. – Otacza ich jakiś dziwny mrok. Może on tylko udaje, że jest wierny, a ona, że ma to gdzieś.

– Jesteś złośliwa – rzekł Chollie z podziwem. – Czemu się go tak czepiasz? Należysz do tego zastępu kobiet, których serca podbił? One wszystkie wciąż go kochają. Wpadłem na Bridget, która na studiach uważała się za jego dziewczynę, i kiedy tylko o niego zapytała, wybuchła płaczem. Był miłością jej życia. – Danica zmrużyła oczy i zacisnęła usta. Chollie się zaśmiał, obnażając zęby oblepione lasagne. – Nie, wręcz przeciwnie. Nigdy nie próbował cię poderwać.

– Jak się nie zamkniesz, to dostaniesz w gębę sałatą – odpaliła.

Przez chwilę siedzieli i jedli, udawali, że jedzą. Potem Danica powiedziała:

– No dobra. Podwoimy stawkę. Ale ustalimy bardziej odległą datę. Sześć lat. Do 1998 roku. Do tego czasu się na pewno rozwiodą, a ty mi dasz dwa miliony dolców i kupię sobie mieszkanie w Paryżu. *Enfin.*

Chollie zamrugał i wybałuszył oczy.

– Zakładasz, że będę miał z czego ci dać.

– Oczywiście. Tacy śliscy kolesie jak ty jeszcze przed trzydziestką dorabiają się stu milionów – odgryzła się Danica.

– Nigdy nie słyszałem czegoś równie miłego – zachwycił się Chollie.

Kiedy cienie zgęstniały tak bardzo, że mogły się w nich skryć gesty, Susannah uszczypnęła Natalie w tyłek. Zaśmiały się, zasłaniając się kubkami. Po cichu uzgodniły, że kolejną noc spędzą u Susannah. Tylko Natalie wiedziała, że Susannah ma wkrótce zagrać rozwydrzoną córeczkę czarnego charakteru; tylko Natalie wiedziała, że wzbiera między nimi morze uczuć.

– Moja kariera skończyłaby się, zanim zdążyłaby się na dobre rozpocząć, gdyby wszyscy się dowiedzieli, że jestem wielką, tłustą lesbą – powiedziała kiedyś Susannah.

Natalie miała złe przeczucia, ale zachowała je dla siebie, nie opuszczały jej, kiedy siedziała przy swoim smutnym szarym biurku i handlowała rozmaitymi towarami, a stan jej konta powiększał się z sekundy na sekundę.

Kiedy Natalie brała z talerza ostatnią miętówkę, Lotto zauważył, że wyładniała. Wybieliła wąsy, zrzuciła nadwagę i zaczęła się lepiej ubierać. Odnalazła urodę, którą on dostrzegał w niej wcześniej w ukryciu. Uśmiechnął się do niej, a ona się zaczerwieniła i odwzajemniła jego uśmiech.

Jedli coraz wolniej. Grupa ucichła. Rozdano karmelowe brownies. Niektórzy patrzyli, jak na ciemniejącym niebie ciągnie się kremowa smuga kondensacyjna, jej znikanie ich poruszyło, większość z nich myślała o martwej ciemnowłosej dziewczynie, wiedzieli, że już nigdy nie poczują uścisku jej ramion wokół szyi, jej pomarańczowego zapachu.

– W liceum znalazłem kiedyś zwłoki chłopaka, który się powiesił – powiedział nagle Lotto. – Powiesił się.

Spojrzeli na niego z zaciekawieniem. Był blady i ponury. Czekali na dalszy ciąg, bo Lotto zawsze krył w zanadrzu jakąś opowieść, ale on nic więcej nie powiedział. Mathilde wzięła go za rękę.

– Nigdy mi o tym nie mówiłeś – wyszeptała.

– Opowiem ci później – odparł.

Biedny pryszczaty Galareta na moment zawisł w ogrodzie niczym zjawa; Lotto przetarł twarz dłonią i chłopak zniknął.

– Patrzcie! Księżyc! – powiedział ktoś i rzeczywiście księżyc zawisł nad nimi jak okręt na krawędzi granatowego nieba, i wszystkich wypełniła melancholia.

Rachel usiadła obok brata, otuliła się jego ciepłem. Przyjechała na jesienne ferie, przekłuła uszy od góry do dołu i nosiła włosy długie z przodu i wygolone z tyłu. Wyglądała dość ekstrawagancko jak na dziesięciolatkę, ale nie miała innego wyjścia, w przeciwnym razie wyglądałaby na sześciolatkę z trzęsącymi się rękami, a na podstawie uważnej obserwacji swojego otoczenia doszła do wniosku, że lepiej być dziwadłem niż słodką panienką. [Mądra dziewczyna. O, tak]. Przed chwilą poszła do mieszkania i włożyła kopertę z kieszonkowym z zeszłego roku do szuflady, w której Mathilde przechowywała bieliznę. Zanurzyła dłoń w jedwabiu. Nie umknęło jej uwagi, że szafki jej brata są puste, a Mathilde zadzwoniła w zeszłym miesiącu do Sallie, która przysłała jej gotówkę. Teraz Rachel obserwowała okno na pierwszym piętrze, gdzie dostrzegła poruszającą się zasłonę, kawałek dłoni, jedno oko. Wyobraziła sobie wnętrze z sufitami pokrytymi tapetą. Zniedołężniałe koty, koty cyklopy i koty z guzikowatymi ogonami, koty z bulwiastymi, opuchniętymi łapami. Ostry zapach maści na stawy. Miska z minestrone podgrzaną w kuchence mikrofalowej. W środku smutna stara kobieta. Mamę już wkrótce czekał podobny los; malutki różowy domek na plaży jak grobowiec wypełniony bibelotami i meblami z wzorzystą tapicerką. Mama uwielbiała szum morza, tak powiedziała kiedyś Rachel, ale Rachel nigdy nie widziała matki na plaży. Nie opuszczała małego różowego akwarium jak wielki glonojad. Biedna mama.

Nigdy się nie zestarzeję – obiecała sobie Rachel. Nigdy nie będę smutna. Prędzej już zjem kapsułkę z cyjankiem, zabiję się jak ta przyjaciółka Lotta, nad którą wszyscy tak płaczą. Życie ma wartość tylko wtedy, gdy człowieka otaczają młodzi ludzie słuchający ciszy miasta w ten ostatni ładny wieczór w roku w pięknym i chłodnym ogrodzie, w którym unosi się zapach kurzu, kwiatów i opadłych liści jaśniejących w snopach światła.

Spod obumierającej brugmansji obserwowała ich pręgowana kotka należąca do starszej pani. Jakie to dziwne, ci ludzie relaksujący się wokół jedzenia jak wielkie koty nasycone zdobyczą. Chętnie przemknęłaby obok nich i trochę poszpiegowała, ale było ich zbyt wielu, działali tak nagle, nieprzewidywalnie. O właśnie: znienacka wstali, zaczęli krzyczeć, zbierać rzeczy i uciekać. Kotka się przestraszyła, kiedy się spłoszyli, bo ona wyczuła zbliżający się deszcz na długo, zanim go usłyszała. Łyżka wypadła z miski z tabbouleh na ziemię, nikt jej nie podniósł, zakryło ją błoto powstałe z pierwszych kropel deszczu. Ludzie zniknęli. Dłoń wysunęła się z okna su023 suteryny i wyłączyła lampki na drzewie. W nagłej ciemności żółty kabel pełznął jak wąż w stronę okna – kotka chciała go gonić, ale zniknął i okno się za nim zamknęło. Musnęła łapą dużą kroplę deszczu wiszącą na krawędzi liścia, potem przebiegła przez ogród i weszła do budynku.

Drzwi do mieszkania się otworzyły, do środka wskoczył troll. Była dziewiąta wieczorem, o wiele za zimno jak na tę porę roku. Za trollem szli Miss Piggy, szkielet i duch. Albert Einstein prezentował księżycowy chód. Samuel wszedł w abażurze na głowie wyłaniającej się z kartonowego pudła pomalowanego tak, by przypominało stolik nocny z czasopismem i przyklejonymi dwoma opakowaniami po prezerwatywie.

Lotto w todze i koronie ze złotych liści laurowych postawił piwo na stoliku Samuela i powiedział:

– Cześć! Jeden numer czasopisma? Przebrałeś się za jednorazowy numerek, ha, ha.

Zamordowana królowa balu maturalnego podeszła, szeleszcząc elegancką suknią i mrucząc coś pod nosem.

– Chciałbyś – odparł Samuel. – To chyba moja była dziewczyna. – Uśmiechnął się i poszedł po piwo do lodówki.

– Od kiedy to w Halloween pada śnieg? Globalne ocieplenie, co za bzdura – powiedziała Luanne, tupiąc w rattanową matę, żeby otrzepać śnieg z butów.

Była przyjaciółką Mathilde z galerii, gdzie razem pracowały. Dzięki doskonałemu makijażowi zamieniła się w Dorę Maar Picassa, tę, która zamiast policzka ma ugryzione jabłko. Całowała Lotta trochę za długo, mówiąc:

– Och tak, witaj, Cezarze.

Lotto, odsuwając się od niej, zaśmiał się odrobinę za głośno. Luanne oznaczała kłopoty. Mathilde codziennie po pracy opowiadała, jak jej koleżanka próbowała uwieść szefa, okropnego faceta o imieniu Ariel z wyłupiastymi oczami i brwiami postaci z wodewilu.

– Dlaczego? – pytał Lotto. – Jest ładna, młoda, mogłaby znaleźć kogoś o wiele lepszego.

Mathilde posłała mu wymowne spojrzenie.

– Kochanie, on jest bogaty – wyjaśniła.

Lotto i Luanne podeszli do Mathilde – wyglądała olśniewająco w stroju Kleopatry i teraz jadła babeczkę, stojąc obok wielkiego mosiężnego Buddy na kominku, któremu założyli okulary przeciwsłoneczne i hawajską girlandę na szyję. Lotto objął żonę i zlizał okruszki z jej ust, a ona się zaśmiała.

– Ohyda – powiedziała Luanne. – Nie wierzę, że to zrobiliście.

Poszła do kuchni, wyciągnęła z lodówki drinka w puszce i sączyła go naburmuszona z kwaśną miną. Oszacowała, że Lotto jest w złej formie psychicznej, sądząc po wielkości jego brzucha i ogromie książek, którymi zawalone było mieszkanie; w trudnych chwilach Lotto potrafił tylko czytać. Zabawne, wyglądał jak niezdarny olbrzym, a kiedy otwierał usta, cytował całe akapity z Wittgensteina. Niepokoił ją ten rozdźwięk między jego wyglądem i tym, co skrywało się w środku.

Ktoś włączył płytę Nirvany i dziewczyny poderwały się ze skórzanej kanapy, którą Lotto przyniósł do domu z ulicy. Próbowały tańczyć, ale po chwili się poddały i włączyły z powrotem *Thriller* Michaela Jacksona.

Chollie, zielony goblin, podszedł do Lotta i Mathilde pijany tak, że zaczął bełkotać.

– Nigdy wcześniej nie zauważyłem, jak blisko siebie osadzone są twoje oczy, Mathilde, i jak szeroko są rozstawione twoje, Lotto. – Dwoma palcami szturchnął Mathilde. – Drapieżnik. – Potem szturchnął Lotta. – Ofiara.

– Ja jestem ofiarą, a Mathilde drapieżnikiem? – zapytał Lotto. – Daj spokój. To ja jestem jej drapieżnikiem. Seksualnym drapieżnikiem – powiedział, a wszyscy jęknęli.

Luanne patrzyła na Arniego stojącego po drugiej stronie pokoju. Uciszyła wszystkich zniecierpliwionym gestem.

– Zamknijcie się. Gapię się na kogoś.

Mathilde westchnęła i się wycofała.

– Zaraz, zaraz. Na kogo? Och, na Arniego – wysyczał Chollie jadowitym tonem. Rozczarowany? – Błagam cię, to głupek.

– Głupi jak paczka gwoździ – podsumowała Luanne. – Właśnie o to mi chodzi.

– Arnie? – zapytał Lotto. – Arnie studiował neurokognitywistykę. Nie jest głupi. To, że nie poszedł na Harvard tak jak ty, nie oznacza, że jest głupi.

– No, nie wiem. Może alkohol wyżarł mu mózg – zastanawiała się Luanne. – Na ostatniej imprezie u ciebie podsłuchałam, jak mówi, że jego duchowym zwierzęciem jest Sting.

Lotto zagwizdał, a Arnie przebrany za Hulka spojrzał znad morza głów dziewczyn, dla których robił czekoladowe martini. Podszedł do Lotta i poklepał go po ramieniu. Chollie i Arnie byli pomalowani na zielono. Kiedy stali obok siebie, wyglądali jak dmuchane lalki: Arnie jak napompowana, a Chollie jak sflaczała.

Lotto odezwał się do Arniego:

– Luanne obiecała, że pójdzie z tobą do łóżka, jeśli podasz jej satysfakcjonującą definicję hermeneutyki. – Skierował oboje do sypialni i zamknął za nimi drzwi.

– O Boże – jęknął Chollie. – Chybabym umarł.

– Jeszcze nie wyszli z pokoju – powiedział Lotto. – „Jednego Kupid, który sercem włada, zabija strzałą, inny w sidła wpada"*.

– Znowu Szekspir?

– Zawsze.

Chollie odszedł. Lotto został sam. Kiedy podniósł głowę, zobaczył tylko swoje odbicie w ciemnym oknie, swój brzuch wyhodowany w trakcie melancholijnego lata, lśniącą skórę nad skroniami, gdzie robiły mu się zakola. Trzy i pół roku po studiach i Mathilde nadal płaciła rachunki. Lotto ze smutkiem pogładził głowę Buddy i przeszedł obok grupki czarownic, które pochylone nad czyimś zdjęciem z polaroidu, wywoływały twarze z mroku.

Mathilde stała tyłem i rozmawiała cicho z Susannah. Lotto ukradkiem do nich podszedł i usłyszał, że mówią o nim.

– ... jeszcze lepiej. Reklama kawy we wrześniu. Ojciec z synem o świcie, łowią ryby na łódce. Dzieciak wpada do wody, a Lotto wyławia go wiosłem i ocala mu życie. Nasz bohater!

Zaśmiały się razem.

---

* William Shakespeare, *Wiele hałasu o nic*, tłum. Maciej Słomczyński, Kraków 1995, s. 74.

– Wiem! – powiedziała Susannah. – Kawa Folgers. Widziałam. Świt, domek w lesie, dzieciak budzi się na łodzi z wiosłami. Lotto wygląda niesamowicie z tą brodą.

– Powiedz to wszystkim reżyserom, których znasz, znajdź mu pracę – poprosiła Mathilde.

– Jaką?

– Jakąkolwiek.

– Zobaczę, co się da zrobić – obiecała Susannah, uśmiechając się jednym kącikiem ust.

Lotto urażony czym prędzej się oddalił, żeby go nie zobaczyły.

Mathilde nigdy nie była niemiła, ale nosiła bierną agresję niczym drugą skórę. Jeśli nie smakowało jej jedzenie w restauracji, nie tykała go, spuszczała wzrok i milczała, póki Lotto nie powiedział kelnerowi, że jedzenie jest przesolone albo niedogotowane, i poprosił o coś innego, dziękuję bardzo, kolego. Kiedyś wymusiła zaproszenie na ślub w Martha's Vineyard w taki sposób, że stała przez cały wieczór obok panny młodej, słynnej aktorki z Broadwayu, uśmiechając się i nic nie mówiąc, aż wreszcie dziewczyna pod wpływem impulsu ich zaprosiła. Poszli, tańczyli; on oczarował producenta i zaproszono go do udziału we wznowieniu *My Fair Lady*, choć nie śpiewał zbyt dobrze i ostatecznie nie dostał roli; wysłali aktorce piękny zestaw starych srebrnych łyżeczek do grejpfrutów, który kupili w sklepie ze starzyzną i wypolerowali, żeby wyglądał na bardzo drogi.

Oczyma wyobraźni zobaczył setkę połyskujących niteczek przywiązanych do swoich palców, powiek, mięśni ust. Wszystkie umocowane na palcu wskazującym Mathilde, która drobnymi ruchami nimi poruszała i zmuszała go do tańca.

Troll Chollie podszedł do Mathilde i razem obserwowali Lotta w otoczeniu innych chłopaków po drugiej stronie pokoju: z butelką burbona trzymaną w dwóch zakrzywionych palcach, ze złotym półokręgiem liści na potylicy.

– Co cię gryzie? – zapytał Chollie. – Jesteś nieobecna.

Mathilde westchnęła.

– Coś z nim jest nie tak.

– Moim zdaniem wszystko gra – odparł Chollie. – Powinniśmy się martwić tylko wtedy, gdyby był zbyt wesoły lub zbyt smutny. Zaczął wychodzić z tego dołka, w który wpadł latem. – Zrobił pauzę, przyglądając się Lottowi. – Przynajmniej powoli traci brzuszek.

– Dzięki Bogu – powiedziała. – Przez całe lato wydawało mi się, że zaraz wskoczy pod pociąg. Musi dostać jakąś rolę. Bywają dni, kiedy w ogóle nie wychodzi z mieszkania. – Mathilde otrząsnęła się z determinacją. – Nieważne. Jak idzie ci sprzedaż używanych samochodów?

– Zrezygnowałem z tego. Przerzuciłem się na nieruchomości. Za piętnaście lat połowa Manhattanu będzie moja.

– No tak – zgodziła się Mathilde i nagle dodała: – Zwalniam się z galerii.

Oboje wyglądali teraz na spłoszonych.

– Okej – powiedział Chollie. – Kto będzie utrzymywał geniusza?

– Pójdę do pracy. Znalazłam posadę w jakimś start-upie internetowym. To portal randkowy. Zaczynam za tydzień. Nikomu o tym jeszcze nie mówiłam, ani Luanne, ani Arielowi, ani Lottowi. To mi się należy. Potrzebuję zmiany. Myślałam, że sztuka to moja przyszłość. Okazuje się, że jednak nie.

– Internet to przyszłość?

– To przyszłość nas wszystkich.

Uśmiechnęli się, pijąc drinki.

– Dlaczego mi o tym mówisz? – zapytał Chollie po chwili. – Mało kto wybrałby mnie na powiernika swoich tajemnic, wiesz?

– Nie wiem – odparła Mathilde. – Nie wiem, czy jesteś przyjacielem czy wrogiem. Ale wydaje mi się, że mogłabym ci powierzyć wszystkie swoje tajemnice, a ty byś ich nikomu nie zdradził, czekając na najlepszy moment, żeby je wykorzystać.

Chollie zamarł, zrobił się czujny.

– Zdradź mi wszystkie swoje sekrety – powiedział.

– Marne szanse – odparła.

Zostawiła Cholliego, poszła na drugi koniec pokoju do męża i szepnęła mu coś na ucho. Lotto otworzył szeroko oczy, zagryzł wargi, żeby się nie uśmiechnąć, i nie patrzył, jak żona omija tłum i znika w drzwiach wejściowych do mieszkania, po drodze przyciemniając światło tak bardzo, że właściwie pokój oświetlały już tylko migoczące lampiony.

Po minucie Lotto z ostentacyjną nonszalancją ruszył za nią.

Wszedł schodami na górę i zastał Mathilde pod drzwiami mieszkania starszej pani. Przyjęcie dudniło poniżej; dopiero na zewnątrz usłyszał, jak bardzo hałasują. Zastanawiał się, dlaczego starsza pani jeszcze nie zadzwoniła po policję jak zawsze. Może dlatego, że jeszcze nie minęła dziesiąta. Powiało chłodem, kiedy brama się otworzyła i po schodach do ich mieszkania niezdarnie zeszło kilku klaunów, a nagie pośladki Lotta pokryły się gęsią skórką. Brama się zamknęła; ich drzwi się otworzyły i pochłonęły przebierańców. Wyswobodził z gorsetu lewą pierś Mathilde, wpił się w zagłębienie u nasady jej szyi.

Odwrócił ją, żeby przycisnąć jej policzek do drzwi, ale ona mu się wyrwała i zmierzyła go wzrokiem, więc musiał się zgodzić na misjonarską pozycję na stojąco. Nie było to aż tak ekscytujące, ale i tak wzniósł dziękczynną modlitwę do bogów miłości.

W mieszkaniu na pierwszym piętrze Bette jadła kanapkę z jajkiem sadzonym, sama w ciemności, impreza poniżej nie dawała jej zasnąć. Teraz usłyszała wyraźne skrzypienie na klatce schodowej, przeraziła ją myśl, że to może włamywacz – za stojakiem na paprocie trzymała ukryty mały pistolet. Odłożyła kanapkę i przycisnęła ucho do drzwi. Kolejne skrzypnięcie i szept. Jakieś przygotowawcze dudnienie. Tak! Przeczucia jej nie myliły. To się naprawdę działo. Tyle czasu minęło, od kiedy odszedł jej Hugh; ale to, co się stało między nimi, wciąż wydawało jej się takie świeże, on wgryzł się w brzoskwinię. Wydawało jej się, że to było wczoraj, całe to cielesne uniesienie. Zaczęli tak młodo, że nawet nie wiedzieli, co robią, ale nie potrafili przestać, więc pobrali się, kiedy byli już dorośli. Taki nektar to wcale nie najgorsza pożywka dla związku. Przez pierwsze lata żyli jak we śnie, potem byli zaledwie szczęśliwi.

Z piersi dziewczyny stojącej na korytarzu wydobył się jęk. Chłopak coś mówił, ale tak niewyraźnie, że Bette nic nie rozumiała, jęki dziewczyny robiły się coraz głośniejsze, a potem coś je stłumiło, jakby coś ugryzła – jego ramię? Bette przywarła do ciężko dyszących drzwi, które tłukły się niestrudzenie. [Minęło tyle czasu, od kiedy ktoś jej dotknął; kiedyś w sklepie spożywczym podała drobne na wyciągniętej dłoni, żeby sprzedawca musnął ją palcami]. Ależ mają kondycję. Bette czuła się jak w czasie niedzielnej wizyty w małpiarni, gdzie radośnie pieprzyły się kapucynki.

Zduszony półkrzyk i Bette wyszeptała do swojej kotki wijącej się wokół jej kostek:

– Cukierek albo psikus, staruszko. Tak to jest.

Na korytarzu rozległo się ochrypłe dyszenie, szelest i pojawiły się te głupie istoty. Och, już wiedziała, kto to, ten dziwny olbrzym z dołu i jego wysoka, pospolita żona, choć udawała, że ich nie rozpoznaje, żeby oszczędzić sobie zażenowania, kiedy spotka ich na klatce schodowej. Potem kroki, kiedy schodzili coraz niżej, głośniejsza muzyka, która ucichła, kiedy zamknęli drzwi, i Bette znowu została sama. Teraz jeszcze łyk szkockiej i do łóżka, skarbie, w końcu jesteś grzeczną dziewczynką.

Dziesiąta, a Mathilde wciąż na kolanach zbierała odłamki kieliszka, jednego z miliona tych, które stłukli, od kiedy pięć lat temu wprowadzili się do tej ponurej nory. Minęło tyle czasu, a oni wciąż robili zakupy w sklepach ze starociami. Czasem, kiedy Lotto grał, stać ich było na więcej. Och, miała tego dość. Dziś wieczorem nawet nie chciało jej się założyć soczewek kontaktowych, a szkła jej okularów były zabrudzone odciskami palców. Chciała, żeby wszyscy już poszli do domu.

Usłyszała, jak Lotto, siedząc na kanapie, mówi:

– Próbowaliśmy coś zmienić. Przynajmniej nie jest taka jasna jak Cukierkowa Cytryna.

Rachel pogładziła świeżo pomalowaną ścianę.

– A to jaki kolor? – zapytała cicho. – Samobójstwo o Zmierzchu? Kościół w Zimowe Popołudnie? Nigdy nie widziałam tak ciemnego odcienia niebieskiego.

Wydawała się bardziej niespokojna niż zazwyczaj; przed chwilą na ulicy rozległ się strzał gaźnika samochodowego, a ona upuściła kieliszek.

– Pozwól, ja posprzątam – wybąkała zawstydzona do Mathilde. – Ale ze mnie niezdara.

– Ja się tym zajmę. Poza tym słyszałam, co powiedziałaś o nowym kolorze ścian. Mnie się bardzo podoba – zawołała Mathilde, wsypując drobinki szkła do kosza. Na śmieci spadła kropla krwi. Nawet nie poczuła, kiedy rozcięła sobie palec wskazujący. – Kurwa – szepnęła.

– Mnie się też bardzo podoba – poparła ją Luanne. W ciągu ostatniego roku zrobiła się pulchna jak drożdżowy placek. – To znaczy, na tym tle świetnie się prezentuje ten ukradziony obraz.

– Przestań to powtarzać – zbeształa koleżankę Mathilde. – Pitney go połamał, a Ariel kazał mi go wyrzucić. Zrobiłam to. Potem wyjęłam go ze śmietnika, więc postąpiłam *fair*.

Luanne wzruszyła ramionami i uśmiechnęła się nerwowo.

– Z całym szacunkiem – wtrącił się Chollie – to najgorsza impreza w historii wszystkich imprez. Rozmawiamy o ścianach. Susannah i Natalie się całują, a Danica śpi na dywanie. Co was opętało, żeby organizować przyjęcie z degustacją wina? Dwudziestokilkulatkowie gówno wiedzą o winie. Lepsze imprezy organizowaliśmy w liceum.

Lotto się uśmiechnął, podziałał na wszystkich jak jutrzenka. Wszyscy się rozchmurzyli.

– Byliśmy dzicy – rozmarzył się Lotto. Spojrzał na pozostałych. – Przez kilka miesięcy mieszkałem w Crescent Beach, zanim Chollie mnie zdeprawował i matka wysłała mnie do szkoły z internatem. To był najlepszy okres w moim życiu. Noc w noc nie chodziliśmy spać. Nawet sobie nie wyobrażacie, ile zażywaliśmy narkotyków. Choll, pamiętasz tamtą imprezę w starym opustoszałym domu na bagnach? Pieprzyłem się z dziewczyną na dachu, kiedy nagle zauważyłem, że dom się pali, więc skończyłem szybciej, zsunąłem się z niej i skoczyłem z pierwszego piętra na krzaki, a kiedy z nich wypełzłem, z rozporka wystawał mi siurek. Strażacy zgotowali mi aplauz. – Wszyscy się zaśmiali. – To była moja ostatnia noc na Florydzie – dodał Lotto. – Następnego dnia matka mnie odesłała. Obiecała olbrzymi datek na rzecz szkoły, żeby przymknęli oko na wyniki egzaminów wstępnych. Od tamtej pory nie byłem w domu.

Chollie wydał zduszony dźwięk. Wszyscy na niego spojrzeli.

– To była moja siostra bliźniaczka – wykrztusił. – To ją posuwałeś.

– Cholera – zaklął Lotto. – Przepraszam, Choll. Ale ze mnie dupek.

Chollie wziął głęboki oddech i wypuścił powietrze z płuc.

– Tamtej nocy, wcześniej, podczas imprezy na plaży, złamałem nogę. Kiedy wy się bawiliście w najlepsze, ja leżałem na stole operacyjnym.

Długa cisza.

– Głupio mi – wymamrotał Lotto.

– Nie przejmuj się – powiedział Chollie. – Wcześniej pieprzyła się z całą drużyną piłki nożnej.

Dziewczyna, którą przyprowadził Chollie, westchnęła z przerażenia. Była to delikatna modelka z dawnego ZSRR, tak piękna, że, Lotto musiał to przyznać, przyćmiewała nawet Mathilde.

[W tamtym czasie nie było to trudne]. Lotto spojrzał na żonę stojącą w kuchni. Była zaniedbana, miała nieumyte włosy, brudne okulary, a na sobie bluzę. Niepotrzebnie upierał się, żeby zorganizować to spotkanie. Martwił się o nią; od kilku tygodni była cicha, zgaszona. Działo się coś złego. Irytowało ją każde jego słowo, każdy żart. Zapytał ją wreszcie, czy ma problemy w pracy. Jeśli była tak nieszczęśliwa, to powinna z niej zrezygnować, wtedy mogliby założyć rodzinę. Gdyby dał Antoinette wnuka, na pewno znowu zaczęłaby ich finansować. Mieliby mnóstwo pieniędzy, Jezu, tyle, że Mathilde mogłaby się wyluzować, zastanowić, co naprawdę chce robić w życiu. Przypominała mu artystkę, która nie odnalazła jeszcze swojego medium, niestrudzenie testując to i owo i nie potrafiąc w żaden sposób wyrazić tego, co jej doskwiera. Może odnalazłaby ukojenie w dzieciach. Ale syknęła: „O mój Boże, Lotto, przestań, błagam, przestań gadać, czy ty zawsze musisz gadać, skończmy już tę rozmowę o dzieciach", to prawda, byli jeszcze za młodzi, zaledwie kilku z ich przyjaciół się rozmnożyło, przynajmniej z premedytacją, dlatego odłożył tę rozmowę na później, próbował ją rozweselić filmami wideo i alkoholem. Wydawało mu się, że przyjęcie z degustacją wina poprawi jej humor, ale teraz dobrze widział, że ona chce tylko pójść do sypialni z haftowanymi zasłonami i starymi akwafortami przedstawiającymi ptasie gniazda, rzucić się na ich nowy materac i zanurzyć w pościeli. Wymusił na niej to przyjęcie.

Panika narastała. A jeśli już snuła plany opuszczenia go, jeśli te mroczne dni nadeszły z jego powodu? Wiedział, że ją rozczarowuje. A jeśli zdała sobie sprawę, że może jej się lepiej żyć bez niego? Otworzył ramiona, żeby ją pocieszyć, ale ona tylko podała mu kawałek papierowego ręcznika, a on owinął nim jej krwawiący palec.

– Sama nie wiem. Chyba jest fajnie – powiedziała Rachel. Lojalna Rachel z małą twarzą o ostrych rysach i głodnymi oczami. Przyjechała na weekend ze swojego liceum z internatem. Miała zaledwie czternaście lat, ale już wyglądała na znużoną. Lotto zauważył jej paznokcie obgryzione do żywego mięsa. Postanowił, że zapyta Sallie, czy z Rachel dzieje się coś, o czym powinien wiedzieć. – Dużo się nauczyłam. To lepsze przyjęcie niż wszystkie imprezy piżamowe w naszym internacie.

– Wyobrażam sobie. Butelki miętowego sznapsa. Na wideo *Klub winowajców*. Ktoś przez całą noc płacze w łazience. Zegar na dziedzińcu wybija północ. Gra w butelkę, tylko dziewczyny. Moja Rachel w kącie czyta książkę ubrana w piżamę w homary, ocenia ich wszystkich jak mała królowa – powiedział Lotto. – Recenzja w jej pamiętniku będzie miażdżąca.

– Rozczarowujące, pretensjonalne i puste. Kompletne dno – zgodziła się Rachel.

Zaśmiali się, a węzeł rozpaczy w pokoju trochę się rozluźnił. To ona wszystko łagodziła, jej urok nie był spektakularny, ale przynosił ukojenie. Zapadła cisza i nagle odezwała się Luanne:

– Oczywiście, że istnieją pewne etyczne względy, z których powodu nie powinnaś była zabierać tego obrazu, Mathilde.

– Kurwa, a lepiej by było, gdyby ktoś inny sobie go wyciągnął ze śmietnika? – rozzłościła się Mathilde. – Ty? O co ci chodzi, Luanne? Jesteś zazdrosna?

Luanne się skrzywiła. Oczywiście, że była zazdrosna. Lotto wiedział, że kiedy jeszcze Mathilde pracowała w galerii, Luanne źle to znosiła. Mathilde zawsze zastępowała szefa. Sporo wiedziała, była inteligentna i urocza. Na pewno to ją faworyzował Ariel. Wszyscy faworyzowali Mathilde.

– Ha – odszczeknęła Luanne. – Zabawne. Zazdrosna o ciebie?

– Błagam, przestańcie – krzyknął Chollie. – Gdyby to był Picasso, wszyscy pochwaliliby Mathilde za przezorność. Jesteś wredna.

– Ja jestem wredna? Nawet się nie znamy.

– Spotkaliśmy się milion razy. Zawsze powtarzasz to samo

Danica obserwowała kłótnię jak mecz ping-ponga. Schudła jeszcze bardziej; na jej ramionach i policzkach pojawił się dziwny puszek. Śmiała się.

– Przestańcie się kłócić – poprosiła cicho Rachel.

– Sama nie wiem, po co przychodzę na te wasze idiotyczne przyjęcia. – Luanne, wstając, zaczęła płakać ze złości. – Jesteś straszną pozerką, Mathilde, dobrze wiesz, co mam na myśli. – Spojrzała na Lotta. – W przeciwieństwie do ciebie, Lotto – powiedziała zjadliwie. – Ty jesteś po prostu tępy. Każdy na twoim miejscu już dawno by się zorientował, że nie ma talentu aktorskiego. Ale nikt nie chce cię zranić, więc ci tego nie mówi. A już na pewno nie twoja żona, która rozkwita, kiedy traktuje cię jak małe dziecko.

Lotto tak gwałtownie zerwał się z krzesła, że zakręciło mu się w głowie.

– Zamknij tę świńską gębę, Luanne. Moja żona to najwspanialsza kobieta pod słońcem i dobrze o tym wiesz.

Rachel wtrąciła się:

– Lotto!

A Mathilde odezwała się cicho:

– Lotto, przestań!

A Natalie i Susannah zawołały:

– Hej!

Tylko Chollie wybuchł piskliwym śmiechem. Olga, o której zupełnie zapomnieli, odwróciła się i trzepnęła go mocno w ramię, potem wstała, stukając obcasami szpilek, przeszła przez pokój, otworzyła drzwi wejściowe, krzyknęła: „Jesteście potworni!”, i wyszła na ulicę. Przez drzwi wpadł na schody lodowaty wiatr i obsypał ich płatkami śniegu.

Przez dłuższą chwilę panowała cisza. Nagle odezwała się Mathilde:

– Idź po nią, Chollie.

– Nie – odparł. – W tym stroju daleko nie zajdzie.

– Jest minus dziesięć stopni, ty idioto – ofuknęła go Danica, rzucając mu sztuczne futro Olgi prosto w twarz.

Poderwał się na równe nogi, wymamrotał coś pod nosem i wyszedł, zatrzaskując za sobą drzwi. Mathilde wstała, zdjęła ze ściany obraz wiszący za lśniącym, pokrytym patyną Buddą i dała go Luanne. Luanne spojrzała na niego.

– Nie mogę go wziąć – wzbraniała się.

Wszyscy w pokoju czuli, że na ich oczach rozgrywa się w milczeniu jakaś walka.

Mathilde usiadła, założyła ręce na piersi i zamknęła oczy. Luanne oparła obraz o jej kolana. Wyszła i drzwi zamknęły się za nią na zawsze. Bez niej pokój się rozjaśnił, nawet górne światła nabrały ciepła.

Kiedy zostali sami, Mathilde uklęknęła przed Lottem, zdjęła okulary i wtuliła twarz w jego klatkę piersiową. On przycisnął ją bezradnie, próbując ją ukoić. Konflikty wytrącały go z równowagi. Nie znosił ich. Ramiona jego żony się trzęsły. Ale kiedy wreszcie podniosła głowę, zbiła go z tropu; miała zaczerwienioną i opuchniętą twarz, ale się śmiała. Śmiała się? Lotto pocałował śliwkowe cienie pod jej oczami i piegi na jej bladej cerze. Zachwyt przyprawił go o zawrót głowy.

– Powiedziałeś, że Luanne ma świńską gębę – odezwała się. – Ty! Mój geniusz. Rzuciłeś się do walki, żeby uratować sytuację. Ha!

Cudowna dziewczyna. Ogarnęła go fala ciepła i wreszcie zrozumiał, że ona tak źle znosiła ten trudny, smutny czas, bo nie mogła go z nim dzielić. Wiedział, że wróci. I znowu go pokocha. Nie zostawi go. A w każdym kolejnym miejscu, w którym zamieszkają, ten obraz będzie psuł atmosferę. To będzie świadectwo. Ich małżeństwo podniosło się, przeciągnęło i spojrzało na nich wyzywająco. Mathilde wróciła do Lotta. Alleluja.

– Alleluja – zawołał Chollie, pijąc ajerkoniak składający się głównie z brandy. Była jedenasta. – Jezus się urodził.

Razem z Lottem szli w zawody, kto więcej wypije. Lotto lepiej ukrywał, że jest pijany, zachowywał pozory trzeźwości, ale musiał zamknąć na moment oczy, bo pokój wokół niego wirował.

Na zewnątrz gęsta noc. Lampy uliczne jak wielkie lizaki ze śniegu. Ciotka Sallie od kilku godzin nie przestawała gadać.

– … oczywiście, co ja tam wiem – zrzędziła – nie jestem wykształcona, wy wszyscy jesteście artystami po studiach, więc oczywiście nie powinnam ci mówić, co masz robić, Lotto, mój chłopcze, ale gdybym była tobą, nie jestem, wiem, ale gdybym była, tobym powiedziała, że dałam z siebie wszystko, byłabym strasznie dumna z tych trzech czy czterech sztuk, w których zagrałam przez ostatnie lata, nie każdy może być Richardem Burtonem, może powinnam coś innego zrobić ze swoim życiem. Na przykład odzyskać powiernictwo. Zdobyć przychylność Antoinette i spadek. Przecież wiesz, że nie czuje się najlepiej, ma chore serce. Rachel i ty dostalibyście bardzo wiele, gdyby umarła, niech Bóg broni, żeby się to wydarzyło. – Z niepokojem spojrzała na Lotta znad swojego ptasiego nosa.

Budda śmiał się w milczeniu ze swojego kominka. Wokół niego morze poinsecji. Poniżej ogień, który Lotto odważył się rozpalić z gałęzi zebranych w parku. Potem w kominie paliła się sadza, w nocy wiatr wył jak pędzący pociąg towarowy albo nadjeżdżające ciężarówki.

– Naprawdę daję z siebie wszystko, ciociu – powiedział Lotto. – Być może. No cóż, urodziłem się jako bogaty biały mężczyzna. Nie będę miał się czym zająć, jeśli nie podejmę walki. Robię to, co kocham. To już bardzo wiele.

Nawet jemu te słowa wydawały się nieco mechaniczne. Złe aktorstwo, Lotto. [Słabo grał, prawda?] Jego serce już się poddało.

– Zresztą cóż to jest sukces? – zapytała Rachel. – Według mnie to możliwość zajmowania się do woli tym, co człowieka cieszy. Lotto przez wiele lat miał stałe zajęcie.

Lotto pochylił się w stronę siostry.

– Kocham cię.

Chodziła do liceum, była tak chuda jak Sallie. Odziedziczyła geny Satterwhite'ów, ciemną karnację, gęste włosy i brzydką twarz; przyjaciele nie wierzyli, że jest spokrewniona z Lottem.

Tylko on uważał ją za oszałamiająco piękną, idealnie zbudowaną. Jej pociągła twarz przypominała mu rzeźby Giacomettiego. Przestała się uśmiechać. Przyciągnął ją do siebie i pocałował, czuł, jak bardzo skuliła się w sobie.

– Sukces to pieniądze – oznajmił Chollie. – To oczywiste.

– Sukces – obruszyła się Sallie – odnosi się wtedy, kiedy człowiek odnajduje swoją wielkość, moje pączusie. Lotto, ty się z nią urodziłeś. Widziałam to w chwili, kiedy wyszedłeś z krzykiem z łona Antoinette. W trakcie huraganu. Po prostu nie wsłuchałeś się w swoją wielkość. Gawain zawsze mi powtarzał, że zostaniesz prezydentem USA albo astronautą. Kimś naprawdę wielkim. To jest ci pisane w gwiazdach.

– Przykro mi, że zawiodłem ciebie i moje gwiazdy – powiedział Lotto.

Rachel się zaśmiała.

– No cóż, zawiodłeś też naszego nieżyjącego ojca.

– Za naszego rozczarowanego nieżyjącego ojca – powiedział Lotto.

Uniósł kieliszek w stronę siostry, tłumiąc w sobie rozgoryczenie. To nie była jej wina; nie znała Gawaina, nie wiedziała, jak wielki sprawiła mu ból.

Mathilde stanęła w drzwiach z tacą. Zniewalająca w srebrnej sukience, z platynowymi włosami jak z filmu Hitchcocka: zrobiła się ekstrawagancka, od kiedy pół roku wcześniej dostała awans. Lotto miał ochotę zabrać ją do sypialni i tam energicznie rozładowywać swoją frustrację.

– Ratunku – wyszeptał bezgłośnie, ale żona nie zwracała na niego uwagi.

– Martwię się. – Mathilde spojrzała na nich, stawiając tacę na blacie kuchennym. – Zostawiłam to rano dla Bette, dochodzi jedenasta, a ona nawet tego nie tknęła. Widzieliście ją ostatnio?

Cisza, tykanie zegara, pamiątki rodzinnej przywiezionej przez Sallie w bagażu podręcznym. Wszyscy spojrzeli na sufit, jakby ich wzrok mógł przedrzeć się przez sufit, parkiet i dywan do zimnego, ciemnego mieszkania [,w którym w ciszy słychać było tylko pomrukiwanie lodówki, a na łóżku leżała duża, zimna bryła, z zewnątrz do uszu docierał oddech głodnej kotki ocierającej się o okno].

– M., jest Boże Narodzenie – uspokajał ją Lotto. – Pewnie wczoraj pojechała do rodziny i zapomniała nam o tym powiedzieć. Nikt nie spędza świąt sam.

– Mama spędza – zaprotestowała Rachel. – Siedzi sama w swoim wilgotnym domu na plaży i przez lornetkę obserwuje wieloryby.

– Bzdury. Twoja matka miała alternatywę i wybrała swoją agorafobię zamiast spędzenia świąt z dziećmi. Uwierzcie mi, wiem, że to choroba. Żyję z nią każdego dnia. Nie wiem, czemu co roku kupuję jej bilet. Tym razem nawet się spakowała. Włożyła żakiet, wyperfumowała się. A potem usiadła na kanapie. Powiedziała, że woli poukładać pudełka ze zdjęciami w łazience dla gości. Podjęła decyzję, to dorosła osoba. Nie powinniśmy mieć wyrzutów sumienia – powiedziała ciocia Sallie, ale jej wydęte usta przeczyły temu, co mówiła. Lotto poczuł ulgę. Wszystkie przytyki pod jego adresem, jej kąśliwe uwagi i złośliwości wynikały tylko z jej poczucia winy.

– Ja nie mam wyrzutów sumienia – odezwała się Rachel, ale jej twarz też była ponura.

– A ja mam – szepnął Lotto. – Od bardzo dawna nie widziałem mamy. Mam ogromne wyrzuty sumienia.

Chollie westchnął z sarkazmem. Sallie wbiła w niego gniewne spojrzenie.

– No cóż, przecież możecie ją odwiedzić – podsunęła Sallie. – Wiem, że was odcięła od pieniędzy, ale wystarczy, że spędzicie z nią pięć minut, a ona pokocha was oboje. Obiecuję wam. Dopilnuję tego.

Lotto chciał coś powiedzieć, ale na usta cisnęło mu się zbyt wiele gorzkich słów pod adresem matki, których nie wypadało wypowiadać w Boże Narodzenie, dlatego zacisnął wargi i ugryzł się w język.

Mathilde z hukiem postawiła na stole butelkę czerwonego wina.

– Posłuchajcie. Antoinette nigdy nie była w tym mieszkaniu. Nigdy mnie nie spotkała. Postanowiła się gniewać. Nie możemy ponosić odpowiedzialności za jej wybory życiowe.

Lotto zauważył, że trzęsą jej się dłonie; dostrzegł jej gniew. Uwielbiał te rzadkie chwile, kiedy pokazywała, jak cienka jest powłoka jej spokoju, pod którą kotłują się emocje. Dała o sobie znać jego perwersyjna natura, zapragnął zamknąć Mathilde ze swoją matką w jednym pokoju, żeby rzuciły się na siebie z pazurami. Nie zrobiłby tego żonie; była tak słodka, że po kilku minutach w towarzystwie jego matki zostałaby cała poraniona. Mathilde wyłączyła górne światło, żeby pokój wypełnił blask lampek choinkowych i szklanych sopli, Lotto posadził ją sobie na kolanach.

– Oddychaj – powiedział, wtulając twarz w miękkie włosy żony.

Rachel zamrugała oślepiona rozbłyskami z choinki.

Wiedział, że Sallie mówi smutną prawdę. W ciągu ostatnich lat uświadomił sobie, że nie może już liczyć na swój urok, który gdzieś wyparował; sprawdzał to raz po raz na baristach w kawiarni, specjalistach od castingu i ludziach czytających w metrze, ale przekonał się, że nie ma go więcej niż każdy inny umiarkowanie atrakcyjny młody mężczyzna. Niektórzy odwracali od niego wzrok. Przez tak długi czas wydawało mu się, że potrafi na zawołanie roztaczać wokół siebie urok jak za naciśnięciem guzika. Ale teraz stracił charyzmę, swoją iskrę Bożą, swoją aurę. Nikt już się nie nabierał na jego piękne słówka. Nie pamiętał, kiedy ostatni raz zasypiał trzeźwy.

Otworzył usta i zaintonował melodię. *Dzwonki sań* – nienawidził tej piosenki, zresztą nie był najlepszym tenorem na świecie. W obliczu tej konsternacji mógł już tylko śpiewać, widział swoją matkę, jak siedzi sama przy majestatycznej palmie w donicy udekorowanej kolorowymi żarówkami. Stał się cud, pozostali mu zawtórowali – poza Mathilde wciąż skamieniałą z gniewu, choć nawet ona powoli miękła i na jej ustach pojawił się uśmiech. Wreszcie i ona się przyłączyła.

Sallie patrzyła na Lotta, wpiła się w niego wzrokiem. Jej chłopiec. Biło w nim jej serce. Widziała wszystko ostro, wiedziała, że Rachel – posiadająca mocniejszy kręgosłup moralny, milsza, pokorniejsza – bardziej zasługuje na jej miłość niż Lotto. Ale to o Lotta modliła się po przebudzeniu. Z trudem zniosła te wszystkie lata oddalenia. [... pędzą nasze sanie, szybkie niby wiatr...] Teraz przypomniała sobie Boże Narodzenie tuż przed końcem jego studiów, zanim poznał Mathilde, kiedy spotkał się z nią i Rachel w Bostonie, gdzie zatrzymali się w ekskluzywnym starym hotelu – spadło prawie półtora metra śniegu, wydawało im się, że utknęli we śnie. W czasie kolacji Lotto dzięki sprytnemu wybiegowi umówił się na randkę z dziewczyną siedzącą przy sąsiednim stoliku, był dokładnie tak samo ujmujący jak jego matka, kiedy była młoda i śliczna, aż Sallie zaparło dech w piersi. Tamta falująca pod wodą Antoinette na chwilę odżyła w swoim synu. Później Sallie czatowała aż do północy, stojąc przy oknie w kształcie rombu na końcu korytarza, gdzie mieściły się ich pokoje, a za jej plecami śnieg niestrudzenie padał na park Common w centrum Bostonu. [... przez uśpiony las...] Po drugiej stronie korytarza, jak na końcu długiego tunelu, trzy sprzątaczki przy wózkach śmiały się i uciszały nawzajem. Wreszcie drzwi do pokoju jej chłopca się otworzyły, a on wyszedł tylko w szortach do biegania. Miał piękne, smukłe plecy jak jego matka, przynajmniej w czasach kiedy była szczupła. Na szyi zawiesił ręcznik; wybierał się na basen. Zamierzał popełnić grzech, z bólem to sobie uświadomiła, poczuła ogień na policzkach, kiedy tylko wyobraziła sobie jutrzejsze ślady po kafelkach odciśnięte na pośladkach dziewczyny i otarte kolana Lotta. Gdzie nabył takiej pewności siebie? – zastanawiała się, kiedy w oddali robił się coraz mniejszy, idąc w stronę sprzątaczek. Powiedział coś i wszystkie trzy zachichotały, jedna zdzieliła go ręcznikiem, a druga rzuciła w niego czymś błyszczącym, czekoladką [... tylko gwiazdy roześmiane...] Złapał ją i przycisnął do piersi. Jego śmiech dotarł aż do Sallie. Zrobił się taki pospolity – pomyślała. Stawał się banalny. Uświadomiła sobie, że jeśli nie będzie uważał, jakaś urocza dziewczyna gotowa się do niego przykleić i Lotto zadryfuje w stronę małżeńskiego życia, dostanie pracę jako nieźle opłacany sługus, jego przyszłością staną się rodzina, kartki świąteczne, domek na plaży, brzuch w średnim wieku, wnuki, za duży majątek, nuda i śmierć. Na starość zrobi się wierny i konserwatywny, ślepy na swoje przywileje. Kiedy Sallie przestała płakać, zorientowała się, że jest sama – czuła na karku chłodny podmuch od okna, po obu stronach korytarza ciągnęły się rzędy drzwi, coraz mniejszych, ginących w dali ziejącej pustką. [... co za radość, gdy saniami można jechać w dal...] Ale, o cudzie, zjawiła się Mathilde; choć wyglądała dokładnie tak samo jak ta słodka dziewczyna, której tak obawiała się Sallie, okazała się zupełnie inna. Sallie dostrzegła w niej światło. Pomyślała, że Mathilde może ocalić Lotta od jego lenistwa, ale minęło tyle lat, a on nadal był zwyczajny. Refren uwiązł jej w gardle.

Do środka zajrzał przechodzień idący po oblodzonym chodniku tak szybko, jak tylko się dało. Zobaczył siedzących w kręgu, śpiewających ludzi skąpanych w czystym białym świetle choinki, jego serce zabiło mocniej; obraz pozostał w nim na zawsze, wniknął w niego, kiedy wrócił do domu do własnych dzieci śpiących już w swoich łóżkach, do żony próbującej z irytacją zmontować rower trójkołowy bez śrubokrętu, który on poszedł pożyczyć. Trwał w nim na długo po tym, jak dzieci otworzyły prezenty, porzuciły zabawki w stertach papieru, wyrosły z nich, opuściły dom, rodziców i swoje dzieciństwo, a on i jego żona patrzyli na siebie zdumieni, że stało się to tak strasznie szybko. Przez wszystkie te lata ludzie śpiewający w miękkim świetle w mieszkaniu w suterenie, krystalizując się w jego umyśle, stali się ucieleśnieniem szczęścia.

Dochodziła północ, Rachel nadal drażnił kolor sufitu. Co strzeliło Mathilde do głowy, że go pozłociła! Ich ciała odbijały się jako ciemne plamy w jasności nad ich głowami. Pokój się zmienił, blask wyglądał tak elegancko w zestawieniu z ciemnymi ścianami. W ten zimny, ostatni dzień roku wydawało się, że jakaś wielka ręka wykroiła dach niczym wieczko z puszki sardynek i zalało ich ostre sierpniowe słońce.

Nie mogła uwierzyć, że kiedy ponad siedem lat wcześniej zjawiła się tu po raz pierwszy w czasie parapetówki, zastała tylko białą pustą przestrzeń, w której kotłowały się ciała i unosił kwaśny zapach piwa, wszyscy pocili się z powodu upału, a za oknem w wiosennym słońcu rozpromieniał się ogród. Teraz w świetle ulicznych latarni połyskiwały sople. Wokół Buddy rosły orchidee, w kątach bujnie pięło się epipremnum, przy stole stały krzesła w stylu Ludwika XIV obite francuskim płótnem. Pokój był elegancki, przeładowany, zbyt piękny. Jak złocona klatka – pomyślała Rachel. Mathilde przez cały wieczór była niemiła dla Lotta. Nie uśmiechała się, kiedy na niego patrzyła. Właściwie w ogóle na niego nie patrzyła. Rachel zaczęła się obawiać, że Mathilde, którą kochała całym sercem, za chwilę wyleci stąd wśród szumu skrzydeł. Biedny Lotto. Źle by się stało, gdyby Mathilde ich opuściła.

Elizabeth, nowa dziewczyna Rachel o tak jasnych włosach i cerze, że wyglądała jak wycinanka z papieru, wyczuła, że nerwy oplatają ramiona partnerki, i uścisnęła jej ramię. Z Rachel uszło napięcie. Z trudem zaczerpnęła powietrza i nieśmiało pocałowała Elizabeth w szyję.

Na zewnątrz po chodniku z gracją przemknął kot. To nie była pręgowana kotka należąca do mieszkającej nad nimi starszej pani. Już kiedy Lotto i Mathilde się wprowadzili, kotka miała swoje lata; w poprzednie Boże Narodzenie głodowała przez trzy dni, aż wreszcie Lotto i Mathilde skontaktowali się z właścicielem kamienicy, który spędzał urlop na Brytyjskich Wyspach Dziewiczych, i ktoś przyszedł zbadać sprawę. Lotto musiał na tydzień zabrać rozhisteryzowaną Mathildę do mieszkania Samuela, żeby się uspokoiła, kiedy u góry pracowała ekipa dezynfekcyjna. Osobliwy widok: zawsze opanowana Mathilde znienacka się rozsypała; Rachel zobaczyła nagle chudą dziewczynkę z wielkimi oczami, Mathilde jako dziecko, wtedy pokochała ją jeszcze bardziej. Teraz mieszkała nad nimi para z małym dzieckiem, dlatego tym razem impreza sylwestrowa była taka skromna. Jak się okazało, noworodki nie lubią hałasu.

– Matka karmiąca – powiedziała szyderczo Mathilde, zupełnie niespodziewanie. Potrafiła czytać w myślach.

Zaśmiała się na widok zdumionej twarzy Rachel, potem wróciła do kuchni i nalała szampana do kieliszków stojących na srebrnej tacy. Lotto pomyślał o dziecku na górze, wyobraził sobie Mathilde w ciąży, z tyłu smukła jak młoda dziewczyna, z profilu – jakby połknęła owoc tykwy. To wyobrażenie go rozbawiło. Opuszczone ramiączko, obnażona pierś, dość mięsista dla jego głodnych ust. Ciągnące się w nieskończoność dni utkane z czystej, ciepłej skóry i mleka; tego chciał, właśnie tego.

Chollie, Danica, Susannah i Samuel siedzieli w ciszy bladzi, trochę poważni. Przyszli sami na tę imprezę, mijający rok prześladował ich rozstaniami. Samuel wychudł, pękała mu skóra wokół ust. Wyszedł z domu po raz pierwszy od operacji usunięcia raka jądra. Wyglądał tak, jakby się skurczył.

– A skoro już mówimy o matkach karmiących, w zeszłym tygodniu widziałam tę dziewczynę, z którą chodziłeś na studiach, Lotto. Jak ona miała na imię? Bridget? – zapytała Susannah. – Stażystka na pediatrii onkologicznej. W zaawansowanej ciąży. Napuchnięta jak kleszcz. Wyglądała na szczęśliwą.

– Z nikim nie chodziłem na studiach – zaprotestował Lotto. – Poza Mathilde. Przez dwa tygodnie. Potem w sekrecie wzięliśmy ślub.

– Nie chodziłeś z nikim. Ale zaliczyłeś wszystkie dziewczyny w dolinie Hudsonu. – Samuel zaśmiał się. Po chemii wyłysiał; bez swoich loków wyglądał jak tchórzofretka. – Przykro mi, Rachel, ale twój brat strasznie się puszczał.

– Tak, tak, słyszałam o tym – odparła Rachel. – Ta Bridget przychodziła na wasze imprezy zaraz po tym, jak się tu wprowadziliście. Straszna nudziara. Zawsze wciskałeś do tego pokoju milion osób. Tęsknię za tymi czasami.

Nagle pokój wypełniły duchy tamtych przyjęć, ich samych, kiedy byli młodsi, za głupi, by zauważyć, że trwają w ekstazie.

Co się stało z wszystkimi naszymi przyjaciółmi? – zastanawiał się Lotto. Ci, którzy byli dla nas tak ważni, nagle gdzieś się ulotnili. Arystokratyczni dziwacy, teraz z bliźniakami w wózkach, mieszkający w Park Slope, amatorzy ekologicznego piwa. Arnie, który jako właściciel barów zbudował imperium, wciąż wyrywał dziewczyny z tunelami w uszach i więziennymi tatuażami. Natalie została dyrektorem finansowym jakiegoś internetowego start-upu w San Francisco, setka pozostałych gdzieś odpłynęła. Ich przyjaciele zostali zdziesiątkowani. Pozostał tylko trzon tamtego towarzystwa.

– Nie wiem – powiedziała cicho Susannah. – Ja chyba lubię samotne życie.

Wciąż grała nastolatkę w operze mydlanej. Grała ją, póki jej nie zabili, potem obsadzali ją w rolach matek i wdów. Kobiety w opowieściach zawsze definiowano poprzez ich relacje z innymi.

– Jak śpię sama, jest mi strasznie smutno – wyznała Danica. – Chyba sobie kupię dmuchaną lalkę w sex shopie, żeby mieć się koło kogo budzić co rano.

– Umów się z modelem, to jedno i to samo – poradził Chollie.

– Nienawidzę twojej parszywej gęby, Chollie. – Mówiąc to, Danica powstrzymywała śmiech.

– Bla, bla, bla. Stara śpiewka – zadrwił Chollie. – Oboje znamy prawdę.

– Do północy została niecała minuta. Powinniśmy świętować z jajem jak ci na Times Square – oznajmiła Mathilde, wnosząc tacę z szampanem.

Wszyscy spojrzeli na Samuela, który wzruszył ramionami. Nawet rak nie robił na nim wrażenia.

– Biedny Bezjajcew – wybełkotał Lotto. Po kolacji wypił sporo burbona i jeszcze nie wytrzeźwiał.

– Jednojajowy? – zażartował Chollie i w jego głosie nie było słychać szyderstwa.

– Chory na wory – powiedziała Mathilde i lekko kopnęła Lotta, który rozciągnął się na kanapie.

Wstał i ziewnął. Rozpiął guzik u spodni. Trzydziestka, koniec młodości. Znowu poczuł, jak zawisa nad nim ciemność.

– To koniec – wieszczył. – Ostatni rok ludzkości. W sylwestra za dwa lata rozpocznie się nowe tysiąclecie, samoloty spadną z nieba, komputery eksplodują, elektrownie atomowe odłączą się od internetu, zobaczymy rozbłysk i ogarnie nas wielka biała jasność. Koniec. *Finito*, ludzki eksperyment. Żyjmy więc na całego! W ten ostatni dany nam rok!

Niby żartował, ale wierzył w to, co mówił. Uważał, że świat bez ludzi będzie wspanialszy, zieleńszy, na nowo zatętni życiem, pojawią się szczury z przeciwstawnymi kciukami, małpy w okularach, zmutowane ryby budujące podwodne pałace. Patrząc na sprawę z szerokiej perspektywy, lepiej byłoby, gdyby ludzie tego nie oglądali. Wyobraził sobie młodą twarz matki oświetloną przez migoczący płomień świecy w chwili apokalipsy.

– „I ujrzałem Niewiastę pijaną krwią świętych i krwią świadków Jezusa, a widząc ją, bardzo się zdumiałem"* – wyszeptał Lotto, a kiedy przyjaciele na niego spojrzeli, z przerażenia odwrócili wzrok.

Kurwa, złamał serce Rachel. Kurwa, złamał serce całej rodzinie. Mama pogrążyła się w samotności, w nieszczęściu. Sallie zachowywała się jak wierny pies albo zaharowana niewolnica, a wszystko przez Lotta, którego dumy nie potrafiła zrozumieć; tylko dziecko

---

* Apokalipsa św. Jana, 17, 6. Biblia Tysiąclecia, Poznań 2000.

mogło tak długo żywić urazę, tylko dziecko nie wybacza, choć z łatwością mogłoby wszystko naprawić. Mathilde zobaczyła, że oczy Rachel wypełniają się litością, i lekko pokręciła głową: Nie. On jeszcze pożałuje.

– Trzydzieści sekund – oznajmiła. Z komputera oczywiście grał Prince.

Chollie nachylił się do Daniki po noworocznego całusa. Okropny mały człowiek. Popełniła błąd, pozwalając, by ją obmacał w taksówce, kiedy pewnego wieczoru tego lata wracali z Hamptons. Co ona sobie wyobrażała? Nie miała wprawdzie chłopaka, ale to nie miało znaczenia.

– Nie ma, kurwa, mowy – powiedziała, wchodząc Cholliemu w słowo.

– … mi winna dwa miliony dolarów – ciągnął niezrażony.

– Co? – zapytała.

On się uśmiechnął.

– Za dwadzieścia sekund zacznie się 1999 rok. Założyliśmy się, że w 1998 się rozwiodą.

– Pierdol się.

– Sama się pierdol, oszustko.

– Musimy zaczekać do końca roku.

– Dwadzieścia sekund – oznajmiła Mathilde. – Żegnaj 1998, powolny i błotnisty roku.

– „Rzeczy nie są dobre czy złe same w sobie. Są takie, jakimi nam się wydają"* – wyrecytował pijackim głosem Lotto.

– Potrafisz w nieskończoność mówić o niczym – skarciła go Mathilde.

Lotto wycofał się, otworzył usta, ale nic nie odpowiedział.

– Widzisz? – wyszeptała Danica. – Kłócą się. Jeśli jedno z nich teraz wybiegnie, to uznam, że wygrałam.

Mathilde wzięła kieliszek z tacy.

---

* William Szekspir, *Hamlet*, tłum. Stanisław Barańczak, Kraków 1999, s. 74.

– Dziesięć – powiedziała.

Zlizała szampana, który wylał się na jej dłoń.

– Skasuję twój dług, jak pójdziesz ze mną na randkę – zaproponował Chollie.

Danica poczuła w uchu jego gorący oddech.

– Co?

– Jestem bogaty. A ty skąpa. Czemu nie?

– Osiem – oznajmiła Mathilde.

– Bo cię nie znoszę – warknęła Danica.

– Sześć. Pięć. Cztery – skandowali pozostali.

Chollie uniósł brew.

– No dobra – zgodziła się Danica z westchnieniem.

– Jeden! Szczęśliwego Nowego Roku! – wrzasnęli, ktoś tupnął trzy razy nad ich głowami, dziecko zakwiliło, a na zewnątrz w oddali usłyszeli okrzyki, które w tę krystaliczną noc dobiegały z Times Square, a potem na ulicy wybuchły fajerwerki.

– Szczęśliwego Nowego Roku, kochanie – szepnął Lotto do Mathilde; od bardzo dawna się tak nie całowali.

Co najmniej od miesiąca. Już zapomniał o jej ślicznym nosku. Jak mógł zapomnieć o czymś tak cudownym? Pomyślał, że nic nie gasi pragnienia miłości bardziej niż żona, która zaharowuje się na śmierć, niż umierające marzenia i rozczarowanie.

Tęczówki Mathilde zwęziły się, kiedy odchyliła głowę.

– To będzie dla ciebie przełomowy rok – powiedziała. – Zagrasz Hamleta na Broadwayu. Znajdziesz swój rytm.

– Kocham twój optymizm – odparł, czując mdłości.

Elizabeth i Rachel całowały policzki Susannah, ale ona i tak wyglądała na osamotnioną. Samuel też ją pocałował, zaczerwienił się, ale ona go wyśmiała.

– Ale jestem zalana – wymamrotała Danica, odsuwając się od całującego ją Cholliego. Wyglądała na przerażoną.

Goście wychodzili parami, Mathilde wyłączyła światła, ziewnęła, zostawiła niedojedzone resztki na stole i postawiła kieliszki na blacie kuchennym, żeby je umyć rano. Lotto patrzył, gdy zrzucała sukienkę w sypialni i w samych stringach wchodziła pod kołdrę.

– Pamiętasz, jak się w takie noce kochaliśmy, zanim szliśmy spać? Cielesne błogosławieństwo na nowy rok – zawołał do niej przez drzwi.

Chciał powiedzieć więcej; że może w nadchodzących miesiącach postarają się o dziecko. Lotto mógł zostać w domu i się nim zajmować. Gdyby to on miał odpowiednie wyposażenie anatomiczne, to z pewnością nieraz popełniłby pomyłkę, zapominając o zażyciu tabletki antykoncepcyjnej, i mały Lotto już dawno wierzgałby mu w brzuchu. To nie w porządku, że kobiety mogą doświadczać tej pierwotnej radości, a mężczyźni nie.

– Kochanie, uprawialiśmy seks w dzień wywożenia śmieci i w dzień zakupów – przypomniała mu.

– Co się zmieniło? – zapytał.

– Zestarzeliśmy się – odparła. – I tak robimy to częściej niż większość znanych nam małżeństw. Dwa razy w tygodniu to niezły rezultat.

– To za mało – wyszeptał.

– Słyszałam to – powiedziała. – Jakbym kiedykolwiek ci odmówiła.

On westchnął ciężko, próbując wstać.

– No dobra – zgodziła się. – Jak przyjdziesz teraz do łóżka, to ci pozwolę się ze mną kochać. Ale jak zasnę, to się nie wkurzaj.

– Hura. Kusząca propozycja – mruknął i usiadł w ciemności z butelką.

Słuchał, jak oddech żony zamienia się w chrapanie, i zastanawiał się, jakim sposobem się tu znalazł. Pijany, samotny, unurzany w poczuciu klęski. Przecież triumf wydawał się pewny. Tymczasem on zmarnował cały swój potencjał. Grzech. Trzydziestka na karku i zero sukcesów. Porażka zabija powoli. Jak powiedziała Sallie, zupełnie się wykrwawił.

[Może takiego kochamy go jeszcze bardziej – upokorzonego].

Tej nocy zrozumiał, dlaczego matka pogrzebała się żywcem w domu na plaży. Uniknęła ryzyka kontaktów z innymi. Wsłuchiwał się w pulsujący pod powierzchnią swoich myśli mroczny rytm obecny tam zawsze, od kiedy umarł ojciec. Wyzwolenie. Kadłub samolotu mógł spaść z nieba i wbić go w ziemię. Jeden przełącznik w jego mózgu mógł odebrać mu całą moc. Nareszcie nadeszłaby błogosławiona ulga. W jego rodzinie często zdarzały się tętniaki. Ojciec umarł tak nagle, młodo, miał czterdzieści sześć lat; Lotto chciał tylko zamknąć oczy i znaleźć swojego ojca, położyć głowę na jego piersi, poczuć jego zapach i usłyszeć kojące bicie jego serca. Czy pragnął tak wiele? Miał jednego rodzica, który go kochał. Mathilde dawała mu dostatecznie dużo, ale ją uziemił. Jej żarliwa wiara ostygła. Mathilde oddalała się od niego. Rozczarował ją. Och, tracił ją, a gdyby odeszła – ze skórzaną walizką, odwrócona do niego swoimi smukłymi plecami – umarłby.

Lotto płakał; czuł chłód na twarzy. Próbował nie hałasować. Mathilde potrzebowała snu. Pracowała codziennie po szesnaście godzin przez sześć dni w tygodniu, karmiła ich i płaciła rachunki. On nie wnosił do ich małżeństwa niczego poza rozczarowaniem i brudną bielizną. Spod kanapy wyciągnął laptop, który schował tam, kiedy Mathilde kazała mu posprzątać przed przyjściem gości. Chciał tylko spotkać się w internecie z innymi smutnymi duszami, tymczasem otworzył pusty dokument, zamknął oczy i uświadomił sobie, jak wiele utracił. Rodzinny stan, matkę, światło, które kiedyś rozpalał w innych, w swojej żonie. Ojca. Nikt nie doceniał Gawaina, bo był milczący i niewykształcony, ale tylko on zrozumiał wartość wody płynącej pod powierzchnią nieurodzajnej rodzinnej ziemi, wykorzystał to i zbił majątek. Lotto przypomniał sobie zdjęcia młodej matki, niegdysiejszej syreny – ogon okrywał jej nogi jak pończocha, falował jak pończocha. Przypomniał sobie swoją małą dłoń zanurzoną w źródełku, palce przemarznięte do kości, tak że tracił w nich czucie – uwielbiał ten ból.

Ból! W jego oczach sztylety porannego światła.

Mathilde otoczyła oślepiająca poświata bijąca od sopli w oknie. Włożyła znoszony szlafrok. Z zimna zsiniały jej palce stóp. A jej twarz? Co to było? Coś nie tak. Zapuchnięte czerwone oczy. Co zrobił Lotto? Pewnie coś okropnego. Może zostawił laptop otwarty na stronie porno i ona ją rano zobaczyła. Może to było okropne porno, najgorsze, może kierowała nim dzika ciekawość, przechodził przez tunele czasoprzestrzenne, w których narastało zło, aż wreszcie odnalazł to, co niewybaczalne. Czuł, że ona go zostawi. Byłby wtedy skończony. Gruby, samotny i przegrany, niewart powietrza, którym oddychał.

– Nie zostawiaj mnie – prosił. – Poprawię się.

Podniosła głowę, wstała, przeszła po dywanie do kanapy, odstawiła laptop na stolik do kawy i objęła jego policzki zimnymi dłońmi.

Jej szlafrok się rozchylił, odsłaniając jej uda jak u uroczego różowego aniołka. Właściwie to miała skrzydła.

– Och, Lotto – westchnęła, a zapach kawy, którą wypiła, mieszał się z jego cuchnącym oddechem, musnęła rzęsami jego skroń. – Kochany, zrobiłeś to.

– Co?

– Jest świetna. Nie wiem, czemu mnie to zdziwiło, przecież to oczywiste, że jesteś genialny. Od tak dawna się miotałeś.

– Dziękuję. Przepraszam. Co się dzieje?

– Nie wiem! To chyba sztuka teatralna. Nosi tytuł *Źródła*. Zacząłeś ją pisać wczoraj o pierwszej czterdzieści siedem w nocy. Nie wierzę, że udało ci się ją napisać w pięć godzin. Trzeba jeszcze dokończyć trzeci akt. I ją zredagować. Już zaczęłam. Robisz błędy ortograficzne, ale przecież to żadne zaskoczenie.

Dopiero teraz przypomniał sobie, że poprzedniej nocy pisał. Jakieś głęboko tajone pokłady emocji, coś o ojcu. Och.

– Przez tyle lat kryłeś się z tak ogromnym talentem.

Stanęła nad nim okrakiem, zsunęła mu jeansy z bioder.

– Mój ogromny talent – wycedził. – Kryłem się z nim.

– Jesteś geniuszem. Dostałeś nowe życie. Miałeś zostać dramatopisarzem, kochanie. Cholera, dzięki Bogu wyszło to na jaw.

– Wyszło na jaw – powtórzył.

Wydawało mu się, że wynurzył się z mgły: mały chłopiec, dorosły mężczyzna. Postacie, które jednocześnie były i nie były nim. Lotto przeobrażony pod wszechwiedzącym spojrzeniem. Kiedy im się przyjrzał rano, był zaszokowany. Te postacie żyły. Nagle zapragnął wrócić do ich świata, jeszcze na chwilę.

Ale jego żona powiedziała:

– Witaj, sir Lancelocie, nieustraszony rycerzu. Ruszaj do walki.

Co za wspaniała pobudka – z żoną siedzącą na nim okrakiem i szepczącą do jego świeżo uszlachconego penisa, rozgrzewającą go swoim oddechem, mówiącą mu, że... jest kim? Geniuszem. Lotto od dawna czuł to w kościach. Od kiedy był małym chłopcem, stawał na krześle i krzyczał, sprawiał, że dorośli mężczyźni czerwienili się i płakali. Ale miło, że to się potwierdziło, i to na taką skalę. Pod złotym sufitem, pod złotą żoną. No dobrze. Może zostać dramatopisarzem.

Patrzył, jak Lotto, którym – jak mu się wydawało – kiedyś był, wstaje ucharakteryzowany, w serdaku, w przepoconym kaftanie, dysząc i rycząc, a publiczność wybucha owacją. Jak duch opuszcza ciało, które kłania się teatralnie i wychodzi na zawsze przez zamknięte drzwi z mieszkania.

Nic nie powinno zostać. A jednak jakiś Lotto został. Inny on, nowy, pod swoją żoną, która położyła twarz na jego brzuchu, odciągając gumkę stringów w jedną stronę, obejmując go w sobie. Jego dłonie rozsuwały poły jej szlafroka, odsłaniając piersi jak pisklęta, jej podbródek odchylony w stronę ich niewyraźnych lustrzanych odbić.

– O Boże – mówiła, wbijając mocno pięści w jego klatkę piersiową. – Teraz jesteś Lancelotem. Nie ma już Lotta. Lotto to imię dziecka, a ty nie jesteś dzieckiem. Jesteś geniuszem, Lancelocie Satterwhite, cholernie dobrym dramatopisarzem skazanym na sukces.

Jeśli tylko oznaczało to, że jego żona znowu uśmiechnie się do niego spod blond rzęs, że usiądzie na nim jak triumfująca dżokejka pozująca na koniu, mógł się zmienić. Mógł stać się tym, kim chciała. Już nie aktorem, który nie odniósł sukcesu. Potencjalnym dramatopisarzem. Narastało w nim takie uczucie, jakby odkrył okno zamknięty w ciemnym schowku. Odczuwał też ból, miał poczucie straty. Zamknął oczy i poruszał się w mroku w stronę tego, co w tej chwili tylko Mathilde widziała wyraźnie.

4

Źródła, 1999

Wciąż był pijany.

– Najwspanialsza noc mojego życia – powiedział. – Milion wyjść do oklasków. Wszyscy przyjaciele. No i ty, taka wspaniała. Owacje. Off-Broadway. Bar! Spacerem do domu, rozgwieżdżone niebo!

– Słowa cię zawodzą, kochany – powiedziała Mathilde. [Nieprawda. Dziś w nocy słowa go nie zawiodły. W ciemnych zakamarkach teatru czaiły się oczy krytyków. Obserwowali go, zastanawiali się, uznali, że to dobre].

– Teraz ciało przejmuje kontrolę – oznajmił, a ona chciała zaspokoić jego pragnienia, ale kiedy wróciła z łazienki, on spał nagi na kołdrze, okryła go, pocałowała jego powieki, poczuła smak jego chwały. Rozkoszowała się nią. Zasnęła.

Jednooki król, 2000

– Kochanie, ta sztuka opowiada o Erazmie z Rotterdamu. Nie możesz jej zatytułować *Oneiroi*.

– Dlaczego? – zapytał Lotto. – To dobry tytuł.

– Nikt go nie zapamięta. Nikt nie wie, co to znaczy. Nawet ja.

– Oneiroi to dzieci Nyks. Nocy. To sny. Bracia Hypnosa, Tanatosa i Geras: Snu, Śmierci i Starości. To sztuka o snach Erazma, kochanie. Księcia humanistów. Osieroconego w czasie zarazy w 1483 roku nieślubnego syna katolickiego księdza. Desperacko zakochanego w mężczyźnie...

– Czytałam sztukę, znam ją...

– A słowo *oneiroi* mnie śmieszy. Erazm powiedział, że w kraju ślepców jednooki jest królem. Jednooki król. *Roi d'un oeil. Oneiroi.*

– Och – westchnęła.

Kiedy mówił po francusku, zmarszczyła czoło; studiowała romanistykę, historię sztuki i filologię klasyczną. Ciemnofioletowa dalia w oknie wychodzącym na ogród, lśnienie jesiennego światła. Podeszła do niego, położyła brodę na jego ramieniu, wsunęła dłonie w jego spodnie.

– To seksowna sztuka – powiedziała.

– Tak. Masz takie miękkie dłonie, żono.

– Po prostu ściskam dłoń twojemu jednookiemu królowi.

– Och, kochanie. Jesteś genialna. To rzeczywiście lepszy tytuł.

– Wiem. Możesz go sobie wziąć.

– Jesteś taka hojna.

– Ale nie podoba mi się to, jak twój król na mnie patrzy. Złowrogo łypie na mnie okiem.

– Obetnij mu głowę – poradził, niosąc ją do łazienki.

Wyspy, 2001

– Nie chodzi o to, że się z nimi nie zgadzam – powiedziała – ale podjąłeś duże ryzyko, pisząc o trzech karaibskich pokojówkach z hotelu w środku burzy śniegowej w Bostonie.

Nie podniósł głowy, którą oparł o zgięty łokieć. Gazety waláły się w całym salonie w nowym mieszkaniu na pierwszym piętrze. Wciąż nie stać ich było na dywan. Dębowe deski wyglądały tak surowo jak Mathilde.

– Rozumiem Phoebe Delmar – powiedział. – Nienawidzi wszystkiego, co zrobiłem i zrobię. „Kulturowe zawłaszczenie", „natarczywy", „rozwrzeszczany". Ale dlaczego recenzent z „Timesa" wspomniał o pieniądzach mojej matki? Co to ma wspólnego z moją sztuką? Nie stać mnie na opłacenie ogrzewania, to prawda, ale co ich to obchodzi? Niby czemu nie mogę pisać o biednych ludziach, jeśli dorastałem w dostatku? Czy oni nie wiedzą, co to jest fikcja literacka?

– Stać nas na opłacenie rachunków za ogrzewanie – zaprotestowała Mathilde. – Kablówka to co innego. Ale tak w ogóle, to niezła recenzja.

– O tyle, o ile – wyjęczał. – Chcę umrzeć.

[Tydzień później dwa kilometry od ich mieszkania rozbiły się dwa samoloty, a Mathilde w pracy upuściła na podłogę kubek, który rozbił się w drobny mak; Lotto w domu włożył buty do joggingu, przebiegł czterdzieści trzy przecznice na północ do jej biura, wpadł do budynku przez drzwi obrotowe, widząc, jak ona wychodzi dokładnie w tym samym momencie. Patrzyli na siebie bladzi, stojąc po dwóch stronach szyby, ona na zewnątrz, on w środku, Lotto pomimo paniki poczuł wstyd, choć sam nie wiedział czemu, rozpacz, która osiągnęła wtedy punkt kulminacyjny, nie pozwoliła mu racjonalnie myśleć].

– Czy ty musisz tak cholernie dramatyzować? – zirytowała się. – Jak dasz za wygraną, Phoebe Delmar zatriumfuje. Po prostu napisz coś nowego.

– O czym? – zapytał. – Wypaliłem się. Skończony w wieku trzydziestu trzech lat.

– O czymś, co dobrze znasz – poradziła.

– Nic nie znam – odparł.

– Znasz mnie.

Spojrzał na nią. Na twarzy miał smugi farby drukarskiej. Uśmiechnął się.

– To prawda.

Dom w gaju, 2003

AKT II, SCENA I

Ganek w domu na plantacji. Olivia w białym stroju do tenisa czeka na Josepha. Jego matka w fotelu bujanym, ze szprycerem w dłoni.

BIEDRONECZKA: Chodź tutaj i usiądź. Cieszę się, że możemy przez chwilę porozmawiać. Joseph rzadko przyprowadza dziewczyny do domu. Święto Dziękczynienia spędzamy zazwyczaj sami. W gronie rodziny. Opowiedz mi o sobie, kochanie. Skąd pochodzisz? Co robią twoi rodzice?

OLIVIA: Znikąd. Nic. Nie mam rodziców, pani Dutton.

BIEDRONECZKA: Nonsens. Każdy ma rodziców. Wyskoczyłaś komuś z głowy? Przykro mi, ale żadna z ciebie Minerwa. Może nie lubisz rodziców, Bóg mi świadkiem, że nie lubię swoich, ale na pewno ich masz.

OLIVIA: Jestem sierotą.

BIEDRONECZKA: Sierotą? Nikt nie chciał cię adoptować? Takiej ślicznej dziewczyny? Nie wierzę. Pewnie stroiłaś fochy. Ach tak. Widzę, że stroiłaś fochy. Jesteś trudna. Zbyt inteligentna, by czuć się szczęśliwa.

OLIVIA (*po długiej pauzie*): Joseph każe na siebie czekać.

BIEDRONECZKA: Próżny chłopak. Robi miny do lustra, patrzy na swoją dziwną fryzurę. (*Obie się śmieją.*) Najwyraźniej nie chcesz o tym rozmawiać, nie winię cię za to. To z pewnością bolesna rana, kochanie. Rodzina to przecież najważniejsza rzecz na świecie. Najważniejsza. To rodzina mówi ci, kim jesteś. Bez rodziny jest się nikim.

Olivia z zaniepokojeniem podnosi wzrok. Biedroneczka patrzy na nią z szerokim uśmiechem.

OLIVIA: Jestem kimś.

BIEDRONECZKA: Kochanie, nie obraź się, ale w to wątpię. Jasne, jesteś śliczna, ale nie masz nic do zaoferowania takiemu chłopakowi jak Joey. Wprawdzie on cię kocha, ale to zwykły romans. Nie przejmuj się jego złamanym sercem. W pięć minut znajdzie sobie nową dziewczynę. Możesz uciekać. Zaoszczędzisz nam obu sporo czasu. Pozwól mu znaleźć kogoś odpowiedniejszego.

OLIVIA (*powoli*): Odpowiedniejszego. Czyli dziewczynę z bogatej rodziny? Zabawne, pani Dutton. Mam rodzinę bogatą jak królowie.

BIEDRONECZKA: Kłamiesz? Albo kłamiesz teraz, albo kłamałaś, twierdząc, że jesteś sierotą. Tak czy siak, nie wierzę w ani jedno słowo, które padło z twych ust, od kiedy tu przyszłaś.

JOSEPH (*wchodzi, uśmiecha się radośnie, pogwizduje*): Witam piękne panie.

OLIVIA: Nigdy nie kłamię, pani Dutton. Jestem patologicznie prawdomówna. A teraz, za pozwoleniem, pójdę zagrać w tenisa ze swoim mężem (*uśmiecha się złośliwie*).

JOSEPH: Olivia!

BIEDRONECZKA (*wstaje*): Swoim? Swoim kim? Mężem? Mężem? Mężem? Josephie!

– Dotyka do żywego – powiedziała Mathilde, podnosząc wzrok. W kącikach jej ust czaił się smutek.

– Któregoś dnia poznasz moją matkę – obiecał Lotto. – Chcę cię na to przygotować. Wciąż mnie pyta, kiedy zamierzam się ustatkować z porządną dziewczyną.

– Auć. – Mathilde spojrzała na niego nad stołem, kawą i niedojedzonym bajglem. – Patologicznie prawdomówna? – Patrzył na nią. Czekał. – No dobrze – zgodziła się.

Gacy, 2003

– Co opętało młodego dramatopisarza Lancelota Satterwhite'a, który do tej pory dał świadectwo swojego talentu, tworząc dzikie wizje życia na Południu, że napisał sztukę gloryfikującą

Johna Wayne'a Gacy'ego, pedofila popełniającego serię morderstw w stroju klauna? Szeleszczące papierem dialogi, okropne piosenki śpiewane przez Gacy'ego *a cappella* oraz nazbyt dosłowne sceny brutalnych morderstw i okrucieństw sprawiają, że po trzech godzinach publiczność wychodzi z teatru, zadając sobie jedno pytanie: „Po co?". To nie tylko zdecydowanie zła sztuka, ale także sztuka w złym guście. Może Satterwhite chciał nawiązać do dzieł lepszych twórców, a może złożyć hołd *Sweeneyowi Toddowi*, ale niestety Lancelot Satterwhite nie jest i nigdy nie będzie Stephenem Sondheimem – przeczytała Mathilde i rzuciła gazetę na podłogę. – Zgadłeś. To ta idiotka Phoebe Delmar – powiedziała.

– Wszystkim pozostałym się podobało. Zazwyczaj zła recenzja wywołuje we mnie wstyd. Ale ta kobieta tak bardzo się myli, że mam ją gdzieś.

– Moim zdaniem to zabawna sztuka.

– I jest zabawna. Publiczność pękała ze śmiechu.

– Phoebe Delmar. Pięć sztuk, pięć miażdżących recenzji. Ta kobieta nie zna się na teatrze.

Spojrzeli na siebie i się uśmiechnęli.

– Wiem. Mam napisać następną – domyślił się Lotto.

Grimoire, 2005

– Jesteś geniuszem – powiedziała, odkładając manuskrypt.

– Chodź więc ze mną do łóżka.

– Z chęcią.

Zima w Hamlin, 2006

Sallie, Rachel i jej nowy mąż przyszli na premierę. Mąż? Facet? Gdzie się podziała Elizabeth? Mathilde i Lotto trzymali się za ręce – jadąc taksówką na brunch, porozumiewali się bez słów.

Mąż trajkotał jak nakręcony.

– Układny półgłówek – oceniła go później Mathilde.

– Gad analfabeta – zawyrokował Lotto. – Co ona wyprawia? Myślałem, że jest lesbijką. Uwielbiałem Elizabeth. Miała cudowny biust. Gdzie ona poznała tego ćpuna?

– Tatuaż na karku nie świadczy jeszcze o nałogu – uznała Mathilde. Przez chwilę się jednak zastanawiała. – Tak mi się przynajmniej wydaje.

Wysłuchali tej historii, jedząc jajka po benedyktyńsku. Pierwszy rok po studiach nie był najlepszy dla Rachel. Rozpierała ją energia, jej dłonie niczym kolibry przefruwały bez przerwy od talerza do sztućców, kieliszka, włosów i kolan.

– Nie wychodzi się za mąż w wieku dwudziestu trzech lat z powodu złego roku – powiedział Lotto.

– A z jakiego powodu wychodzi się za mąż w wieku dwudziestu trzech lat? – zapytała Rachel. – Oświeć mnie.

– Ma rację – szepnęła Mathilde. Lotto na nią spojrzał. – My mieliśmy dwadzieścia dwa lata – przypomniała mu.

Zatem Rachel przyznała, że miała złą passę. Popełniła jakąś głupotę i Elizabeth od niej odeszła. Teraz Rachel zaczerwieniła się, a mąż uścisnął jej kolano pod stołem. Po rozstaniu pojechała do domu na plaży, żeby Sallie się nią zajęła. Peter pracował w parku rozrywki Marineland.

– Jesteś naukowcem, Pete? – zapytała Mathilde.

– Nie, karmię delfiny – odparł.

Rachel twierdziła, że Pete zjawił się we właściwym miejscu i czasie. Och, wybiera się też na studia prawnicze i jeśli Lotto nie ma nic przeciwko temu, chciałaby po ich ukończeniu przejąć fundusz powierniczy.

– Mama odcięła cię od pieniędzy? – zapytał Lotto. – Biedna kobieta. Odmówiła sobie wielkiego, wystawnego przyjęcia, na które tak czekała. Nie wiedziałaby, kogo zaprosić, i pewnie sama by nie przyszła, ale z rozkoszą zajęłaby się planowaniem.

Kupiłaby ci suknię z wielkimi bufkami, Rachel. Tort jak Chichén Itzá. Drużki w sukienkach na fiszbinach. Wszyscy z jej jankeskiej rodziny dostaliby poparzenia słonecznego, a w środku zżerałaby ich zazdrość. Nie zdziwiłbym się, gdyby ustanowiła beneficjentem funduszu powierniczego jakieś schronisko dla pitbulli ze schizofrenią.

Cisza. Sallie się skrzywiła i nerwowo mięła serwetkę.

– Nie odcięła mnie od pieniędzy – mruknęła cicho Rachel.

Długa cisza. Lotto zamknął oczy, przełknął gorycz.

– Ale musiałem podpisać umowę przedmałżeńską. Dostaję tylko dwa miliony – powiedział Pete, robiąc dla żartu smutną minę, ale zaczerwienił się, kiedy wszyscy nagle zaczęli się wpatrywać w swoje drinki. – To znaczy, gdyby stało się coś złego. Ale nic się nie stanie, słonko – dodał, a Rachel mu przytaknęła.

Peter okazał się tylko krótkim, żenującym epizodem w jej życiu. Po pół roku Elizabeth ze swoimi wielkimi miękkimi piersiami, w okularach w kształcie kocich oczu, z jasnymi włosami i skórą wróciła na dobre.

W teatrze Lotto obserwował ciotkę i siostrę. Kiedy po dziesięciu minutach zaczął im się rozpływać makijaż, westchnął, odprężył się i podparł brodę dłonią.

Po brawach, gratulacjach i uściskach oraz przemówieniu skierowanym do kochających go aktorów – kochali go, to było widać w ich spojrzeniach – Mathilde ukradkiem wyprowadziła Lotta z teatru tylnymi drzwiami do baru, do którego jej asystent zabrał już jego rodzinę.

Sallie poderwała się i ze łzami w oczach rzuciła mu się na szyję. Rachel mocno objęła go w pasie. Peter kręcił się wokół nich, poklepując Lotta po ramionach.

– Nie wiedziałam, kochany, że tak bardzo chciałeś mieć dziecko – szepnęła mu do ucha Sallie.

Spojrzał na nią zdumiony.

– Doszłaś do wniosku, że chcę mieć dzieci?

– No tak – powiedziała Rachel. – Sztuka opowiada o rodzinie, o dziedzictwie przekazywanym z pokolenia na pokolenie, o tym, że rodząc się, należysz do rodzinnej ziemi. To oczywiste. Poza tym Dorothy zachodzi w ciążę. A Julie, ta z góry, ma dziecko. Nawet Hoover nosi dziecko na piersi. Nie o to ci chodziło?

– Nie – odparła Mathilde ze śmiechem.

Lotto wzruszył ramionami.

– Może.

Eleonora Akwitańska, 2006

Niewysoki mężczyzna wbiegł do teatru w czasie bankietu dla VIP-ów. Miał przerzedzone białe włosy i spłowiały zielony płaszcz – kiedy miarowo unosił ramiona, wyglądał jak ćma.

– Och, mój drogi chłopcze, mój drogi, drogi Lotto, udało ci się, dokonałeś tego, czego zawsze się po tobie spodziewałem. Masz teatr we krwi. Dziś wieczorem Talia obsypuje cię pocałunkami.

Lancelot uśmiechnął się, kiedy niewysoki mężczyzna poszedł w ślady muzy komedii i cmoknął go w policzek.

– Dziękuję bardzo. – Lotto wziął z tacy kieliszek szampana. – Podziwiam Eleonorę Akwitańską. Była geniuszem, matką współczesnej poezji. A teraz proszę mi wybaczyć, wiem, że się znamy, ale proszę mi przypomnieć skąd.

Uśmiechnął się, nie spuszczając oczu z małego człowieczka, który odchylił głowę w tył i zamrugał.

– Och. Mój drogi chłopcze. Wybacz. Widzisz, śledziłem twoją karierę z taką radością i poznałem cię tak dobrze dzięki twoim sztukom, że oczywiście uznałem, że ty też mnie znasz. Błędne założenie. Tak mi wstyd. Jestem twoim nauczycielem z liceum. Denton Thrasher. Czy to – zaczerpnął powietrza i westchnął teatralnie – czy to ci coś mówi?

– Przepraszam, panie Thrasher – powiedział Lancelot. – Nie przypominam sobie. Skleroza. Ale dziękuję, że pan przyszedł i się przypomniał.

Uśmiechnął się, patrząc z góry na nauczyciela.

– Nie przypominasz sobie – wysapał człowieczek słabym głosem. Zaczerwienił się i wydawało się, że nagle cały zaczął płowieć. Mathilde, stojąc u boku męża, uważnie przyglądała się tej scenie. Miał pamięć precyzyjną jak nóż do cięcia diamentów. Nie zapominał twarzy. Potrafił wyrecytować całą sztukę po dwukrotnym obejrzeniu. Obserwowała go, gdy odwrócił się i przywitał z legendarną gwiazdą muzyki, całując ją w rękę, w jego czarującym i nonszalanckim uśmiechu wyczuła nerwowe napięcie. Denton Thrasher odszedł. Położyła dłoń na ramieniu męża. Kiedy Lotto pożegnał się z gwiazdą, podszedł do niej i na chwilę położył jej głowę na ramieniu. Z nowymi siłami odwrócił się do pozostałych.

Ściany, sufit, podłoga, 2008

– *Ściany, sufit, podłoga?* – zapytał producent, łagodny mężczyzna o sennym spojrzeniu, w którego klatce piersiowej skrywało się dzikie serce.

– Pierwsza część trylogii o wywłaszczonych – odparł Lotto. – Ta sama rodzina, ale inni bohaterowie. Tracą dom, a wraz z nim wszystko, co mieli. Historię, antyki, duchy. Tragedia. Wszystkie trzy części można by grać równocześnie.

– Równocześnie. Jezu. Ambitnie. A to jest która część trylogii?

– Ta o zdrowiu psychicznym.

Ostatni łyk, 2008

– *Ostatni łyk.* Niech zgadnę – rzekł producent. – O alkoholizmie.

– O zajęciu nieruchomości. A ostatnia część, *Łaska*, to opowieść o weteranie wojny w Afganistanie, który wraca do domu.

Łaska, 2008

– Opowieść wojenna pod tytułem *Łaska*? – zdziwił się producent.

– Byłem z oddziałem *marines* w Afganistanie – wyjaśnił Lotto – dwa tygodnie. Przez cały czas wydawało mi się, że zaraz umrę. Każda kolejna chwila życia wydawała mi się błogosławieństwem. A rozstałem się z religią jako dziecko. Możesz wierzyć lub nie, ten tytuł pasuje.

– Zlituj się. – Producent zamknął oczy. Po chwili je otworzył. – No dobrze. Przeczytam te teksty i jeśli mi się spodobają, to je wystawimy. Podobały mi się *Źródła*. I *Grimoire*. Masz interesujące pomysły.

– Umowa stoi – odezwała się Mathilde z kuchni, układając na talerzu świeżo upieczone korzenne herbatniki.

– Ale nie na Broadwayu – zastrzegł się. – Może w jakimś małym teatrze w New Jersey.

– Tylko pierwsze spektakle – zaprotestowała Mathilde, stawiając na stole talerz z ciasteczkami i herbatę.

Nie zaśmiał się nikt poza producentem.

– Mówisz poważnie – powiedział.

– Przeczytaj. Sam zobaczysz.

Tydzień później producent zadzwonił. Mathilde odebrała.

– Już rozumiem – zaczął.

– No widzisz – triumfowała Mathilde. – Większość ludzi w końcu to sobie uświadamia.

– Ty też? – zapytał producent. – Na pierwszy rzut oka on tylko błaznuje. Żarty i bajery. Jakim cudem dostrzegłaś w nim to coś?

– Po prostu. Zobaczyłam to, kiedy go po raz pierwszy spotkałam – wyjaśniła. – To był wybuch supernowej. Od tamtej pory widzę to każdego dnia. – Zawahała się, ale nie dodała: prawie.

Kiedy skończyła rozmawiać z producentem, poszła do Lotta na werandę ich nowego wiejskiego domu [ohydztwo z płyt gipsowych pokrytych sidingiem, ale Mathilde widziała w tym architektonicznym potworku piękne detale, kamienne posadzki i drewniane belki]. Przed domem rósł wiśniowy sad, a doskonale płaski teren na tyłach aż prosił się o basen. Kilka miesięcy wcześniej rzuciła pracę i zajęła się wyłącznie organizowaniem życia męża. Zostawili sobie jednopokojowe mieszkanie w mieście i korzystali z niego od czasu do czasu. Ten dom zamierzała urządzić tak, by idealnie odpowiadał ich potrzebom. Los im sprzyjał. Czekała ich fortuna – Mathilde nie musiała już martwić się rachunkiem za telefon i jedną kartą kredytową spłacać zadłużenie na drugiej. Wieści od producenta ją zelektryzowały.

Zimne słońce, pierwsze wiosenne kwiaty wyściubiały nosy z wciąż jeszcze zmrożonej ziemi. Lotto leżał i obserwował budzący się stopniowo świat. Byli małżeństwem od siedemnastu lat. Ona zamieszkiwała najgłębszy zakątek jego serca. Z tego powodu czasem myślał o niej jak o żonie, a nie jak o Mathilde; o małżonce, a nie kobiecie z krwi i kości. O abstrakcji, a nie żywej istocie. Ale teraz, kiedy przeszła przez werandę, zobaczył w niej nagle Mathilde. W jej wnętrzu ciemny bicz. Tak delikatnie z niego strzelała, każąc mu, by tańczył, jak ona zagra.

Położyła dłoń na jego brzuchu, który on próbował opalić, by pozbyć się zimowej bladości.

– Jesteś próżny – powiedziała.

– Aktor w skórze dramatopisarza – odparł ze smutkiem. – Na zawsze pozostanę próżny.

– No cóż, to cały ty. Rozpaczliwie zabiegasz o miłość obcych. Chcesz, by cię dostrzeżono.

– Ty mnie dostrzegasz. – Ucieszyły go własne słowa, echo myśli sprzed kilku minut.

– To prawda.

– A teraz. Błagam. Mów.

Wyciągnęła długie ręce za głową, odsłaniając skryte pod pachami kępki niegolonych zimą włosów. Mogłyby się w nich wykluwać drozdy. Patrzyła na niego, rozkoszując się swoją przewagą i jego niewiedzą. Z westchnieniem opuściła ramiona.

– Chcesz wiedzieć? – zapytała.

– O Boże, M., wpędzisz mnie do grobu.

– Kupili wszystkie trzy.

Zaśmiał się, wziął jej rękę pokrytą odciskami, których nabawiła się w trakcie remontu, pocałował ją w obgryziony paznokieć, skaleczony palec, obojczyk i szyję. Powietrze przenikała jasność i patrzyły na nich ptaki. Przerzucił ją sobie przez ramię i obracał nią, aż ziemia zaczęła ciężko dyszeć, a potem przesunął ustami w dół aż do jej brzucha i zaczął ją rozbierać.

5

Po dwóch tygodniach ciągłych nieporozumień i jedzenia surowej ryby nadszedł czas na długi lot z przesiadką. Nareszcie w domu. Siedział, obserwując przez okno i samojezdne schody zbliżające się do samolotu po skąpanym w słońcu asfalcie. Jeszcze kiedy jechali po płycie lotniska, zaczął kropić wiosenny deszcz, ale po chwili przestało padać. Lotto chciał przytulić twarz do szyi Mathilde, pragnął ukojenia w jej włosach. Kilkunastodniowy pobyt w Osace podczas promocji sztuki. Nigdy nie był tak długo bez żony. Za długo. Budził się i na widok pustego miejsca obok odczuwał smutek i chłód tam, skąd powinno bić ciepło.

Schody na kółkach dopiero za trzecim razem udało się podpiąć. Pensjonarski entuzjazm. Jak cudownie się przeciągnąć, stanąć w drzwiach samolotu i zaczerpnąć kilka głębokich oddechów, rozkoszując się zapachem oleju, nawozu i ozonu na małym lotnisku w Albany, poczuć słońce na policzkach, w budynku żona już na niego czeka, zabierze go do ślicznego domu na wsi i poda mu wczesną kolację. Śmiertelne zmęczenie w kościach przepędzą zimne prosecco, gorący prysznic, gładka skóra Mathilde i wreszcie sen.

Jego szczęście rozłożyło skrzydła i machnęło nimi kilka razy.

Nie obchodziło go, że inni pasażerowie się niecierpliwią. Kiedy wzbijał się w powietrze, poczuł dłoń wciskającą się w środek swoich pleców.

Oburzające – pomyślał. – Popychają mnie.

Płyta lotniska wyglądała jak obrus ściągnięty jednym ruchem ze stołu, w oddali jęzor rękawa lotniczego wysunął się na południe, blanki na dachu terminalu, schodki z przypominającą papier ścierny okleiną połyskującą w słońcu, nos samolotu wcinający się w jego pole widzenia i pilot przeciągający się w oknie; Lotto wykonał pełny obrót, aż wreszcie prawym ramieniem uderzył o krawędź jednego ze stopni, widział, jak z ciemnego otworu u góry wynurza się ten, który go popchnął, mężczyzna o włosach i twarzy koloru pomidora, z bruzdami na czole, w szortach z cienkiej bawełny, wcielenie brzydoty. Głowa Lancelota uderzyła o schody dokładnie w tej samej chwili co jego pośladki i nogi, tylko trochę niżej, teraz wszystko wokół trochę falowało; za pomidorowym mężczyzną stała stewardesa, która w czasie lotu ukradkiem podała Lancelotowi dwie buteleczki burbona, bo przez kilka minut, jak rasowy stary aktor, rzucał na nią urok – przed oczami przemknął mu obraz: ona, z uniesioną spódnicą, siedzi na nim okrakiem w łazience wyłożonej plastikiem, ale odpędził go od siebie; miał żonę! i był wierny! – teraz jej dłoń powoli wędrowała w stronę ust, kiedy jego ciało z dudniącym łomotem zsuwało się w dół; próbował zahaczyć nogą o balustradę, żeby się zatrzymać, ale usłyszał tylko nieprzyjemne trzaśnięcie w okolicy goleni, która nagle zdrętwiała. W nierealnie zwolnionym tempie wylądował bezwładnie w kałuży, jego ramię i ucho zanurzyły się w ciepłej od słońca wodzie, a nogi zostały w górze na schodach, choć jedna stopa wydawała się odchylona pod dziwacznym kątem, uwłaczając godności swojego właściciela.

Teraz w dół ruszył człowiek o pomidorowej głowie, jak znak stopu na dwóch nogach. Każdy jego krok wywoływał w ciele Lancelota bolesne ukłucie. Kiedy schodzący się zbliżył, Lancelot uniósł rękę, w której miał władzę, ale bydlak go po prostu przestąpił. Lancelot przez moment zaglądał w głąb nogawki jego szortów; owłosione białe udo, ciemna plątanina genitaliów. Mężczyzna

115

przebiegł po lśniącym asfalcie i zniknął za taflą drzwi prowadzących na terminal. Popchnął? Uciekł? Jak można zrobić coś takiego? Dlaczego? Czemu go to spotkało? Co takiego zrobił? [Tego nigdy się nie dowiedział. Mężczyzna zniknął].

Zobaczył twarz stewardesy, miękkie policzki, nozdrza rozszerzające się rytmicznie jak u konia, zamknął oczy, kiedy dotknęła jego karku i ktoś gdzieś zaczął krzyczeć.

Na podświetlonym zdjęciu złamane kości wyglądały jak dwie nachodzące na siebie płyty tektoniczne. Ręka i noga w gipsie, temblak, czepek z bandaża i tabletki, po których wydawało mu się, że otula go kokon z gumy o grubości dziesięciu centymetrów. Gdyby już w trakcie upadku był pod ich wpływem, to z gracją odbiłby się od asfaltu, gołębie śmignęłyby w powietrze, a on wylądowałby na dachu terminalu.

Przez całą drogę do miasta śpiewał falsetem pieśń na cześć Ziemi, Wiatru i Ognia. Mathilde pozwoliła mu zjeść dwa pączki, a jemu do oczu napłynęły łzy, bo były to dwa najwspanialsze pączki w historii pączków z lukrem, pokarm bogów. Przepełniała go radość.

Mieli spędzić lato na wsi. Niestety! Właśnie trwały próby do jego *Lodu w kościach*, a on powinien ich doglądać, ale teraz mógł zrobić tak niewiele. Nawet nie dał rady wyjść po schodach na scenę, a gdyby kazał asystentowi reżysera się tam zanieść, dopuściłby się nadużycia władzy; nie mógł nawet wyjść po schodach w swojej kamienicy. Siedział na klatce schodowej, wpatrując się w biało-czarną posadzkę. Mathilde chodziła w tę i z powrotem, do zaparkowanego na środku ulicy samochodu znosząc jedzenie, ubrania i wszystko, czego potrzebowali z mieszkania na pierwszym piętrze.

Brązowowłosa córeczka dozorcy wysunęła nieśmiało głowę zza drzwi i spojrzała na niego.

– Co u ciebie, złotko? – zapytał.

Dziewczynka włożyła paluszek do ust. Był mokry, kiedy go wyciągnęła.

– Co ten, pożal się Boże, artysta robi na schodach? – W jej pytaniu słychać było słabe echo słów dorosłego.

Lancelot zarżał śmiechem, dozorca wyjrzał z mieszkania trochę bardziej rumiany niż zazwyczaj, spojrzał na gips, temblak i bandaż. Skinął głową do Lancelota, wciągnął dziecko do domu, zniknął za drzwiami i zamknął je na klucz.

W samochodzie Lancelot z podziwem patrzył na Mathilde: miała tak gładką twarz, że chciało się ją polizać jak lody waniliowe w wafelku. Gdyby tylko lewa strona jego ciała nie wbiła się przed chwilą w beton, przeskoczyłby ponad hamulcem ręcznym i potraktowałby ją tak jak krowa bryłę soli.

– Dzieciaki są takie zwariowane – powiedział. – I cudowne. Powinniśmy mieć dzieci, M. Teraz, kiedy przez całe lato będziesz moją pielęgniarką, możesz dostać pełną licencję na używanie do woli mojego ciała i wśród pożądania i szaleństwa poczniemy słodkiego dzieciaka.

Nie stosowali antykoncepcji, a nie przypuszczali, by któreś z nich było bezpłodne. Po prostu przez przypadek wybierali odpowiedni moment. Kiedy on nie był na haju, stawał się bardziej uważny, cichy i wrażliwy na stoicką tęsknotę, którą wyczuwał w niej, gdy tylko poruszał ten temat.

– Twoje leki fantastycznie działają – powiedziała. – Tak mi się wydaje.

– Najwyższy czas – odparł. – Właściwie to ostatni dzwonek. Teraz mamy pieniądze, dom, a ty wciąż możesz mieć dzieci. Może produkujesz trochę pomarszczone jajeczka. Czterdziestka. Istnieje ryzyko, że naszemu dziecku odkręci się trybik w głowie. A może lepiej wychowywać głupie dziecko. Te mądre uciekają przy pierwszej nadarzającej się okazji. Głupol dłużej zostaje przy rodzicach. Ale jak przegapimy właściwy moment, to będziemy mu musieli kroić pizzę do dziewięćdziesiątego roku życia. Trzeba się do tego zabrać jak najszybciej. Kiedy tylko dojedziemy do domu, zamierzam cię natychmiast zapłodnić.

– Nigdy nie powiedziałeś mi czegoś równie romantycznego.

Bita droga, wysypany żwirem podjazd. Zgrabne, ociekające deszczem gałęzie wiśni, o Boże, mieszkali w *Wiśniowym sadzie.* Stał w tylnym wejściu, patrząc, jak Mathilde otwiera drzwi na werandę i idzie przez trawę w kierunku nowego, połyskującego basenu. Skóra dwóch opalonych, muskularnych mężczyzn rozwijających płat darniny lśniła w ostatnich promieniach słońca. Szczupła Mathilde w białej sukience, z upiętymi platynowymi włosami, rozświetlone niebo, lśniący, atletycznie zbudowani mężczyźni. Nie mógł znieść tego widoku. *Tableau vivant.*

Nagle usiadł. Poczuł w oczach gorącą wilgoć: całe to piękno, zdumienie tym ogromnym szczęściem. Poza tym ból właśnie dał o sobie znać jak łódź atomowa wynurzająca się z głębiny.

Obudził się jak zawsze o piątej dwadzieścia sześć, wypływając ze snu, w którym leżał w wannie niewiele większej niż on, pełnej puddingu z tapioki. Gramolił się, ale nie potrafił się z niej wydostać. Ból przyprawiał go o mdłości – jego jęki obudziły Mathilde. Zawisła nad nim, miała nieświeży oddech, a jej włosy łaskotały go w policzek.

Kiedy wróciła, niosąc na tacy jajecznicę, bajgla z serkiem i cebulką, kawę i wazonik ze zroszoną różą, zobaczył na jej twarzy podekscytowanie.

– Wolisz mnie, kiedy jestem inwalidą – pożalił się.

– Po raz pierwszy w naszym wspólnym życiu nie jesteś ani czarną dziurą depresji, ani wirem maniackiej energii. To fajne. Może teraz, kiedy utknąłeś tu ze mną, uda nam się nawet obejrzeć w całości jeden film. Może – dodała, tracąc oddech, z wypiekami na twarzy [biedna Mathilde!] – zaczniemy razem pracować nad powieścią.

Próbował się uśmiechnąć, ale w ciągu tej nocy świat stanął na głowie, a dziś przezroczystość cery żony wydała mu się oznaką anemii, Mathilde już nie wyglądała jak oblana klarowanym masłem i obsypana cukrem. Jajka były za tłuste, kawa za mocna i nawet róża przyniesiona z ogrodu wydzielała duszącą woń, która wydała mu się obrzydliwa.

– Albo nie – rozmyśliła się. – To tylko propozycja.

– Przepraszam, kochanie. Chyba straciłem apetyt.

Pocałowała go w czoło, a potem położyła na nim chłodny policzek.

– Jesteś rozpalony. Przyniosę ci jedną z twoich magicznych tabletek – zaproponowała.

Ledwie zapanował nad swoim zniecierpliwieniem, kiedy z ociąganiem szła po wodę, odkręcała fiolkę, wyciągała zatyczkę z waty i podawała mu tabletkę, która cudownie rozpuściła się na jego języku.

Podeszła do hamaka, na którym on snuł mroczne rozmyślania. Słońce świeciło mocno i igrało z jasnymi liśćmi, a basen chłeptał wodę z bocznych kanałów. Wypił już trzy szklaneczki burbona; minęła dopiero czwarta, no i co z tego? Nigdzie się nie wybierał; nie miał nic do roboty; pogrążył się w depresji, cholernie głębokiej, spadł na samo dno i rozbił się na kawałki. Włączył *Stabat Mater* Pergolesiego, muzyka ryczała z wielkich głośników w jadalni i słyszał ją aż tutaj, leżąc w hamaku.

Chciał zadzwonić do matki, by otulił go jej głos, ale zamiast tego oglądał na laptopie dokument o Krakatau. Wyobrażał sobie, jak wygląda świat przykryty pyłem wulkanicznym. Jakby jakieś szalone dziecko zabazgrało cały krajobraz na czarno i szaro: w strumieniach płynęła oleista ciecz, z drzew unosiły się kłęby pyłu, trawniki zakryły plamy lśniącej ropy. Obraz Hadesu. Pola kary, krzyki w nocy, asfodelowe łąki. Umarli grzechoczący kośćmi.

Napawał się tym przerażającym widokiem. Nieszczęściem życiowych rozbitków. Nie mógł zaprzeczyć, że nurza się w radości.

– Kochanie – odezwała się łagodnie Mathilde. – Przyniosłam ci mrożoną herbatę.

– Nie chcę – powiedział. Zdziwił się, że jego język nie działa tak, jak powinien. Spuchł. Próbował mu się przyjrzeć, patrząc w dół. – Czy mży, czy dżdży, czy śnieży, czy grzmi, trzymajmy się siebie, ja i ty.

– Święta prawda – zgodziła się.

Dopiero teraz zauważył, że żona ma na sobie starą jak świat niebieską spódnicę sprzed stu lat, z czasów kiedy jeszcze była hipiską i dopiero co się poznali, a on wskakiwał na nią cztery razy dziennie. Jego żonka wciąż go pociągała. Choć była bardzo ostrożna, układając się obok niego w hamaku, z każdym jej ruchem czuł się tak, jakby w jego połamane kości wbijało się milion kłów, jęknął, ale powstrzymał się od krzyku, nawet nie zauważył, kiedy podniosła spódnicę i zdjęła podkoszulek. Jego zawsze chętny ptaszek wykazał odrobinę zainteresowania. Ale ból znowu go uziemił. Próbowała go kusić – bezskutecznie.

Zrezygnowała.

– Chyba złamałeś sobie też kość w siusiaku – zażartowała.

Z trudem powstrzymał się, by nie zrzucić jej z hamaka.

Fascynujący program telewizyjny o czarnych dziurach: ssą i ciągną tak mocno, że mogą pochłonąć światło. Światło! Oglądał go, chłonąc wiedzę; zachował swoje przemyślenia dla siebie. W trakcie prób pojawiły się problemy: podobno był im potrzebny; w Bostonie inscenizacja *Źródeł* okazała się nieco problematyczna, ale słyszał, że w Saint Louis z sukcesem zagrano *Ściany, sufit, podłogę*. Zazwyczaj przyjmował wszystkie zaproszenia, ale teraz nie mógł się nigdzie ruszyć ze swojej chatki pośród pól kukurydzianych, otoczonej przez pasące się krowy. Lancelot Satterwhite był potrzebny. Wcześniej nigdy nie zawiódł. Teraz czuł się tak, jakby umarł dla świata.

Jakiś stukot w bibliotece. Do domu wbiegł koń? Nie, to Mathilde przeszła po parkiecie w butach kolarskich, a ty znowu wypiłeś burbona. Tryskała zdrowiem, a jej wilgotna skóra promieniała. Śmierdziała potem spod pachy i czosnkiem.

– Kochanie – powiedziała, zabierając mu szklankę i wyłączając telewizor. – To czwarta butelka w ciągu dwóch tygodni. Koniec z programami o katastrofach. Musisz czymś innym wypełnić czas.

Westchnął i przetarł twarz sprawną ręką.

– Napisz coś – zakomenderowała.

– Nie mam weny.

– Napisz esej.

– To dobre dla bałwanów.

– Napisz sztukę o swojej nienawiści do świata.

– Nie ma we mnie nienawiści do świata. To świat nienawidzi mnie – pożalił się.

– Akurat. – Zaśmiała się.

Ona nie ma o niczym pojęcia – pomyślał. – Nie karz jej za to. Sztuki nie pisze się ot tak. Żeby napisać coś dobrego, trzeba najpierw poczuć palącą konieczność. Posłał jej zbolały uśmiech i napił się prosto z butelki.

– Pijesz, bo jest ci smutno czy żeby mi pokazać, jak bardzo jest ci smutno? – zapytała.

Nigdy nie owijała w bawełnę. Zaśmiał się.

– Żmija – powiedział.

– Falstaff – odgryzła się. – Tyjesz. Całe bieganie na nic. A myślałam, że uporaliśmy się z tym na dobre. Weź się w garść, dzieciaku, przestań pić i zrób sobie porządek w głowie.

– Łatwo ci mówić. Jesteś zdrowa jak ryba. Ćwiczysz codziennie przez dwie godziny! Mnie wszystko boli, kiedy się kładę w hamaku. Dlatego póki się nie przekonam, że moje rycerskie kości trwale się zrosły, zamierzam korzystać z prawa do upijania się, plucia jadem i marudzenia.

– Może urządzimy przyjęcie w Dzień Niepodległości.

– Nie.

– To nie było pytanie.

I nagle, jak za sprawą magicznego zaklęcia, trzy dni później stał wśród piekących się na grillu szaszłyków i kolorowych zimnych ogni zapalających się w cudownych łapkach dzieci biegających po ogromnym terenie, na którym Mathilde sama przystrzygła trawę ryczącą kosiarką. Pomyślał, że ta niesamowita kobieta zawsze osiąga swój cel, a potem przyszło mu do głowy, że zapach świeżo ściętej trawy to krzyk roślin.

Beczka piwa, kolby kukurydzy, wegetariańska kiełbasa, arbuz i Mathilde w jasnej sukience z dekoltem – nieziemsko piękna kładła mu głowę na ramieniu i całowała go w szyję, dlatego potem przez cały wieczór miał na gardle ślady czerwonej szminki niczym drobne zranienia.

Wszyscy jego przyjaciele krążyli w zapadającym mroku, a potem w ciemności. Chollie z Danicą. Susannah jak fajerwerk w czerwonej sukience i jej nowa przyjaciółka Zora, młoda, czarnoskóra, z przepięknym afro, całowały się pod wierzbą płaczącą. Samuel z żoną i trojaczkami pałętającymi się ze skórkami po arbuzie w rękach i Arnie z najnowszą pracownicą baru, nastolatką o imieniu Xanthippe, prawie tak oszałamiającą jak Mathilde za młodu: czarny kok i żółta sukienka tak krótka, że dzieciaki na pewno widziały jej stringi i wilgotne od potu części intymne. Lotto wyobraził sobie, że wyciąga się na trawie, żeby też popatrzeć, ale każda zmiana pozycji powodowała ogromny ból, dlatego wciąż stał.

Na niebie rozbłyski sztucznych ogni, w ogrodzie odgłosy przyjęcia. [Skazańcy świętują nastanie pokoju, wysyłając w niebo bomby]. Lotto przyglądał się sobie jak z oddali, sztywno odgrywając rolę radosnego klauna. Okropnie rozbolała go głowa.

Poszedł do łazienki, w jasnym świetle zobaczył swoje czerwone policzki i gumowy ochraniacz na gips i zrobiło mu się słabo, uwolnił twarz od uśmiechu, patrzył, jak maska opada. Znalazł się w połowie drogi życiowej. Powiedział cicho:

– *Nel mezzo del cammin nostra vita, mi ritrovai per una selva oscura, ché le dritta via era smarrita**.

Był niedorzeczny. Markotny i pretensjonalny jednocześnie. Markotius. Pretensius. Wbił palec w swój brzuch – wyglądał, jak w szóstym miesiącu ciąży. Kiedy Chollie zobaczył go wcześniej, zapytał:

– Wszystko gra, kolego? Trochę się przytyło.

– Przyganiał kocioł garnkowi – odparł Lancelot. – Sam nie wyglądasz najlepiej.

Rzeczywiście, Chollie ledwie dopiął na sobie koszulę za czterysta dolarów. Ale on nigdy nie był ładny; Lancelot spadł ze znacznie wyższego konia. Danica, w designerskiej sukience odsłaniającej jedno ramię, kupionej za pieniądze Cholliego, powiedziała:

– Daj mu spokój, Choll. Jest połamany od stóp do głów. Właśnie w takich momentach facetowi wolno trochę przybrać na wadze.

Nie miał siły, żeby wyjść do tych ludzi, których – przyznał to w głębi duszy – czasem szczerze nienawidził. Powlókł się do sypialni, zdjął z siebie to, co tylko potrafił, i położył się na łóżku.

Już wszedł do mrocznej sieni snu, kiedy drzwi sypialni się otworzyły i obudziło go ostre światło z korytarza, drzwi się zamknęły i w sypialni znalazło się jeszcze jedno ciało. Czekał w panice. Ledwie mógł się ruszyć! Gdyby teraz ktoś wszedł do łóżka i chciał go zgwałcić, nie zdołałby uciec! Tymczasem okazało się, że to dwie osoby i nie interesuje ich łóżko: wskazywały na to zduszone śmiechy, szepty i szelest materiału – potem rozległ się rytmiczny łoskot drzwi do łazienki. Rodzaj synkopowanych klapsów i dudnienia z zaskakującymi akcentami w postaci westchnień.

Te drzwi się zaraz rozlecą – pomyślał Lancelot i postanowił, że nazajutrz przykręci klamkę.

---

* „W życia wędrówce, na połowie czasu, straciwszy z oczu szlak niemylnej drogi, w głębi ciemnego znalazłem się lasu". Dante Alighieri, *Boska komedia*, tłum. Edward Porębowicz, Warszawa 1990, s. 25.

Potem naszły go wspomnienia wbijające się w serce jak noże smutku, przecież kiedyś to on przyprowadzał dziewczyny, żeby się z nimi przespać, i robił to o wiele, wiele lepiej niż ten facet, choć ta biedna dziewczyna sprawiała wrażenie, jakby świetnie się bawiła. Jednak w jej pojękiwaniu pobrzmiewał jakiś fałszywy ton. Dawniej pewnie by wstał i ten drobny incydent przerodziłby się w orgię, przyłączyłby się do nich z taką łatwością, jakby go zaprosili. Teraz leżał połamany i uwięziony w swojej skorupie, krytykując ich wyczyny, miękki jak krab pustelnik. Pod osłoną ciemności zrobił krabi grymas, poruszając wąsami i układając palce w kształt szczypiec.

– Aaaaach! – jęczała dziewczyna.

– Uuuuuuch! – zawodził facet.

I znowu zduszone śmiechy.

– Boże, właśnie tego potrzebowałem – wyszeptał mężczyzna. – Imprezy, na które goście przyprowadzają dzieci, zamieniają się w prawdziwe piekło.

– Wiem – odparła dziewczyna. – Biedny Lotto patrzy na te dzieciaki z taką melancholią. A Mathilde ostatnio tak schudła, że aż zbrzydła. Zapuściła się i już niedługo zamieni się w starą czarownicę. Przecież botoks wymyślono nie bez powodu.

– Nigdy nie rozumiałem, czemu wszyscy uważają ją za piękność. Jest po prostu wysoka i chuda i ma jasne włosy, ale wcale nie jest ładna – powiedział mężczyzna. – Mówię to jako koneser.

Odgłos pocierania o siebie ciał. Pośladki? – pomyślał Lotto. [Uda].

– Ma oryginalną urodę. Już zapomniałeś, że na początku lat dziewięćdziesiątych właśnie to ceniono najbardziej? Wszystkie jej zazdrościłyśmy. Pamiętasz, jak Lotto i Mathilde byli najbardziej romantyczną parą wszech czasów? I te ich imprezy! Jezu! Teraz im współczuję.

Drzwi się otworzyły. Mężczyzna o włosach w kolorze dyni, łysiejący. Aha, Arnie. Za nim jedno nagie ramię z mocno zarysowanym obojczykiem. Danica. Odżył stary romans. Biedny Chollie.

Lotto poczuł mdłości na myśl o tym, jak niewiele dla niektórych osób znaczy przysięga małżeńska.

Znużony, zmęczony, schorowany. Lancelot wstał i się ubrał. Mógł pozwolić, żeby pieprzyli się jak króliki aż do śmierci z wyczerpania, ale nie zamierzał pozwolić, żeby obmawiali Mathilde i jego. To okropne, że wzbudza litość u takich glist. Zdradzieckich glist.

Znowu zszedł na dół i stanął w drzwiach z żoną, radośnie żegnał przyjaciół, dzieci zasypiały rodzicom na rękach, odwożono pijanych, a lekko podchmieleni sami siadali za kółkiem. Szczególną atencją obdarzył Arniego i Danicę, aż się zaczerwienili i nieśmiało z nim żartowali, a Danica włożyła palce w szlufkę w jego spodniach, kiedy całowała go na pożegnanie.

– Znowu sami – powiedziała Mathilde, patrząc, jak ostatnie światła samochodów nikną w ciemności. – Przez chwilę myślałam, że nas zostawiłeś. To by oznaczało prawdziwe kłopoty. Lotto Satterwhite prędzej dałby sobie odciąć nogę, niż z własnej woli opuścił imprezę.

– Tak naprawdę robiłem dobrą minę do złej gry.

Odwróciła się do niego, mrużąc oczy. Pozwoliła, by sukienka zsunęła się jej z ramion i spłynęła na podłogę. Nie miała nic pod spodem.

– Jakoś to zniosłam.

– Bo było znośnie.

– Kochanie, przebij mnie. Jak świdrem.

– Jak dzik.

Ale ku jej rozpaczy nie był już dzikiem, tylko małym, zmęczonym prosiaczkiem, który zasnął w trakcie karmienia piersią.

A potem szybkie pikowanie coraz niżej. Wszystko straciło smak. Zdjęto mu gips, ale lewa strona jego ciała była bezwładna, lekko zaróżowiona i miękka jak rozgotowany makaron. Mathilde przyjrzała mu się, kiedy stanął przed nią nago; zamknęła jedno oko.

– Półbóg – powiedziała i zamknęła drugie oko. – Półżywy.

Zaśmiał się, ale jego próżność ucierpiała. Był jeszcze za słaby, żeby zamieszkać w mieście. Tęsknił za zanieczyszczonym powietrzem, hałasem i światłami.

Odkrywanie nowych światów w internecie też straciło swój urok. Przecież nie można w nieskończoność oglądać filmików z uroczymi bobasami i kotami spadającymi z dużych wysokości. Blask słońca przygasł! Uroda żony, kiedyś tak oszałamiająca, teraz mocno się nadwątliła i tylko go irytowała. Mathilde miała uda jak szynki serrano, słone i za twarde. W porannym świetle zmarszczki na jej twarzy wyglądały jak wyrzeźbione zbyt ciężką ręką. Jej usta robiły się coraz węższe, a kły rosły, zahaczały o krawędzie kubków, łyżki do zupy, aż przechodziły go ciarki. Zawsze się wokół niego kręciła! Czuł jej zniecierpliwiony oddech! Coraz częściej zostawał w łóżku po przebudzeniu, czekając, aż Mathilde pójdzie pobiegać albo poćwiczyć jogę lub wybierze się na przejażdżkę rowerem, żeby móc jeszcze trochę podrzemać.

Dochodziło południe. Leżał nieruchomo, słuchając, jak Mathilde skrada się za drzwiami do sypialni. Kołdra się uniosła i coś miękkiego i włochatego przywarło do niego, i go polizało, poczuł nos na swoim policzku.

Zaśmiał się na widok uroczego pyska wyglądającego jak nauszniki z oczami i trójkątnymi uszami z filcu.

– Och, to ty – odezwał się do szczeniaka. Potem spojrzał na żonę i nie potrafił nad sobą zapanować. Po jego policzkach popłynęły gorące łzy. – Dziękuję.

– To shiba inu – powiedziała Mathilde, kładąc się obok niego. – Jak się wabi?

Pies – chciał powiedzieć. Zawsze chciał nazwać psa Pies. Metanazwa. Zabawna.

Z niewiadomego powodu wypowiedział jednak słowo „Bóg".

– Bóg. Miło cię poznać, Bóg – powiedziała. Podniosła szczeniaka i spojrzała na jego pysk. – Nigdy nie słyszałam o równie rozsądnej epistemologii.

Szczeniak może naprawić wszystko, nawet jeśli tylko na chwilę. Przez tydzień Lancelot był znowu szczęśliwy. Z taką radością słuchał mlaskania Bóg, kiedy suczka wyciągała każdy kawałek karmy poza miskę, układała na podbiciu jego stopy i zjadała, by zaspokoić głód. Wypróżniając się, z wysiłkiem zbliżała tylne łapy do przednich, unosiła ogon, jej odbyt wysuwał się i wybrzuszał, a kiedy wydalała, przymykała oczy jak zamyślony filozof. Siedziała przy nim w ciszy, gryząc mankiety jego spodni, kiedy on leżał na plecach na kocu rozłożonym na trawie i marzył. Zawsze pod jego dłonią znajdowało się miękkie futerko, kiedy tylko zawołał: „Bóg!", co brzmiało jak pierwsze przekleństwo w jego życiu, a było przecież imieniem własnym. Odpłacała mu radością, wbijając zęby jak szpileczki w jego mięsisty kciuk. Śmiał się nawet wtedy, kiedy ona wyła zaplątana w smycz albo zamknięta na noc w klatce.

Nie przestał kochać suczki; po prostu codzienność sprawiła, że urok nowości gdzieś się ulotnił. Bóg nie mogła skrócić dystansu między życiem załamanego pustelnika i życiem, jakie chciał znowu prowadzić w mieście, by udzielać wywiadów, chodzić na kolacje i być rozpoznawanym w metrze. Bóg nie mogła przyspieszyć zrastania się jego kości. Jej szybki języczek nie mógł zagoić jego ran. Psy, istoty nieme, mogą być jedynie lustrem ludzi. To nie ich wina, że ich ludzie są tacy niedoskonali.

Po tygodniu znowu poczuł, że pikuje. Tylko dla żartów wyobrażał sobie, że piecze suflet z trutki na szczury, którą Mathilde trzymała w altanie w ogrodzie, albo że żona zabiera go na zakupy i kiedy ona prowadzi auto, on chwyta nagle za kierownicę i zjeżdża z urwiska na rosnące w dole klony. Nie myślał o tym poważnie, ale takie obrazy stawały mu coraz częściej przed oczami, aż w końcu poczuł się nasączony tymi mrocznymi pomysłami. Znowu tonął.

Aż wreszcie nadeszły jego urodziny, okrągła czterdziestka, wolałby przespać ten dzień, ale obudził się, kiedy Bóg zeszła z jego klatki piersiowej, gdzie spała, i zbiegła po schodach do Mathilde, która wstała już przed świtem i bezszelestnie krzątała się w kuchni. Tylne drzwi się otworzyły i zamknęły. Po chwili żona przyszła do sypialni, żeby wyciągnąć z szafy jego najlepszy letni garnitur.

– Weź prysznic – zakomenderowała. – Włóż to. Nie marudź. Mam dla ciebie niespodziankę.

Wykonał polecenie, ale nie poprawiło mu to nastroju, w za ciasnych spodniach czuł się jak w pasie wyszczuplającym. Mathilde wsadziła go do samochodu i odjechali w blasku promieni porannego słońca odbijających się w rosie. Podała mu ciepłą bułeczkę z jajkiem sadzonym, znakomitym kozim serem i bazylią z własnego ogrodu.

– Gdzie jest Bóg? – zapytał.

Ona rozłożyła ramiona niczym święta z obrazka.

– Wokół nas.

– Bardzo zabawne.

– Twoim szczeniakiem zajmie się córka sąsiadów. Wróci do nas wykąpany, wypieszczony i z różową kokardką między uszami. Wyluzuj się.

Usiadł wygodnie i napawał się widokiem krajobrazu. Wyludniony wiejski pejzaż doskonale korespondował z jego nastrojem. Zdrzemnął się i obudził na parkingu. Piękny, jasny poranek, przed nim gładka tafla jeziora, w oddali coś, co przypominało olbrzymią brązową stodołę. Jego żona zaniosła kosz piknikowy na brzeg jeziora i postawiła go pod wierzbą tak starą, że już nawet nie płakała, po prostu dźwigała swój los z zakrzepłym spokojem. Jajka faszerowane i szampan, terrina warzywna i upieczona przez Mathilde focaccia, ser manchego i jasnoczerwone wiśnie z ich sadu. Dwa malutkie czarno-białe muffiny z czekoladą i serkiem, jeden z zapaloną świeczką.

Zdmuchnął ją, życząc sobie czegoś, czego nie potrafił wyrazić. Czegoś doskonalszego, co byłoby warte jego uwagi.

Ktoś obszedł budynek, dzwoniąc krowim dzwonkiem. Mathilde powoli spakowała kosz. Lancelot wspierał się na żonie jak na kuli, kiedy przechodzili do budynku opery przez łąkę czy raczej ściernisko, po którym przemykały myszy.

W środku było chłodno, a wokół nich rozciągało się morze siwych głów.

– Strzeż się – wyszeptała mu do ucha Mathilde. – Geriatria. To śmiertelna choroba zakaźna. Nie oddychaj zbyt głęboko.

Zaśmiał się chyba po raz pierwszy od wielu tygodni.

Długie i delikatne odgłosy strojenia smyczków, nieukładające się jeszcze w akordy. Pomyślał, że mógłby godzinami słuchać takiej niemuzyki i wyszedłby z opery nasycony.

Boczne drzwi zamknęły się, odgradzając wnętrze od dziennego światła, szepty ucichły, wyszła dyrygentka i uniosła ręce. Kiedy je opuściła, wypiętrzyło się… no właśnie, co? To nie była muzyka. Raczej odgłosy. Urywane, osobliwe, dzikie; powoli z kakofonii wyłonił się jakiś rodzaj melodii. Lancelot nachylił się do przodu, zamknął oczy i poczuł, jak dźwięki powoli zdzierają warstwę pleśni, którą jego życie porastało przez ostatnie tygodnie.

Opera nosiła tytuł *Neron*. Opowiadała o spaleniu Rzymu, ale pożaru nie pokazano na scenie, nie występował w niej Neron, tylko jego sobowtór, który sprawował pieczę nad piwnicami z winem, mieszkał w pałacu pod komnatami królewskimi i mógłby uchodzić za brata bliźniaka cesarza. To nie była opowieść, tylko olbrzymia istota wynurzająca się z głębin; nie narracja, ale niespodziewana morska fala. Lancelotowi zakręciło się w głowie. Właśnie tak objawia się olśnienie. Zawrotem głowy.

W przerwie spojrzał na żonę, a ona uśmiechnęła się tak, jakby próbowała na niego spojrzeć z wysoka. Obserwowała go, czekała.

– Och, M., brak mi tchu – wyszeptał.

Na dziedzińcu zachwycające światło, łagodny, chłodny wiatr w koronach topoli. Mathilde przyniosła wodę gazowaną. Kiedy czekał sam przy stoliku w kawiarni, rozpoznała go jakaś kobieta: coraz częściej mu się to przytrafiało. Tworzył w pamięci taksonomię twarzy i w ciągu kilku sekund potrafił dopasować je do odpowiedniej kategorii, lecz nie tym razem. Kobieta zaśmiała się i zapewniła go, że się nie znają; czytała o nim w „Esquire".

– Jak miło – powiedziała Mathilde, kiedy nieznajoma poszła do łazienki. – Mały zastrzyk sławy.

Oczywiście tu otaczali go teatromani. Można się było spodziewać, że ktoś z nich go zna, ale i tak rumieniec na twarzy kobiety zachwyconej rozmową z gwiazdą nakarmił w Lancelocie to, co ostatnio tak bardzo zgłodniało.

Smugi kondensacyjne na błękitnym niebie. Coś zaczęło się w nim łamać. To było dobre przełamanie; tym razem to nie kość w nim pękła.

W drugim akcie opowieść stała się jeszcze bardziej impresyjna, przeobraziła się w dźwiękowy poemat; na scenę wyszli tancerze z liną, odgrywając pożar. Kiedy poczuł gorącą ciecz na języku, uświadomił sobie, że przygryzł sobie wargę.

Kurtyna. Koniec.

Mathilde chłodnymi dłońmi otuliła jego twarz.

– Och, płaczesz – powiedziała.

W drodze do domu prawie cały czas miał zamknięte oczy, nie dlatego że nie chciał patrzeć na żonę i na zielono-niebiesko-złoty dzień. Po prostu chciał zatrzymać operę pod powiekami.

Kiedy je otworzył, zobaczył posmutniałą twarz Mathilde. Nie pamiętał, kiedy po raz ostatni widział ją bez uśmiechu. W tym świetle widać było pomarszczoną skórę wokół jej oczu i nosa i pojedyncze siwe włosy, które sterczały wokół jej głowy jak naelektryzowane.

– Średniowieczna Madonna – powiedział. – Namalowana gwaszem. Z aureolą ze złotych liści. Dziękuję ci.

– Wszystkiego najlepszego, przyjacielu mojego serca.

– Byłem szczęśliwy. Jestem. Ta opera mnie zmieniła.

– Tak myślałam. Cieszę się. Robiłeś się potwornie marudny.

Słońce się dopalało, wyglądało widowiskowo jak wybuchający grejpfrut. Oglądali je z werandy przy kolejnej butelce szampana. Podniósł Bóg i pocałował ją w czubek głowy. Miał ochotę tańczyć, wszedł do domu i włączył Radiohead, silniejszą ręką poderwał Mathilde z krzesła i przyciągnął ją do siebie.

– Niech zgadnę. – Mathilde położyła mu policzek na ramieniu. – Teraz zamierzasz napisać operę.

– Tak – odparł, chłonąc jej zapach.

– Nigdy nie brakowało ci ambicji – powiedziała ze śmiechem, którego smutny odgłos odbijał się od kamiennych ścian echem tłumionym przez skrzydła przefruwających w górze nietoperzy.

Teraz godziny, które kiedyś spędzał na snuciu się z kąta w kąt, oglądaniu katastrof z komentarzem spikera albo nagich zaróżowionych ciał ludzi wyciskających z siebie siódme poty, poświęcił na gorączkowe badania. Przez całą noc czytał wszystko, co tylko znalazł na temat tego kompozytora.

Nazywał się Leo Sen. Sen, nazwisko dość powszechne w południowej Azji, wywodziło się z sanskryckiego słowa oznaczającego armię i nadawano je tym, którzy dokonali chwalebnych czynów. Mieszkał w Nowej Szkocji. Był względnie nowy w świecie sztuki, a jego kompozycje wykonywano dopiero od sześciu lat. Był też dość młody. Trudno było to jednoznacznie stwierdzić, bo w internecie nie było jego zdjęć, tylko jedno CV sprzed dwóch lat i powierzchowne pochwały jego pracy. „New York Times" umieścił go na liście interesujących zagranicznych kompozytorów; w „Opera News" zamieszczono długi na dwa akapity opis jego dzieła pod tytułem *Paracelsus*. Na jakiejś amatorskiej stronie internetowej Lancelot znalazł kilka fragmentów nagrań tworzonych właśnie oper, ale pochodziły one z 2004 roku, a więc z odległych czasów, kiedy kompozytor był jeszcze pewnie na studiach. Leo Sen należał zatem do tej rzadkiej kategorii ludzi, którzy w internecie istnieją wyłącznie jako nieuchwytne widma.

Lancelot wyobraził sobie genialnego pustelnika. Monomaniaka o dzikim spojrzeniu, który oszalał z powodu własnego talentu, albo wpadł w częściowy autyzm. Broda do pasa. Przepaska na biodrach. Kompletny brak zdolności interpersonalnych. W głębi duszy dzikus. Lancelot napisał e-maile do prawie wszystkich znajomych, pytając o to, czy ktoś z nich zna kompozytora. Nikt nie znał.

Zwrócił się do dyrektorki festiwalu, który odbywał się w operze na łące, z prośbą o ułatwienie kontaktu z Senem.

Jej odpowiedź w skrócie: A co będziemy z tego mieli?

Jego odpowiedź w skrócie: Prawo pierwokupu efektów naszej współpracy.

Jej odpowiedź w skrócie: Ma pan moje błogosławieństwo, oto adres.

Wrzesień? Już? Liście odrywały się od drzew. Suczce wyrosła warstwa puszystej sierści. Lancelot wciąż kulał z powodu osłabienia nogi. Jego narcyzm tak się rozpanoszył, że cały świat wydawał mu się rozchwiany i rozkołysany, jakby go naśladował.

Pojechali na tydzień do miasta, dla odmiany wrócili na weekend do domu. Każdej nocy pisał e-mail do Sena. Odpowiedź nie nadchodziła.

Mathilde była czujna, obserwowała go. Kiedy wreszcie przychodził do łóżka, odwracała się i przywierała do niego, choć wcześniej nie lubiła, by jej dotykano w czasie snu. Budził się z jej włosami w ustach, nie czuł ramienia, dopiero kiedy usiadł, dopadał go ból, bo krew z powrotem napływała do ręki.

Wreszcie któregoś dnia na początku października, kiedy powietrze już się ochłodziło, zadzwonił do niego Leo Sen. Nie takiego głosu się spodziewał. Mówił miękko, z wahaniem, z brytyjskim akcentem, co na początku Lancelota zdziwiło; po namyśle jednak uświadomił sobie, że Indie były kolonią; wykształceni Hindusi z pewnością przejęli arystokratyczny akcent z BBC. Czy Lancelot myślał jak typowy rasista? Nie był tego pewien.

– Pan Lancelot Satterwhite? – zapytał Leo Sen. – To dla mnie zaszczyt.

– To zaszczyt dla mnie – odpowiedział Lancelot trochę za głośno z powodu skrępowania.

Tak wiele razy wyobrażał sobie tę rozmowę, że teraz czuł się dziwnie, słysząc ten miękki głos, który zapewniał go o swoim podziwie dla jego dokonań. Oczekiwał, że Leo Sen okaże się odizolowanym od świata geniuszem, którego irytuje kontakt z innymi. Leo Sen wszystko wyjaśnił: mieszka na wyspie bez dostępu do internetu, dodzwonić się tam można tylko wtedy, kiedy ktoś akurat znajdzie się w pobliżu telefonu i go odbierze. To wspólnota intencjonalna. Nastawiona na codzienną ciężką pracę i kontemplację.

– Jak w klasztorze – powiedział Lancelot.

– Albo w żeńskim zakonie. Czasem tak się tu czuję.

Lancelot się zaśmiał. Och! Leo ma poczucie humoru, co za ulga. Lancelot, zachwycony, zaczął mimowolnie opowiadać kompozytorowi o swojej reakcji na jego utwór latem w operze, o tym, jak coś się w nim uruchomiło. Użył słowa „wielki" oraz sformułowań: „głęboka przemiana" i *„sui generis"*.

– Tak się cieszę – odparł Leo Sen.

– Zrobiłbym wszystko, żeby we współpracy z tobą napisać operę – powiedział Lancelot.

Cisza trwała tak długo, że nieomal się rozłączył z poczuciem klęski. No cóż, Lancelocie, podjąłeś próbę, ale sukces nie był ci pisany, czasem się nie udaje, zawróć konia, spuść głowę i gnaj pod wiatr, naprzód, przyjacielu.

– Jasne – odezwał się w końcu Leo Sen. – Tak, oczywiście.

Zanim się rozłączyli, postanowili ubiegać się wspólnie o prawo do trzytygodniowego turnusu w domu pracy twórczej w listopadzie. Ktoś był winny Lancelotowi przysługę i wydawało się, że uda mu się załatwić miejsce. Przez pierwsze dni Leo chciał dokończyć zleconą kompozycję na kwartet smyczkowy, ale mogli zacząć wspólnie myśleć i obgadać kilka spraw. Potem mieli niestrudzenie pracować w pocie czoła przez jakieś dwa tygodnie nad pomysłami, a może nawet zaczęliby pisać.

– Co o tym sądzisz? – zapytał Leo. – Dla mnie opracowanie koncepcji to najtrudniejsza sprawa.

Lancelot spojrzał na tablicę korkową w swoim gabinecie, do której przypiął notatki z setką, a może tysiącem pomysłów.

– Wydaje mi się, że sama koncepcja nie sprawi nam kłopotu.

Rano Mathilde wyruszyła na czterdziestokilometrową przejażdżkę na rowerze. Lancelot się rozebrał i przejrzał w lustrze. Och, średni wiek, okropność. Przywykł już do oglądania swojej twarzy, która utraciła dawne piękno, ale do tej pory jego ciało pozostawało potężne i silne. Tymczasem teraz zauważył pomarszczoną skórę na mosznie, kępki siwych włosów na klatce piersiowej i zwisające podgardle. Wystarczy jedna szczelina w zbroi, by do środka wdarła się śmierć. Obracał się bez końca tam i z powrotem, aż wreszcie odnalazł kąt, pod którym wyglądał tak jak wiosną przed tym niefortunnym upadkiem ze schodów.

Spojrzał przez ramię i zobaczył, że Bóg leży na łóżku i mu się przygląda, opierając głowę na przednich łapach.

Suczka zamrugała. Uśmiechnęła się promiennie do Lancelota, który patrzył na nią z lustra, puszczał oko, kiwał głową i pogwizdywał przez zęby, wkładając ubranie, strzepnął niewidzialny pył z ramion swetra, zażył leki i westchnął z satysfakcją, zanim wybiegł z domu, jakby nagle przypomniał sobie o jakimś obowiązku.

Potem nadszedł listopad, pędzili wzdłuż martwych zszarzałych pól na drugi brzeg Hudsonu i dalej, do Vermontu i New Hampshire. W powietrzu cisza, energia dopiero się gromadziła.

W trakcie gorączkowych przygotowań Lancelot schudł pięć kilo. Godzinami pedałował na rowerze stacjonarnym, bo tylko w ruchu potrafił myśleć. Teraz jego kolana podrygiwały w takt muzyki, której nie słyszała siedząca za kółkiem Mathilde.

– Wybrałem pięć najlepszych pomysłów, M. – zaczął. – Posłuchaj. Przepisanie *Naszyjnika* Maupassanta. *Mała syrenka* Disneya na opak. Bliższa wersji Andersena, ale o wiele bardziej odjechana. Próby, którym poddawany był Hiob, w szalonej estetyce, z dużą dawką czarnego humoru. Albo zazębiające się opowieści żołnierzy z Afganistanu, składające się na dłuższą historię, tak jak w *Kronice zapowiedzianej śmierci* albo we *Wściekłości i wrzasku*.

Mathilde swoimi długimi kłami zagryzła dolną wargę i nie odrywała wzroku od drogi.

– Szalona estetyka? – zdziwiła się. – Czarny humor? Wydaje mi się, że opera nikomu nie kojarzy się z humorem, tylko z grubymi śpiewaczkami, powagą, córami Renu i kobietami, które zabijają się z miłości do dobrego mężczyzny.

– Humor w operze ma bogatą tradycję. *Opera buffa*. To była kiedyś główna rozrywka dla mas. Fajnie byłoby ją znowu zdemokratyzować, zamienić w formę kultury popularnej. Żeby arie podśpiewywał sobie nasz listonosz w czasie roznoszenia poczty. Wygląda tak, jakby pod tym niebieskim uniformem ukrywał się niezły śpiewak.

– No może – powiedziała. – Ale ty zasłynąłeś poetyckimi tekstami. Jesteś poważnym dramatopisarzem, Lotto. Czasem uskrzydlonym, ale nigdy zabawnym.

– Uważasz, że nie jestem zabawny?

– Dla mnie jesteś bardzo zabawny. Ale twoje teksty nie są.

– Nawet *Gacy*? – zapytał.

– *Gacy* był mroczny. Sarkastyczny. Pełen wisielczego humoru. Ale nie zabawny.

– Uważasz, że nie umiem być zabawny?

– Uważam, że potrafisz być mroczny, sarkastyczny i masz wisielcze poczucie humoru – odparła. – Z pewnością.

– Znakomicie. Udowodnię, że się mylisz. A co sądzisz o moich pomysłach?

Zrobiła grymas i wzruszyła ramionami.

– Och, żaden ci się nie podoba?

– Same parafrazy.

– Poza opowieściami z Afganistanu.

– No tak, to prawda. To jedyny świetny pomysł. Ale chyba za bardzo akuratny. Oczywisty. Powinicneś pójść w stronę alegorii.

– Wyrwę ci język, czarownico.

Mathilde się zaśmiała.

– Będziecie musieli to wspólnie uzgodnić. Ty i ten twój Leo Sen.

– Leo. Czuję się jak nastolatek wystrojony w pas do smokingu i muszkę w drodze na karnawałowy bal.

– No cóż, mój drogi, niektórzy tak się właśnie czują, jadąc na spotkanie z tobą – powiedziała bardzo, bardzo łagodnie Mathilde.

Przydzielono mu malutką kamienną chatkę z kominkiem niedaleko głównego budynku, gdzie podawano kolacje i śniadania. Zmartwił się na widok lodu. Bał się o swoją wciąż słabą nogę. Miał biurko, krzesło i zwyczajnych rozmiarów łóżko, co oznaczało, że nogi aż do pół łydki będą mu z niego wystawały.

Mathilde usiadła na krawędzi materaca i zaczęła rytmicznie unosić się i opadać. Rama pisnęła jak mysz. Lancelot usiadł obok żony i poruszał się w innym rytmie. Położył jej dłoń na nodze i z każdym podskokiem przesuwał ją wyżej po udzie, aż jego palec zatrzymał się w pachwinie, wtedy wsunął go pod gumkę i odnalazł tam wilgotne wyczekiwanie. Wstała, on przestał się poruszać, nawet nie zaciągnęła zasłon i dosiadła go, odsunąwszy na bok krok majtek. On wsunął głowę pod jej bluzkę, rozkoszując się kojącą ciemnością.

– Hej, szeregowy – powiedziała, drażniąc koniuszek jego penisa. – Baczność.

– Trzy tygodnie – biadał, kiedy wsuwała go w siebie. Poruszała biodrami jak kowbojka. – Długo będę musiał się powstrzymywać.

– A ja nie. Kupiłam wibrator – wysapała, z trudem łapiąc oddech. – Nazwałam go Lancelocik.

Niepotrzebnie to powiedziała, on poczuł presję, musiał ją odwrócić i ułożyć na czworakach, żeby dokończyć, a kropką nad „i" był szybki, bezbarwny orgazm, który nie dał mu satysfakcji.

Poszła do łazienki, żeby się umyć.

– Niechętnie cię tu zostawiam – zawołała. – Kiedy ostatnim razem na chwilę wyjechałeś, wróciłeś cały połamany. – Wróciła i położyła mu dłonie na policzkach. – Mojemu ekscentrycznemu mężowi wydawało się, że ma skrzydła.

– Tym razem możesz liczyć wyłącznie na moje skrzydlate słowa – zapewnił ją z powagą.

Zaśmiali się. Po niemal dwudziestu latach wspólnego życia miejsce żaru zajęło radosne ciepło, mniej dzikie, ale łatwiejsze do podtrzymania.

– Tu też będą wspaniałe kobiety, Lotto – powiedziała ostrożnie. – Przecież wiem, jak bardzo kochasz kobiety. To znaczy kiedyś kochałeś. Zanim ja się zjawiłam.

Zmarszczył czoło. Nigdy w trakcie ich małżeństwa nie okazywała zazdrości. To było jej niegodne. I jego. Ich związku. Wycofał się trochę.

– Och, błagam cię – wyjęczał, ale ona tylko machnęła ręką i pocałowała go namiętnie.

– Jeśli będziesz mnie potrzebował, przyjadę – obiecała. – To tylko cztery godziny stąd, ale ja przyjadę tu w trzy.

Wyszła. Zniknęła.

Sam! Las o zmierzchu obserwował go przez okno. Z nadmiaru energii zrobił pompki, bo do kolacji zostało mu jeszcze trochę czasu. Wyjął zeszyty i długopisy. Wyszedł na ścieżkę otaczającą dom, wyrwał z korzeniami paproć i zasadził ją w granatowym kubku w białe kropki, który postawił na kominku; roślina już podkurczała liście zaskoczona ciepłem panującym w pomieszczeniu. Kiedy dzwonek wezwał go na kolację, w zapadającym zmroku pokuśtykał bitą drogą wzdłuż łąki, na której stała rzeźba przedstawiająca jelenia. Nie, to był prawdziwy i bardzo skoczny jeleń. Minął stóg siana, skręcił za kurnikiem osłoniętym rosnącymi na tyczkach krzewami malin, przeszedł przez ogród pełen lśniących w półmroku dyń i dorodnych pędów brukselki i w końcu dotarł do starego budynku, z którego rozchodziły się apetyczne aromaty.

Przy dwóch stołach już zebrał się tłum i Lancelot, zanim wreszcie ktoś do niego zamachał i pokazał mu puste krzesło, musiał czekać w drzwiach. Usiadł i wszyscy przy stole spojrzeli na niego, mrużąc oczy, jakby ktoś włączył ostre, jaskrawe światło.

Ci ludzie byli tacy piękni! Nie wiedział, czemu się tak denerwował. Słynna poetka z burzą włosów pokazywała wszystkim w otwartej dłoni idealnie zachowany pancerzyk cykady. Para Niemców w identycznych okularach bez ramek i fryzurach wyglądających tak, jakby ktoś obciął im włosy brzytwą w czasie snu, przypominała bliźnięta. Rudowłosy chłopiec, z pewnością świeżo po studiach, nagle spiekł raka z powodu paraliżującego zawstydzenia: poeta, to oczywiste. Powieściopisarka, wysportowana blondynka, nie najgorsza pomimo pociążowego brzucha i fioletowych worków pod oczami. Daleko jej było do Mathilde, ale była na tyle młoda, że mogłaby na chwilę przejąć jej obowiązki. Miała zmysłowe białe przedramiona, jakby wyrzeźbione w świerkowym drewnie i wypolerowane. Dawno, dawno temu, kiedy każda kobieta olśniewała go szczególnym typem urody, jej przedramiona z pewnością by mu wystarczyły, na chwilę powrócił młody Lotto, seksowny chart ekstatycznie ssący w wyobraźni wypukły brzuch pisarki poprzecinany srebrzystymi rozstępami. Cudownie. Podał jej karafkę z wodą i odpędził od siebie tę wizję.

Bardzo młody ciemnoskóry reżyser filmowy uważnie przyglądał się Lancelotowi.

– Satterwhite? Właśnie skończyłem uczelnię Vassar. Jeden z akademików nazywa się Satterwhite Hall.

Lancelot skrzywił się trochę i westchnął. Był niemile zaskoczony, kiedy wiosną odwiedził swoją Alma Mater z wykładem, a dziekan, przedstawiając go, wymienił wiele jego zasług i wspomniał, że rodzina Satterwhite'ów sfinansowała budowę akademika. Lotto szybko wykonał w pamięci rachunki i przypomniał sobie, że w weekend, kiedy odbyła się ceremonia zakończenia studiów, zobaczył Sallie przy olbrzymim dole w ziemi, wokół którego jeździły buldożery – stała z kamienną twarzą, wiatr owijał jej spódnicę wokół chudych nóg. Oparła się o jego ramię i poprowadziła go dalej. To prawda, że złożył papiery tylko do jednej szkoły, a potwierdzenie przyjęcia na studia rzekomo wysłano do jego domu na Florydzie; nigdy go nie zobaczył. Taka perfidia wyraźnie nosiła na sobie odciski palców Antoinette.

– Och – patrząc na reżysera, który podejrzliwie mu się przyglądał, Lancelot westchnął. Zapewne zdradzała go twarz. – Nie miałem z tym nic wspólnego.

Na werandzie zapaliły się lampy; szop pracz uruchomił sensor. Kiedy światło zgasło, niebo wyglądało jak rozpostarta płachta ciemnogranatowego aksamitu. Podano całego łososia na jarmużu i cytrynach oraz miskę sałatki z komosy.

Ku swojemu zdziwieniu Lancelot nie mógł przestać mówić. Tak się cieszył, że tu przyjechał. Ktoś ciągle dolewał mu wina do kieliszka. Przed deserem niektórzy artyści zniknęli, ale większość przysunęła krzesła do jego stolika. Opowiedział historię niefortunnego upadku ze schodów samolotowych; opowiedział o katastrofalnym przesłuchaniu w czasach, kiedy jeszcze grywał w teatrze i poproszono go, żeby zdjął koszulę, ale zapomniał, że Mathilde w czasie porannego prysznica wygoliła mu na piersi uśmiech.

– Słyszałam, że jesteś barwną postacią – powiedziała poetka, jedząc crème brûlée i kładąc dłoń na jego ramieniu. Tak się śmiała, że do oczu napłynęły jej łzy. – Ale nie spodziewałam się, że aż tak barwną.

Przy drugim stole siedziała ubrana w tunikę kobieta o nieco indyjskich rysach i Lancelot poczuł, że zaciska mu się żołądek:

czy to możliwe, że Leo to skrót od Leony? Czasem kobiety mają niski głos. Czarne włosy z siwym pasmem wyglądały na tyle ekscentrycznie, że mogłyby należeć do kompozytorki opery, którą obejrzał latem. Piękne dłonie przypominały pisklęta sowy. Wstała nagle, odniosła talerz i sztućce do kuchni i wyszła; Lancelot przełknął gorycz. Nie chciała z nim rozmawiać.

Teraz przeszli do głównej sali ze stołami do ping-ponga i bilardu; Lancelot grał. Pomimo wypitego alkoholu nie stracił refleksu: z zadowoleniem stwierdził, że nadal jest wysportowany, choć całe lato męczył się z gipsem. Ktoś wyciągnął whisky. Kiedy przestał grać, ciężko dyszał, a jego lewe ramię, cienkie jak patyk, trochę go bolało, otoczył go wianuszek artystów. Lancelot bezwiednie rozsiał wokół siebie czar.

– Jak się nazywasz? Czym się zajmujesz? – pytał ich po kolei.

Artyści! Narcyzy! Niektórzy ukrywali to lepiej od innych, ale wszyscy przypominali stojące na obrzeżach placu zabaw z palcami w buzi dzieci obserwujące się nawzajem z szeroko otwartymi oczami, kiedy po kolei zapraszano je do zabawy. Każdy włączony do rozmowy skrycie odczuwał ulgę, że ktoś dostrzegł jego prawdziwe znaczenie. Najważniejsza osoba w pomieszczeniu uznała go za również najważniejszą osobę w pomieszczeniu. Nawet jeśli tylko potencjalnie. Nawet jeśli miał się taką dopiero stać.

Kiedy Lancelot tak hojnie opromieniał wszystkich wokół, wiedział, że tylko on jest tu prawdziwym artystą.

Kiedy nadeszła kolej czerwieniącego się rudzielca o jasnej cerze, ten przedstawił się tak cicho, że Lancelot musiał się do niego nachylić i poprosić o powtórzenie nazwiska, a wtedy w oczach chłopca coś błysnęło, zaciętość, a może rozbawienie.

– Leo – przedstawił się.

Lancelot poruszał ustami, aż wreszcie wydobyły się z nich słowa.

– Ty jesteś Leo? Leo Sen? Leo Sen, kompozytor?

– We własnej osobie. Miło mi poznać. – Kiedy Lancelot wciąż nie mógł wydobyć z siebie słowa, rudowłosy młodzieniec dodał z przekąsem: – Spodziewałeś się Hindusa, prawda? Często mi się to zdarza. Mój ojciec jest w połowie Hindusem i widać to po nim wyraźnie. Ale geny mojej matki okazały się silniejsze. Natomiast moja siostra wygląda tak, że mogłaby zagrać w filmie z Bollywood i nikt nie wierzy, że jesteśmy spokrewnieni.

– Przez cały czas stałeś z boku? – oburzył się Lancelot. – I pozwoliłeś mi się zbłaźnić?

Leo wzruszył ramionami.

– Ubawiłem się. Chciałem zobaczyć, jakim człowiekiem jest mój librecista.

– Wybacz, ale to niemożliwe, że jesteś kompozytorem. Chodzisz jeszcze do przedszkola.

– Mam dwadzieścia sześć lat. Już od dawna nie sikam w pieluchy.

Czerwienił się, ale jednocześnie miał cięty język.

– Spodziewałem się kogoś zupełnie innego – warknął Lancelot.

Leo zamrugał. Jego twarz przybrała barwę wściekłego homara.

– To chyba wspaniale. Kto by chciał dostać to, czego się spodziewał?

– Ja nie.

– Ja też nie.

Kompozytor przez moment patrzył na Lancelota i wreszcie rozluźnił się, posyłając mu krzywy uśmiech.

Leo Sen, pomimo drobnej budowy, stu osiemdziesięciu centymetrów wzrostu i lekkiego przygarbienia, mógłby jedną dłonią objąć piłkę do koszykówki. Siedzieli na kanapie całkowicie pochłonięci rozmową, wszyscy się rozproszyli, grali w ping-ponga i bilard albo drogą wśród przyćmionych latarni wrócili już do siebie, żeby jeszcze chwilę popracować.

Opera wystawiana w lecie zrodziła się w wyniku walki kompozytora z dojmującym smutkiem i paniką narastającą wskutek konfrontacji z nacierającym na niego światem.

– Zazwyczaj dzięki pracy udaje mi się z tego jakoś wyjść – wyznał Leo. – Walczę ze swoją muzyką, aż i ona, i ja z powodu wyczerpania niczego już nie czujemy.

– Doskonale cię rozumiem. To jak walka Jakuba z Bogiem – powiedział Lancelot. – Albo Jezusa z diabłem.

– Jestem ateistą. Ale te mity mi się podobają – odparł Leo ze śmiechem.

Opowiedział o swoim domu we wspólnocie w Nowej Szkocji, zbudowanym z błota i snopków siana. Do jego obowiązków należało udzielanie lekcji muzyki wszystkim, którzy wyrazili chęć nauki. Miał niewiele: dziesięć białych koszul, trzy pary jeansów, skarpetki, bieliznę, parę wysokich butów, parę mokasynów, kurtkę, instrumenty. I tyle. Nie przywiązywał się do dóbr materialnych, chciał mieć tylko to, co konieczne do komponowania. Potrzebne książki pożyczał. Pozwalał sobie na tylko jedną ekstrawagancję: piłkę nożną, kibicował drużynie Tottenham. Jego matka, jak mówił, była Żydówką; podobało jej się, że Tottenham nie toleruje antysemickich obelg, a drużynę nazywa się Yid Army. Żydowska Armia. Leo przyznał też, że fascynuje go nazwa klubu, taka mięsista i rytmiczna. Tottenham Hotspur. To brzmiało jak króciutka piosenka. W świetlicy w domu na wyspie był telewizor z anteną satelitarną, przypominającą przekrzywione ucho rosnące na dachu, włączano go tylko w wyjątkowych wypadkach, ale dla Sena robiono wyjątek, pozwalając mu oglądać grę, którą tak kochał.

– Jako dziecko nienawidziłem skrzypiec – wyznał Leo. – Ale kiedyś ojciec pozwolił mi komponować i jednocześnie oglądać mecz w telewizji. Tottenham grał z Manchesterem, naszym szło fatalnie. Nagle wszystko to, co dawniej odczuwałem tak mocno bez muzyki, jeszcze bardziej się nasiliło pod jej wpływem. Przerażenie, radość. To było to, chciałem tylko odtworzyć ten moment. Zatytułowałem tę kompozycję *Audere est facere*. – Zaśmiał się.

– Odwaga jest czynem? – upewnił się Lotto.

– Motto Tottenhamu. I nie najgorsza maksyma życiowa dla artysty.

– Prowadzisz bardzo proste życie.

– Moje życie jest piękne.

Lancelot zobaczył je oczyma wyobraźni. Dostatecznie mocno kochał formy, by zrozumieć powab takiego surowego życia, które wyzwala tyle wewnętrznej dzikości. Pobudka o świcie, za oknem zimny ocean i mewy, na śniadanie świeże jagody z jogurtem z koziego mleka, herbatka z samodzielnie hodowanych ziół, niebieskie kraby w czarnych basenach pływowych, zasypianie przy dźwiękach wyjącego wiatru i fal uderzających rytmicznie o skały. Młode liście sałaty zieleniące się za południowym oknem. Leo żył w celibacie, spokojnie, skromnie i w nieustającym chłodzie – przynajmniej tak to mogło wyglądać z zewnątrz. Ale w jego wnętrzu gorączkowo buzowała muzyka.

– Spodziewałem się, że okażesz się ascetą – powiedział Lancelot. – Ale wyobrażałem sobie ciebie jako mężczyznę z bujną brodą, który łowi ryby włócznią i nosi przepaskę na biodrach. A na głowie ma turban w kolorze szafranu. – Uśmiechnął się.

– Natomiast ty zawsze czerpałeś z życia garściami. To widać jak na dłoni w twoich sztukach. Dzięki swoim przywilejom możesz podejmować ryzyko. Jesz ostrygi i pijesz szampana w domach na plaży. Jesteś rozpieszczany. Wszyscy obchodzą się z tobą jak z jajem.

Lancelot poczuł bolesne ukłucie.

– To prawda – przyznał. – Gdyby to zależało tylko ode mnie, to zamieniłbym się w sto pięćdziesiąt kilo czystej radości i zabawy. Ale żona krótko mnie trzyma. Zmusza mnie do codziennych ćwiczeń. Nie pozwala mi pić od samego rana.

– Ach – westchnął Leo, wpatrując się w swoje wielkie dłonie. – Jest więc i żona.

Powiedział to w dziwny sposób. No cóż. Po raz kolejny Lancelot musiał zweryfikować swoje wyobrażenia o Senie.

– Jest i żona – powtórzył jak echo. – Mathilde. Święta kobieta. Jedna z najczystszych osób, jakie w życiu spotkałem. Nieskazitelna moralnie, nigdy nie kłamie, nie znosi głupców. Poza nią nie znam innej kobiety, która straciła dziewictwo dopiero tuż przed ślubem. Uważa, że każdy powinien sam prać swoje brudy, dlatego sama sprząta nasz dom, choć stać nas na zatrudnienie pomocy domowej. Robi wszystko. Dosłownie wszystko. Piszę przede wszystkim dla niej.

– Historia wspaniałej miłości – powiedział żartobliwie Leo.

– Życie ze świętą musi być bardzo męczące.

Lancelot pomyślał o swojej żonie, wyobraził ją sobie: wysoką, z oślepiająco jasnymi włosami.

– To prawda – przyznał.

– Och, która to godzina? – spytał Leo. – Muszę się zabrać do roboty. Niestety, jestem nocnym markiem. Zobaczymy się po południu?

Dopiero teraz Lancelot zauważył, że większość świateł wyłączono i zostali sami, i pomyślał, że od co najmniej trzech godzin powinien leżeć w łóżku. Poza tym był pijany. Nie potrafił znaleźć odpowiednich słów, żeby powiedzieć Senowi, jak bardzo wydał mu się bliski. Chciał mu powiedzieć, że on też miał dobrego ojca, który go doskonale rozumiał, też marzył o prostym, czystym życiu i też największą radość odnajdywał w ciężkiej pracy. Do studia Sena szło się przez pole i las – kiedy wyszli z głównego budynku, Sen pożegnał się szybko niewidoczny w ciemności, w powietrzu jaśniała tylko biała smużka jego oddechu. Lancelotowi, który wlókł się samotnie przez mrok, musiała wystarczyć myśl o następnym dniu. Pod kolejnymi warstwami opadającymi niczym suche liście cebuli skrywały się kolejne objawienia. Wiedział, że w końcu w środku znajdzie prawdziwego przyjaciela.

Zasypiał, obserwując języczki ognia w kominku, rozkosznie otulony zapachem dymu, długo i powoli zanurzał się w głęboki sen, jakiego nie zaznał od lat.

Świat jak gorące mleko, z kożuchem mgły za oknem. Obiad na werandzie, w wiklinowym koszu zupa warzywna, focaccia, dobry cheddar, seler i marchewka pokrojone w słupki, jabłko i ciasteczko. Wspaniały, szaroniebieski dzień – Lancelot nie mógł usiedzieć w domku. Chciał pracować. Późnym popołudniem włożył wysokie buty i kurtkę przeciwdeszczową i poszedł na spacer do lasu. Chłód ustąpił z jego twarzy, robiło mu się coraz cieplej. Temperatura budziła żądzę, ta zaś zaprowadziła go na porośniętą mchem skałę, której chłodne wnętrze skrywało się pod ciepłym zielonym aksamitem. Opuścił spodnie do kolan i zaczął się zapamiętale pieścić. Myśli o Mathilde straciły magnetyzm, odbijały się od niej rykoszetem, oddalały się, wbrew jego woli splatały się z myślami o kuszącej, skośnookiej nimfetce w szkolnej spódniczce – tak to jest z fantazją. Nad nim gałęzie drzew jak szare listwy i wrony na niebie przypominającym tkaninę w ruchome grochy. Gorączkowe ruchy ręki przy pachwinie, a potem nieuchronne wirowanie w górę i lepka maź na dłoni.

Jezioro zamarło u jego stóp, pokryło się krostami, gdy spadł lekki deszcz.

Kiedy wstał, w jego piersi gęstniał niepokój: nie znosił odkładania pracy, kiedy miał na nią ochotę. Wydawało mu się, że muzy śpiewają [czy raczej nucą], a on zatkał sobie uszy. Poszedł w kierunku domku Sena, w lesie panowała niesamowita cisza, która przywiodła mu na myśl starożytne wiersze czytane w dzieciństwie. Śpiewał je sobie jak piosenki. Kiedy dotarł do domku kompozytora – różowawe stiuki, styl pseudotudorski, po obu stronach paprocie lśniące w niemrawym szarym świetle – uświadomił sobie, że chciałby zastać swojego współpracownika podczas improwizacji na jakimś instrumencie. Ale nie zauważył najmniejszego ruchu, nie drgnęły nawet zasłony w oknach. Lancelot usiadł pod brzozą, zastanawiając się, co robić dalej. Kiedy się ściemniło, zakradł się pod okno i zajrzał do środka. Światło się nie paliło, ale zasłony były rozsunięte i ktoś chodził po pokoju.

Leo stał bez koszuli, z wąską, bladą klatką piersiową i zamkniętymi oczami, jego piegowata twarz wyglądała tak młodo, wręcz chłopięco, włosy ułożyły się w małe piaskowe kępki. Kołysał rękami. Od czasu do czasu podchodził do nut leżących na pianinie, coś notował, czym prędzej wracał na poprzednie miejsce i znowu zamykał oczy. Jego bose stopy były równie wielkie jak dłonie i tak samo sine z zimna w okolicach stawów.

Lancelot poczuł się dziwnie, obserwując kogoś niesionego na fali natchnienia.

Przypomniał sobie, że on też potrafi się na niej unosić przez długie godziny. Pewnie także wyglądałby głupio, gdyby jakiś postronny obserwator zajrzał do jego gabinetu w mieszkaniu w mieście, do komórki bez okien zamienionej w pracownię albo do luksusowo urządzonego pokoju na poddaszu wiejskiego domu, gdzie na pulpicie leżał tom dzieł zebranych Szekspira, a za oknem rozciągał się ogród, w którym pracowała Mathilde. Przez wiele miesięcy patrzył w dół na słonecznik, którego cykl życiowy przypominał żywot człowieka: najpierw wynurzał się z gleby piękny, jasny i pełen nadziei; rozrastał się i nabierał siły, a jego pełne oblicze posłusznie zwracało się ku słońcu; głowa ciężka od dojrzałych myśli chyliła się ku ziemi, brązowiała, traciła jasne włosy, a łodyga słabła; ścinano go, zanim nadeszła długa zima. Tam podczas pracy Lancelot mówił różnymi głosami, kroczył, robił miny, maszerował i dreptał. Jedenaście ważnych sztuk, dwie z perspektywy czasu mniej ważne, wszystkie wystawił w trakcie pisania, jego publicznością były gołe ściany, a potem słoneczniki i smukłe plecy Mathilde, pochylone nad chwastami.

Otrząsnął się, kiedy zobaczył, że Leo zapina koszulę i wkłada sweter, marynarkę i mokasyny. Okrążył dom i podbiegł ścieżką do drzwi frontowych, wołając kompozytora, który już wyszedł i mocował się z zamkiem w drzwiach.

– Och, cześć – przywitał się Leo. – Znalazłeś mnie? Tak się cieszę. Mam z twojego powodu wyrzuty sumienia. Chciałem skończyć wcześniej i obgadać z tobą nasz projekt, ale kompozycja, nad którą pracuję, bez ogródek domagała się, żebym został z nią do samego końca. Idziemy na kolację? Możemy pogadać po drodze, prawda?

– Chodźmy – zgodził się Lancelot. – Mam milion pomysłów. Kłębią mi się w głowie. Musiałem pójść na spacer, żeby się od nich uwolnić, ale problem polega na tym, że im dłużej chodzę, tym więcej się ich rodzi. Mnożą się bez opamiętania.

– Doskonale – ucieszył się Leo. – Miło mi to słyszeć. Opowiadaj.

Zanim zasiedli do kolacji, Lancelot zdążył mu przedstawić pięć najlepszych pomysłów. Leo marszczył czoło, jego skóra zaróżowiła się z powodu zimna. Już w jadalni podał Lancelotowi zapiekankę warzywną i powiedział:

– Nie. Chyba żaden mi się nie podoba. Czekam na iskrę. Obawiam się, że w tych pomysłach jej nie ma.

– No dobrze – odparł Lancelot i już miał przedstawić kolejnych pięć koncepcji projektów, kiedy poczuł dłoń na ramieniu i gorący oddech w uchu.

– Lotto!

Podniósł wzrok i w pierwszej chwili nie rozpoznał Natalie. Natalie! Ona tutaj! Natalie, dziewczyna z nosem jak kartofelek i delikatnym czarnym wąsikiem. Dorobiła się dzięki rozkwitowi internetu i najwyraźniej na sprzedaży akcji wzbogaciła się tak, że mogła znowu oddać się swojej największej pasji, czyli – kto by się spodziewał – rzeźbiarstwu. Była przyprószona białym gipsowym pyłem. Przytyła. No cóż, nie ona jedna. W drobnych wyżłobieniach wokół jej oczu czaiła się dziwna uraza. Uściskom i celebracjom nie było końca, Natalie usiadła obok Lancelota i opowiedziała mu o swoim życiu. A kiedy on odwrócił się do Sena, żeby przedstawić go Natalie, kompozytora już nie było. Oddał talerz i sztućce i wyszedł, zostawiając liścik z przeprosinami w przegródce na pocztę Lancelota: chciał jak najszybciej skończyć zleconą kompozycję, żeby móc w pełni skupić się na ich wspólnej operze. „Bardzo, bardzo mi przykro" – napisał odręcznie literami tak drobnymi jak druk.

Przepraszał bez końca. Przez cztery dni z rzędu:

– Wiem, wiem, to okropne, Lancelocie, bardzo mi przykro, ale naprawdę muszę dokończyć tę kompozycję. Uwierz mi, to mordęga.

Na widok Lancelota Leo czerwienił się, wstyd wywoływał w nim podenerwowanie. Kiedy Lancelot w czasie spacerów do lasu podglądał go przez okno, chłopiec gorączkowo pracował i pisał muzykę; nie obijał się, nie ucinał sobie drzemki i nie drapał leniwie po głowie, dlatego Lancelot nie miał do niego pretensji, a przez to z trudem znosił czekanie.

W piwnicy głównego budynku, gdzie mieściła się pralnia, znajdowała się też klitka z aparatem telefonicznym, z którego zadzwonił do Mathilde – nie miał zasięgu w komórce, naprawdę znalazł się na końcu świata – i szeptem wyładował swoją frustrację. Łagodnym, niskim głosem próbowała go ukoić i wesprzeć, ale nie wychodziło jej to najlepiej, była dopiero piąta rano.

– A może poświntuszymy przez telefon? – zaproponowała wreszcie. – Pikantne co nieco na odległość? Może trochę byś się uspokoił?

– Nie, dzięki – odparł. – Za dużo stresu.

Bardzo długie milczenie, w słuchawce tylko jej oddech.

– Nie jest dobrze, prawda? – zapytała. – Kolejny kryzys. Nigdy jeszcze nie odmawiałeś seksu przez telefon. – W jej głosie pobrzmiewał smutek.

Tęsknił za żoną. Budził się rano i nie musiał przynosić jej kawy z mlekiem. Brakowało mu drobnych oznak jej troski, nie robiła mu prania, nie przystrzygała brwi. Czuł, że tutaj stracił jakąś część siebie.

– Chcę wrócić do ciebie do domu – powiedział.

– Tak, kochany. Wracaj.

– Spróbuję wytrzymać jeszcze kilka dni. A potem pod osłoną nocy udam się na schadzkę z tobą.

– Będę cały czas pod telefonem, czekając z zapartym tchem. Nie wyciągnę kluczyka ze stacyjki.

Wieczorem po kolacji wraz z grupą artystów poszli przez las, przecinając ciemność światłem latarek, do studia niemieckich rzeźbiarzy. Dwupiętrowy dom z ruchomą ścianą był wyposażony w podnośnik hydrauliczny do przenoszenia najcięższych prac. W strumyku za domem chłodziła się wódka, wściekłe elektroniczne dźwięki wbijały się w uszy jak tysiąc szpileczek. Światła zgasły. W salonie stała sięgająca pierwszego piętra konstrukcja z trzepocących liścików miłosnych z pierwszego małżeństwa niemieckiej *Frau*, przywiązanych do stelażu za jeden koniuszek i unoszących się przy byle podmuchu powietrza, na ekranie obok wyświetlano jakiś pamiątkowy film. Rzeźba przedstawiająca małżeństwo, które powstało z martwych.

Lancelot poczuł pod powiekami łzy. Doskonale uchwycili istotę rzeczy. Niemcy zauważyli błysk w jego oczach i oboje – jak papużki na żerdzi – stanęli po obu jego stronach i objęli go w pasie.

Piątego dnia tego artystycznego impasu Lancelot obudził się podłym, deszczowym świtem i zjechał na rowerze wzdłuż wybrzeża do siłowni z basenem.

Woda wszystko naprawiła. Nie pływał najlepiej, ale energiczne ruchy rąk mu pomogły, po każdym nawrocie coraz dłużej płynął pod wodą. Obmywała go, uspokajała, dzięki niej znowu poczuł się tak wspaniale jak tuż przed przyjazdem do ośrodka. Może był to efekt niedoboru tlenu. Może jego długie i chude ciało potrzebowało takiego wysiłku, szczególnie w okresie wymuszonego celibatu. A może tak się zmęczył, że nie starczyło mu już siły na lęki. [Nieprawda. Nie poznał się na darach, które otrzymał]. Kiedy wreszcie dopłynął do krawędzi basenu, dotknął ściany, wyszedł na brzeg i już wiedział, o czym napisze operę.

Wyrosła przed nim cała lśniąca i bardziej rzeczywista niż woda, z której się wynurzył.

Tak długo siedział przy krawędzi basenu pogrążony w rozmyślaniach, że jego skóra zupełnie wyschła, a kiedy podniósł głowę, zobaczył stojącego obok Sena w jeansach, białej koszuli i mokasynach.

– Powiedzieli mi, że przyjechałeś się tu popluskać. Pożyczyłem samochód i wpadłem do ciebie. Przepraszam, że kazałem ci tak długo czekać, ale już skończyłem, a to znaczy, że teraz ja też bardzo chcę zacząć pracę. Jeśli jesteś gotów, to ja również – powiedział Leo.

Przesunął się i dopiero teraz Lancelot zobaczył jego twarz, która do tej pory była tylko czarną plamą na tle światła słonecznego wpadającego przez szybę.

– Antygona. – Lancelot uśmiechnął się.

– Słucham?

– Antygona – powtórzył Lancelot. – Iskra.

– Antygona?

– Antygona, pod ziemią. Nasza opera. Antygona, która się nie powiesiła, a może próbowała, ale zanim jej się to udało, bogowie nałożyli na nią klątwę nieśmiertelności. Najpierw dali jej ją w darze za to, że przedkładała prawa boskie nad ludzkie. Ale kiedy zaczęła złorzeczyć bogom, dar zamienił się w przekleństwo. Do dziś pozostała w jaskini. Przyszła mi na myśl Sybilla Kumańska, która żyła tysiąc lat, tak długo, że się skurczyła i nawet bez spalenia mogła się po śmierci zmieścić w urnie. Jej imię pojawia się w motcie *Ziemi jałowej* Eliota, w cytacie z *Satyriconu* Gajusza Petroniusza. „Przecież widziałem Sybillę na własne oczy w Kumach, gdzie ją trzymają w wiszącym słoju, a kiedy młodzieńcy zapytali: Czego chcesz Sybillo?, odpowiedziała im: Chcę umrzeć".

Długie milczenie, chlupot wody w bocznych kanałach. Ciche nucenie kobiety płynącej żabką na plecach.

– O mój Boże – szepnął Leo.

– Właśnie. Poza tym Antygona w oryginale stanęła po stronie bogów przeciwko ludziom czy raczej przeciwko ludzkiemu porządkowi, czyli przeciwko edyktowi Kreona zakazującemu pochówku jej brata. Możemy chyba potraktować to jako wyraz…

– Nienawiści do ludzi.

– Niekoniecznie od razu nienawiści do ludzi, ale może mizantropii. Gardzi bogami za to, że ją opuścili, a ludźmi za ich niedoskonałość. Tak się skurczyła, że znalazła się niżej w hierarchii niż ludzie, dosłownie pod ich stopami, a jednocześnie ich przerosła. Czas ją oczyścił. Stała się wcieleniem człowieczeństwa. Jak sądzisz, powinniśmy zmienić tytuł, na przykład na *Wieczna Antygona*? Żeby podkreślić, że wciąż jest z nami?

Zaprowadził Sena do szatni i bez pośpiechu się wytarł. Zdjął kąpielówki. Kiedy podniósł wzrok, czerwony na twarzy Leo siedział na ławeczce naprzeciwko, obserwując nagiego Lancelota szeroko otwartymi oczami, z dłońmi złożonymi na kolanach.

– *Antygonistka* – zaproponował kompozytor, spuszczając wzrok.

– Zaraz. *Antygonada* – powiedział żartem Lancelot, dopiero teraz wkładając bokserki.

No dobrze, celowo ubierał się z takim ociąganiem: poczuł w środku uderzenie gorąca, tak dały o sobie znać jego próżność i wdzięczność za to, że ktoś mu się przygląda. Od tak dawna żaden obcy nie widział go nago. Owszem, w połowie lat dziewięćdziesiątych wystąpił w *Equusie*, ale przedstawienie zagrali tylko dwanaście razy w teatrze z widownią na dwieście osób. Uświadomił sobie, że ten zaproponowany żartem tytuł mu się podoba.

– *Antygonada* – powtórzył. – Mogłaby to być historia miłosna. Historia miłosna, ona zamknięta w jaskini, nie mogą się dotknąć.

– Niech będzie – zgodził się Leo. – Zawsze możemy zmienić tytuł, jeśli dojdziemy do wniosku, że gonady nam się podobają.

Czy to była aluzja erotyczna? Trudno było wyczuć, co chodzi po głowie temu chłopcu.

– Leo, Leo. Jesteś cierpki jak wermut.

Potem gadali bez końca. Cztery, pięć, siedem dni. Niczego jeszcze nie napisali. Leo i Lancelot pracowali w dziwnym zawieszeniu, o zmierzchu. Pierwszy był rannym ptaszkiem, drugi pracował całą noc i spał do drugiej po południu, na drodze kompromisu spotykali się u Lancelota, kiedy Leo się już obudził. Pracowali, póki Lancelot nie zasnął w ubraniu – budził się na moment, kiedy po wyjściu Sena do domku wdzierał się chłód.

Lancelot czytał na głos sztukę Sofoklesa, podczas gdy Leo leżał przed kominkiem, w którym palił się radosny ogień, i słuchał rozmarzony. Potem, żeby lepiej poznać kontekst, Lancelot przeczytał na głos pozostałe dwie części trylogii, *Króla Edypa* i *Edypa w Kolonie*. Odczytał fragmenty sztuki Eurypidesa. Odczytał adaptację Seamusa Heaneya; razem przeczytali wersję Anne Carson, stykając się głowami. W milczeniu wysłuchali opery Orffa, opery Honeggera i Jeana Cocteau, opery Theodorakisa i opery Traetty. Przy kolacji z zaangażowaniem, intensywnością i napięciem rozmawiali o Antygonie, którą nazywali Go, jakby była ich przyjaciółką.

Leo nie napisał jeszcze muzyki, na razie bazgrał na papierze śniadaniowym wykradzionym z kuchni. Ściany jego domku pokrywały misterne kreski – szkice smukłego, szczupłego ciała chłopca. Zarys jego szczęki z profilu: wstrząsający; paznokcie obgryzione tak, że zostały z nich tylko cieniutkie sierpy, kark pokryty delikatnymi lśniącymi włoskami. Jego zapach z bliska: czysty i aseptyczny jak wybielacz. [Ci stworzeni z muzyki są najbardziej kochani. Ich ciała to pojemniki na duszę; muzyka jest tym, co w nich najlepsze, reszta to tylko instrument z mięsa i kości].

Pogoda sprzysięgła się przeciwko nim. Za oknem prószył śnieg. Zrobiło się tak zimno, że nie dało się spędzać na zewnątrz zbyt dużo czasu. Świat stracił kolory, zmienił się w krajobraz ze snu, w pustą kartkę. Na języku dało się wyczuć posmak drzewnego dymu.

Współpraca tak ich pochłonęła, że kiedy Natalie próbowała się do nich dosiąść w czasie kolacji, Lancelot tylko posłał jej niewyraźny uśmiech, a potem odwrócił się do niej plecami, żeby na kawałku kartki naszkicować dla Sena to, o czym opowiadał. Natalie odchyliła się na oparcie krzesła ze łzami w oczach – ich przyjaźń należała do przeszłości, ale, och!, on wciąż potrafił ją zranić, okazując jej lekceważenie – ale po chwili się uśmiechnęła. Obserwowała Lotta. Słuchała. Czuła napięcie; obaj mężczyźni byli rozpaleni, ich ramiona się stykały. Gdyby Lotto zwracał na nią uwagę, uświadomiłby sobie, że później zostanie obgadany, że grono ich starych przyjaciół z zaintrygowaniem wysłucha jej opowieści o tym, co według niej połączyło ich dwóch. W końcu skinęła głową, odniosła tacę i wyszła; to był ostatni wieczór jej pobytu, Lotto nigdy więcej jej nie zobaczył. [Niebawem spotkała ją nagła śmierć. Wypadek w czasie jazdy na nartach; zator].

Lancelot nawet nie zauważył, kiedy rzeźbiarze wyjechali do Norymbergi, a ich miejsce zajęła blada, młoda kobieta. Malowała wysokie na kilka metrów olejne płótna przedstawiające nie tyle przedmioty, ile raczej ich cienie. Powieściopisarka o jasnych włosach wróciła do swojego domu pełnego małych chłopców. Zimą ośrodek pustoszał: teraz w czasie kolacji wszyscy artyści mieścili się przy jednym stole. Poetka z burzą loczków z nieskrywanym rozczarowaniem patrzyła co wieczór na ich współpracę.

– Lancelocie, mój drogi. Nie rozmawiasz już z nikim poza tym chłopcem? – zapytała kiedyś, nachylając się bliżej, kiedy Leo poszedł po tacę z deserami dla całej grupy.

– Przepraszam – powiedział. – Wkrótce do ciebie wrócę, Emmylinn. Ale dopiero zaczynamy. To pierwsze zauroczenie.

Oparła papierowy policzek na jego ramieniu.

– Rozumiem. Ale, gołąbku, niezdrowo jest dać się tak pochłonąć pracy. Trzeba czasem zaczerpnąć powietrza.

Potem do biura przyszedł list od jego żony, był szokująco lakoniczny, Lancelot poczuł bolesne ukłucie i popędził na dół do pralni, żeby zadzwonić do Mathilde.

– M. – powiedział, kiedy odebrała. – Przepraszam. Ten projekt zupełnie mnie pochłonął. Poświęcam mu cały czas.

– Kochany, od tygodnia nie dajesz znaku życia. Nie dzwonisz. Zapomniałeś o mnie.

– To nie tak. Oczywiście, że nie. Po prostu się zatraciłem.

– Zatraciłeś – powtórzyła powoli. – Zatraciłeś się w czymś. Pytanie tylko: w czym?

– Przepraszam.

Mathilde westchnęła.

– Jutro Święto Dziękczynienia.

– Och.

– Zaplanowaliśmy, że wrócisz na jedną noc, żeby czynić honory domu. To nasze pierwsze Święto Dziękczynienia na wsi. Przyjadę po ciebie jutro o ósmej rano. Odwiedzą nas Rachel i Elizabeth z bliźniakami. Przyleci Sallie. Będą Chollie i Danica. Samuel z trojaczkami, ale bez Fiony. Słyszałeś, że wniosła pozew o rozwód? Szok, grom z jasnego nieba. Zadzwoń do niego. Brakuje mu ciebie. Upiekłam ciasta.

Przed chwilą w jej milczeniu kłębiły się pytania, teraz – oskarżenia. Wreszcie Lancelot powiedział:

– Wydaje mi się, że ten jeden jedyny raz moi ukochani mogą spędzić Święto Dziękczynienia beze mnie. Uczczę je, pracując. Dzięki czemu jeszcze przez kilka dekad będę miał za co kupić wam sojową pieczeń, którą napełnicie swoje brzuchy.

– To podłe. I smutne.

– Nie chciałem być podły. Dla mnie nie ma w tym nic smutnego. M., po tym okropnym lecie praca sprawia mi dziką przyjemność.

– Nie wiedziałam, że w New Hampshire można podłapać brytyjski akcent – zadrwiła Mathilde.

– Leo... – zaczął.

– Leo – powtórzyła. – Leo. Leo. Leo. Leo. Posłuchaj. Mogę odwołać przyjęcie, przyjechać do ciebie i wynająć pokój w motelu – zaproponowała. – Objemy się plackami. Obejrzymy parę beznadziejnych filmów. I będziemy się pieprzyć. – Po długiej ciszy dodała: – Chyba jednak nie.

Lancelot westchnął.

– Nie możesz mi robić wyrzutów, bo ci odmawiam, M. Taką mam pracę. – Ona dyplomatycznie milczała. – To pewnie nie najlepszy moment, żeby ci o tym mówić...

– Chyba nie.

– Ale udało nam się przedłużyć pobyt o dodatkowe dwa tygodnie. Wrócę przed Bożym Narodzeniem. Obiecuję.

– Cwaniak – rzuciła i się rozłączyła.

Potem dzwonił do niej jeszcze trzy razy, ale nie odbierała.

Wcale nie zapomniał o sprzeczce z Mathilde, ale na zewnątrz wyszło słońce i w jego promieniach odbitych od śniegu i lodu cały świat wyglądał jak wykuty w kamieniu, marmurze i krzemie, a skalista surowość tego krajobrazu, który jeszcze niedawno był taki miękki i świeży, przeniosła go do jaskini Go, wszystko, co teraz widział, słyszał i czuł, wydawało mu się bowiem ściśle splecione z opowieścią o bohaterce ich opery. Dwa wieczory wcześniej, kiedy po kolacji nadszedł czas na dzielenie się owocami pracy, artystyczny film animowany nakręcony techniką zdjęć poklatkowych pokazujący odbudowę wioski spustoszonej przez ogień wydał mu się idealny na potrzeby ich projektu. Wywarł ogromny wpływ na *Antygonadę* niczym marionetkarz tchnący życie w kawałek materiału, zdolny nadać skrawkowi jedwabiu wzruszająco ludzkie kształty.

Lotto nie potrafił zapomnieć o żonie, choć mieszkała na jakiejś stałej, niezmiennej płaszczyźnie, czuł jej rytm w swoich kościach.

W każdej chwili potrafił ją zlokalizować. [Teraz rozbijała jajka na omlet; teraz szła spacerem przez zielone pola nad staw, żeby potajemnie zapalić – zawsze tak robiła, kiedy coś ją wkurzało].

Lancelot przeniósł się teraz na płaszczyznę, na której wszystko, co wcześniej wiedział i czym był, zostało przenicowane, wszelka przewidywalność eksplodowała.

Zdrzemnął się, a kiedy się obudził, na jego łóżku siedział Leo. Ostatnie promienie słońca wdzierały się przez okno i oświetlały przezroczystą skórę i jasne rzęsy. Chłopiec położył ogromną, ciepłą dłoń na ramieniu Lancelota, a ten zamrugał sennie, uśmiechnął się i jego lojalne, psie serce poczuło przemożną chęć, by przytulić do niej policzek. Zrobił to.

Leo się zaczerwienił, a jego dłoń zadrżała lekko, zanim ją odsunął.

Lancelot przeciągnął się, dotknął rękami ściany, a jego stopy zsunęły się z łóżka. Wstał. W pokoju rozległo się jednostajne, melancholijne szemranie.

– Jestem gotowy – oznajmił Leo. – Chcę napisać pierwszą arię Go. Arię miłosną. Na razie tylko muzykę. Ona określi resztę partytury. Zniknę na kilka dni, jeśli nie masz nic przeciwko temu.

– Nie znikaj – poprosił Lancelot. Poczuł w sobie ciężar. – Nie mógłbym posiedzieć cicho w kącie, kiedy będziesz komponował? Popracuję trochę nad pierwszą wersją tekstu. Wymyślę styl i słownictwo Go. Nie będę ci przeszkadzał ani przez sekundę. Nawet nie zauważysz mojej obecności.

– Akurat. Nie wytrzymasz w ciszy nawet godziny. – Leo podszedł do okna i stanął plecami do Lancelota, który zupełnie się już obudził. – Dobrze nam zrobi chwila rozłąki. Mnie na pewno. Będziesz tuż obok, ale ja nie będę mógł się z tobą zobaczyć. To znajdzie wyraz w muzyce.

Lancelot spojrzał na niego z zachwytem. Leo wyglądał tak wątło w ramie okna na tle stalowego lasu.

– Leo, bez ciebie będę samotny.

Leo odwrócił się, rzucił Lancelotowi przelotne spojrzenie, nie wypowiadając ani słowa, i skierował swoje kroki na ścieżkę wiodącą przez las. Lancelot otulił ramiona kocem i wyszedł na ganek, żeby popatrzeć, jak chłopiec znika.

Później przedostał się w mroku między drzewami do głównego budynku na kolację – w kuchni paliło się tylko jedno światło, a spośród ośmiu artystów, którzy jeszcze zostali w ośrodku, większość przeniosła się do cieplejszych miejsc, rodzina i przyjaciele kochali ich, karmili, dotykali ich ramion i policzków. Otaczała ich miłość. A Lancelot sam wybrał oddalenie. Postąpiłby inaczej, gdyby wiedział, że Leo zamierza zamienić się w pustelnika. Dręczył go niepokój – jak zawsze kiedy zostawał sam.

Lancelot podgrzał sobie porcję tofu z sosem, purée ziemniaczanym i zielonym groszkiem. W połowie posiłku przyłączył się do niego śmierdzący i przygłuchy kompozytor z brodą jak Walt Whitman, w którą wsiąkało wszystko, co wyciekło mu z ust. Miał oczy zaróżowione od popękanych naczynek i prawie cały czas charczał, wpatrując się w Lancelota wzrokiem wściekłego capa. Lancelot dla zabawy prowadził z nim jednostronną rozmowę.

– Sosu żurawinowego? – zapytał, polewając nim swoje danie.

Charczenie.

– Naprawdę? Najlepszy sos żurawinowy jadłeś w Ritzu w Święto Dziękczynienia w 1932 roku?

Charczenie.

– Z kim?

Charczenie.

– Naprawdę? Cudownie. Powiedziałeś: z arystokratami?

Charczenie.

– Co zrobiłeś z księżniczką Małgorzatą w czasie wojny? Stary, myślałem, że wynaleziono to o wiele później.

Charczenie, charczenie, charczenie.

Na deser podano ciasto dyniowe. Podzielili je na pół, Lancelot postanowił słodyczą zalać swój smutek, kompozytor szedł z nim w zawody, kęs za kęs, jakby koniecznie chciał dać świadectwo swojego poczucia sprawiedliwości. Lancelot specjalnie napchał sobie ciasta do ust, żeby zobaczyć, czy kompozytor spróbuje go naśladować. Mężczyzna wyglądał jak wąż połykający szczura. Kiedy Lancelot skończył jeść, powiedział:

– Lubię cię, Walcie Whitmanie.

Kompozytor, który nareszcie coś usłyszał, warknął:

– Och, wydaje ci się, że to takie śmieszne?

Wstał i zostawił Lancelotowi do posprzątania swój talerz i okruchy na podłodze.

– Masz tak bogatą osobowość – powiedział Lancelot, patrząc na jego plecy przypominające pancerz chrząszcza. Kompozytor się odwrócił i wbił w niego złowrogie spojrzenie. – Składam za ciebie podziękowanie – dodał Lancelot z powagą.

Och, był tak samotny. Dzwonił do domu, do mieszkania i na komórkę Mathilde, ale ona nie odbierała, dobrze wiedział czemu; przyjmowała gości. Jego rodzinę, jego przyjaciół. Z pewnością o nim rozmawiali. [Faktycznie tak było]. Przeraźliwie powoli wyszorował zęby i poszedł do łóżka z książką służącą wcześniej jako podpórka do drzwi. Nie wpadaj w paranoję, Lotto, wszystko gra – mówił do siebie. Jeśli o nim rozmawiali, to na pewno mówili o nim dobrze. Ale i tak sobie wyobrażał, że się z niego śmieją, ich twarze wykrzywione w groteskowych zwierzęcych grymasach: Rachel jako szczur, Elizabeth jako słoń z długą i czułą trąbą, Mathilde jako albinotyczny jastrząb. Hochsztapler, ignorant, oszołom – pewnie tak o nim mówili. – Kiedyś był męską kurwą. Narcyz!

Pewnie świetnie się bez niego bawią i sporo już wypili. Odrzucają głowy w tył, odsłaniają ostre zęby i dziąsła czerwone od wina, śmieją się i śmieją. Rzucił książkę w kąt z taką siłą, że kiedy uderzyła o podłogę, pękł jej grzbiet.

Ponury nastrój nie opuszczał go przez całą noc i towarzyszył mu jeszcze rankiem. W południe zaczął rozpaczliwie tęsknić za domem. Za Bóg i jej ciepłym nosem, za poduszką i za słodką Mathilde.

Minęły cztery dni, od kiedy Leo zaszył się w swojej samotni.

Po południu Lancelot nie wytrzymał: poszedł okrężną drogą przez las, żeby mieć wiarygodne alibi, w czasie spaceru podpierał się jak laską brzozową gałęzią z łuszczącą się korą – w końcu dotarł pod domek Sena.

Dopiero po chwili zlokalizował kompozytora w mroku. Chłopiec dał sobie dyspensę na rozpalenie ognia, nawet dla niego zrobiło się za zimno. W niemrawym świetle oparł głowę o front pianina i można by pomyśleć, że śpi, gdyby nie to, że jego ręka od czasu do czasu unosiła się i uderzała w jeden klawisz albo grała pojedynczy akord. Po każdej długiej pauzie dźwięk wybrzmiewał niepokojąco, docierał nawet do Lancelota ukrytego za drzewem.

Te miarowe odgłosy działały uspokajająco. Lancelot wpadał w trans, czekając na następną nutę. Choć wybrzmiewała, tłumiły ją ściany, okna i powietrze, zupełnie nieoczekiwanie z daleka docierała do ucha Lancelota. Czuł się jak ktoś, komu wydaje się, że jest sam w pokoju, i powoli zapada w sen, kiedy nagle w ciemnym kącie rozlega się zduszone kichnięcie.

Oddalił się, kiedy nie potrafił już zapanować nad rozedrganiem ciała. Znowu nadciągnęła zła ciemność zapowiadająca burzę – spadła z nieba od zachodniej strony. Zamiast kolacji zjadł makaron ramen ze styropianowego kubka, wypił gorącą czekoladę i dokończył burbona, tańczył nago przy ogniu, który jaśniał i trzaskał, dzięki czemu w pokoju zrobiło się gorąco jak na Florydzie w połowie sierpnia. Otworzył okno i patrzył, jak śnieg pada pod kątem i przemienia się w wodę, kiedy dotyka desek na podłodze, albo znika we mgle.

Poczuł się o wiele lepiej i zasnął na kołdrze spocony i pijany. Jego ciało unosiło się jak przywiązane do latawca, płynęło dziesięć metrów nad ziemią, a on obserwował, jak zwykli śmiertelnicy nieśpiesznie wiodą swój trywialny żywot.

Obudził się o tej samej porze co zawsze zziębnięty do szpiku kości, a kiedy poszedł nastawić wodę na kawę, okazało się, że nie ma prądu i nie działa ogrzewanie. Las za oknem wyglądał jak ze szkła, połyskiwał w gasnącej księżycowej poświacie. W środku nocy wszystko wokół ściął lód, pola i drzewa sprawiały wrażenie pokrytych warstwą laminatu. Tak się upił, że nie obudził go trzask wielkich gałęzi, które popękały, spadły na ziemię i leżały w ciemności jak oszołomieni żołnierze po wpadnięciu w zasadzkę. Lancelotowi ledwie udało się otworzyć drzwi z moskitierą. Zrobił niepewny krok po oblodzonej ziemi i przez chwilę ślizgał się nie bez pewnej gracji, bo jego słabsza stopa wysunęła się do tyłu, kreśląc arabeskę, i chociaż prawym paluchem zawadził o kamień, stabilizując stopę, reszta ciała nadal poruszała się w przód, a on upadł na siedzenie i tak mocno stłukł sobie kość ogonową, że musiał przewrócić się na bok, zaciskając zęby. Przez chwilę jęczał z bólu. Jego policzek przymarzł do ziemi i kiedy Lancelot próbował wstać, zerwał wierzchnią warstwę skóry. Dotknął twarzy, na koniuszkach palców zobaczył krew.

Podciągając się powoli na poręczy jak alpinista, wspiął się z powrotem na ganek, wszedł do domku i położył się wyczerpany na podłodze, ciężko dysząc.

Pani Zima lubi się poznęcać – pomyślał. – Nie pomylili się ci, którzy przewidywali, że to lód przyniesie światu zagładę. [Nieprawda. Ogień].

Czekało go długie głodowanie. Na półce znalazł jabłko przyniesione ze stołówki, spakowane przez Mathilde pudełko owsianych batoników dla fanatyków diety i ostatni kubek makaronu. Z powodu rany na policzku mógł się wykrwawić na śmierć. Złamana kość ogonowa mogła w każdej chwili ulec zakażeniu. Nie było prądu, a on zeszłej nocy w szaleńczym nienasyceniu wykorzystał całe drewno na opał: groziło mu, że zamarznie. Nie mógł się napić kawy, a odstawienie kofeiny w tych okolicznościach wydało mu się prawdziwą tragedią. Opatulił się wszystkimi ubraniami, jakie tylko znalazł, a z koca zrobił sobie pelerynę. Etui na laptop nałożył na głowę jako drugą czapkę. Wyglądał jak rugbysta w ochraniaczu. Usiadł z nogami na łóżku i zjadł całe pudełko batoników. Kiedy skończył, uświadomił sobie, że popełnił błąd, bo smakowały jak piłki do tenisa, które trzy sezony przeleżały w krzakach. Poza tym każdy pokrywał osiemdziesiąt trzy procent dziennego zapotrzebowania na błonnik, a zatem właśnie pochłonął go o wiele za dużo, więc groziło mu, że zanim zdąży się wykrwawić i zamarznąć, wykończy go nadczynność jelit.

Na dodatek zeszłego wieczoru zużył baterię w laptopie i nie zaprzątał sobie głowy ładowaniem, bo przecież nie spodziewał się, że rano zabraknie prądu, a już dawno temu odzwyczaił się od pisania piórem bądź długopisem. Dlaczego nie pisał już ręcznie? Dlaczego zatracił tę jakże przydatną umiejętność?

Tworzył w pamięci jak Milton, kiedy usłyszał warkot silnika. Wyjrzał zza zasłony i zobaczył, że niebo zesłało mu Blaine'a. Opony jego półciężarówki były oplecione łańcuchami. Samochód stał z włączonym silnikiem, a Blaine z paki posypywał lód piaskiem, potem zeskoczył na ziemię, a kiedy szedł, pod jego ciężkimi butami wspinaczkowymi chrzęścił śnieg. Zapukał.

– Mój wybawca – powiedział Lancelot, otwierając drzwi.

Zupełnie zapomniał o swoim stroju. Blaine przyjrzał mu się i na jego uroczej twarzy pojawił się szeroki uśmiech.

W głównym budynku rozstawiono łóżka polowe i agregaty prądotwórcze. Kuchenki były gazowe, więc jedzenia nie brakowało. Za dzień lub dwa miał zacząć działać telefon. Było wygodnie. Artyści, którzy przetrwali katastrofę, utworzyli wesołą kompanię, a kiedy kompozytor Walt Whitman nalał wszystkim śliwowicy, Lancelot stuknął się z nim kieliszkami, obaj się uśmiechnęli i puścili w niepamięć wydarzenia poprzedniego wieczoru. Traktowali się nawzajem z przyjazną uprzejmością, Lancelot przyniósł

Waltowi Whitmanowi piernik z lodówki, a kompozytor w rewanżu pożyczył mu grube kaszmirowe skarpety.

Lancelot czekał przez całe popołudnie, ale Leo nie przychodził. W końcu dopadł Blaine'a, który przytaszczył drewna na cały miesiąc i już miał wrócić do swojego domu, żeby skuć z niego warstwę lodu.

– Och, Leo nie chciał ruszyć się z domu – wyjaśnił Blaine. – Miał dość drewna i pokazał mi słoik masła orzechowego, bochenek chleba i dzbanek wody. Twierdził, że woli pracować. Wydawało mi się, że nic mu się nie stanie. Och, myliłem się?

– Nie, nie, nie – zapewnił go Lancelot.

Ale pomyślał sobie: Tak, zrobiłeś coś strasznego, nie zostawia się człowieka na pastwę losu w taki ziąb, nie czytałeś o Shackletonie i statku Endurance? Lodowce i kanibalizm. Nie znasz bajek, w których śniegowe trolle wychodzą z lasu i pukają do drzwi? Pracując w nocy, Leo usłyszałby kogoś na zewnątrz, boso podszedłby do drzwi, a zza pierścienia drzew dobiegałby cichy, niesamowity śpiew, Leo zaintrygowany wyszedłby na chwilę z domku, a drzwi by się za nim zatrzasnęły. Zamknęłyby je od wewnątrz śniegowe trolle, które zakradły się do środka, a on za nic w świecie nie mógłby wejść do domku, gdzie zapłonąłby piekielnie gorący ogień, a złośliwe istoty tańczyłyby przy nim nago, tymczasem on, jak dziewczynka z zapałkami, siedziałby skulony pod drzwiami, pogrążając się w wizjach odległego szczęścia, a jego oddech powoli by słabł. Zamarzłby. Na śmierć! Biedny Leo, sztywne sine zwłoki. Lancelota przeszył dreszcz, choć w pomieszczeniu panował tropikalny upał, bo kiedy artyści odetchnęli z ulgą, wytworzyła się ciepła atmosfera, a z kominków bił żar.

Kiedy już wyłączono lampy naftowe, powieściopisarka odłożyła na bok gitarę. Śliwowica rozgrzała wszystkich od środka i zasnęli w świetlicy bezpieczni, Lancelot wciąż zamartwiał się o biednego chłopca samotnego w lesie skutym lodem. Nie chciał się przewracać z boku na bok na łóżku polowym, żeby skrzypienie i szelest koca kogoś nie obudziły, ale nad ranem porzucił nadzieję na sen i zszedł do piwnicy do klitki z telefonem, żeby sprawdzić, czy przywrócono już łączność i może zadzwonić do Mathilde. W słuchawce nie było sygnału, a w piwnicy panował straszliwy ziąb. Wrócił do biblioteki, usiadł przy oknie wychodzącym na pola za budynkiem i obserwował powolne rozrzedzanie się nocy.

Kiedy tak siedział w fotelu, myśląc o Senie, o jego rumieńcu na twarzy i burzy włosów, Lotto zasnął kamiennym snem, choć śniło mu się, że nie śpi.

Obudził się i zobaczył, że z lasu powoli i chwiejnie wynurza się mała postać. W mroku, wśród lodu lśniącego w świetle księżyca wyglądała jak posłaniec z jakiejś ponurej opowieści. Lancelot patrzył, jak spod wełnianej czapki wynurza się biała twarz, i poczuł, że powoli wschodzi w nim słońce, kiedy upewnił się, że oto zbliża się Leo.

Spotkali się przy drzwiach kuchennych – Lancelot w milczeniu je otworzył i choć niepisana umowa zabraniała im się dotykać, nie potrafił się powstrzymać: położył dłonie na wąskich, ale silnych ramionach Sena i mocno go przytulił, czując aromat persymony na jego skórze i muśnięcia jego delikatnych włosów.

– Tak się o ciebie martwiłem – powiedział szeptem, żeby nie obudzić pozostałych.

Niechętnie puścił przybyłego, który przez chwilę miał zamknięte oczy, a po chwili otworzył je z dużym wysiłkiem.

– Skończyłem arię Go – oznajmił. – Oczywiście przez trzy noce nie spałem. Padam z nóg. Chcę wrócić do domu i iść spać. Jeśli Blaine przed odjazdem podrzuci cię do mnie z kolacją na wynos, to zagram ci to, co już mam.

– Tak – odparł Lancelot. – Oczywiście. Urządzimy sobie małą ucztę i będziemy gadać do białego rana. Ale teraz zostań i zjedz ze mną śniadanie.

Leo pokręcił głową.

– Jeśli nie wrócę zaraz do domu, to się rozsypię na kawałki. Chciałem cię tylko zaprosić do swojego studia. A teraz pogrążę się w błogosławionej niepamięci snu na tak długo, jak tylko mi się uda. – Uśmiechnął się. – Chyba że ty wcześniej przyjdziesz i mnie obudzisz.

Ruszył w stronę drzwi, ale Lancelot, próbując go jakoś zatrzymać, zapytał:

– Skąd wiedziałeś, że nie będę już spał?

Nawet z takiej odległości Lancelot czuł falę ciepła dobiegającą od czerwieniącego się chłopca.

– Znam cię – powiedział Leo, a potem lekkomyślnie dodał: – Nawet nie wiesz, jak wiele razy stałem na drodze i patrzyłem, jak włączasz światło o piątej dwadzieścia dwie. Dopiero potem wracałem do domu i szedłem spać.

Potem drzwi się otworzyły i zamknęły, Leo zamienił się w mały punkcik znikający na ciemnej ścieżce, a później widać już było tylko pusty arkusz śniegu.

Lancelot dwukrotnie użył dezodorantu i dwa razy się ogolił. Wyszorował pod gorącą wodą każdą część ciała. Uważnie przejrzał się w lustrze, bez uśmiechu. To nie było nic specjalnego, po prostu jego współpracownik po raz pierwszy miał mu przedstawić swoją kompozycję; rutynowe spotkanie w sprawach zawodowych; kręciło mu się w głowie, bo przez cały dzień nic nie jadł; wszystko leciało mu z rąk, jakby jego kości się roztopiły, a potem zastygły w zupełnie innych kształtach. Ostatnim razem czuł się tak za młodu, kiedy zupełnie nie znał siebie samego i razem z dziewczyną o twarzy jak księżyc i z samodzielnie przekłutym nosem spędzał noc na plaży, a potem stanął w płomieniach dom, w którym się znajdowali. Po raz pierwszy dokonał pełnego aktu miłosnego. Tak się denerwował, że na chwilę zapomniał jej imienia. [Gwennie]. Ach tak, Gwennie, jego pamięć gdzieniegdzie blakła, a przecież za dawnych czasów miał taki chłonny umysł. Ale przecież to, co jej duch chciał mu teraz powiedzieć, nie miało najmniejszego znaczenia w tej sytuacji.

Coś się działo w jego wnętrzu, jakby miał w sobie wielki, buzujący piec, który po otwarciu mógłby spalić go od środka. Skrywał w sobie sekret, którego nikomu nie wyjawił, nawet Mathilde.

Nie chciał, by Blaine wiedział o jego wizycie u Sena, dlatego sam ugotował zupę, zrobił kanapki i zapakował wszystko do koszyka. Chwiejnym krokiem przeszedł przez topniejący lód, którego pokrywa do zmroku nieco się zmniejszyła i teraz jej krawędź przypominała rząd zębów z odsłoniętymi szyjkami. Drzewa jak chudzielcy rozebrani do naga przez wiatr. Nie spodziewał się, że tak trudno mu będzie się poruszać: musiał iść jak linoskoczek, z rozpostartymi rękami i kołyszącym się koszykiem. Ciężko dyszał, kiedy dotarł pod domek w stylu tudorskim i zobaczył przez szybę czerwieniący się w kominku ogień.

Po raz pierwszy wszedł do środka i ze zdumieniem stwierdził, że domek wygląda jak niezamieszkany. W idealnie wysprzątanym pomieszczeniu tylko czarne buty, lśniące jak dwa chrząszcze i ustawione równo pod łóżkiem, oraz nuty na pianinie świadczyły, że mieszka tu Leo.

W łazience umilkł szum wody i w drzwiach stanął Leo, wycierając dłonie w ręcznik.

– Przyszedłeś.

– Wątpiłeś w to?

Leo ruszył w kierunku Lancelota, ale przystanął pośrodku pokoju. Dotknął szyi, potem nóg, a następnie złożył dłonie. Zawahał się.

– Chciałem, żebyśmy najpierw zjedli, ale chyba nie mogę – powiedział Leo. – Tak bardzo chcę dla ciebie zagrać, a jednocześnie bardzo się boję. To niedorzeczne.

Lancelot wyciągnął z koszyka zakręcaną butelkę czerwonego wina, którą wykradł z jadalni.

– W takim razie się napijmy. Zdobyłem Wine Advocate, rocznik dziewięćdziesiąty trzeci. Złożone wino, owocowy finisz z nutami odwagi i błyskotliwości. Jak będziesz gotowy, to zagramy. – Chciał powiedzieć: zagrasz, chodziło mu o pianino, zakaszlał, żeby zatuszować to przejęzyczenie.

Nalał wina do nakrapianych niebieskich kubków. W takim samym zasadził w swoim domku paproć. Leo napił się i zakrztusił, zaśmiał się i wytarł twarz chusteczką. Oddał kubek Lancelotowi, dotykając jego dłoni. Podszedł do pianina. Lancelotowi wydawało się, że siadanie na jego łóżku to poważne naruszenie obowiązujących ich zasad, ale i tak to zrobił, bardzo ostrożnie, rejestrując chłód i sprężystość materaca oraz biel pościeli.

Leo rozciągnął swoje dłonie z długimi palcami i Lancelotowi wydawało się, że po raz pierwszy zobaczył ich niewiarygodne piękno. Mogły objąć tercdecymę, to były dłonie Rachmaninowa. Zawisły na chwilę w powietrzu, spadły na klawiaturę i rozległa się aria Go.

Po pierwszym takcie Lancelot zamknął oczy. Tak było mu łatwiej skupić się na muzyce. W ten sposób słyszał, jak dźwięki przeobrażają się w cichą pieśń. Strzelistą i harmonijną. Wywoływała przyjemne mrowienie zębów. Ciepło promieniowało z brzucha w górę i w dół, do gardła, do kości udowych, Lancelot nie potrafił zidentyfikować tej osobliwej emocji, ale po minucie gry nazwał ją. Lęk. Dopadł go blady i gęsty lęk. Ta muzyka kompletnie nie pasowała do ich projektu. Lancelotowi brakowało powietrza. Oczekiwał czegoś niespotykanego i eterycznego. Troszeczkę brzydkiego. Muzyki z humorem, słodki jeżu! Muzyki, która kłuje! Która usuwa grunt spod nóg i ma w sobie głębię, rezonuje z oryginalnym mitem o Antygonie, z tą dziką i dziwną opowieścią. Gdyby tylko Leo stworzył muzykę podobną do tej, której Lancelot słuchał latem. Ale ta? Nie. Była jak lukier; nie miała w sobie ani krzty humoru. Wywoływała ból i dreszcze. Była tak niedobra, że wszystko się nagle zmieniło.

Wszystko się zmieniło.

Musiał się upewnić, że jego twarz, którą ze skupieniem zwrócił w stronę źródła dźwięków, zamykając oczy, zastygła w maskę.

Chciał uciec do łazienki i tam się wypłakać. Chciał uderzyć Sena w nos, żeby przestał grać. Nie zrobił ani tego, ani tego. Siedział, uśmiechając się jak Mathilde, i słuchał. Z czekającego na jego wewnętrznej przystani wspaniałego okrętu, na który chciał wsiąść i odpłynąć, rozległ się niski ryk syreny. Zrzucono cumy. Okręt bezgłośnie pruł wody zatoki, a Lancelot został sam na brzegu, patrząc, jak statek kołysze się na horyzoncie, a potem znika.

Muzyka ucichła. Lancelot otworzył oczy wciąż uśmiechnięty. Ale Leo dostrzegł coś w jego twarzy i bacznie mu się przyglądał skamieniały z przerażenia.

Kiedy Lancelot otworzył usta, nie wydobyło się z nich ani jedno słowo, Leo wstał, otworzył drzwi i na bosaka, bez kurtki wyszedł z domku, a potem zniknął w ciemnym lesie.

– Leo? – Lancelot podbiegł do drzwi. – Leo? Leo?

Leo się nie odezwał. Odszedł.

Nawet nie zauważyli, kiedy zimowe popołudnie, niczym bezszelestnie stąpający kot, przeszło w wieczór.

W domku Lancelot zastanawiał się, czy pomimo osłabienia nogi powinien pobiec za Senem. I co by mu powiedział, gdyby go znalazł? Co by zrobił, gdyby go nie znalazł? Mógłby poczekać na niego w domku. Duma chłopca poważnie ucierpiała, a wkrótce z powodu zimna mogło też ucierpieć jego ciało, pewnie wolałby odmrożenie stóp niż konfrontację z czekającym na niego Lancelotem, który powinien sobie pójść, bo tylko w ten sposób zachowałby się przyzwoicie. Powinien pozwolić chłopcu, żeby wrócił do domu i w samotności lizał rany. Mógłby przyjść do niego nazajutrz, dałby im obu czas, by ochłonęli i wszystko sobie wyjaśnili.

Zostawił mu liścik. Nawet nie wiedział, co dokładnie pisze, i był zbyt rozkojarzony, żeby zarejestrować coś więcej niż tylko moment, w którym oderwał ołówek od papieru. Mógł napisać wiersz albo listę zakupów. Wyszedł sam na mróz i oblodzoną ścieżką powlókł się do głównego budynku, z bólem dźwigając ciężar wszystkich dni swojego czterdziestoletniego życia. Kiedy dotarł do celu, był zlany potem. Wszedł do środka. Kolacja zaczęła się bez niego.

Zanim nad ściętymi lodem polami zaświeciło słońce o barwie słabej herbaty, Lancelot długo chodził w tę i z powrotem po bibliotece. Świat wypadł z kolein; zapanował nieznośny chaos. Wybiegł na zewnątrz. Poruszał się z większą łatwością niż poprzedniego wieczoru, lód wycofał się jeszcze bardziej, a na ścieżce wiodącej do domku kompozytora została tylko błotnista śniegowa breja. Lancelot zapukał mocno w drzwi zamknięte na klucz. Obszedł dom, zaglądając do okien, ale między dokładnie zaciągniętymi zasłonami nie została najmniejsza szczelina, przez którą dałoby się zajrzeć do środka. W jego głowie przez całą noc tłukło się echo tamtej makabrycznej nocy w liceum, kiedy znalazł wiszące zwłoki. Sina twarz, słodki odór. W ciemności muśnięcie jeansu na jego twarzy, jego wyciągnięte ręce dotykające zimnej, martwej nogi.

Zauważył niedomknięte okno, przecisnął przez nie ramiona, ciągnąc za sobą nogi jak wąż ogon, i tak mocno stłukł sobie słabszy obojczyk, że zobaczył gwiazdy na suficie.

– Leo – zawołał zduszonym głosem, ale zanim jeszcze zdołał się podnieść, już wiedział, że chłopca tu nie ma.

Spod łóżka zniknęły buty, a szafa stała pusta. W powietrzu wciąż unosił się zapach Sena. Lancelot bezskutecznie szukał jakiegoś listu, ale na stołku przed pianinem znalazł tylko czystopis arii Go z precyzyjnymi adnotacjami. Gdyby te kartki oprawić w ramę, można by je oglądać jak dzieło sztuki, nawet nie wykonując kompozycji. Wystarczyłoby tylko czarnym atramentem dopisać słowo *acciaccato*.

Lancelot co sił w nogach pobiegł do głównego budynku, a kiedy tam dotarł, właśnie nadjeżdżał Blaine. Zatrzymał go.

– Och, och tak – powiedział mężczyzna. – Leo dostał jakieś okropne wieści z domu i musiał wyjechać w środku nocy. Właśnie wracam z Hartford. Wyglądał fatalnie. Uroczy dzieciak, prawda? Biedactwo.

Lotto się uśmiechnął. Do oczu napłynęły mu łzy. Zachowywał się niedorzecznie.

Blaine spojrzał na niego z zakłopotaniem i położył mu rękę na ramieniu.

– Wszystko w porządku? – zapytał.

Lancelot pokiwał głową.

– Obawiam się, że ja też muszę dziś wracać do domu – powiedział. – Proszę, poinformuj biuro o moim wyjeździe. Wynajmę kierowcę. Nie martw się o mnie.

– Dobrze, synu – odparł cicho Blaine. – Nie będę się martwił.

Lancelot stał w drzwiach kuchni w swoim domu na wsi, a limuzyna odjeżdżała, rozbryzgując mokry śnieg. Dom.

Bóg zwinnie zbiegła na dół, stukając pazurami o schody, a Mathilde siedziała przy stole w snopie światła z zamkniętymi oczami, przed nią stał kubek parującej herbaty. W chłodnym powietrzu unosił się lekki zapach śmieci. Lancelot struchlał: wynoszenie śmieci należało do jego domowych obowiązków. Pod jego nieobecność Mathilde pozwoliła, by się nagromadziły.

Nie wiedział, czy na niego spojrzy. Nigdy jeszcze nie gniewała się na niego tak, żeby odwrócić od niego wzrok. Strasznie wyglądała z zamkniętymi oczami. Była taka stara. Smutna. Wychudła. Miała tłuste włosy. Zbrązowiała, jakby zamarynowała się we własnej samotności. Coś w nim pękało.

Nagle Bóg doskoczyła do niego, sikając ze szczęścia i szczekając swoim wysokim półkrzykiem. Mathilde otworzyła oczy. Widział, jak kurczą się ogromne źrenice w jej tęczówkach, kiedy go dostrzegła, i po wyrazie jej twarzy poznał, że dopiero teraz go zauważyła. I że bardzo, bardzo się cieszy na jego widok. Cała ona. Jego jedyna miłość.

Wstała tak gwałtownie, że przewróciła do tyłu krzesło, podeszła do niego, rozkładając ramiona, jej twarz nagle się ożywiła, a on wtulił się w jej włosy i poczuł ich zapach. Cały świat uwiązł mu w gardle, fikając koziołki. Potem przywarło do niego jej mocne, kościste ciało – jej zapach w jego nosie, w jego ustach smak płatka jej ucha. Oderwała się na moment, spojrzała na niego dziko i zamknęła stopą drzwi. Kiedy próbował się odezwać, mocno przycisnęła mu dłoń do ust, żeby go uciszyć, i bez słowa zaprowadziła do sypialni na górę, a potem tak brutalnie się z nim obeszła, że kiedy się obudził następnego dnia, miał śliwkowe siniaki na wysokości bioder, a na plecach ślady po paznokciach, które w łazience mocno naciskał spragniony bólu.

Potem nadeszło Boże Narodzenie. Jemioła zawieszona na żyrandolu w holu, balustrada owinięta świerkowymi gałązkami, zapach cynamonu i pieczonych jabłek. Lancelot stał u dołu schodów, z uśmiechem patrząc w lustrze na swoją zrytą bruzdami twarz i wiążąc krawat. Pomyślał, że pewnie nikt by nie powiedział, że poprzedni rok tak dał mu się we znaki. Cierpienie go wzmocniło. A może nawet dodało mu urody. Mężczyźni potrafią z wiekiem wyprzystojnieć. Kobiety po prostu się starzeją. Biedna Mathilde z bruzdami na czole, za dwadzieścia lat cała pomarszczona i srebrnosiwa. Och, ale i wtedy będzie piękna – pomyślał lojalny do szpiku kości.

Ciszę zmącił warkot silnika i kiedy Lancelot wyjrzał przed dom, zobaczył, jak ciemnozielony jaguar zjeżdża z drogi na żwirowy podjazd biegnący wśród nagich drzew wiśniowych.

– Przyjechali – zawołał do Mathilde.

Uśmiechnął się: od wielu miesięcy nie widział swojej siostry, Elizabeth i ich adoptowanych bliźniaków, miał nadzieję, że oszaleją ze szczęścia na widok żółwia i sowy na biegunach, które na jego zlecenie wykonał pewien ekscentryczny stolarz mieszkający w głębokim lesie na północ od Nowego Jorku. Sowa miała minę zafrapowanego czymś mędrca, a żółw wyglądał tak, jakby obgryzał jakiś gorzki korzeń. Och, dzieci jak elfy w jego ramionach. Kojąca obecność siostry. Z podekscytowania dreptał na palcach.

Nagle pod misą pełną miętowych czekoladek, stojącą na toaletce z wiśniowego drewna, zobaczył skrawek gazety. Dziwne. Mathilde tak bardzo dbała o porządek w domu. Każdy przedmiot miał tu swoje miejsce. Odsunął miskę i zerknął. Nogi się pod nim ugięły.

Na niewyraźnym zdjęciu nieśmiało uśmiechał się Leo Sen. Poniżej krótki artykuł.

Obiecujący brytyjski kompozytor utonął niedaleko wyspy należącej do Nowej Szkocji. Tragedia. Taki potencjał. Eton i Oxford. Już w dzieciństwie objawił się jego ogromny talent do gry na skrzypcach. Zasłynął aharmonijnymi, głęboko poruszającymi kompozycjami. Żył samotnie. Rodzina i wspólnota będą za nim tęsknić. Wypowiedzi znanych kompozytorów; Lancelot nawet nie wiedział, jak sławny był Leo.

Nie potrafił udźwignąć ciężaru tego, co nie zostało wypowiedziane. Otworzył się kolejny lej krasowy. Ktoś był i odszedł. Leo płynący w lodowatej wodzie. Grudzień, rwące prądy, grzywy dzikich fal natychmiast zamieniały się w zamarznięte lodowe pociski. Lancelota przeszył dreszcz, gdy wyobraził sobie, jakim szokiem dla ciała było uderzenie czarnej lodowatej wody. Coś tak złego nie powinno się wydarzać.

Zaczerpnął głęboko powietrza, żeby nie upaść. Podparł się o stolik, otworzył oczy i w lustrze zobaczył swoją pobladłą twarz. Nad lewym ramieniem dostrzegł Mathilde stojącą u szczytu schodów. Obserwowała go. Nie uśmiechała się, była skupiona, w czerwonej sukience wyglądała jak zakrwawione ostrze. Przez okno nad jej głową sączyło się do środka słabe grudniowe światło, muskając jej ramiona.

171

Drzwi do kuchni się otworzyły i na tyłach domu rozległy się głosy dzieci wołających wujka Lotta.

– Dzień dobry! – krzyknęła Rachel.

Suczka radośnie zaszczekała, Elizabeth parsknęła śmiechem i zaczęła się żartobliwie przekomarzać z Rachel, a Lancelot i jego żona wciąż patrzyli na siebie w lustrze. Potem Mathilde zrobiła krok w dół, potem następny i na jej twarzy znowu pojawił się uśmieszek.

– Wesołych świąt! – zawołała radośnie głębokim, czystym głosem.

Lancelot gwałtownie odsunął się w tył, jakby położył dłonie na rozgrzanym piecu, a ona nie spuszczała wzroku z jego lustrzanego odbicia, kiedy powoli, bardzo powoli szła na dół po schodach.

6

– Mogę przynajmniej przeczytać, co napisaliście z Senem? – zapytała Mathilde pewnego wieczoru, kiedy już leżeli w łóżku.

– Być może – odparł Lancelot, położył się na niej i wsunął dłonie pod jej koszulę nocną.

Zanurkowała pod kołdrę i wynurzyła się rozpalona jego ciepłem.

– Być może, czyli nie?

– M. – powiedział łagodnie. – Ta porażka mnie dobiła.

– Czyli nie mogę?

– Nie możesz.

– Okej.

Następnego dnia musiał jechać do miasta na spotkanie z agentem, a ona poszła do jego orlego gniazda na poddaszu, gdzie usiadła wśród rozrzuconych papierów i kubków po kawie zarastających pleśnią i zapoznała się z zawartością pliku.

Wstała i podeszła do okna. Myślała o chłopcu, który utonął w lodowatej czarnej wodzie, o syrenie, o sobie.

– Szkoda – powiedziała do Bóg. – To by było genialne.

ANTYGONADA
[Pierwszy szkic, z uwagami dla kompozytora]

LISTA POSTACI

GO: kontratenor, śpiewa za kulisami; na scenie marionetka w wodzie albo hologram, który przedstawia całą operę w akwarium

ROS: tenor, kochanek Go
CHÓR DWUNASTU: bogowie, kopacze w tunelu i podróżni
CZWORO TANCERZY

AKT I: SOLIP

Nie ma kurtyny. Ciemna scena. Pośrodku cylindryczne akwarium podświetlone tak, by wyglądało jak jaskinia. W środku: Go. Po tylu eonach trudno powiedzieć, czy jeszcze jest człowiekiem. Tak się skurczyła, że zostało z niej tylko to, co konieczne.

[Leo: Dźwięki na początku tak ciche, że można by je wziąć za muzykę ambientową. Dobiegające z oddali odgłosy kapania i pomruki. Syk, świst wiatru. Szuranie. Bicie serca. Skórzaste skrzydła. Fragmenty muzyki przefiltrowane tak, że to już nie muzyka. Poszum głosów jakby dobiegających zza skalnej ściany. Zapewne publiczność będzie rozmawiała, odgłosy na widowni splotą się z partyturą. Dźwięki nabierają rytmu, harmonii, robią się coraz głośniejsze].

Stopniowo i powoli światła coraz mocniej oświetlają jaskinię, a na widowni gasną. W końcu widzowie milkną.

Go się budzi i siada. Śpiewa pierwszą arię, lament, chodzi po jaskini.

Tekst po angielsku wyświetlany nad proscenium. Go mówi własnym językiem. Ogołocona starożytna greka, czasowniki nie są odmieniane, nie ma przypadków ani rodzajów. Język wykoślawiony przez tysiąclecia samotności, odmieniony pod wpływem niemieckich, francuskich i angielskich słów docierających ze świata ponad nią. Wpada w szał w obu znaczeniach tego słowa: jest wściekła i szalona.

Go chodzi po jaskini i opowiada o swoim życiu: zajmuje się ogrodem pełnym mchów i grzybów, doi glisty, codziennie tka ubrania z włosów i pajęczej przędzy. Powolne skapywanie wody ze stalaktytów. Potworna samotność. Wykarmione przez nią nietoperze o twarzach dzieci potrafią wypowiedzieć najwyżej dziesięć słów, marni z nich partnerzy do rozmowy. Go nie ukorzyła się przed swoim losem. Lży bogów, którzy nałożyli na nią klątwę nieśmiertelności; próbowała się powiesić, ale jej się nie udało. Obudziła się pod całunem z szyją otartą od sznura i martwym Hajmonem u boku. Z jego kości zrobiła łyżki i miski, z których teraz je. Trzyma w rękach jego czaszkę i znowu wpada w szał, wykrzykuje obelgi pod adresem bogów.

Światło przesuwa się z jaskini Go na chór w strojach bogów, w ich ubraniach skrywają się żaróweczki, dlatego bije od nich blask rażący oczy. W pierwszej chwili można wziąć ich za filary otaczające półkolem akwarium, ale potem widać atrybuty świadczące o tym, kim są: skrzydlate sandały Hermesa, pistolet Marsa, sowa Ateny i tak dalej.

Śpiewają po angielsku. Chcieli dać Go nieśmiertelność, dar, ale uwięzili ją w jaskini do czasu, aż okaże im wdzięczność. Wciąż na to czekają. Wściekła Go. Krnąbrna Go.

Retrospekcja: choreografia przedstawia historię Antygony. Tancerze ustawiają się za akwarium, a woda powiększa ich ciała, które wydają się przez to dziwne i nieokiełznane. Krótka pantomima ilustruje konflikt między braćmi Antygony Polinejkesem i Eteoklesem, ich śmierć i dwukrotne pogrzebanie Polinejkesa przez Antygonę wbrew edyktowi Kreona, potem Kreon sprzeciwia się bogom, Antygona zostaje wyprowadzona i się wiesza, Hajmon się zabija, Eurydyka się zabija, Kreon umiera. Wzniosła jatka.

Jedna z bogiń, Atena, odcina sznur i cuci Antygonę. Zamyka ją w jaskini.

Bogowie śpiewają, że postanowili ocalić, ją, ostatnią potomkinię upadłego rodu, owoc kazirodczego związku. Wystarczy, by się przed nimi ukorzyła. Ale ona przez kolejne tysiąclecia im się sprzeciwia. Złóż pokłon, Go, a odzyskasz wolność. Bogowie są bowiem wcieleniem dobra.

Go: HA!

Światła na Go, kiedy śpiewa nową, bardziej żarliwą arię w swoim języku: bogowie o niej zapomnieli. Go zabije ich własnymi rękami. Lepiej, żeby panował chaos niż oni. Trzeba przekląć bogów; Go ich przeklina. Go wie, że ludzie rozgrzewają się jak wulkan; eksplodują, obrócą się w nicość. Nadchodzi ich koniec, a oni sobie folgują. Kto jest gorszy: bogowie czy ludzie? Go jest wszystko jedno. Go nie wie.

[Antrakt: na scenie dziesięciominutowa projekcja. Brunatne gołe pole z pojedynczym drzewem oliwnym, czas płynie z zawrotną szybkością. Drzewo rośnie, usycha, umiera, na polu wyrastają nowe drzewa, które rosną, schną, umierają, staje dom. Trzęsienie ziemi, dom się rozpada, jaskinia Go odrywa się od skały i zaczyna przemieszczać pod ziemią. Perspektywa się rozszerza. Rozrastają się miasta, armie je oblegają i palą do szczętu. Jaskinia Go podróżuje pod Włochami, a my widzimy, jak na powierzchni ziemia się zmienia, Imperium Romanum z akweduktami i agrokulturą, odbudowa Rzymu, potem pod Alpami, wilki, do Francji wieków średnich – małe przyspieszenie czasu – w Paryżu Eleonora Akwitańska, aż wreszcie pod kanałem La Manche do Londynu, który płonie w 1666 roku, wtedy jaskinia się zatrzymuje. Widzimy organiczne rozrastanie się miasta aż do 1979 roku].

AKT II: DÉMO

[*Obraz wideo zwęża się do wielkości wąskiego paska nad jaskinią Go, pod tablicą z napisami. Kwiat męczennicy otwiera się w czasie rzeczywistym, w czterdzieści pięć minut od pączka do pełnego rozkwitu*].

Go w jaskini. Podciąga się. Robi pompki. Biega na bieżni z przędzy pajęczej i stalagmitów, przy upiornej, niosącej się echem, atonalnej muzyce. Wiszące głową w dół nietoperze z twarzami dzieci biją brawo.

Powoli rozbiera się do naga i bierze prysznic pod stalaktytem, z którego woda skapuje bardzo powoli.

Coś słyszy. W kulisach coraz wyraźniej rozbrzmiewają głosy. Go przyciska ucho do ściany jaskini, a reflektor wydobywa z ciemności chór kopaczy w kaskach. Głosami nadają rytm i naśladują odgłosy kopania, a śpiew piły dostarcza melodii. Ros wyróżnia się w masie pracujących robotników, przystaje, robi sobie przerwę: jest młody, bardzo przystojny, w stroju z lat siedemdziesiątych znacznie schludniejszym niż ubrania pozostałych. Jest bardzo wysoki i ma gęstą brodę. Mężczyźni śpiewają o linii metra Jubilee i o potędze rodzaju ludzkiego, który zabił bogów.

Śpiewają po angielsku o tym, że bogowie nie żyją. My ich zabiliśmy. Ludzie ich pokonali.

Go śmieje się, bo przyjemność sprawia jej słuchanie wyraźnych głosów z tak bliska.

Jako kontrapunkt rozbrzmiewa nagle pieśń Rosa, My, krety. Bezmyślne i ślepe. Skarlałe z powodu ciemności. Trudno być doskonałym, kiedy nie widzi się słońca. Cóż znaczy człowieczeństwo, jeśli nie można skończyć życia lepiej, niż się je zaczęło.

Go przyciska całe ciało do ściany. W jej ruchach czai się erotyzm.

Czas na przerwę: śpiew sopranu w kulisach jak gwizd oznajmiający przerwę obiadową. Mężczyźni kończą swoją pieśń. Siedzą w grupie, jedząc lunch, i tylko Ros z książką i kanapką zajmuje miejsce z dala od nich przy ścianie dzielącej go od Go.

Ona po cichu próbuje śpiewać tę samą pieśń co on. On ją słyszy i z zaciekawieniem przyciska ucho do skały. Najpierw jest zdumiony, potem przerażony. Powoli zaczyna odpowiadać śpiewem na jej śpiew. Ona przekształca jego pieśń i przywłaszcza ją sobie, kiedy śpiewają do siebie na zmianę, w osobliwej harmonii, Go jak echo powtarza słowa, wymawiając je tak, że nabierają znaczenia w jej własnym języku. [Tablica z podpisami dzieli się na pół, pokazując jego słowa i angielski przekład tego, co ona śpiewa]. Przyciskają twarze do ściany na tej samej wysokości,

Go się kuli, Ros klęczy. On się przedstawia; ona cicho mówi mu, że ma na imię Go.

Pozostali mężczyźni wstają i bez słowa zabierają się do pracy, a Go i Ros śpiewają coraz głośniej, z coraz większym uczuciem, sopran naśladuje gwizd sygnalizujący koniec szychty i przerywa śpiew ich dwojga, Ros chce zostać, ale brygadzista mu na to nie pozwala. Kiedy mężczyźni wychodzą, zmieniają słowa pieśni, drwiąc z Rosa: Ros to marzyciel. Ciemny jak otaczające ich skały. Bezużyteczny mól książkowy. A nie prawdziwy mężczyzna.

Go śpiewa pieśń miłosną, arię niemal piękną, muzyka jaskini staje się mniej kakofoniczna, jakby chciała jej akompaniować w tle.

Ros wraca i gorączkowo próbuje wykuć dziurę w ścianie, nie rozumie, że skała została zaklęta i nie da się przez nią przebić. Mijają dni, kopacze schodzą coraz głębiej, sopran sygnalizuje koniec szychty, a Ros wciąż próbuje się dostać do Go. Ich erotyczne ruchy wyglądają teraz tak, jakby kopulowali ze ścianami. [Leo: muzyka do bólu melancholijna]. W miarę upływu kolejnych dni Ros śpiewa coraz żarliwiej. Nie zostawię cię, Go. Wydostanę cię stąd. Już niczego nie ukrywa, z całą mocą uderza w ścianę, pozostali otaczają go, krępują go kaftanem bezpieczeństwa i próbują siłą wyprowadzić. On chce im wszystko wytłumaczyć, ale tylko ich rozwścieca. Kiedy prowadzą go do szpitala psychiatrycznego, śpiewa pieśń miłosną do Go, a ona mu odpowiada. Jeden z kopaczy robi taką minę, jakby usłyszał Go, ale po chwili wzrusza ramionami i pomaga prowadzić Rosa.

Go w samotności śpiewa pieśń miłosną. Powoli zaczyna tkać swoją suknię ślubną. Czerwoną.

Na zewnątrz powstaje stacja metra, ludzie wsiadają do pociągów i z nich wysiadają. Niektórzy z nich to bogowie w zwyczajnych ubraniach. Wyróżniają się z tłumu, otacza ich bowiem jasna poświata. Śpiewają o tym, że zostali zdegradowani. Teraz bogowie to tylko bohaterowie opowiastek. Wciąż nieśmiertelni, ale bezsilni.

Śpiewając, wsiadają do pociągu i z niego wysiadają.

Wraca Ros w łachmanach, rozgorączkowany, zarośnięty, bezdomny. Przyciska twarz do ściany jaskini Go i śpiewa pieśń miłosną. Z ulgą śpiewają fragment duetu, ale Go znowu zmienia swoją część. Jej pieśń robi się mroczna, coraz bardziej nerwowa i gorączkowa, Go napiera na ścianę, tłucze w nią pięściami i kopie, tymczasem Ros buduje sobie legowisko z kartonowego pudła, wyścieła je gazetami, rozwija śpiwór, mości się.

Nie zostawię cię – śpiewa Ros. – Nigdy już nie będziesz sama.

[Antrakt: tym razem pięciominutowy film wyświetlany wprost na scenie. Nad nimi w górze Londyn rozrasta się i rozbudowuje, powstają wieżowiec Gherkin i wioska olimpijska, w przyspieszonym tempie pojawia się obraz przytłaczającego przeludnienia, zamieszek, pożarów, ciemności, wizja katastrofy].

AKT III

Ros leży w tym samym miejscu co pod koniec poprzedniego aktu, ale jest sędziwym starcem, stacja metra tonie w śmieciach, na ścianach graffiti, koszmarny widok. Nadeszła apokalipsa. Go się nie zmieniła, wygląda jeszcze piękniej w falującej czerwonej sukni ślubnej, nietoperze są jeszcze bardziej niesamowite: to łyse różowe niemowlęta ze skrzydłami, wiszące głową w dół. Muzak lub inna, najbardziej bezduszna muzyka na świecie. [Przepraszam, Leo]. Przerywa ją szum i dziwne dudnienie, najpierw w oddali, potem coraz bliżej.

Ros śpiewa Go o mijających go ludziach, ale teraz nauczył się jej języka i zaczynamy sobie uświadamiać, że przeobraża brzydki świat w piękny.

Na peronie wywiązuje się bijatyka, publiczność powoli zauważa, że jeden z walczących to bóg, choć jego poświata przygasła i jest tak sponiewierany i stary jak Ros; to Hermes – można to poznać po adidasach ze skrzydełkami. Ros się gapi.

179

Opowiedz mi o słońcu – prosi Go. – Jesteś moimi oczami, moją skórą, moim językiem.

Rosa zaniepokoiło to, co zobaczył. Bogowie się zapomnieli – śpiewa Ros jakby do siebie. Przyciska obie dłonie do piersi, może nagle przeszył go ból. – Dzieje się coś złego, Go. Coś złego dzieje się we mnie.

Ona mówi, że nie. Mówi, że on jest jej młodym i pięknym mężem. I że sprawił, że znowu pokochała ludzkość. On w środku ma tylko dobro.

Jestem stary, Go. Schorowany. Tak mi przykro – śpiewa Ros. Bogowie go otaczają, skarżą się na niedolę swoją i świata. Miejsce dawnego splendoru, promiennego światła i wielkiej powagi zajęła niewyrażalna, nieomal komiczna pospolitość. Go jest przytłoczona, zakrywa uszy dłońmi.

Ros traci siły. Świat nie jest taki, jak sobie... – zaczyna, ale nie kończy.

Go śpiewa mu pieśń miłosną. Na ciele Rosa projekcja wideo, jego dusza wstaje młoda, z monetami na oczach; odchodzi po snopie światła; projekcja na wątłym ciele śpiewaka pokazuje jego degradację, zostają tylko nagie kości.

Ros? – śpiewa Go. Jedno słowo, w kółko, bez muzyki. Krzyczy. W końcu woła do bogów o pomoc. Teraz po angielsku.

Pomóżcie mi, bogowie. Pomóżcie mi.

Bogowie są zajęci, teraz grzmoty stają się głośne, słychać je gdzieś blisko, świetlne kolumny stoją puste, bogowie walczą – to włóczędzy, biją się bez zasad jak w filmie slapstickowym; ale walczą na śmierć i życie. Minerwa dusi Afrodytę garotą zrobioną z ładowarki do laptopa; Saturn, brudny, nagi starzec, na oślep próbuje złapać swojego syna Jowisza, ale pożera szczura, jak na obrazie Goi; Hefajstos wchodzi z wielkimi stalowymi robotami; Prometeusz rzuca w niego koktajlem Mołotowa. Straszna krwawa jatka, aż wreszcie Jowisz pokazuje wszystkim wielki czerwony guzik.

Hades wzywa swoje cienie, które przynoszą drugi czerwony guzik.

Impas zmusza ich do śpiewu. Próbują się nawzajem wywieść w pole.

[Go wiruje w swojej jaskini, najpierw powoli, potem coraz szybciej].

W ciszy słychać, jak Go pojękuje: Ros, Ros, Ros.

Nagle obaj bogowie naciskają guziki. Oślepiający rozbłysk, kakofonia. Potem cisza i ciemność.

Go powoli się rozświetla. [Gasną światła w całym teatrze, również lampki między fotelami i nad wyjściem. Ciemność ma wywołać panikę].

Błagam – krzyczy, jeden raz, po angielsku.

Nikt nie odpowiada.

Cisza.

[Leo, cisza powinna trwać tak długo, aż zrobi się nie do zniesienia; co najmniej minutę].

Go została sama, śpiewa. Nieśmiertelna Go w umarłym świecie. Trudno wyobrazić sobie gorszy los. Go jest sama. Żywa i sama. Tylko ona. Trzyma ostatnią nutę, choć łamie jej się głos, śpiewa dalej.

Kuli się i przybiera taką pozycję, w jakiej była w pierwszej scenie.

Słychać tylko odgłosy wiatru i wody. Stare serce bije powoli i coraz głośniej, aż wreszcie zagłusza wiatr i wodę, nie słychać już nic więcej. Natężenie hałasu tłumi nawet brawa. Nie spada kurtyna. Go leży skulona, póki widownia nie opustoszeje.

KONIEC

7

W sympozjum o przyszłości teatru miało wziąć udział kilku dramatopisarzy. Odbywało się na tak bogatym uniwersytecie, że udało się sprowadzić aż czworo słynnych twórców: dwudziestokilkuletnią genialną autorkę, energicznego Indianina po trzydziestce, ramola, który swoje najlepsze sztuki napisał w połowie ubiegłego wieku, i czterdziestopięcioletniego Lotta, jak mu się wydawało, reprezentanta średniego pokolenia. Mimo chłodnego wiatru rozświetlony neonowym blaskiem o barwie różowej bugenwilli ranek był piękny; każdy w odmiennym stopniu podziwiał dokonania pozostałych, dlatego wszyscy czworo wraz z prowadzącym plotkowali w gabinecie dziekana, popijając burbona i czekając na początek dyskusji, a kiedy wyszli na scenę, byli już wstawieni. Audytorium na pięć tysięcy miejsc pękało w szwach, tłum zebrał się też w sali z ekranem ledowym, ludzie przykucnęli na podłodze między rzędami krzeseł, a ostre światła tak oślepiały siedzących na scenie dyskutantów, że ledwie widzieli pierwszy rząd, w którym zasiadły ich żony. Ufarbowana na platynowy blond Mathilde zajęła miejsce z brzegu, podpierając brodę dłonią i uśmiechając się do męża.

Lancelot wzniósł się na fali oklasków, kiedy prowadzący obszernie przedstawiał gości, a znani aktorzy odgrywali scenki z ich dramatów. Jednak nie nadążał. Chyba wypił więcej, niż zamierzał.

Zrozumiał tylko własną sztukę; Miriam ze *Źródeł* zagrała wspaniale – wirujący seks, głęboki głos z chrypą, zmysłowe biodra i lśniące miedziane włosy. Zrobiłaby karierę w filmie – pomyślał. [Tak, małe rólki, marna iskra boża].

A potem dyskusja. Przyszłość teatru! Pierwsze skojarzenia? Stary ramol zaczął swoje utyskiwania z pseudobrytyjskim akcentem. No cóż, radio nie zniszczyło teatru, kino nie zniszczyło teatru, telewizja nie zniszczyła teatru, więc tylko głupek może wierzyć, że internet, choć tak atrakcyjny, zniszczy teatr, prawda? Potem wypowiadał się indiański wojownik: głosy z marginesu, głosy kolorowych, głosy osób wykluczonych zaczną rozbrzmiewać tak donośnie jak wszystkie inne i zagłuszą głosy nudnych białych starych koryfeuszy patriarchatu. No cóż – powiedział pojednawczo Lancelot. – Nawet nudni biali starzy koryfeusze patriarchatu mają swoje historie, a przyszłość teatru jest taka jak jego przeszłość: chodzi o tworzenie nowych sposobów opowiadania, zmienianie przyzwyczajeń odbiorców. Uśmiechnął się – do tej pory tylko po jego wypowiedzi rozległy się brawa. Wszyscy spojrzeli na dziewczynę, która wzruszyła ramionami i zagryzła paznokieć.

– Nie wiem. Nie jestem wróżką – powiedziała.

Wpływ rozwoju technologicznego? Przecież wszyscy żyjemy w Krzemowej Dolinie. Śmiech publiczności. Wojownik wyrywa się z werblem przed orkiestrę i znowu swoje: YouTube, kursy internetowe i pozostałe innowacje doprowadziły do demokratyzacji wiedzy. Patrzy na dziewczynę, szuka sprzymierzeńca. Feministki wywalczyły równy podział obowiązków domowych, żeby uwolnić kobiety od konieczności rodzenia dzieci i domowej harówki. Żona farmera z Kansas kiedyś zajmowała się robieniem przetworów, podcieraniem dzieciom pup, wyrabianiem masła i tak dalej, a teraz może przerzucić na męża połowę obowiązków i zacząć tworzyć. Za pośrednictwem komputera może poznać najświeższe nowinki technologiczne; może w domowym zaciszu oglądać najnowsze sztuki; może samodzielnie nauczyć się komponować;

może stworzyć nowy musical na Broadwayu, mieszkając z dala od Nowego Jorku, bezdusznego, trzeciego kręgu piekła.

W Lancelocie narastała irytacja. Cóż za trucie na jednej nucie, kto dał temu pozerowi prawo do opluwania innych za ich wybory życiowe? Lancelot uwielbiał swój krąg piekła.

– Nie traktujmy tak protekcjonalnie wszystkich żon na świecie – powiedział. Śmiech. – Niekiedy osoby twórcze, takie jak my, zakładają, że nasz sposób życia to perła w koronie człowieczeństwa. Tymczasem większość znanych mi dramatopisarzy to osły patentowane. – Na potwierdzenie stary ramol ryknął śmiechem. – Mam znacznie lepszą opinię o żonach. Są ciepłe, wspaniałomyślne, ze wszech miar godne szacunku. Troszczą się o to, by życie toczyło się gładko w czystości i wygodnie, a to szlachetne zajęcie i równie dobry wybór życiowy jak narcystyczne wpatrywanie się we własne odbicie w lustrze. Żona to dramaturg małżeństwa, to dzięki jej pracy coś powstaje, nawet jeśli jej wkład pozostaje niedoceniony i niewidoczny. To niezwykle chwalebne zajęcie. Na przykład Mathilde, moja żona, wiele lat temu zrezygnowała z kariery zawodowej, żeby dać mi komfort pracy. Uwielbia gotować, sprzątać i redagować moje teksty, to ją uszczęśliwia. Tylko kompletny kretyn mógłby pogardliwie stwierdzić, że jest mniej ważna, bo nie tworzy.

Ucieszył się, że słowa tak gładko wychodzą mu z ust. Podziękował opatrzności za dar wymowy. [Ona akurat nie miała z tym nic wspólnego].

Ostra reakcja dramatopisarki.

– Sama mam żonę i jestem żoną. Nie podoba mi się to, co właśnie usłyszałam, to czysty esencjalizm płciowy.

– Oczywiście chodziło mi o żonę bez względu na jej płeć – wyjaśnił Lancelot. – Czasem ta rola przypada mężczyźnie. Kiedy jako aktor niewiele pracowałem, to głównie ja zajmowałem się domem, a Mathilde zarabiała na życie. [Faktycznie. Zmywał naczynia]. Polityczna poprawność zabrania dziś mówić o istniejącej mimo wszystko zasadniczej różnicy między płciami. Przecież to kobiety rodzą dzieci i je karmią, zgodnie z tradycją to one zajmują się niemowlętami. To zabiera mnóstwo czasu.

Uśmiechnął się, oczekując aplauzu, ale coś poszło nie tak. Tłum odpowiedział chłodnym milczeniem. W tylnych rzędach ktoś głośno rozmawiał. Co on najlepszego zrobił? W panice spojrzał na Mathilde, która wbiła wzrok w podłogę.

Dramatopisarka spojrzała na niego z irytacją

– Czy chce pan przez to powiedzieć, że kobiety nie są twórczymi geniuszami, bo rodzą dzieci? – zapytała, dobitnie wymawiając każde słowo.

– Nie – odparł. – Mój Boże, nie. Nie to miałem na myśli. Tego nie powiedziałem. Uwielbiam kobiety. Nie wszystkie kobiety rodzą dzieci. Na przykład moja żona. Przynajmniej na razie. Chodziło mi o to, że nasze siły twórcze są ograniczone, tak jak my sami, i jeśli kobieta postanawia wykorzystać swoje zasoby, by stworzyć prawdziwe, a nie zmyślone życie, to podejmuje decyzję godną podziwu. Kiedy rodzi dziecko, tworzy o wiele więcej niż fikcyjny świat na stronie! Tworzy życie, a nie jego symulakrum. Cała twórczość Szekspira była mniej warta niż wysiłek współczesnych mu przeciętnych, niepiśmiennych kobiet, które wychowywały dzieci. One stały się naszymi przodkami, bez nich nie byłoby nas tutaj. Nikt chyba nie próbowałby przekonywać, że sztuka teatralna waży więcej niż ludzkie życie. Świadczy o tym zresztą cała historia teatru. Historycznie rzecz biorąc, kobiety rzadziej wykazywały się twórczym geniuszem, ponieważ ich kreatywność miała charakter wewnętrzny, pożytkowały swoją energię na pielęgnowanie życia. To specyficzny rodzaj cielesnego geniuszu. Nie dam sobie wmówić, że liczy się on mniej niż geniusz wyobraźni. Chyba wszyscy się zgodzimy, że kobiety są równe mężczyznom, a pod wieloma względami lepsze, ale na polu sztuki panuje nierównowaga, ponieważ kobiety zwróciły swoją twórczą energię do wewnątrz. – Szepty brzmiały coraz bardziej wrogo. Słuchał ich zdumiony. Rozległy się niemrawe oklaski. – No co? – zapytał.

Stary ramol się z nim zgodził i gdy recytował długi, pokrętny i megalomański monolog, w którym wspomniał o Liamie Neesonie, Paulu Newmanie i Isle of Wight, zimny pot Lancelota wysechł, a pulsowanie w jego brzuchu ustało. Lotto spojrzał w stronę Mathilde, licząc na to, że jej spojrzenie go ukoi, ale jej fotel stał pusty.

Świat pękł. Lancelotowi zakręciło się w głowie. Mathilde zniknęła. Mathilde wstała i na oczach wszystkich wyszła z sali. Mathilde się wściekła, miała dość. Dość czego? Dość na zawsze? Może kiedy stanęła w ostrym świetle Palo Alto, poczuła na twarzy promienie słońca i uświadomiła sobie prawdę: że lepiej jej bez niego, że jej gówniany mąż wciąga za sobą ją, świętą, w jakieś bagno. Świerzbiła go ręka, żeby sięgnąć po telefon i do niej zadzwonić.

Przez resztę dyskusji dwoje młodszych rozmówców nawet na niego nie spojrzało – i bardzo dobrze, bo koncentrował się tylko na tym, żeby nie wstać z krzesła. Siedział jak na szpilkach do końca rozmowy, ale później, zamiast pójść na mały bankiet, powiedział do prowadzącego:

– Chyba odpuszczę sobie krakersy z serem. Boję się o własną głowę.

– To chyba dobra decyzja – odparł prowadzący, trochę się krzywiąc.

Lancelot pobiegł do gabinetu dziekana, ale nie znalazł tam Mathilde. Tłum zalał korytarz jak tsunami, Lancelot zamknął się w toalecie dla niepełnosprawnych, żeby zadzwonić do żony, ona jednak nie odbierała. Słyszał, jak na zewnątrz odgłosy narastają, a potem cichną.

Długo przeglądał się w lustrze: czoło szerokie niczym prywatny billboard reklamowy, dziwny nos, który jak się zdawało, rósł w miarę upływu lat, uszy pokryte włoskami – po rozprostowaniu miały trzy centymetry długości. Od zawsze obnosił się ze swoją brzydotą jak z nieziemską urodą. Jakie to dziwne. Postawił pasjansa w telefonie. Układał go jeszcze piętnaście razy, po każdej grze dzwoniąc do Mathilde. Telefon zapikał rozpaczliwie i zgasł. Odezwał się żołądek Lancelota, gdy ten uświadomił sobie, że nic nie jadł od śniadania w hotelu w San Francisco, i pomyślał, że powinien coś przekąsić – zachciało mu się gorzkiej mrożonej herbaty i czekoladowego tortu na deser, ale jego serce struchlało: dochodziła trzecia, więc bankiet dawno już się skończył. Wyjrzał na korytarz, w którym kłębił się tłum, kiedy on zamykał się w toalecie, ale teraz nie było już w nim nikogo. Przemknął wzdłuż ścian, ostrożnie wyjrzał za róg – droga prowadząca do wyjścia była wolna.

Wyszedł na zewnątrz i stanął na placu, na którym studenci raźnym krokiem szli po władzę nad światem. Wiatr cudownie owiewał jego twarz.

– Hańba – odezwał się jakiś głos po prawej, kątem oka zobaczył kobietę o zasuszonej głowie pokrytej rzadkimi, zafarbowanymi na czarno włosami. – I pomyśleć, że tak podziwiałam pańską twórczość. Gdybym wiedziała, że jest pan takim mizoginem, nie zapłaciłabym nawet za jeden bilet.

– Nie jestem mizoginem! Uwielbiam kobiety! – wykrzyknął. Kobieta prychnęła pogardliwie.

– Każdy mizogin tak mówi. Uwielbia pan zaliczać kobiety.

Beznadziejna sprawa. Uwielbiał zaliczać kobiety, ale od ślubu zaliczył tylko jedną. Pospiesznie odszedł wzdłuż pokrytego stiukiem muru, pod osłoną cienia przemykając wśród wrzecionowatych liści eukaliptusa, depcząc jagody, aż wreszcie wytoczył się na ulicę o nazwie El Camino Real, Droga Królewska. Wcale nie czuł się jak król. Poszedł w kierunku San Francisco. Pot wsiąkał w jego koszulę, nie sądził, że słońce tak mocno grzeje. Ulica ciągnęła się w nieskończoność, a jemu kręciło się w głowie. Szedł przez dzielnicę dziwnych dwupoziomowych domków za okazałymi bramami, w ogrodach z różowymi oleandrami i kaktusami. Dotarł do następnej dużej ulicy i przeszedł na drugą stronę do meksykańskiej restauracji samoobsługowej, gdzie z pewnością mógł kupić jakieś jedzenie i odzyskać równowagę – już w kolejce do kasy zjadł połowę burrito z papryczkami chili. Przeżuwając, sięgnął do kieszeni po portfel. Z przerażeniem przypomniał sobie, że zostawił go w pokoju hotelowym. Podróżując na czyjeś zaproszenie, nie musiał za nic płacić, a nawet gdyby chciał coś kupić, Mathildc zawsze miała przy sobie pieniądze – szczerze powiedziawszy, nie cierpiał wkładać portfela do tylnej kieszeni spodni, bo wyglądał wtedy, jakby na tyłku wyrósł mu wielki guz. Wolał nie nosić portfela i zachować zgrabne pośladki.

Wzruszył ramionami, kiedy kasjer spojrzał na niego, groźnie mrużąc oczy i klnąc po hiszpańsku. Lancelot odstawił talerz.

– Przepraszam, *lo siento* – powtarzał, wycofując się z restauracji.

Trafił wreszcie do półkolistego centrum handlowego, gdzie kątem oka zobaczył coś, co sprawiło, że serce zabiło mu szybciej: budkę telefoniczną. Ostatni raz widział coś takiego dziesięć lat wcześniej. Wybrał jedyny numer, jaki pamiętał, w epoce telefonów komórkowych. Połączenie na koszt rozmówcy. Odetchnął z ulgą, czując w dłoni ciężar słuchawki, śmierdzące oddechy poprzednich rozmówców i pozostawione przez nich tłuste ślady. Usłyszał głos matki. Czy zgadza się pokryć koszt rozmowy? Och, Boże, och, Boże, tak, pokryje.

– Lancelot? Kochanie? Co się stało? Czy to z powodu tej twojej żony? Na Boga, zostawiła cię?

Zacisnęło mu się gardło. Usłyszał echo sytuacji z przeszłości. Kiedy to było? Na studiach, po sobotniej ceremonii, kiedy biegł do akademika, który wydał mu się tak mały jak domek dla dzieci. Błyskawicznie spakował ubrania do torby podróżnej na potajemny miesiąc miodowy na wybrzeżu w Maine, z trudem panując nad rozradowaniem, podniósł słuchawkę i zadzwonił do matki, żeby jej powiedzieć, że się ożenił.

– Niemożliwe – powiedziała.

– To prawda. Stało się – zapewnił ją.

– Musisz to odkręcić. Weź szybki rozwód.

– Nie.

– Lancelocie, zastanów się, jaka dziewczyna chciałaby za ciebie wyjść? Imigrantka? Naciągaczka?

– Nie – odparł. – Nazywa się Mathilde Yoder. To najwspanialsza osoba na świecie. Pokochasz ją.

– Nie sądzę. Nie zamierzam się z nią spotykać. Unieważnij małżeństwo albo cię wydziedziczę. Nie dostaniesz złamanego centa. Jak przetrwasz w wielkim mieście bez pieniędzy? Z czego będziesz żył jako aktor? – szydziła, sprawiając mu ból.

Uświadomił sobie, jak puste byłoby jego życie bez Mathilde.

– Wolę umrzeć.

– Jeszcze to odszczekasz, mój drogi.

Westchnął.

– Mam nadzieję, mamo, że ciebie i twoje małe serce czeka wspaniałe wspólne życie – powiedział i się rozłączył.

Klin wbił się do samego końca.

Teraz, w kalifornijskim słońcu, poczuł ostre ukłucie. Mdliło go.

– Co mówiłaś?

– Tak mi przykro – ciągnęła jego matka. – Naprawdę. Przez tyle lat trzymałam język za zębami, kochanie. Sprawiliśmy sobie tyle bólu, trzymaliśmy się na dystans bez potrzeby. Co za okropna kreatura. Wiedziałam, że w końcu cię skrzywdzi. Wracaj do domu. Właśnie przyjechały Rachel i Elizabeth z dzieciakami. Sallie będzie wniebowzięta, jak dasz jej się sobą zająć. Wracaj do domu, a twoje kobiety się tobą zajmą.

– Och. Dziękuję. Ale muszę odmówić.

– Słucham?

– Dzwonię, bo zgubiłem komórkę – wyjaśnił. – Chciałem zawiadomić Sallie na wypadek, gdyby Mathilde wydzwaniała do niej i o mnie pytała. Powiedz jej, że wkrótce wrócę do domu z szampanem i serem i urządzimy sobie przyjęcie.

– Posłuchaj mnie, kochanie… – zaczęła Antoinette.

– Do widzenia – przerwał jej.

– Kocham cię – zawołała, ale w słuchawce rozbrzmiewał już tylko sygnał.

Antoinette odłożyła słuchawkę. Nie – pomyślała. – Nie pozwolę, żeby po raz drugi wybrał żonę zamiast rodzonej matki. Antoinette dała mu przecież wszystko. Bez niej nie zaszedłby tak daleko; nigdy nie uwieczniłby jej w swoich sztukach, przecież to ona go do tego przysposobiła. Synowie należą do matek. Pępowina została przecięta kilka dekad temu, ale zawsze będzie ich łączyć ciepły, ciemny nurt.

Ocean za oknem zarzucał sieć fal na biały piasek, ale wyciągał ją pustą. Antoinette wiedziała, że różowy domek na wydmie nasłuchuje, szwagierka wałkuje w kuchni ciasto na herbatniki z masłem orzechowym, jej córka i wnuki wracają z plaży; prysznic przed domem pluł wodą pod oknem, przez które patrzyła w dół. Modliła się o siłę, ale miała serdecznie dość tych ciemnych, małych, nieustraszonych dzieciaków. To chyba naturalne, że kocha je mniej niż własnego syna, wysokiego i złotowłosego jak ona. Myszy są przeurocze, ale to lew jest królem.

W kuchni zmartwiona Sallie wałkowała ciasto zatłuszczonymi rękami. Telefon zadzwonił i Antoinette, która odebrała go w sypialni, w pewnym momencie podniosła głos. „Czy to z powodu tej twojej żony?" – zapytała. Sallie myślała przez chwilę o bratowej; wydawała się zrobiona z cukru i powietrza, ale w środku skrywała sczerniały, gorzki orzech. Sallie martwiła się o Lancelota, biedne dziecko, które zupełnie zatraciło cały swój urok. Chciała zadzwonić do Mathilde, żeby dowiedzieć się, co się stało, ale się rozmyśliła. Lepiej nie postępować zbyt pochopnie; ona działa powoli i na odległość.

Po jakimś czasie Antoinette, wstając, dostrzegła swoje odbicie w lustrze nad toaletką. Pomarszczona, wyczerpana, napuchnięta. Nic dziwnego. Tyle wysiłku włożyła w zapewnienie synowi bezpieczeństwa. Gdyby tylko na moment straciła czujność, świat byłby zagrożony, stanąłby na skraju zagłady. Tyle zrobiła dla Lancelota, tak się poświęcała! Wyobraziła sobie, że dopiero po jej śmierci cała prawda wyjdzie na jaw, a on uświadomi sobie, że to ona cały czas pociągała za sznurki i dla niego przeszła przez piekło. Czy z własnej woli zamieszkała w tej zapadłej różowej norze? Nie. Gawain zostawił jej tyle pieniędzy, że mogła opływać w dostatki. Mieszkać na najwyższym piętrze hotelu Mandarin Oriental w Miami, z obsługą hotelową, która na każde skinienie przynosiłaby jej potrawy w stalowych naczyniach. Miałaby marmurową łazienkę wielkości całej tej rudery. W dole widziałaby wodę błyszczącą w słońcu jak diament. Ale z pieniędzy Gawaina wzięła tylko tyle, żeby przetrwać. Zostawiła wszystko dzieciom, oczyma wyobraźni widziała ich zszokowane miny, kiedy się dowiedzą, co dla nich zrobiła. Przywołała w wyobraźni obraz, jaki zawsze dawał jej pokrzepienie, ujrzała go tak wyraźnie jak powtórkę ulubionego programu telewizyjnego: jej syn w czarnym garniturze, nie widziała go kilkadziesiąt lat, w jej wyobraźni pozostał niezdarnym, pryszczatym dzieciakiem w przetartej koszuli, którego wydała na pastwę Północy jego nabzdyczona żona w taniej czerni, wymalowana jak dziwka. Wyobraziła sobie niebieski cień do powiek, brązową konturówkę do ust, pierzaste włosy. Sallie wręcza mu kopertę z listem, w którym Antoinette wszystko wytłumaczyła, opowiedziała, co dla niego zrobiła. On odwraca wzrok, dławią go łzy, otwiera kopertę i czyta. Nie! – krzyczy. A kiedy żona dotyka ostrożnie jego ramienia, on odtrąca jej dłoń, zakrywa twarz dłońmi i żałuje wszystkich tych lat, kiedy nie okazywał matce wdzięczności.

Rachel, przechodząc korytarzem, zobaczyła matkę w jej pokoju. Kiedy Antoinette spojrzała w lustro, dostrzegła córkę i natychmiast ukryła surową twarz pod radosną maską. Wciąż miała piękne zęby.

– Sallie upiekła ciasteczka dla dzieciaków – powiedziała. Jej wielkie ciało wyłoniło się z pokoju i okropnie powoli przeszło przez korytarz, a potem osiadło na fotelu. – Jedno albo dwa ciasteczka mi chyba nie zaszkodzą. – Uśmiechnęła się kokieteryjnie.

Rachel mimowolnie przybrała pozycję służącej i ukłoniła się, podając matce ciasteczka na tacy. Tylko jej brat potrafił tak wkurzyć matkę. Boże, Lotto! Rachel się zorientowała, że przez resztę pobytu będzie musiała uspokajać starą bestię; dawne rozżalenie na brata bardzo szybko wyłoniło się z głębiny. [Ludzie szlachetni doświadczają tak samo gwałtownych uczuć jak reszta; różnica polega tylko na tym, że wybierają inny sposób postępowania]. Zdusiła w sobie potrzebę wypowiedzenia kilku niszczycielskich słów, które zamieniłyby życie Lotta w pandemonium, zamknęła tę bestię w klatce. Słysząc, że dzieci idą po schodach, głęboko odetchnęła i nachyliła się do matki.

– Weź jeszcze, mamo – zaproponowała.

– Dziękuję ci, kochanie – odparła Antoinette. – Nie zaszkodzi mi.

Dopiero po dwudziestu minutach w cieniu przystanku autobusowego, w otoczeniu rozgadanych młodych ludzi, Lancelot uspokoił się po rozmowie z matką. Kiedy autobus zasapał i przechylił się pod ciężarem wysiadających pasażerów, Lotto uświadomił sobie, że bez pieniędzy nie może nawet skorzystać z komunikacji miejskiej. Wyobraził sobie Mathilde i zrobiło mu się niedobrze. W uszach dźwięczały mu jego własne słowa, które teraz wydawały się czystą podłością. Powiedział, że geniusz twórczy kobiet objawia się rodzeniem dzieci. Co sobie pomyślała Mathilde, kobieta bezdzietna? Że jest mniej istotna? Niż te, które urodziły? Mniej istotna niż on, twórca? Przecież nie to miał na myśli! Wiedział, że jest lepsza niż wszyscy. Nie zasługiwał na nią. Wróciła do hotelu w Nob Hill, spakowała się, wsiadła do żółtej taksówki, a potem do samolotu – byle dalej od niego. W końcu nastał ten dzień. Zostawiła go z niczym, samego jak palec.

Jak mógł bez niej żyć? Potrafił gotować, ale nigdy nie wyszorował sedesu, nie zapłacił ani jednego rachunku. Jak miał bez niej pisać? [Głęboko skrywana świadomość tego, że jej dłonie całkowicie zagarniają jego pracę. Odwróć wzrok, Lotto, w przeciwnym razie poczujesz się tak, jakbyś patrzył prosto w słońce].

Pot na jego koszuli już wysechł. Musiał coś zrobić, jakoś spożytkować tę energię. Tylko jedna droga prowadziła prosto na północ. Był piękny dzień. Miał długie nogi i był wytrzymały: potrafił iść szybko, osiem kilometrów na godzinę. Do hotelu dotarłby koło północy. Może jeszcze by ją tam zastał. Może już ochłonęła; może poszła do spa na masaż i zabieg na twarz, zamówiła kolację do pokoju, obejrzała jakiś pikantny film i w ten sposób się zemściła. Bierna agresja. Jej styl.

Ruszył, miał słońce po lewej stronie, w każdym kolejnym parku dla psów pił wodę. Za mało. Usychał z pragnienia. O zmroku minął lotnisko i poczuł w powietrzu zapach słonych mokradeł. Ruch uliczny był okropny, nieomal przejechał go peleton kolarski, trzy półciężarówki i mężczyzna jadący w ciemności na segwayu.

Idąc, przeżuwał w sobie to, co stało się w czasie dyskusji. Raz po raz odtwarzał wszystko w pamięci. Po kilku godzinach ułożył z tego historię, którą mógłby opowiedzieć przyjaciołom w barze. Za którymś razem jego kompani od kieliszka byli już wstawieni i śmiali się z jego opowieści. Każde powtórzenie anegdoty sprawiało, że to, co się stało, traciło moc rażenia, stawało się komiczne, a nie wstydliwe. Nie był mizoginem. Setki kobiet, które poznał przed ślubem z Mathilde, mogłyby o tym zaświadczyć. Po prostu został źle zrozumiany! To wydarzenie skruszyło jego lęk przed odejściem Mathilde. Za ostro zareagowała, będzie się wstydzić. To ona go przeprosi. Pewnie chciała dać mu do zrozumienia, że palnął gafę. Nie miał do niej pretensji. Kochała go. W głębi duszy był optymistą. Wierzył, że wszystko dobrze się skończy.

Wszedł do miasta i niemal zapłakał z ulgą na widok gęstej zabudowy, chodników i świateł prowadzących go od jednej latarni do następnej.

Czuł, że krwawią mu stopy. Oparzenia słoneczne, suche usta, pusty żołądek zaciśnięty jak pięść. Śmierdział tak, jakby zanurzył się w sadzawce potu. Na chwiejnych nogach wyszedł na wzgórze, gdzie stał hotel, i w recepcji na szczęście zastał tego samego człowieka, który zameldował ich poprzedniego dnia.

– Oooch! Panie Satterwhite, co się stało?

– Obrabowano mnie – odparł ochrypłym głosem Lotto.

W pewnym sensie nie skłamał. Publiczność okradła go z godności. Recepcjonista zawołał boya hotelowego, który przyprowadził fotel na kółkach i odwiózł Lotta windą na jego piętro, swoim kluczem otworzył drzwi i wepchnął go do pokoju. Mathilde usiadła na łóżku, naga pod kołdrą, i uśmiechnęła się do męża.

– Och, tu jesteś, kochanie – zawołał.

Doskonale nad sobą panowała. Naprawdę była jednym z cudów tego świata.

Boy ukłonił się i na odchodne szepnął, że za chwilę przyniesie do pokoju coś do jedzenia.

– Wody – zachrypiał Lotto. – Błagam.

Mathilde wstała, włożyła szlafrok, napełniła w łazience szklankę i podała mu ją bardzo powoli. Wypił jednym haustem.

– Dziękuję. Poproszę o jeszcze.

– Z radością ci przyniosę – powiedziała z szerokim uśmiechem. Ani drgnęła.

– M.

– Tak, mój genialny artysto?

– Nie karz mnie już dłużej. Jestem idiotą niezasługującym na to, byś pokazywała się ze mną wśród ludzi. Moje przywileje okrywają mnie jak niewidzialny płaszcz, dlatego wyobrażam sobie, że mam nadprzyrodzoną moc. Zasługuję, by na cały dzień zakuć mnie w dyby, żeby ludzie rzucali we mnie zgniłymi jajkami. Przepraszam.

Usiadła na krawędzi łóżka i patrzyła na niego ze spokojem.

– Wolałabym, żebyś zdobył się na szczerość. Jesteś arogancki.

– Wiem – przyznał.

– Twoje słowa mają większą wagę niż słowa zwykłych ludzi. A ty miotasz nimi na oślep i czasem ranisz wiele osób.

– Żałuję tylko, że zraniłem ciebie.

– Wydaje ci się, że mnie dobrze znasz. Nie wypowiadaj się w moim imieniu. Nie jestem twoją własnością.

– Nie zrobię już nic, co cię zirytuje. Ale błagam, błagam, daj mi jeszcze wody.

Westchnęła i przyniosła mu następną szklankę. Rozległo się pukanie i gdy Mathilde otworzyła drzwi, wszedł boy ze stolikiem na kółkach, na którym stało wiaderko z szampanem, talerz ze szparagami z łososiem, koszyczek ciepłych bułeczek i ciasto czekoladowe na deser – ukłony od dyrekcji hotelu, mała rekompensata za napaść. San Francisco to fantastyczne miasto, takie incydenty rzadko się tu zdarzają. Gdyby Lotto chciał wezwać lekarza, to hotel może kogoś polecić i tak dalej. Proszę dać znać, jeśli tylko będzie pan czegoś potrzebował.

Patrzyła, jak Lotto zabiera się do jedzenia. Po kilku kęsach zrobiło mu się niedobrze, wstał i choć czuł się tak, jakby ktoś odrąbał mu stopy toporem, pokuśtykał do łazienki, buty i ubranie wyrzucił do kosza na śmieci i wziął długą, gorącą kąpiel, obserwując, jak z jego ran wypływają wstążeczki krwi. Czuł, że ze wszystkich palców u stóp będą mu schodziły paznokcie. Mógł je spisać na straty. Zimną wodą obmył twarz i ramiona poparzone przez słońce. Kiedy wyszedł z wanny, poczuł się tak, jakby dostał nowe ciało, pęsetą żony wyrwał długie włosy z uszu, w twarz wsmarował jej drogi krem przeciwzmarszczkowy.

Mathilde jeszcze nie spała, czytała książkę. Odłożyła ją, odsunęła okulary na czubek głowy i zmarszczyła czoło.

– Może cię ucieszy, że jutro nie będę mógł chodzić.

– Wtedy spędzisz dzień ze mną w łóżku – powiedziała. – Zatem i tak wygrasz. Zawsze wygrywasz. Ostatecznie zawsze twoje jest na wierzchu. Zawsze. Ktoś lub coś się tobą zaopiekuje. To wkurzające.

– A liczyłaś na to, że wreszcie powinie mi się noga? Że mnie przejedzie ciężarówka? – zapytał, wpełzając pod kołdrę i kładąc głowę na jej brzuchu.

Usłyszał ciche burczenie. Reszta ciasta zniknęła ze stolika. Mathilde westchnęła.

– Nie, idioto. Chciałam cię tylko trochę nastraszyć. Prowadzący dyskusję został w biurze na całą noc, bo byliśmy pewni, że ktoś cię do niego przyprowadzi. Normalny człowiek właśnie tak by postąpił. Nie wracałby piechotą do San Francisco jak ty, wariacie. Właśnie do niego dzwoniłam, żeby mu powiedzieć, że się znalazłeś. Wciąż był w biurze. Ze strachu miał pełno w majtkach. Myślał, że porwał cię gang feministek, żeby cię zlinczować i nagrać to na wideo. Już snuł scenariusz, w którym zostałeś wykastrowany. – Lancelot wyobraził sobie maczetę. Przeszył go dreszcz. – Ech, wszystko przyschło, kiedy podano lunch – ciągnęła Mathilde. – Jak się okazało, ktoś odkrył, że zeszłoroczny laureat Nagrody Nobla popełnił plagiat, kopiując od kogoś połowę swojego przemówienia. Wszyscy rzucili się na serwisy informacyjne. Ludzie siedzieli przy stolikach ze wzrokiem wlepionym w smartfony. Twój wybryk, mój drogi, zszedł na dalszy plan.

Poczuł się oszukany – trzeba było wzbudzić większe kontrowersje. [Nienasycony!]

Zanim zasnął, w jego głowie kłębiły się myśli, a ona obserwowała go przez chwilę, zastanawiając się nad tym, co się stało, aż wreszcie zasnęła, nie wyłączywszy światła.

8

Lód w kościach, 2013

*Gabinet dyrektora męskiego liceum z internatem. Na ścianie pla-
kat przedstawiający wodospad o zachodzie słońca, pod spodem
napis* ENDURANCE *wykonany czcionką bezszeryfową.*

DYREKTOR SZKOŁY: mężczyzna o brwiach na pół twarzy.
OLLIE: chudzielec, niedawno stracił ojca, odesłany z domu,
bo popełnił przestępstwo. Próbuje zatuszować południowy
akcent. Spokojny, pryszczata twarz, przenikliwe spojrzenie,
spostrzegawczy.

AKT I — FRAGMENT

DYREKTOR: Doniesiono mi, Oliverze, że nie umiesz się
zaadaptować. Z nikim się nie zaprzyjaźniłeś. Przezywają
cię (*spogląda na kartkę z notatnika i unosi brwi*) Burakiem
z Zadupia?
OLLIE: Chyba tak, sir.
DYREKTOR: Nie umiesz się odnaleźć w nowym miejscu.
OLLIE: Nie umiem, sir.
DYREKTOR: Masz doskonałe oceny, ale nie bierzesz udziału
w lekcjach. Nie mów do mnie „sir". Nasi uczniowie mają

szerokie horyzonty, są światowcami. Czy ty masz szerokie horyzonty i jesteś światowcem?

OLLIE: Nie.

DYREKTOR: Czemu?

OLLIE: Bo jestem nieszczęśliwy.

DYREKTOR: Jak można być nieszczęśliwym w takim miejscu? Opowiadasz bzdury.

OLLIE: To przez ten chłód.

DYREKTOR: Fizyczny? Czy duchowy?

OLLIE: I taki, i taki.

DYREKTOR: Czemu płaczesz?

OLLIE walczy ze sobą. Milczy.

DYREKTOR otwiera szufladę. Ollie dostrzega coś pod stertą papierów i podrywa się, jakby ktoś uszczypnął go w pośladek. Dyrektor zatrzaskuje szufladę, podnosi gumkę recepturkę i naciąga ją kciukiem. Celuje w nos Olliego i puszcza. Odchyla się na oparcie fotela.

DYREKTOR: Osoba bez depresji zrobiłaby unik.

OLLIE: Pewnie tak.

DYREKTOR: Mój przyjacielu, ale z ciebie niedołęga.

Ollie milczy.

DYREKTOR: Ha! Wyglądasz jak Rudolf Czerwononosy Mięczak.

Ollie milczy.

DYREKTOR: Ha, ha!

OLLIE: Panie dyrektorze, mogę o coś zapytać? Czemu trzyma pan pistolet w szufladzie?

DYREKTOR: Pistolet? Nie mam żadnego pistoletu. Co to za brednie. Nie wiesz, o czym mówisz. (*Odchyla się i zakłada ręce za głowę*). Posłuchaj mnie, Oliverze. Kieruję tą szkołą od dawna. Też się tu uczyłem, jak byłem w twoim wieku. Uwierz mi, mnie też przezywano. Doprawdy nie wiem, czemu ciebie obrzucają błotem. Masz wszystko. Jesteś bogaty, wysoki, gdybyś od czasu do czasu umył twarz, tobyś wyprzystojniał. Jezu, odrobina maści przeciwtrądzikowej i będziesz prześliczny. Chyba jesteś fajny. Inteligentny. Nie śmierdzisz jak ci beznadziejni frajerzy. Znasz Galaretę? Jemu już nic nie pomoże. Śmierdzi i cały czas się mazgai. Patrzeć na niego nie mogę. Nawet jego mali przyjaciele, fani Magii i Miecza, zaledwie go tolerują, bo w przeciwnym razie musieliby grać w brydża z dziadkiem. A ty mógłbyś rządzić tą szkołą. Ale nie rządzisz, ponieważ po pierwsze, jesteś nowy, ale wkrótce do ciebie przywykną. *Numero dos*, jesteś przerażony i to się musi zmienić. I to jak najszybciej! Uczniowie szkoły takiej jak ta to rekiny, mój przyjacielu. Każdy z nich to potomek starego rodu rekinów. Rekiny wyczuwają krew w wodzie z odległości kilometra, a co jest krwią w wodzie dla tych konkretnych rekinów? Strach. Wyczują go błyskawicznie i wytropią ranną ofiarę. To nie ich wina. Taka już ich natura! Co to za rekin, który nie atakuje? To delfin. A komu potrzebne delfiny? Delfiny są przepyszne. To znakomita przekąska. Posłuchaj mnie uważnie, musisz się nauczyć, jak być rekinem. Daj komuś w nos, tylko mu go nie złam, nie chcę, żeby ich tatusiowie mnie pozwali. Zrób im psikusa. Zaklej deskę klozetową folią spożywczą, żeby strumień sików się od niej odbił i poplamił komuś spodnie. Ha! Jak ktoś rzuci w ciebie jajkiem na twardo, ty walnij w niego stekiem. Tu jest jak w więzieniu. Tylko najsilniejsi przetrwają. Musisz zapracować na szacunek. Rób to, co musisz. Słyszysz mnie? *Capisci?*

OLLIE: *Capisco.*

DYREKTOR: No dobrze, Oliverze. Co to za imię, Oliver? Moim zdaniem to imię dla delfina. Imię dla kociaka. Jesteś kociakiem?

OLLIE: Nie, ale lubię kociaki.

DYREKTOR: Ha! Coś do ciebie dociera. Jak na ciebie mówili w domu?

OLLIE: Ollie.

DYREKTOR: Ollie. Widzisz. Lepiej. Ollie to imię dla rekina. Króla rekinów. Następnym razem, jak ktoś cię zwyzywa od Buraków z Zadupia, skuj mu jego *faccia* i każ się nazywać Ollie. Zrozumiałeś?

OLLIE: Tak jest.

DYREKTOR: Czujesz, jak ostrzą ci się zęby? Wyczuwasz krew w wodzie? Czujesz się jak rekin?

OLLIE: Może. Jak delfin z żyletką zamiast płetwy.

DYREKTOR: Dobry początek. Pozarzynaj ich, rzeźniku.

OLLIE: Pozarzynam. Da się zrobić.

DYREKTOR: Oczywiście nie dosłownie, Boże, wyobrażasz to sobie? „Dyrektor kazał mi ich pozabijać!" To tylko metafora. Nikogo nie zabijaj. Ja czegoś takiego nie powiedziałem.

OLLIE: Oczywiście. Do widzenia, sir. (*Wychodzi*).

DYREKTOR zostaje sam, pospiesznie wyciąga pistolet z szuflady i chowa go pod kanapę.

Telegonia, 2013

– Maski. Magia. Kirke, Penelopa, Odyseusz, ojcobójstwo i kazirodztwo. Muzyka, film i taniec. Ale z ciebie wariat – powiedziała Mathilde.

– *Gesamtkunstwerk* – powiedział Lotto. – Teatr łączący wszystkie formy sztuki. Teraz musimy znaleźć wariata, który to wystawi.

– Nie martw się. Znamy samych wariatów.

Statek głupców, 2014

AKT I, SCENA I

Krajobraz po wojnie atomowej, zakwit na morzu, waleń wyrzucony na plażę do góry brzuchem, w powodzi odpadów dwie kobiety.

PETE: żylasta, chuda, włochata szympansica

MIRANDA: monstrualnie gruba, rude włosy natapirowane na półtora metra ze spalonym gniazdem drozda na czubku *à la* madame du Barry. Huśta się na hamaku między dwiema sczerniałymi szkieletami palm.

PETE (*wciąga do obozowiska martwego aligatora*): Dziś na kolację ogon aligatora, Mirando.

MIRANDA (*zamyślona*): Cudownie. Ale chodzi o to, że... No cóż. Liczyłam na... No cóż, liczyłam na steki z wieloryba. Czy nie udałoby się załatwić steków z wieloryba? Nie jest to aż taki problem, ale stek z wieloryba to jedyna rzecz na świecie, którą dziś wieczorem mogłabym strawić, choć z pewnością zjem troszkę aligatora. Jeśli muszę.

PETE (*podnosi piłę, odchodzi, wraca cała mokra z kawałkiem mięsa w ręku*): Na kolację ogon aligatora i steki z wieloryba, Mirando.

MIRANDA: Co za niespodzianka! Pete! Możesz wszystko! A tak *à propos*, skoro już stoisz, to zrób mi, proszę, jeszcze jeden koktajl. Gdzieś na ziemi właśnie dochodzi piąta!

PETE: Nie sądzę. Nie ma już czegoś takiego jak czas. (*Nalewa nafty z beczki, miesza długim cukierkiem przechowywanym właśnie w tym celu i podaje Mirandzie*).

MIRANDA: Cudownie! A teraz nadszedł chyba czas na mój serial *Gwiazdy w twoich oczach*?

PETE: Czas nie istnieje, droga Mirando. Telewizja nie istnieje. Elektryczność nie istnieje. Aktorzy też nie istnieją, umarli, zapewniam cię, po wybuchu bomby wodorowej w Los Angeles. Albo z powodu epidemii choroby czarnego języka. Albo w trakcie trzęsienia ziemi. Ludzki eksperyment się nie powiódł.

MIRANDA: No to mnie zabij. Po prostu mnie zabij. Nie ma sensu żyć dalej. Odetnij mi głowę tą piłą. (*Płacze, zasłaniając twarz bladymi dłońmi*).

PETE (*Wzdycha. Podnosi wiecheć wodorostów i kładzie sobie go na głowie. Zasysa policzek jak Silvia Starr, główna bohaterka opery mydlanej* Gwiazdy w twoich oczach, *mówi z chrypą*): Och, co my zrobimy z tym podłym padalcem Burtonem Baileyem...

MIRANDA (*Zapada się w sobie wpatrzona w Pete. Są tak pogrążone w transie, że nie słyszą dochodzącego z prawej kulisy, narastającego, mechanicznego warkotu. Pojawia się kadłub zdezelowanej łodzi, z której wyglądają rozbitkowie*).

Rachel chodziła nerwowo po scenie małego teatru, na której poza nią znajdował się tylko jej brat, a za drzwiami odbywał się huczny bankiet po premierze.

– Jezu, Lotto. Nawet nie wiedziałam, jak na to zareagować – powiedziała, zakrywając oczy dłońmi.

Lotto milczał.

– Przepraszam – odezwał się po chwili.

– Nie zrozum mnie źle, jakaś część mnie z dziką rozkoszą obserwowała, jak mama i Sallie rzucają się na siebie z pazurami w czasie apokalipsy. Sallie, cała w ukłonach, wreszcie pęka. – Rachel się zaśmiała i podeszła do niego. – Jak świetnie potrafisz robić z nas idiotów. Twój urok sprawia, że ten seryjny morderca skrywający się w twoim wnętrzu robi z nami, co mu się żywnie podoba. Pokazujesz nas w swoich sztukach z wszystkimi wadami, robisz z nas dziwadła. A publiczność natychmiast to wszystko łyka.

Lancelot był w szoku. Nigdy by nie przypuszczał, że Rachel zwróci się przeciwko niemu. Nie. Niemożliwe. Nie zrobiłaby czegoś takiego. Teraz wspięła się na palce, żeby dotknąć jego policzka. W tym świetle oczy jego młodszej siostry były otoczone drobnymi zmarszczkami. Och, Boże, jak ten czas szybko zleciał. [Wir obracający się bez celu zgodnie ze wskazówkami zegara].

– Przynajmniej stworzyłeś lepszą wersję Antoinette. Przynajmniej na koniec rzuca się na bestie, żeby chronić dzieci. Chwalmy Pana. – Naśladując głos Sallie, uniosła ręce w górę.

Zaśmiali się.

[W szufladzie na Florydzie leżał niedokończony list: „Kochanie. Jak wiesz, nigdy nie oglądałam żadnej Twojej sztuki na żywo. Bardzo mi z tego powodu przykro. Ale przeczytałam wszystkie i obejrzałam te dostępne na DVD i w internecie. Nie muszę Ci chyba mówić, jak bardzo jestem dumna. Oczywiście nie dziwi mnie Twój sukces. Tak dbałam o to, by od dnia, kiedy się urodziłeś, kształtować Twój artystyczny talent! Ale, Lancelocie, jak śmiałeś…"].

Nietoperze, 2014

– Wspaniała – zachwyciła się Mathilde.

Lotto wyczuł w jej głosie coś, na co nie był przygotowany.

– W czasie sympozjum zrobiło mi się przykro, kiedy wszyscy dali do zrozumienia, że jestem mizoginem. Wiesz, że uwielbiam kobiety.

– Wiem – zgodziła się. – Uwielbiasz je wręcz za bardzo.

W jej głosie pobrzmiewał jednak jakiś chłodny ton, unikała jego spojrzenia. Coś było nie tak.

– Livvie wyszła chyba bardzo dobrze. Nie masz mi za złe, że wzorowałem ją na tobie?

– Cóż, Livvie to morderczyni – powiedziała Mathilde prosto z mostu.

– M., chodzi mi o to, że wzorowałem ją na twojej osobowości.

– Osobowości morderczyni – żachnęła się. – Po ponad dwudziestu latach małżeństwa mąż twierdzi, że mam osobowość morderczyni. Świetnie!

– Kochanie. Nie histeryzuj.

– Ja histeryzuję? Lotto, zlituj się. Znasz źródłosłów histerii? *Hystera*. Macica. Właśnie nazwałeś mnie beksą, która się mazgai z powodu swojej anatomii.

– Co się z tobą dzieje? Czemu się tak irytujesz?

– Wyposażył morderczynię w moją osobowość i pyta się, czemu się irytuję – poinformowała suczkę.

– Spójrz na mnie. Zachowujesz się nieracjonalnie i wcale nie z powodu swojej anatomii. Dwóch złych facetów zastawiło na Livvie pułapkę, a ona zabiła jednego z nich. Gdyby jakiś wielki, wściekły pies ugryzł Bóg, to wyrwałabyś mu bebechy. Nikt nie zna cię lepiej niż ja. Jesteś świętą, ale czasem nawet święci tracą nad sobą panowanie. Wiem, że nikogo byś nie zabiła. Załóżmy, że mamy dziecko i że jakiś mężczyzna zbliżyłby się do niego z siusiakiem na wierzchu, próbując zrobić mu krzywdę, wtedy z pewnością bez wahania rzuciłabyś się mu z pazurami do gardła. Ja zresztą też. Ale to nie oznacza, że nie jesteś dobra.

– O Boże. Rozmawiamy o tym, że posłużyłam ci jako pierwowzór postaci morderczyni, a ty ni z tego, ni z owego zaczynasz znowu bredzić o dziecku.

– Bredzić?

– ...

– Mathilde? Dlaczego tak dziwnie dyszysz?

– ...

– Mathilde? Dokąd idziesz? No dobra, zamknij się w łazience. Przepraszam, że cię uraziłem. Pogadaj ze mną, proszę cię. Nie ruszę się stąd. Zamęczę cię swoim przywiązaniem. Przepraszam, że zeszliśmy na ten temat. Możemy pogadać o mojej sztuce? Ale nie o tym, że dałem morderczyni twoją osobowość. Co sądzisz o całości? Czwarty akt wydaje mi się trochę rozchwiany. Jak stół z jedną krótszą nogą. Chyba trzeba go przemyśleć na nowo. Może ty się tym zajmiesz? Och. Kąpiel? W środku dnia? No dobra. Rób, co chcesz. To pewnie przyjemne. Ciepło. Lawenda. Widzę, że naprawdę się kąpiesz. Możemy pogadać przez drzwi? Ogólnie to kawał dobrego tekstu, prawda? Mathilde, nie bądź taka. To dla mnie naprawdę ważne. No dobra, bądź taka. Idę na dół obejrzeć film, jak masz ochotę, to zapraszam.

Eschatologia, 2014

Dopiero kiedy zatrzymali się na podjeździe i z samochodu wytoczyli się wstawieni goście, Lotto zobaczył deskorolkę porzuconą pod pniakiem, leżące na trawie mokre dziecięce stroje kąpielowe i ją, Boże, tak zmęczoną, że nie mogła podnieść głowy. Dopiero wtedy sobie uświadomił, że chyba nie przemyślał sprawy. Och. Mathilde od śniadania musiała sama zajmować się trojgiem dzieci Rachel, bo kiedy Lotto pojechał po mleko do sklepu, nagle zaproszono go telefonicznie na godzinny wywiad radiowy w centrum miasta. To był ostatni akord w triumfalnym pochodzie jego *Eschatologii*, którą zachwycała się nawet Phoebe Delmar, choć Lotto powiedział Mathilde, że pochwała idiotki jest gorsza niż zła recenzja. Wywiad był ważny, więc czym prędzej pojechał do centrum, bo przecież w radiu mógł się pojawić w spodniach od dresu, i już wracał do domu, a światło poranka rozświetlało jego oczy, kiedy na chodniku spotkał roześmianego Samuela i Arniego, Jezu, kopę lat! Oczywiście poszli razem na lunch. Oczywiście lunch się przeciągnął, potem poszli na drinka i Samuel spotkał przy barze znajomego, radiologa albo onkologa, który się do nich przyłączył, a kiedy zgłodnieli w porze kolacji, Lotto zaprosił ich do siebie, bo przecież wszyscy wiedzieli, że Mathilde wspaniale gotuje, a on był wprawdzie trochę pijany, ale mógł jeszcze prowadzić.

Powąchał mleko, które od rana leżało na podłodze samochodu. Może jeszcze się nie zepsuło. Kiedy wszedł do domu, Samuel już obskakiwał Mathilde, całując ją po ramionach, Arnie przetrząsał barek w poszukiwaniu starego armaniaku, który podarował im na święta, a lekarz ku przerażeniu młodszej córki Rachel próbował ją karmić groszkiem, udając, że łyżeczka to samolot wpadający do jej ust. Lotto pocałował Mathilde, ratując ją z objęć Samuela. Uśmiechnęła się niewyraźnie.

– Gdzie bliźniaki? – zapytał.

– Zasnęły w jedynym pokoju, w którym zgodziły się spać. W twoim gabinecie.

Może jej uśmiech był troszeczkę zjadliwy.

– Mathilde! – powiedział Lotto. – Nikomu poza mną nie wolno tam wchodzić. To moja przestrzeń do pracy!

Posłała mu przeszywające spojrzenie, a on ze skruchą tylko pokiwał głową, wziął na ręce dziewczynkę, pomógł jej przygotować się do snu, choć trwało to w nieskończoność, i wrócił na dół do gości.

Teraz siedzieli na tarasie i pili. Na aksamitnym niebie wszedł księżyc. Mathilde miksowała zioła i gotowała makaron.

– Przepraszam – szepnął i delikatnie ugryzł płatek jej ucha, pyszny, może będą mieli trochę czasu, żeby…?

Odepchnęła go, więc wyszedł przed dom i we czterech wskoczyli w samej bieliźnie do basenu, gdzie unosili się na wodzie, kiedy Mathilde wyszła z domu i postawiła na stole wielką parującą miskę.

– Od rozwodu nie bawiłem się tak dobrze – powiedział Samuel z ustami pełnymi makaronu, sos skapywał na kamienną posadzkę.

Miał błyszczącą skórę i wydatny brzuch, który upodabniał go trochę do wydry. Zresztą Arnie wyglądał nie lepiej, ale to nikogo nie dziwiło, przecież niedawno został znanym restauratorem. Na jego opalonych plecach widać było mnóstwo ciemnych znamion i Lotto chciał go ostrzec przed rakiem skóry, ale przecież Arnie miał tyle dziewczyn, że któraś na pewno już to zrobiła.

– Biedna Alicia. To już twój trzeci rozwód? – zapytała Mathilde. – Rozwodnik recydywista. Znowu wypadłeś z gry.

Arnie i Lotto się zaśmiali.

– To lepsze przezwisko niż to, którego się dorobiłeś, jak miałeś dwadzieścia kilka lat. Pamiętasz? Jednojajowy.

Samuel wzruszył ramionami. Zupełnie się tym nie przejął. Wciąż miał w sobie niezłomną pewność siebie. Lekarz przyjrzał mu się zaintrygowany.

– Jednojajowy?

– Rak jądra – wyjaśnił Samuel. – Ale to nie miało znaczenia. Z jednym jądrem i tak zrobiłem czworo dzieci.

– Ja mam dwa piękne jądra i żadnego dziecka – powiedział Lotto.

Mathilde siedziała w milczeniu, kiedy mężczyźni jedli, a potem zabrała swój talerz i weszła do środka. Lotto, opowiadając o tym, jak jedna aktorka przedawkowała, poczuł aromat piekącego się placka jagodowego. Czekał i czekał, jednak Mathilde nie wracała. W końcu postanowił sprawdzić, co robi jego żona.

Stała w kuchni tyłem do drzwi na werandę, nie zmywała naczyń, nasłuchiwała, nadstawiając swojego małego, ślicznego uszka. Och, jak pięknie jej jasne włosy spływają na ramiona. Z radia dobiegały kojąco ciche dźwięki. On też zaczął słuchać, poczuł w środku lekkie pulsowanie, kiedy usłyszał znajomy głos opowiadacza, który trochę przeciągał samogłoski, pulsowanie zmieniło się w paraliżującą konsternację, kiedy uświadomił sobie, że słyszy własny głos. To był wywiad, który nagrał rano. Która część? Już nie pamiętał. Ach tak, opowieść o jego samotnym dzieciństwie na Florydzie. Głos w radiu stał się krępująco intymny. Dawno temu, kiedy był małym chłopcem, wszedł do bajora w leju krasowym. Do uda przywarła mu pijawka. Tak bardzo pragnął mieć kompana, że zostawił ją, żeby ssała jego krew, wrócił do domu, zjadł kolację i cały czas się cieszył z jej towarzystwa. Kiedy w łóżku przewrócił się z boku na bok, zmiażdżył stworzenie, z którego wypłynęło tyle krwi, że poczuł się tak winny, jakby kogoś zabił.

W śmiechu dziennikarki słychać było szok. Mathilde wyciągnęła rękę i gwałtownie wyłączyła radio.

– M.?

Zaczerpnęła powietrza, a Lotto widział, jak jej klatka piersiowa się kurczy w trakcie wydechu.

– To nie twoja historia. – Odwróciła się bez uśmiechu.

– Oczywiście, że moja – odparł. – Pamiętam to tak dokładnie.

Faktycznie pamiętał. Czuł gorące błoto na skórze nóg, przerażenie, które przerodziło się w rodzaj czułości, kiedy znalazł na skórze małą czarną pijawkę.

– Nie.

Wyciągnęła lody z zamrażarki i ciasto z piekarnika, wzięła miseczki i łyżki i wyszła z domu.

Kiedy jadł, czuł w środku narastające zażenowanie. Zadzwonił po taksówkę, żeby zabrała jego kolegów. Kiedy odjechała, już wiedział, że to Mathilde ma rację.

Wszedł do łazienki, gdzie Mathilde właśnie myła zęby, i usiadł na skraju wanny.

– Przepraszam – powiedział.

Ona tylko wzruszyła ramionami i wypluła pianę do umywalki.

– Przecież to była tylko pijawka. Chodzi o historyjkę o pijawce.

Wtarła balsam w dłonie, w jedną, potem w drugą, patrząc na niego w lustrze.

– To była moja samotność. Nie twoja. Ty zawsze miałeś przyjaciół. Ukradłeś nie moją opowieść, tylko mojego przyjaciela.

Zaśmiała się do siebie. Kiedy przyszedł do niej do łóżka, jej lampka już się nie paliła, a ona leżała po swojej stronie. Położył rękę na jej biodrze, a potem między jej nogami, pocałował ją w szyję i wyszeptał:

– Co twoje, to moje, co moje, to twoje.

Ale ona już spała. Albo, co gorsza, udawała, że śpi.

Syreny (sztuka niedokończona)

Za dużo bólu. Zabiłby ją.

Mathilde włożyła manuskrypt do pudła, nie czytając go, a pracownicy firmy przeprowadzkowej je wynieśli.

9

Scena: galeria. Jak pogrążona w mroku jaskinia, na ścianach złocone brzozy. Z głośników płynie muzyka z *Tristana i Izoldy*. Tłum żądnych krwi i głodnych piratów tłoczy się przy barach w każdym rogu sali. Na postumentach rzeźby podświetlone na niebiesko: duże, amorficzne, odlane ze stali, widać w nich przerażone twarze, seria nosi tytuł *Koniec*. Cała galeria i dzieła sztuki przywodzą skojarzenia z drzeworytami Dürera, przedstawiającymi apokalipsę. Stworzyła je Natalie. Została pośmiertnie upamiętniona; nad sceną triumfalnie góruje jej powiększone zdjęcie. Jest na nim blada i ma ogoloną głowę.

Dwóch barmanów robi sobie przerwę. Jeden młody, drugi w średnim wieku, obaj przystojni.

STARSZY: ... mówię ci, ostatnio pijam mnóstwo soku. Z jarmużu, marchewki, imbiru...

MŁODSZY: Kto to? Ten wysoki w szaliku, właśnie wszedł. Och, coś takiego.

STARSZY (*uśmiecha się*): Ten? Lancelot Satterwhite. Przecież go znasz.

MŁODSZY: Ten dramatopisarz? O Boże. Muszę z nim pogadać. Może załatwi mi rolę. Nigdy nie wiadomo. Och, człowieku. On ściąga na siebie całe światło w pomieszczeniu, prawda?

STARSZY: Żałuj, że go nie widziałeś, kiedy był młody. Półbóg. Przynajmniej tak mu się wydawało.

MŁODSZY: Znasz go? Mogę cię dotknąć?

STARSZY: Kiedyś w wakacje był moim dublerem. Wiele lat temu. Szekspir w Central Parku. Graliśmy Ferdynanda. „Moja ojczysta mowa? Wielkie nieba! Byłbym najpierwszym z jej użytkowników"*. Zawsze wyobrażałem go sobie jako idealnego Falstaffa. Taki gadatliwy. Cholernie arogancki. Nigdy nie zabłysnął jako aktor. Sam nie wiem czemu, był mało przekonujący. Poza tym był o wiele za wysoki, najpierw utył, potem strasznie schudł. Właściwie to było żałosne. Choć ostatecznie zrobił ogromną karierę. Czasem się zastanawiam, czy ja też nie powinienem pójść inną drogą. Utknąłbym w martwym punkcie, gdyby skromny sukces umiarkowanie pchał mnie naprzód. Lepiej zapłonąć pełnym ogniem, spróbować czegoś nowego. Sam nie wiem. Nie słuchasz mnie.

MŁODSZY: Przepraszam. Spójrz na jego żonę. Olśniewająca.

STARSZY: Ona? Ani kropli krwi, same kości. Uważam, że jest okropna. Ale jeśli chcesz się spotkać z Lottem, musisz załatwić to za jej pośrednictwem.

MŁODSZY: Hmm. A według mnie jest niewiarygodnie piękna. Czy on jest… wierny?

STARSZY: W tej kwestii zdania są podzielone. Trudno powiedzieć. On będzie z tobą flirtował, aż zupełnie cię rozmiękczy i się w nim zakochasz, a jak spróbujesz się do niego zbliżyć, będzie zdezorientowany. Wszystkim nam się to przydarzyło.

MŁODSZY: Tobie też.

STARSZY: No jasne.

(Patrzą na stojącego obok nich przypominającego żabę mężczyznę, który ich słucha, a w jego szklance grzechocze lód).

---

* William Shakespeare, *Burza*, tłum. Stanisław Barańczak, Poznań 1991, s. 35.

CHOLLIE: Hej, chłopcze. Chcę, żebyś coś dla mnie zrobił. Możesz łatwo zarobić sto dolców. Co ty na to?

MŁODSZY: Zależy, o co chodzi.

CHOLLIE: Przypadkowo oblej winem żonę Satterwhite'a. Żeby miała plamę na całej sukience. Przy okazji, jak już się znajdziesz obok niego, to wsuniesz mu do kieszeni swój liścik. I zobaczysz, co się stanie. Może zaprosi cię na przesłuchanie. Co ty na to?

MŁODSZY: Pięć stów.

CHOLLIE: Dwie. W tej sali jest jeszcze siedmiu innych barmanów.

MŁODSZY: Umowa stoi. Proszę mi pożyczyć pióro. (*Bierze pióro Cholliego, pisze na serwetce, wkłada do kieszeni. Patrzy na pióro i nakłada skuwkę*). Okropne. (*Śmieje się, stawia kieliszek z winem na tacy, pospiesznie odchodzi*).

STARSZY: Ciekawe, jakie ten dzieciak ma szanse, żeby zaliczyć Lancelota.

CHOLLIE: Żadne. Lotto jest zdecydowanie hetero, a poza tym to zatwardziały monogamista. Ale będzie fajne przedstawienie. (*Śmieje się*).

STARSZY: Co ty kombinujesz, Chollie?

CHOLLIE: Jakim prawem mówisz do mnie po imieniu? Nie znamy się.

STARSZY: Właściwie to się znamy. W latach dziewięćdziesiątych przychodziłem na imprezy do Satterwhite'ów. W tamtych czasach nawet kilka razy rozmawialiśmy.

CHOLLIE: Och. Cóż, na tych imprezach byli wszyscy.

(*Słychać odgłos tłuczonego szkła i tłum milknie*).

STARSZY: Mathilde zachowała się z klasą. To oczywiste. Królowa Śniegu. Wzięła sól i wodę mineralną i poszła do toalety. Masz rację, na ich imprezy przychodzili wszyscy. I wszyscy zachodzili w głowę, dlaczego to ty jesteś najlepszym przyjacielem Lancelota. Niczego nie wnosiłeś do towarzystwa. Byłeś taki niemiły.

CHOLLIE: Cóż, to ja go znam najdłużej, zaprzyjaźniliśmy się na Florydzie w czasach, kiedy był jeszcze pryszczatym młokosem. Kto by pomyślał, że on kiedyś zostanie sławny, a ja będę miał helikopter. Ale widzę, że ty też wyszedłeś na swoje, mieszając drinki. Gratuluję.

STARSZY: Ja...

CHOLLIE: No, cieszę się, że mogliśmy pogadać, bla, bla, bla. A teraz muszę coś załatwić. (*Idzie na środek pomieszczenia, gdzie Młodszy osusza spodnie Lancelota papierowym ręcznikiem*).

LANCELOT: Nie, kolego, chyba nie mam plamy na spodniach. Ale dziękuję. Proszę, przestań. Proszę. Przestań. Przestań.

MŁODSZY: Proszę przekazać żonie, jak bardzo mi przykro, panie Satterwhite. Proszę mi przysłać rachunek z pralni.

ARIEL: Nonsens, nonsens. Kupię jej nową sukienkę. Proszę wracać do pracy. (*Młodszy wychodzi*).

LANCELOT: Dziękuję, Arielu. Nie martw się o Mathilde. To chyba stara sukienka. Ta wystawa jest fantastyczna. Jakbyś wykonał replikę wnętrza mojej głowy. Kiedy zobaczyłem, że pokazujesz prace Natalie, zaciągnąłem tu Mathilde, choć nie czuła się najlepiej. Musieliśmy przyjść, znałem Natalie ze studiów. Co za tragiczny wypadek. Cieszę się, że uczciłeś jej pamięć. Prawdę mówiąc, wydaje mi się, że Mathilde nadal dziwnie się czuje po tym, jak wiele lat temu nagle porzuciła pracę w galerii na rzecz internetowego serwisu randkowego.

ARIEL: Zawsze wiedziałem, że kiedyś ode mnie odejdzie. Jak wszystkie moje najlepsze pracownice.

LANCELOT: Chyba tęskni za sztuką. Kiedy podróżujemy po świecie, zawsze zabiera mnie do muzeów. Byłoby nieźle, gdybyście odnowili znajomość.

ARIEL: Nigdy za wiele starych dobrych przyjaciół. O tobie też słyszałem coś ciekawego. Podobno odziedziczyłeś oszałamiającą fortunę. To prawda?

LANCELOT (*wzdycha ciężko*): Cztery miesiące temu umarła moja matka. Nie, pięć. To prawda.

ARIEL: Tak mi przykro, nie chciałem być niedelikatny, Lotto. Wiem, że zerwałeś kontakty z matką, palnąłem głupstwo. Wybacz mi.

LANCELOT: To prawda, zerwaliśmy kontakty. Nie widziałem jej od wielu lat. Przepraszam, sam nie wiem, czemu robię się sentymentalny. Minęło pięć miesięcy. Tyle czasu powinno wystarczyć na żałobę po matce, która mnie nigdy nie kochała.

CHOLLIE (*podchodzi bliżej*): Matka nigdy cię nie kochała, bo była pizdą bez serca.

LANCELOT: Cześć, Chollie! „To starzec zwiędły, łys, zyz, kuternoga, upośledzony od ludzi i Boga, gbur, zły, uparty, a zakuta głowa szpetniejszą duszę w szpetnym ciele chowa"*. Mój najlepszy przyjaciel!

CHOLLIE: Wsadź sobie tego Szekspira w dupę, Lotto. Boże, ależ ja mam tego dość.

LANCELOT: „Dzięki ci za miłość, którą mi okazujesz"**.

ARIEL: Marnie by wypadł. Szekspir się w grobie przewraca.

CHOLLIE: Och, Arielu. Ale się wysiliłeś. Zawsze byłeś prawie zabawny.

ARIEL: Zabawne, że akurat ty to mówisz, Charlesie, ledwie się znamy. W zeszłym roku kupiłeś ode mnie kilka obrazów, ale chyba na tej podstawie trudno orzec, jaki zawsze byłem.

---

* William Shakespeare, *Komedia omyłek*, tłum. Leon Ulrich, Warszawa 1963–1964, t. 1, s. 633.
** William Shakespeare, *Jak wam się podoba*, tłum. Maciej Słomczyński, Kraków 1983, s. 14.

CHOLLIE: Ty i ja? Och nie, przecież przyjaźnimy się od zamierzchłych czasów. Znam cię od bardzo dawna. Pewnie zapomniałeś, że dawno temu spotkaliśmy się w Nowym Jorku. W czasach twojego układu z Mathilde.

LANCELOT (*po długiej pauzie*): Układu? Mathilde i Ariel? Co takiego?

CHOLLIE: Miałem tego nie mówić? Przepraszam. Och. Cóż, stare dzieje. Przecież jesteście małżeństwem od tak dawna, że to nie ma znaczenia. Na widok tych kanapeczek słabnie mi silna wola. Przepraszam. (*Odchodzi za kelnerem niosącym tacę*).

LANCELOT: Układu?

ARIEL: No cóż. Tak. Myślałem, że wiesz o naszej… relacji.

LANCELOT: Relacji?

ARIEL: Zapewniam cię, że to był czysty biznes. Przynajmniej dla niej.

LANCELOT: Biznes? Chcesz powiedzieć, że byłeś jej opiekunem? Ach tak, rozumiem! W galerii. Kiedy ja próbowałem grać. I przeważnie mi się nie udawało. Tak, to prawda. Dzięki Bogu wspomagałeś nas finansowo przez tyle lat. Czy kiedykolwiek ci za to podziękowałem? (*Śmieje się z ulgą*).

ARIEL: No cóż, nie. Byłem jej, hmm, kochankiem. Facetem. To był układ. Przepraszam. Co za niezręczna sytuacja. Myślałem, że niczego przed sobą nie ukrywacie. W przeciwnym razie nie pisnąłbym ani słowa.

LANCELOT: Niczego przed sobą nie ukrywamy.

ARIEL: Oczywiście. Och, jejku. Zapewniam cię, że od tamtej pory nic się nie wydarzyło. Złamała mi serce. Ale poradziłem sobie z tym wiele lat temu. To nie ma już znaczenia.

LANCELOT: Zaraz. Zaraz, zaraz, zaraz, zaraz, zaraz, zaraz.

ARIEL (*długo milczy, robi się coraz bardziej niespokojny*): Muszę wracać do…

LANCELOT (*krzyczy*): Ani kroku. Widziałeś Mathilde nago? Kochałeś się z moją żoną? Uprawialiście seks? Seks?

ARIEL: To było dawno temu. To nie ma już znaczenia.

LANCELOT: Odpowiedz.

ARIEL: Tak. Byliśmy ze sobą przez cztery lata. Posłuchaj, Lotto, przykro mi, że dowiadujesz się o tym w taki sposób. Ale teraz musisz o tym porozmawiać z Mathilde. Wygrałeś, masz ją, ja przegrałem. Muszę wracać do gości. Przecież wiesz, że w ostatecznym rozrachunku nie ma to wielkiego znaczenia. Jeśli będziesz chciał pogadać, wiesz, gdzie mnie znaleźć. (*Wychodzi*).

MATHILDE (*zdyszana, na jej sukience widać ciemną plamę w miejscu, gdzie została oblana winem*): Tu jesteś. Gotowy do wyjścia? Nie wierzę, że dałam ci się zaciągnąć do tej galerii. Jezu, to najwyraźniej znak, że lepiej było tu nie przychodzić. Dobrze, że to jedwab, wino z niego po prostu spłynęło... Lotto? Lotto Satterwhite. Lotto! Wszystko w porządku? Hej. Kochanie. (*Dotyka jego twarzy*).

(*On patrzy na nią jakby z ogromnej wysokości*).

MATHILDE (*łamiącym się głosem*): Kochanie?

10

Zachód słońca. Domy na plaży jak muszle wyrzucone przez morze. Pelikany jak pinezki roznoszone przez wiatr. Żółw norowy pod palmą.

Lotto stał w oknie.

Był na Florydzie. Na Florydzie? W domu matki. Nawet nie wiedział, jak się tu znalazł.

– Mamo? – zawołał.

Ale jego matka nie żyła od pół roku.

W całym domu unosił się jej zapach – talku i róż. Kurz jak szara skóra okrywająca kwieciste desenie i porcelanowe figurki. I pleśń, zapach spoconego morza.

Pomyśl, Lotto. Ostatnia rzecz, jaką zapamiętałeś. Dom, światło księżyca rozlewa się na blacie biurka, zima kościstymi palcami zdejmuje gwiazdy z nieba. Rozrzucone papiery. Suczka przysypia na jego stopach. Piętro niżej śpi żona, jej platynowe włosy rozsypane na poduszce. Dotyka jej ramienia i idzie do swojego gabinetu, czując na dłoni resztki jej ciepła.

Powoli rozrósł się w nim ciemny pęcherz, znowu, pojawiło się między nimi złe uczucie, ich wielka miłość się zepsuła. Strasznie się wściekł. Gniew przesłonił mu cały świat.

Przez ostatni miesiąc stał u progu decyzji, by ją zostawić. Tak bardzo męczyło go podkurczanie palców stóp, zastanawianie się, gdzie upadnie.

Tworzenie fabuły było jego zawodem; wiedział, że jedno źle wybrane słowo może doprowadzić do zawalenia się całej budowli. [Wspaniała kobieta! Promienna kobieta! Słodka kobieta!] Przez dwadzieścia cztery lata wydawało mu się, że poznał kobietę czystą jak śnieg, smutną, samotną dziewczynę. Ocalił ją. Dwa tygodnie później wzięli ślub. Ale ich historia przewróciła się na nice. Jego żona okazała się nieczysta. Była kochanką. Utrzymanką. Ariela. To nie miało sensu. Albo ona była dziwką, albo Lancelot rogaczem; on, który zawsze był jej wierny.

[Tragedia, komedia. To tylko kwestia punktu widzenia].

Przez szybę czuł grudniowy chłód. Czemu ten zachód słońca ciągnął się w nieskończoność? Czas zachowywał się niezgodnie z jego oczekiwaniami. Na plaży nie było żywej duszy. Gdzie się podziali spacerowicze, ludzie wyprowadzający psy, pijani włóczędzy, kochankowie spotykający się o zachodzie słońca, zjadacze lotosu? Przepadli. Z niejasnego powodu piasek był gładki jak skóra. Lotto czuł narastający strach. Wsunął dłoń do wnętrza domu i włączył światło.

Światło też było martwe. Tak martwe jak jego matka.

Bez elektryczności, bez telefonu. Spojrzał w dół. Miał na sobie górę od piżamy. Nie włożył spodni. Przepalił się bezpiecznik. Usłyszał skwierczenie. Narastała w nim panika.

Zobaczył z góry, jak biega po małym domu. Zagląda do szafek. Poszedł do pokoju Sallie, opustoszałego po śmierci Antoinette.

Tymczasem na zewnątrz słońce zachodziło, cienie wypełzały z morza na chyżych płazich łapach i przemieszczały się w stronę zatoki, nad kanał, Rzekę Świętego Jana, zimne źródła i bagna pełne aligatorów, turkusowe fontanny na żółtym piasku, osiedla dla ubogich w połowie zajęte przez syndyków. Nad lasami namorzynowymi, manatami, małżami w piasku, które jeden po drugim zamykały swoje twarde usta jak chór pod koniec piosenki. Cienie zachodziły dalej nad zatokę; spotęgowana, podwodna ciemność sunęła już w stronę Teksasu.

– Co się, kurwa, dzieje? – powiedział do ciemniejącego domu. Po raz pierwszy w życiu zaklął; czuł, że jest usprawiedliwiony. Dom mu nie odpowiedział.

Stał z latarką przed drzwiami do pokoju matki. Nie wiedział, co tam znajdzie. Sallie i Rachel twierdziły, że to prawdziwy skarbiec. Antoinette ogarnięta szałem kupowała nocą wszystko, co zareklamowano w telewizji. Dawny pokój Lotta był wypchany jeszcze nierozpakowanymi kremami do stóp i zegarkami z wymienialnymi paskami.

– Jak otworzysz drzwi do swojego pokoju, to zasypie cię lawina konsumeryzmu w typowo amerykańskim stylu – ostrzegła go Rachel.

Antoinette pozwalała sobie na wydawanie odrobiny pieniędzy na rupiecie.

– Mam posprzątać dom? – zapytał tego ranka, kiedy umarła matka.

Przeczekali płacz Sallie i wysłuchali jej opowieści: wstała w środku nocy, żeby napić się wody, i znalazła wielką Antoinette na podłodze.

– Nie. Zostaw go. Kiedyś w końcu spłonie – wieszczyła ponuro ciotka Sallie.

Oznajmiła, że teraz chce podróżować po świecie. Brat zostawił jej pieniądze. Nic jej nie trzymało w domu.

– Na szczęście mama miała alergię na zwierzęta – powiedział Lotto. – Gdyby miała koty, to duszący fetor ciągnąłby się po całej plaży.

– Koty zmiażdżone przez spadające pudła – dodała Sallie.

– Ha! Album z zasuszonymi kotami. Albo bukiet. Można oprawić go w ramkę i powiesić na ścianie. Kocie *memento mori*.

Odetchnął głęboko i otworzył drzwi do pokoju matki.

Był posprzątany. Kwiecista narzuta na łóżko, na dywanie brązowa plama – woda wyciekła z łóżka wodnego. Nad wezgłowiem zielonkawy Jezus na krzyżu. Och, prowadziła takie smutne życie. Och, jego biedna matka. Jak postać z Becketta. Kobieta jak złota rybka, która rozrosła się do rozmiarów akwarium, mogła z niego uciec tylko w jeden sposób: wykonując ostatni skok.

Chłodna dłoń przesunęła się po klatce piersiowej Lotta. Nad nocnym stolikiem unosiła się połowa głowy jego matki: jedno ogromne oko za szkłem okularów, jeden policzek, połowa ust.

Krzyknął i odrzucił latarkę, dwukrotnie koziołkowała w powietrzu, rozległ się brzęk tłuczonego szkła, snop światła przeciął w poprzek łóżko, rażąc Lotta w oczy. Szklana filiżanka. Pewnie stała w taki sposób, że powstało złudzenie optyczne. Ale twarz Antoinette była tak wyraźna, nie sposób było jej z niczym pomylić, choć miała tylko jedno oko – Lotto poczuł dreszcz. Przetrząsnął szuflady w poszukiwaniu pieniędzy, żeby jakoś się tu urządzić [same puste fiolki po lekach, setki], i uciekł do kuchni.

Stał w oknie. Nie mógł się ruszyć.

Coś zaszeleściło w pokoju za jego plecami. Zbliżyło się szybko i pewnie. Tkwił nieruchomo. Poczuł na karku dotyk twarzy. Zmroził go chłodny oddech. Czas się rozciągnął, twarz została z nim przez kilka dekad. W końcu się wycofała.

– Kto to? – zawołał w pustkę.

Przez chwilę mocował się ze szklanymi drzwiami, a kiedy je wreszcie otworzył, dom wypełnił się zimnym powietrzem. Znów rozległy się dźwięki. Wyszedł na balkon, oparł się o balustradę i poczuł na policzkach powiew wiatru. Kiedy podniósł głowę, zrozumiał, czemu świat zrobił się taki dziwny.

Na niebie kotłowała się niespotykana purpurowa czerń. Projektanci kostiumów daliby się pokroić za materiał w takim odcieniu. Wystarczyłoby wejść na scenę w stroju w tym kolorze, żeby zyskać niepodważalny autorytet jako Lear albo Otello jeszcze przed wypowiedzeniem pierwszego słowa.

Ale przede wszystkim to morze wyglądało inaczej.

Zamarzło. Fale zastygły na mrozie, ich grzywy znieruchomiały. Ta Floryda nie wyglądała jak Floryda. Więcej dziwów niż realnych zjawisk.

Teraz był już pewien, że to koszmar, z którego nie może się obudzić.

Jak łatwo zaburzyć równowagę i stracić nad wszystkim kontrolę. Nawet nie wiedział, kiedy znalazł się boso na deptaku, przerażenie krępowało mu ramiona. Wchodził w ciemność między malutkimi żabkami zawisłymi nad ziemią w podskoku, nad wydmami porośniętymi winoroślą i palmami, wśród których węże robiły sobie nory. Piasek muskający jego stopy uspokoił go. Szedł przez chwilę, przystanął. Zaczerpnął powietrza. Nagle, jak na życzenie, pojawił się jaśniejący księżyc. Kapryśny, niestały, zmieniający co noc swoją orbitę.

W wielkich posiadłościach i domach na wybrzeżu nie paliły się światła. Przyjrzał im się bliżej. Nie. One zniknęły, jakby z wybrzeża zgarnęła je jakaś wielka ręka.

– Na pomoc! – zawołał do pędzącego wiatru. – Mathilde!

Wołał na pomoc tę Mathilde, którą znał w pierwszych dniach ich miłości, pod koniec studiów, kiedy pierwszy tydzień spędzili w jej łóżku przy Hooker Avenue nad sklepem z antykami, choć nie uprawiali seksu. Szorstkość nieogolonych nóg, zimne stopy, miedziany smak jej skóry. W ciągu dnia chodziła w skąpych ubraniach, a mężczyźni oglądali się za nią jak dzikie bestie. Jej samotność była wyspą, o której brzeg rozbił się jego statek. Kiedy drugiej nocy Lotto obudził się w jej łóżku, pokój wydawał mu się gdzieniegdzie wydłużony, a gdzie indziej skurczony, na ścianach zobaczył dziwne plamy migotliwego szarego światła, a obok niego leżała obca osoba. Obleciał go strach. W ciągu kolejnych lat wielokrotnie budził się w swojej sypialni, która wydawała mu się obcym pokojem, obok kobiety, o której nic nie wiedział. W tamtą przerażającą noc na początku ich znajomości wstał i poszedł pobiegać, jakby gonił go strach, o świcie wrócił truchtem do mieszkania

Mathilde nad sklepem z antykami, przyniósł jej kawę, której aromat ją obudził. Dopiero kiedy się do niego uśmiechnęła, nareszcie się uspokoił. Mathilde czekała na niego o świcie jak idealna dziewczyna wykonana na zamówienie ściśle wedle jego wskazówek. [Gdyby posłuchał swojego strachu, czekałoby go inne życie: bez chwały, bez sztuk, spokojne, łatwe, dostatnie. Bez splendoru. Z dziećmi. Które życie byłoby lepsze? Nie nam o tym orzekać].

Bardzo długo siedział na wydmie. Wiatr był taki zimny. Morze wydawało się takie dziwne. W oddali unosiły się góry lodowe ze śmieci wielkości Teksasu, dryfujące na falach butelki, klapki, opaski zaciskowe, pianki do pakowania, boa z piór, główki lalek, sztuczne rzęsy, nadmuchiwane zwierzęta, opony do rowerów, fartuchy błotnika, wyrzucone książki, strzykawki po insulinie, papierowe torebki, plecaki, fiolki po antybiotykach, peruki, wędki, taśma policyjna, martwe ryby, martwe żółwie, martwe delfiny, martwe ptaki morskie, martwe wieloryby, martwe niedźwiedzie polarne i pulsujący węzeł śmierci.

Stopy pocięte przez muszle. Gdzieś zgubił górę od piżamy. Stał w samej bieliźnie naprzeciw żywiołów.

Oddałby cały majątek, żeby obłaskawić rozgniewanego boga, który go tutaj sprowadził. [Co za idiotyczny pomysł. Tylko głupcom zależy na pieniądzach]. Mógłby też oddać swoją pracę. Sławę. Sztuki – może poza *Syrenami*. Tak, nawet tę ostatnią, najnowszą, jego ulubioną, opowieść o kobiecie skrywającej w sobie wiele osobowości, jego najlepszy tekst, czuł to. Nawet *Syreny*. Niech bóg weźmie sobie sztuki, a on będzie prowadził skromne, zwyczajne życie. Niech wszystko sobie zabierze, ale pozwoli mu wrócić do domu, do Mathilde.

Na obrzeżach jego pola widzenia pojawiły się drobne rozbłyski, które zapowiadały atak migreny. Zbliżały się, łączyły ze światłem słonecznym, stawały się drzewem kumkwatu, które rosło w ich ogrodzie w Hamlin. Promienie słońca przecinały zwisającą z konarów oplątwę; na skraju trawnika gęstwina winobluszczu, a pod nią dom jego przodków – to wszystko zabierała z powrotem ziemia Florydy, miliony zgłodniałych termitów albo wielki podmuch huraganu już czyhały. Między liśćmi winorośli połyskiwały resztki okien.

Lotto stał tyłem do domu na plantacji wybudowanego przez jego ojca i sprzedanego przez matkę rok i dzień po śmierci Gawaina. Potem przeprowadzili się do smutnego domku na plaży. W tym dziwnym świecie jego dzieciństwa ojciec stał na drugim końcu basenu. Z czułością patrzył na Lotta.

– Tato – wyszeptał Lotto.

– Synu – powiedział Gawain.

Och, miłość ojca. Najwspanialsza, jakiej zaznał Lotto.

– Pomóż mi – poprosił Lotto.

– Nie mogę – odparł Gawain. – Przykro mi, synu. Może mama ci pomoże. Była taka mądra.

– Wiele można powiedzieć o mamie, ale na pewno nie była mądra.

– Uważaj na słowa. Nie masz pojęcia, jak wiele dla ciebie zrobiła.

– Nic nie zrobiła. Kochała tylko siebie. Ostatni raz widziałem ją w latach osiemdziesiątych.

– Synu, przejrzyj na oczy. Ona cię bardzo kochała.

Na oczach Lotta woda w basenie zafalowała. Zamieniła się w zielonobrązowe błoto, na jego powierzchni unosiły się liście dębu. Wyłoniła się z niego biała plama: czoło matki. Antoinette się uśmiechnęła. Była młoda i piękna. Jej rude włosy unosiły się na powierzchni, wplotły się w nie złote liście. Wypluła brudny szlam.

– Mamo – powiedział Lotto.

Kiedy podniósł wzrok, ojca już nie było. Znowu poczuł znajomy ból w trzewiach.

– Kochanie – odparła – co ty tu robisz?

– Ty mi powiedz. Chcę tylko wrócić do domu.

– Do tej swojej żony. Mathilde. Nigdy jej nie lubiłam. Myliłam się. Pewne sprawy rozumie się dopiero po śmierci.

– Nie. Miałaś rację. Ona mnie okłamała.

– Jakie to ma znaczenie? Kochała cię. Była dobrą żoną. Dzięki niej prowadziłeś piękne, spokojne życie. Płaciła rachunki. Nie musiałeś się o nic martwić.

– Byliśmy małżeństwem przez dwadzieścia trzy lata. Nigdy się nie przyznała, że jest dziwką. Ani że mnie zdradza. Albo do jednego i drugiego. Sam już nie wiem, co było prawdą. To chyba ogromne przemilczenie.

– Ogromne jest twoje *ego*. To okropne, że nie byłeś jedynym mężczyzną w jej życiu. Dziewczyna czyściła twoją ubikację przez dwadzieścia trzy lata, a ty żałujesz jej życia, które prowadziła, kiedy ty znikałeś.

– Okłamała mnie.

– Daj spokój. Małżeństwo buduje się na kłamstwach. Głównie w dobrej wierze. Na przemilczeniach. Gdyby wypowiedzieć na głos wszystko, co myśli się o współmałżonku, można by go zetrzeć na proch. Nigdy cię nie okłamała. Po prostu nie wszystko ci mówiła.

Dudnienie i grzmot nad Hamlin. Słońce przygasło na niebie jak szary filc. Matka zaczęła się zanurzać, jej podbródek już zniknął w błocie.

– Nie odchodź – poprosił.

– Już czas – odparła.

– Jak mam wrócić do domu?

Dotknęła jego twarzy.

– Biedactwo – powiedziała i zniknęła.

Próbował wrócić do żony, wyobrażając ją sobie w domu. Teraz pewnie była tam sama z Bóg. Jej przetłuszczone włosy zrobiły się ciemne, twarz spochmurniała. Pewnie zaczęła śmierdzieć. Burbon na kolację. Zasnęła w swoim ulubionym fotelu przed wygasłym kominkiem pełnym zimnego popiołu, zostawiła drzwi na werandę otwarte, żeby Lotto mógł wrócić. Kiedy spała, jej powieki były przezroczyste, wydawało mu się, że jeśli dobrze jej się przyjrzy, zobaczy sny unoszące się w jej umyśle jak meduzy.

Chciałby zanurzyć się w niej głębiej, usiąść na nasadzie jej nosa jak na końskim grzbiecie, wyglądałby jak homunkulus udający kowboja na rodeo, może wtedy zrozumiałby, co ona myśli. Och, wcale nie musiał tego robić. Cicha, codzienna intymność czegoś go nauczyła. Paradoks małżeństwa: nikogo nie można poznać całkowicie; poznaje się kogoś całkowicie. Wiedział z góry, jak zabrzmi dowcip, który właśnie zamierzała opowiedzieć. Czuł gęsią skórkę na jej ramionach, kiedy było jej zimno.

Za chwilę coś mogło wyrwać ją ze snu. Jego żona, która nigdy nie uroniła ani jednej łzy, teraz by się rozpłakała. Zasłaniając się dłońmi jak maską, czekałaby w ciemności na jego powrót.

Księżyc jak pępek, jego światło na wodzie jak pasmo włosów wyznaczające szlak prowadzący wprost do Lotta.

Tą drogą szły do niego wszystkie dziewczyny, z którymi spał przed Mathilde. Nagie. Lśniące. Siostra Cholliego Gwennie, jego pierwszy raz w wieku piętnastu lat, burza jej włosów. Śliczne uczennice prywatnych szkół, córka dyrektora liceum, dziewczyny z miasta, studentki: piersi jak bułki, pięści albo piłeczki do squasha włożone do skarpetek, jak tarcze do rzutek, kasztany, filiżanki, mysie pyszczki, bąble po ukąszeniu komara, brzuchy i pośladki – wspaniałe, wszystkie takie piękne. Kilku szczupłych chłopców, nauczyciel z liceum. [Odwróć wzrok]. Tyle ciał! Setki! Chciał się w nich zagłębić. Przez dwadzieścia trzy lata wierny Mathilde. Bez skrupułów mógłby się w nich wytarzać jak pies w soczystej trawie.

Jego żona sobie na to zasłużyła. To by wyrównało ich rachunki. Potem mógłby do niej wrócić pomszczony.

Ale nie potrafił. Zamknął oczy i palcami zatkał uszy. Jego kość ogonowa wciskała się w piasek. Czuł, że go mijają, muskają jego skórę palcami delikatnymi jak piórka. Naliczył tysiąc dotknięć i po ostatnim spojrzał na księżycowy szlak, który teraz wysunął się znad znieruchomiałej wody i wyżłobił w piasku długą linię.

Uznał, że może wrócić do Mathilde tylko przez morze. Mógł popłynąć do źródeł czasu.

Zdjął bokserki i wszedł do oceanu. Kiedy jego stopy dotknęły wody, poczuł przeszywający przepływ prądu, jakby uderzył go piorun. Jak zaczarowany patrzył, jak światło wnika w głębinę i powoli gaśnie. Przewodzenie skokowe. Kiedy tylko gasło, on ponownie wysyłał promień. Zaczerpnął powietrza, wskoczył do wody i zaczął płynąć, rozkoszował się fosforyzującym blaskiem, kiedy jego ręce uderzały o powierzchnię. Prowadził go księżyc. Płynął bez trudu, choć musiał wspinać się na grzbiety fal jak na wzgórza. Ciepło, potem chłód. Cały czas olśniony uderzał rękami o wodę i czuł, jak ogarnia go dobre zmęczenie. Płynął, aż ramiona zaczęły go palić, a w płucach poczuł sól, ale się nie poddawał.

Wyobraził sobie, że mija ławice nieruchomych ryb. Pomyślał o galeonach na dnie, zagrzebanych w piachu, w którym złociły się sztaby cennego kruszcu. Głębokie jak Wielki Kanion kamienne rowy, nad którymi przepływał niczym orzeł na niebie z wody. W tych rowach płynęły rzeki błota, a w nich znienacka błyskały zęby okropnych bestii. Wyobraził sobie płynącego w dole wielkiego potwora morskiego, rozpostarł ramiona, żeby go złapać, ale mu się wymknął – był za silny i śliski.

Lotto pływał wiele godzin, może dni. A może tygodni.

Już dłużej nie mógł. Zatrzymał się. Odwrócił się na plecy i zaczął opadać w dół. Zobaczył, jak świt, niczym miękka bawełna, wyciera twarz nocy. Otworzył usta, jakby chciał zjeść dzień. Tonął i przed oczami stanęła mu wspaniała, kolorowa wizja.

Był malutki i jak polip przyklejony do matki, uzależniony od jej mleka i ciepła. Wakacje na plaży. Otworzyło się okno, w dole syczały fale. [Antoinette na zawsze przywiązana do oceanu

obejmowała go, wciągała w siebie, wypluwając muszle i kości].
Nuciła. Rolety z listew były opuszczone, rzucały na nią cień. Wspaniałe włosy do pasa. Dopiero niedawno została syreną, wciąż była syreną o miękkiej, bladej, wilgotnej skórze. Powoli zsunęła jedno ramiączko, najpierw przez ramię, potem przez dłoń. Drugie. Teraz odsłoniła piersi, pokazały się jasnoróżowe jak drobiowe kotlety, obnażyła blady brzuch obsypany piaskiem, a potem łono z gęstymi loczkami i białe kolumny nóg. Była taka szczupła. Piękna. Ze swojego gniazda z ręczników malutki Lotto patrzył na swoją matkę okrytą złotymi łuskami i naszło go okropne przeczucie. Ona była tam, a on tu. Tak naprawdę nic ich nie łączyło. Było ich dwoje, a to znaczy, że nie byli jednym. Wcześniej śnił długi, ciepły sen, najpierw w ciemności, potem w narastającym świetle. Teraz się obudził. To straszne oddzielenie wydobyło się z niego z piskiem. Wyrwała się ze snu na jawie. „Cicho, mój mały" – powiedziała, zbliżając się do niego, przyciskając go do swojej chłodnej skóry.

W którymś momencie przestała go kochać. [Nie mógł się o tym dowiedzieć]. To było największe zmartwienie jego życia. Ale może w tej chwili jednak go kochała.

Opadał w dół, aż wreszcie osiadł jak wrak na dnie. Piasek wzbił się w górę. Otworzył oczy. Jego nos był tuż pod powierzchnią, resztka księżycowego światła unosiła się na spokojnej fali. Opuścił stopy i odepchnął się, a jego ciało wynurzyło się z wody sięgającej mu do połowy ud.

Brzeg był pięć metrów od niego, jak pies, który za nim biegł.

Światło dnia opromieniło najpierw chmury, złotą trzodę słońca. Nareszcie znalazł ukojenie. Plaża rozciągała się idealnie płasko, wydmy były porośnięte czarnym listowiem. Nietknięte przez człowieka. W ciągu nocy historia powróciła do początku.

Gdzieś przeczytał, że sen ma taki wpływ na móżdżek jak fale na ocean. Wywołuje wibracje w sieci neuronów; wymywa to, co niepotrzebne, a zostawia tylko to, co istotne.

[Teraz już wiedział, co jest ważne. Rodzinne dziedzictwo. Ostatnia oślepiająca salwa w mózgu].

Tak bardzo chciał wrócić do domu. Do Mathilde. Chciał jej powiedzieć, że wszystko jej wybacza. Przecież to nieistotne, co robiła i z kim. Ale wszystko już przepadło. On też już wkrótce miał odejść. Żałował, że nie zobaczy jej starej. Byłaby wtedy wspaniała. Zamiast słońca przygaszone złoto. Fale przypływu przywarły do brzegu. Różowy domek matki. Trzy czarne ptaki wtulone w siebie na dachu. Zawsze uwielbiał dochodzący od oceanu zapach seksu. Wyszedł z wody i nago przeszedł przez plażę, deptak i przez werandę wszedł do domu matki.

Jak się okazało, przez tyle lat stał w świetle poranka.

[Nić pieśni się rozwinęła, Lotto, została pusta szpula. Zaśpiewamy ci teraz samą końcówkę].

Spójrz tam. Z oddali ktoś nadchodzi.

Z bliska widać dwie osoby, idą, trzymając się za ręce, po kostki w morskiej pianie. We włosach wschodzące słońce. Blondynka w zielonym bikini; wysoka, promienna. Całują się, jej dłonie wsuwają się pod jego kąpielówki, jego pod jej biustonosz. Kto nie zazdrościłby takiej młodości, kto, patrząc na nich, nie opłakiwałby tego, co sam stracił. Szli po piachu, ona pociągnęła go na wydmy, w górę. Przyjrzyj im się z balkonu, wstrzymując oddech, jak zatrzymują się w piaszczystym zagłębieniu. Ona zdejmuje mu kąpielówki; on ściąga jej kostium kąpielowy, górę i dół. Och tak, wróciłbyś do żony na czworakach, przepełznąłbyś wzdłuż całego wschodniego wybrzeża, żeby jeszcze raz poczuć jej palce w swoich włosach. Nie jesteś jej wart. [Tak. (Nie).] Nawet kiedy już myślisz o ucieczce, kochankowie przyciągają twoją uwagę, nie odważyłbyś się ruszyć, żeby nie umknęli jak ptaki w poranione niebo. Łączą się ze sobą i trudno powiedzieć, gdzie jedno się zaczyna, a drugie kończy: dłonie we włosach, ciepło i ciepło, piasek, ona unosi zaczerwienione kolana, jego ciało się porusza. Już czas. Dzieje się coś dziwnego, choć nie jesteś na to gotowy; to powtórka; już to gdzieś widziałeś, czułeś jej oddech na karku, jej ciepło pod sobą i wilgotny chłód na plecach, obezwładniającą bezradność, poczucie przekroczenia, seks w punkcie kulminacyjnym [dojdź!]. Warga zagryziona do krwi, kończysz z rykiem, ptaki wzbijają się w powietrze, okruchy w różowych zakamarkach ucha. Ząbkowana moneta słońca na wodzie. Twarz zwrócona w stronę nieba: czy to mżawka? [Tak]. Szczęk nożyczek. Ledwie starcza czasu, żeby zauważyć to oszałamiające piękno, i nagle stało się. Oddzielenie.

Furia

I

Pewnego dnia, kiedy Mathilde szła przez wieś, w której byli tak szczęśliwi, usłyszała, że jedzie za nią auto pełne chłopców. Wykrzykiwali do niej obsceniczne teksty. Sugerowali, że powinna im obciągnąć. Mówili, jak obeszliby się z jej tyłkiem.

Szok przeszedł w falę ciepła, jakby wypiła jednym haustem karafkę whisky.

No tak – pomyślała – wciąż mam idealny tyłek.

Kiedy samochód był tuż-tuż, chłopcy ucichli. Zobaczyła ich blade twarze, kiedy ją mijali. Dodali gazu i zniknęli.

Przypomniała sobie ten moment, kiedy przechodziła przez ulicę w Bostonie i ktoś zawołał ją po imieniu. Podbiegła do niej niewysoka kobieta. Mathilde nie potrafiła jej rozpoznać. Miała wilgotne oczy i rudawe włosy założone za ucho. Miękki brzuch, matka karmiąca. Po jej wyglądzie można się było domyślić, że jej czterema dziewczynkami w identycznych ubrankach od Lilly Pulitzer zajmuje się niania.

Kobieta zatrzymała się dwa metry od Mathilde ze łzami w oczach. Mathilde objęła jej twarz dłońmi.

– Wiem – powiedziała. – Zaniedbałam się, od kiedy mój mąż…

Nie potrafiła dokończyć zdania.

– Nie – zaprzeczyła kobieta. – Nadal jesteś elegancka. Ale wyglądasz, jakbyś była wściekła, Mathilde.

Potem Mathilde ją sobie przypomniała: Bridget z jej grupy na studiach. Rozpoznaniu towarzyszyło niewyraźne poczucie winy. Czas sprawił jednak, że nie pamiętała przyczyny wyrzutów sumienia. Przez krótki moment przyglądała się, jak na chodniku sikorka tańczy walca, a liście wirują na wietrze w słońcu. Kiedy podniosła wzrok, kobieta zrobiła krok w tył. Potem kolejny.

– Jestem wściekła – wycedziła Mathilde. – Jasne. Nie ma sensu tego dłużej ukrywać.

Potem zwiesiła głowę i ruszyła przed siebie.

Kilkadziesiąt lat później, kiedy była już stara i leżała w porcelanowej wannie na lwich łapach, relaksując się, dotarło do niej, że jej życie można by przedstawić w kształcie litery X. Jej stopy oglądane pod kątem znad powierzchni wody wydawały się zniekształcone i wyglądem przypominały kacze łapy.

Życie, które w dzieciństwie jawiło się przerażająco wielkim obszarem, w średnim wieku skurczyło się do rozmiaru pojedynczego rozpalonego do czerwoności punktu. A z tego miejsca znowu wybuchło na wszystkie strony.

Rozsunęła pięty, żeby się nie dotykały. Kacze łapy też się poruszyły.

Teraz jej życie przybrało inny kształt będący dokładnym odwróceniem tego pierwszego. [Mathilde jest skomplikowana; potrafi godzić w sobie przeciwieństwa].

Teraz jej życie wyglądało następująco: ciut więcej, biała przestrzeń, ciut mniej.

Kiedy oboje mieli czterdzieści sześć lat, mąż Mathilde, słynny dramatopisarz Lancelot Satterwhite, ją opuścił.

Odjechał karetką z wyłączonym sygnałem. No cóż, nie on. Zimne mięso, które po nim zostało.

Zadzwoniła do jego siostry Rachel, a ta krzyczała i krzyczała, a kiedy przestała, oświadczyła zdecydowanie:

OAK PARK
PUBLIC LIBRARY
oppl.org

Checked Out Items 12/7/2019 12:25
XXXXXXXXXX3985

Item Title   Due Date

687002593967   12/28/2019
Miłość w czasach zarazy

186009059817   12/28/2019
Natum i furia

                            No of Items: 2

708.383.8200
Log in, learn more: oppl.org

– Mathilde, przyjeżdżamy. Trzymaj się, przyjeżdżamy.

Jego ciotka podróżowała i nie zostawiła numeru, więc Mathilde zadzwoniła do jej prawnika. Minutę po tym jak Mathilde się rozłączyła, Sallie zadzwoniła z Birmy.

– Mathilde – powiedziała. – Poczekaj, kochanie. Jadę do ciebie.

Zatelefonowała do najlepszego przyjaciela swojego męża.

– Wsiadam do helikoptera – oznajmił Chollie. – Zaraz u ciebie będę.

Już wkrótce mieli ją osaczyć. Teraz jeszcze była sama. Ubrana w koszulę męża, stała na wielkim głazie na łące i patrzyła, jak szron niczym pryzmat rozszczepia światło poranka. Od stania na chłodnym kamieniu bolały ją stopy. Co najmniej od miesiąca jej męża coś gryzło. Snuł się po domu z ponurą miną i nawet na nią nie patrzył. Wydawało się, że oddala się od niej na fali odpływu, ale jednocześnie wiedziała, że wróci wraz z przypływem. Usłyszała miarowe pulsowanie, zerwał się wiatr, nawet się nie odwróciła, żeby zobaczyć, jak ląduje helikopter, poczuła na plecach lodowaty podmuch. Kiedy śmigła zwolniły, na wysokości łokcia usłyszała głos Cholliego.

Spojrzała na niego z góry. Groteskowy Chollie, pieniądze go zepsuły – był zbyt bogaty, jak brzoskwinia bywa tak dojrzała, że cieknie z niej sok. Miał na sobie bluzę i spodnie od dresu. Teraz zobaczyła, że wyrwała go ze snu. Spoglądając na nią, ułożył dłonie jak dziecko udające, że patrzy przez lunetę.

– Niewiarygodne – zawołał. – Codziennie ćwiczył. To mnie pierwszego powinien trafić szlag.

– Tak – przyznała.

Zbliżył się, żeby ją objąć. Przypomniała sobie ciepło martwego ciała męża, które wniknęło w jej skórę.

– Nie. – Odsunęła się od niego.

– No dobrze – powiedział Chollie. Łąka nabrała wyrazistych kolorów. – Kiedy lądowaliśmy, zobaczyłem cię i wyglądałaś tak samo jak wtedy, gdy po raz pierwszy cię spotkałem. Byłaś taka krucha. Taka rozświetlona.

– Teraz czuję się strasznie stara. – Miała zaledwie czterdzieści sześć lat.

– Wiem.

– Nic nie wiesz. Też go kochałeś, ale to ja byłam jego żoną.

– To prawda. Miałem siostrę bliźniaczkę, która umarła. Gwennie. – Odwrócił wzrok. – Zabiła się, kiedy miała siedemnaście lat – poinformował ją głuchym głosem. Jego usta zadrżały. Mathilde dotknęła jego ramienia.

– Nie ty – zaprotestował, a ona mogła się tylko domyślać, że chciał w ten sposób dać jej do zrozumienia, że jej świeży smutek przyćmiewa jego tragedię, że to ona zasługuje teraz na pocieszenie.

Czuła, że pędem zbliża się rozpacz – wstrząsała już ziemią jak rozpędzony pociąg – ale jeszcze jej nie zmiażdżyła. Zostało jej wciąż trochę czasu. Nadal mogła kogoś ukoić – przecież w tym była najlepsza. W byciu żoną.

– Tak mi przykro – powiedziała. – Lotto mi nie mówił, że Gwennie się zabiła.

– Nie wiedział o tym. Myślał, że to był wypadek. – Słowa Cholliego wcale nie zabrzmiały dziwnie na łące pełnej zimowego światła. Nie zabrzmiały dziwnie jeszcze przez kilka miesięcy, bo teraz przeszywało ją przerażenie i przez długi czas czuła tylko jego dziką, świszczącą siłę.

„Uświadamiamy sobie powoli, że nie usłyszymy już nigdy dźwięcznego śmiechu tego lub innego z kolegów, uświadamiamy sobie, że ten ogród został nam na zawsze zakazany. Wówczas rozpoczyna się dla nas prawdziwa żałoba”*.

Napisał to Antoine de Saint-Exupéry. Rozbił się samolotem na pustyni chwilę po tym, jak błękitne niebo stanęło przed nim otworem.

---

* Antoine de Saint-Exupéry, *Ziemia, planeta ludzi*, tłum. Wiera i Zbigniew Bieńkowscy, Kraków 1971, s. 95.

„Gdzie są ludzie? – zapytał Mały Książę z książki de Saint-Exu-péry'ego. – Czuję się trochę osamotniony na pustyni"...
„Wśród ludzi jest się także samotnym – rzekła żmija"*.

Ukochani wynurzyli się z głębiny, otoczyli oddechami jej twarz i znowu się zanurzyli.

Posadzili ją na fotelu i przykryli kocem. Obok, cały roztrzęsiony, siedział pies.

Ukochani przez cały dzień pochylali się nad nią i znikali. Siostrzenice i siostrzeniec Lotta podchodzili, żeby położyć policzki na jej kolanach. Ktoś zabrał z jej rąk jedzenie. Dzieci przesiedziały z nią całe długie popołudnie. Rozumiały wszystko instynktownie jak zwierzęta, były tak krótko na świecie, że mówienie wciąż sprawiało im trudność. Nagle za oknem zapadła noc. Mathilde siedziała bez ruchu. Wyobrażała sobie, o czym jej mąż mógł myśleć w chwili śmierci. Może zobaczył rozbłysk. Ocean. Zawsze kochał ocean. Miała nadzieję, że przed oczami stanęła mu jej młoda twarz. Samuel wziął ją pod jedno ramię, Rachel ujęła pod drugie, zaprowadzili ją do łóżka, które wciąż nim pachniało. Położyła głowę na jego poduszce. Leżała.

Nic nie mogła zrobić. Jakby zapadła się w sobie. Mathilde zamieniła się w zaciśniętą pięść.

---

* Antoine de Saint-Exupéry, *Mały Książę*, tłum. Jan Szwykowski, Warszawa 2004, s. 60.

2

Mathilde doskonale znała rozpacz. Ten stary wilk już wcześniej węszył wokół jej domu.

Przechowywała swoje zdjęcie z czasów, kiedy była malutka. Miała wtedy na imię Aurélie. Pyzata, złotowłosa. Jedynaczka z dużej bretońskiej rodziny. Loczki upięte z tyłu spinką, na szyi szaliczek, obszyte koronką skarpetki do kostek. Dziadkowie karmili ją bretońskimi naleśnikami, cydrem i karmelkami z solą morską. W szafce kuchennej dojrzewały koliste kawałki camemberta. Nagłe otwarcie drzwiczek groziło omdleniem.

Jej matka sprzedawała ryby na targu w Nantes. Wstawała w środku nocy, jechała do miasta i wracała do domu rano, z wysuszonymi dłońmi lśniącymi od łusek i przemarzniętymi do kości, bo cały czas trzymała je w lodowatej wodzie. Miała delikatną twarz, nie była wykształcona. Mąż skusił ją skórzaną kurtką, fryzurą na brylantynie i motocyklem. Przehandlowała swoje życie za tych kilka drobiazgów, które wtedy wydawały jej się cenne. Ojciec Aurélie był kamieniarzem, a jego rodzina od dwunastu pokoleń mieszkała w tym samym domu w Notre-Dame-des-Landes. Aurélie została poczęta w czasie rewolucji w maju 1968 roku; jej rodzice nie byli bynajmniej radykałami, w powietrzu czuło się takie podekscytowanie, że mu ulegli i potrafili wyrazić je tylko w instynktowny sposób. Kiedy matka nie mogła już dłużej ukrywać ciąży, stanęła przed ołtarzem z kwiatem pomarańczy we włosach, a w lodówce chłodził się kawałek tortu kokosowego.

Ojciec Aurélie był cichy i oszczędnie szafował miłością. Kładł kamień na kamieniu, pędził wino w garażu, miał psa myśliwskiego, który wabił się Bibiche, i matkę, która w przyzwoitych warunkach przetrwała drugą wojnę światową, bo handlowała kiszką na czarnym rynku. Miał też córkę. Była rozpieszczana, szczęśliwa i często śpiewała.

Kiedy skończyła trzy lata, pojawiło się następne dziecko, niespokojny, płaczliwy chłopczyk. Wszyscy szczebiotali do tej pomarszczonej rzepy w powijakach. Aurélie obserwowała go spod krzesła i płonęła gniewem.

Dziecko dostało kolki i w całym domu pojawiały się kałuże wymiocin. Matka Aurélie była zdruzgotana. Przyszły jej z pomocą cztery ciotki pachnące masłem i plotkujące złośliwie, ich brat częstował je winogronami, ciotki miotłami wygoniły z domu Bibiche – tyle zapamiętała z tego okresu Aurélie.

Kiedy dziecko zaczęło raczkować, wchodziło do każdego kąta i ojciec musiał zbudować furtkę u szczytu schodów. Matka Aurélie w ciągu dnia płakała w łóżku, kiedy dzieci spały. Była śmiertelnie zmęczona. Śmierdziała rybami.

Chłopczyk najbardziej lubił wdrapywać się do łóżka Aurélie, ssać kciuk, okręcać jej włosy wokół palca, a kiedy oddychał przez zapchany nos, wydawał kocie pomruki. W nocy powoli przesuwała się wraz z nim na skraj łóżka, licząc na to, że kiedy wreszcie jej braciszek zaśnie i przewróci się na plecy, wypadnie na podłogę i obudzi się z krzykiem. Otwierała oczy dokładnie w chwili, kiedy jej matka wbiegała i podnosiła dziecko opuchniętymi czerwonymi rękami, strofując ją szeptem i zanosząc malucha do kołyski.

Kiedy dziewczynka skończyła cztery lata, a jej braciszek roczek, pewnego popołudnia rodzina pojechała do ich babci na kolację. Dom od wielu wieków należał do rodziny babki, a ona sama dostała go w posagu, gdy wyszła za syna sąsiadów. Wszystkie pola wciąż stanowiły jej własność. Dom był znacznie okazalszy niż ten, w którym mieszkała rodzina Aurélie, miał większe pokoje, a do głównego budynku przylegała osiemnastowieczna kamienna zlewnia mleka. Rano rozrzucano na polach nawóz, którego zapach czuło się w mleku. Babka, podobnie jak jej syn, miała kwadratową twarz o mocnych rysach i przewyższała o głowę większość mężczyzn. Jej usta były wiecznie wygięte w podkowę. Miała kolana jak z granitu i psuła opowiadane przez innych dowcipy, w momencie puenty głośno wzdychając.

Dziecko drzemało w łóżku babki, a wszyscy usiedli pod wielkim dębem i jedli. Aurélie skorzystała z ubikacji na dole i właśnie zamierzała wyjść. Słuchała, jak jej brat gaworzy do siebie w pokoju babki na górze. Podciągnęła spodnie, powoli wspięła się na piętro, na jej palcach zebrała się warstewka szarego kurzu spomiędzy balasków. Stała w korytarzu zalanym miodowym światłem, słuchając dziecka za drzwiami: podśpiewywało i tupało w wezgłowie łóżka. Wyobraziła sobie brata i uśmiechnęła się, otwierając drzwi. Na jej widok chłopczyk wygramolił się spod kołdry i podbiegł do niej, by złapać ją za rękę. Ona zrobiła krok w tył, uciekając przed jego lepkimi łapkami.

Ssąc kciuk, patrzyła, jak dziecko ją mija i idzie w stronę schodów. Spojrzało na nią radośnie, zatoczyło się. Wyciągnęło malutką jak stokrotka dłoń, a ona patrzyła, jak jej braciszek spada w dół.

Kiedy rodzice Aurélie wrócili ze szpitala, milczeli i mieli szare twarze. Chłopczyk skręcił sobie kark. Nie udało się go uratować.

Było późno i twarz Aurélie była zapuchnięta od płaczu. Matka chciała zabrać ją do domu, ale ojciec się nie zgodził. Nie mógł na nią patrzeć, choć przywarła mu do kolan, czując jego jeansy sztywne od potu i kamiennego pyłu. Po wypadku ktoś zawlókł Aurélie po schodach w dół i teraz całe ramię miała posiniaczone. Pokazała je im, ale oni nawet nie popatrzyli.

Rodzice dźwigali razem coś niewidzialnego, ale przeraźliwie ciężkiego. Nie starczyło im już siły, żeby unieść cokolwiek innego, a już na pewno nie córkę.

– Zostawimy ją na noc – oznajmiła matka.

Smutna twarz z okrągłymi, rumianymi policzkami, gęste, ściągnięte brwi. Pocałowała dziewczynkę i odeszła. Ojciec trzykrotnie zatrzasnął drzwi samochodu. Odjechali, Bibiche patrzył z tylnego okna. Reflektory zamigotały w ciemności i zniknęły.

Rano Aurélie obudziła się w domu dziadków. Umyła się, gdy na dole babcia smażyła naleśniki. Przez cały ranek rodzice nie przyjeżdżali. Nie przyjeżdżali i nie przyjeżdżali.

Żegnając się z nimi, po raz ostatni czuła zapach matki [Arpège od Lanvin z nutą dorsza]. Szorstkość sztywnych jeansów ojca na jej dłoni, kiedy wyciągnęła ją, by go dotknąć, zanim odejdzie.

Kiedy piąty raz poprosiła dziadków, żeby sprowadzili rodziców, babcia zaczęła ją ignorować.

Wieczorem, kiedy czekała pod drzwiami, a oni nadal nie nadjeżdżali, w Aurélie wezbrał straszliwy gniew. Żeby dać mu wyraz, kopała i krzyczała, rozbiła lustro w łazience i jedną po drugiej tłukła szklanki w kuchni; uderzyła kota w głowę; wybiegła w nocy przed dom i powyrywała z ziemi pomidory rosnące w ogródku. Babcia próbowała ją uspokoić, trzymała ją w ramionach przez kilka godzin, ale potem straciła cierpliwość i przywiązała ją do łóżka frędzlami od zasłony okiennej, które były tak stare, że po chwili popękały.

Na podrapanym policzku babci pojawiły się trzy krwawiące ranki.

– *Quelle conne. Diablesse** – syknęła.

Trudno powiedzieć, jak długo to trwało. Dla czterolatki czas to powódź albo wir. Może minęły miesiące. A może lata – to zupełnie prawdopodobne. Ciemność wirowała w niej, a potem

---

* *Quelle conne. Diablesse* (franc.) – Co za suka. Diablica.

się uspokoiła. W wyobraźni Aurélie twarze rodziców zamieniły się w dwie bliźniacze smugi. Czy nad górną wargą ojca był wąsik? Czy matka miała jasne czy ciemne włosy? Zapomniała zapach rodzinnego domu na farmie, chrzęst żwiru pod butami, bezustanny półmrok w kuchni, nawet gdy włączono światło. Wilk skulił się, ułożył w jej piersi i pochrapywał.

3

Na pogrzeb Lotta przyszły tysiące ludzi. Wiedziała, że kochało go wiele osób, również nieznajomych. Ale nie spodziewała się, że aż tyle. Tłum nieznajomych stał na ścieżce i lamentował. O, wielki człowiek. O, książę wśród dramatopisarzy. Jechała na czele lśniącej kawalkady czarnych limuzyn jak kruk przewodzący zgromadzeniu kosów. Jej mąż wzruszał ludzi i dlatego należał teraz do nich. Jakaś cząstka jego żyła w nich. Nie był tylko jej. Był też ich.

Ta powódź smarków i łez wydała jej się niehigieniczna. Za dużo oddechów pachnących kawą. Natarczywe perfumy. Nienawidziła perfum. Używano ich, żeby zatuszować niedomycie albo ukryć zawstydzenie ciałem. Czyści ludzie nie muszą pachnieć kwiatami.

Po ceremonii sama pojechała na wieś. Nawet nie wiedziała, czy zaplanowano stypę. A może wiedziała, ale to wyparła; i tak by na nią nie poszła. Miała dość ludzi.

W domu było gorąco. Woda w basenie połyskiwała w słońcu. Jej czarne ubranie leżało na podłodze w kuchni. Pies zwinął się w kłębek na poduszce, w kącie widać było tylko jego dzikie oczy jak dwa koraliki.

[Bóg, ten mały głuptas, lizała bose, siniejące stopy Lotta pod jego biurkiem, lizała i lizała, jakby chciała w ten sposób przywrócić go do życia].

Nagle ja w dziwny sposób oderwało się od jej nagiego ciała i Mathilde przyjrzała się sobie samej.

Światło przesunęło się po pokoju, zgasło i do środka zakradła się noc. Bezwolne ja patrzyło, jak przyjaciele podchodzą pod okno na tyłach domu zaskoczeni widokiem jej nagiego ciała przy stole kuchennym, odwracają wzrok i wołają przez szybę:

– Wpuść nas, Mathilde. Wpuść nas.

Czekała, aż dadzą za wygraną i wrócą do swoich domów.

Nago w łóżku odpisała: „Dziękuję", „Dziękuję", na wszystkie e-maile, aż przypomniała sobie o funkcji Control + C, Control + V, potem już tylko kopiowała „Dziękuję". Zauważyła gorącą herbatę w ręce i podziękowała nagiej sobie za jej troskę, nagle znalazła się w basenie w świetle księżyca, martwiąc się o stan psychiczny nagiej siebie. Naga Mathilde nie reagowała na dzwonek do drzwi, obudziła się po nie swojej stronie łóżka, szukając ciepła, którego tam już nie było, zostawiła jedzenie na ganku, żeby zgniło, zostawiła też kwiaty na ganku, żeby zgniły, patrzyła, jak pies sika na środku kuchni, zrobiła mu jajecznicę, bo skończyła się karma, dodała do niej resztkę warzywnego chili zrobionego przez Lotta, patrzyła, jak Bóg liże zaczerwieniony odbyt, który piecze ją z powodu ostrych przypraw. Naga Mathilde zamknęła się na klucz, ignorując najbliższych, którzy zaglądali do środka i wołali:

– Mathilde, przestań! Mathilde, wpuść nas, Mathilde, nigdzie się stąd nie ruszymy, będziemy spać w ogrodzie.

Ostatnia przyszła ciotka jej męża, która faktycznie spała w ogrodzie, póki naga Mathilde nie otwarła drzwi, żeby Sallie mogła wejść do środka. Ciotka Sallie w ciągu kilku krótkich miesięcy straciła dwie ukochane osoby, ale postanowiła przeżyć żałobę, nosząc barwne jak paw sukienki z tajskiego jedwabiu i farbując włosy na granatowoczarny kolor. Naga Mathilde zakryła głowę kołdrą, kiedy na łóżku zjawiła się taca, i trzęsła się z zimna, aż w końcu znowu zasnęła. Taca, sen, łazienka, taca, sen, złe myśli, okropne wspomnienia, wycie Bóg, taca, sen; to trwało w nieskończoność.

„Ja zostaję tutaj, zimna, wdowa w twoich komnatach". Andromacha, żona idealna, płakała, trzymając głowę martwego Hektora w objęciach. „Zostawiłeś mi tylko gorycz i lęk. Nie umarłeś w łóżku, wyciągając do mnie ramiona. Nie zostawiłeś mi ostatniego słodkiego słowa, które mogłabym wspominać w żałobie. *Andromaque, je pense à vous!*"*.

To trwało w nieskończoność, ale w pierwszym tygodniu jej wdowieństwa, gdzieś w namiocie z kołdry, w łóżku skrywającym jej nagie ciało, poczuła ogromną, dławiącą żądzę. Musiała się z kimś przespać. I to kilkakrotnie. Zobaczyła paradę wbijających się w nią mężczyzn, milczących, w czarno-białych strojach jak w filmie niemym. I to wszystko przy rozbrzmiewającej muzyce organów. Muzyka organów. Ha!

Już kilka razy odczuwała wcześniej takie pożądanie. Przez pierwszy rok z Lottem. I przez pierwszy rok po tym, jak zaczęła uprawiać seks, na długo przed poznaniem Lotta. On zawsze wierzył, że ją rozdziewiczył, ale ona po prostu miała okres. Nie wyprowadziła go z błędu. Nie była dziewicą, ale przed nim spała tylko z jednym mężczyzną. Nigdy nie zdradziła mężowi tego sekretu. On by tego nie zrozumiał; egotyzm nie pozwoliłby mu się pogodzić ze świadomością, że miał poprzednika. Skrzywiła się na samo wspomnienie siebie w wieku siedemnastu lat, w liceum, kiedy po inicjacji, która nastąpiła w pewien weekend, wszystko zaczęło jej się kojarzyć. Światło igrające na płatkach astrów rosnących w rowie, ubranie drażniące jej skórę przy każdym ruchu. Słowa wydobywające się z ust, kształtowane przez język, zwijane, muskane wargami. Czuła się tak, jakby mężczyzna nagle sięgnął do jej wnętrza i wywołał na jej skórze drżenie potężne jak trzęsienie ziemi. Przez ostatnie tygodnie szkoły miała ochotę zjeść każdego z tych pysznych chłopców. Gdyby tylko mogła,

---

* *Andromaque, je pense à vous!* (franc.) – Andromacho, myślę o tobie!

połknęłaby ich wszystkich. Uśmiechnęła się do nich szeroko, a oni się rozpierzchli. Zaśmiała się, ale żałowała, że do niczego nie dojdzie.

To nie miało jednak znaczenia. Od czasu ich ślubu istniał dla niej tylko Lotto. Nie zdradziła go. Wiedziała, że on też dochowuje jej wierności.

W domku z wiśniowym sadem pogrążona w głębokiej żałobie Mathilde przypomniała sobie to wszystko, wstała z brudnego łóżka i wzięła prysznic. Ubrała się w ciemnej łazience i chyłkiem przemknęła obok pokoju, w którym wciąż jeszcze pochrapywała ciotka Sallie. Kiedy mijała następny pokój, przez otwarte drzwi spoglądała na nią Rachel z głową opartą na poduszce. W ciemności miała twarz jak fretka: trójkątną, czujną, rozedrganą. Mathilde wsiadła do mercedesa.

Mokre włosy związała w niedbały kok. Nie umalowała się, bo nie musiała. W jednym z pobliskich miast znała bar dla młodych bogaczy, a w nim siedział smutny facet w czapeczce z emblematem drużyny Red Sox. Dwa kilometry dalej w małym zagajniku na rozstaju dróg, gdzie w każdej chwili światła reflektorów przejeżdżającego samochodu mogłyby ich przygwoździć jak ćmy do deski, stała na jednej nodze, zakładając drugą na poruszające się miarowo biodro smutnego fana bejsbolu, i krzyczała:

– Mocniej!

Na twarzy mężczyzny, początkowo skoncentrowanej, pojawiło się zaniepokojenie, przez chwilę dzielnie kontynuował, a ona krzyczała do niego:

– Mocniej! Szybciej, jebako!

Aż wreszcie tak się zdenerwował, że musiał symulować orgazm, odsunął się, wymamrotał, że idzie się wysikać, a ona usłyszała tylko szelest liści pod jego stopami, kiedy od niej uciekał.

Rachel wciąż patrzyła z ciemności, kiedy Mathilde wróciła na górę. W małżeńskiej sypialni olbrzymia pustka łóżka wydała jej się obsceniczna. Pod jej nieobecność ktoś zmienił pościel. Kiedy się położyła, chłodna, pachnąca lawendą kołdra ocierała się oskarżycielsko o jej skórę.

Pewnego razu, kiedy siedziała obok Lotta w ciemności w trakcie premiery jednej z jego dzikich wczesnych sztuk, to, czego dokonał, zrobiło na niej ogromne wrażenie. Jego wspaniała wizja ożyła na jej oczach, Mathilde nachyliła się do niego i polizała jego twarz od ucha do wargi. Nie potrafiła się powstrzymać.

Podobnie się czuła, kiedy wzięła na ręce nowo narodzoną córeczkę Rachel i Elizabeth – tak bardzo zapragnęła posiąść niewinność dziecka, że włożyła sobie jego malutką piąstkę do ust i trzymała ją tam, aż wreszcie dziecko zaczęło płakać.

Pożądanie wdowy było przeciwieństwem tego pragnienia.

Wdowa. „To słowo pochłania samo siebie" – powiedziała Sylvia Plath, która pochłonęła samą siebie.

4

W jadalni, nad zapiekanką jabłkową, obleciał ją strach; uciekła do ubikacji i bardzo długo siedziała jak sparaliżowana na desce klozetowej przykrytej papierem toaletowym. Za kilka dni miała skończyć studia. Przez poprzedni miesiąc stała przerażona na skraju przepaści, która się przed nią otworzyła. Ona, od urodzenia przerzucana z jednej klatki do drugiej, miała wkrótce zyskać wolność, mogła odlecieć, ale umierała ze strachu na myśl o przestworzach.

Drzwi się otworzyły i do łazienki weszły dwie dziewczyny, rozmawiając o majątku Lancelota Satterwhite'a.

— Potentat wody mineralnej — mówiła jedna z nich. — Jego matka to miliarderka.

— Lotto? Naprawdę? – zdumiała się druga. – Cholera! Przespałam się z nim na pierwszym roku. Gdybym wtedy to wiedziała.

Obie wybuchły śmiechem, a pierwsza powiedziała:

— Akurat. To pies na baby. Chyba jestem jedyną dziewczyną w dolinie Hudsonu, która jeszcze nie widziała jego interesu. Podobno z żadną nie sypia dwa razy.

— Poza Bridget. Zupełnie tego nie rozumiem. Potworna nudziara. Nie mogłam uwierzyć, kiedy usłyszałam, że ze sobą chodzą, przecież ona wygląda jak dziecko bibliotekarki. Jakby przez cały czas stała w ulewnym deszczu.

– Tak, no cóż, ich związek przypomina mi relację rzepa z psem.

Dziewczyny się zaśmiały i wyszły.

Hmm – pomyślała Mathilde. Spuściła wodę, wyszła, umyła ręce. Przyjrzała się sobie krytycznie w lustrze. Uśmiechnęła się.

– Alleluja – powiedziała głośno do swojego lustrzanego odbicia, do jasnej Mathilde o ostrych rysach twarzy, która powtórzyła jej słowa swoimi ślicznymi ustami.

Zdała egzaminy końcowe i zrezygnowała z wycieczki do miasta. Pieczołowicie dobrała strój. Tamtego wieczoru zobaczyła swoją zdobycz na scenie i była pod dużym wrażeniem: znakomicie odegrał manię Hamleta. Pomimo swojego wzrostu przypominał żwawego szczeniaka. Z daleka nie było widać blizn po trądziku na jego twarzy, biło od niego złote światło, które opromieniało publiczność. Oklepany monolog powiedział w tak seksowny sposób, że pokazał go od nowej strony.

– „O tak, taki koniec byłby czymś upragnionym"* – wyrecytował z łobuzerskim uśmiechem.

Wyobraziła sobie, że cała widownia czuje ciepłe mrowienie. Wyglądał obiecująco. W świetle lampek świecących między rzędami krzeseł przeczytała w programie jego pełne nazwisko: Lancelot „Lotto" Satterwhite, i zmarszczyła czoło. Lancelot. No trudno. Musiała się z tym pogodzić.

Impreza dla aktorów odbywała się w akademiku zbudowanym w stylu brutalistycznym. Nigdy wcześniej tam nie była. Przez cztery lata nie pozwalała sobie na imprezy i przyjaciół. Nie mogła ryzykować. Przyszła wcześniej i stała w zacinającym deszczu pod portykiem, paląc papierosa. Czekała na Bridget. Kiedy ta wreszcie przydreptała pod parasolem razem ze swoimi trzema posępnymi przyjaciółkami, Mathilde weszła za nimi do środka.

Bez trudu oddzieliła Bridget od jej przyjaciółek. Wystarczyło zadać jej jedno pytanie o inhibitory zwrotnego wychwytu

---

* William Shakespeare, *Hamlet*, tłum. Stanisław Barańczak, Kraków 1999, s. 96.

serotoniny w związku z końcowym egzaminem z neurobiologii, który miał się odbyć za kilka dni, żeby pozostałe dziewczyny gdzieś zniknęły, a Bridget w dobrej wierze wszystko jej wyjaśniła. Potem Mathilde napełniła jej kubek wódką z odrobiną soku owocowego.

Bridget pochlebiała rozmowa z Mathilde.

– O Boże! – powiedziała. – Nigdy nie wychodzisz! Wszyscy cię znają, ale nikt z tobą nie rozmawiał. Jesteś jak biały wieloryb w Vassar. – Zaczerwieniła się. – To znaczy najszczuplejszy i najśliczniejszy biały wieloryb. Aach! Wiesz, co mam na myśli.

Piła nerwowo. Mathilde jej dolewała, a ona piła, Mathilde jej dolewała, a ona piła, a potem Bridget wymiotowała na klatce schodowej.

– Ohyda! – wykrzykiwali mijający ją ludzie.

– O Boże, Bridget.

– Obrzydlistwo, wyprowadźcie tę pijaczkę na zewnątrz.

Mathilde wezwała przyjaciółki i stojąc przy balustradzie na półpiętrze, patrzyła, jak zabierają dziewczynę do domu.

Kiedy Bridget schodziła po schodach, minął ją Lotto.

– Ojej! – zatroskał się i poklepał ją po ramieniu, a potem przeskoczył kilka ostatnich stopni i dołączył do imprezowiczów.

Mathilde obserwowała wszystko z oddali.

Pierwszy problem rozwiązała. Bez trudu.

Na zewnątrz, gdzie wciąż padał chłodny deszcz, wypaliła jeszcze dwa papierosy, nasłuchując odgłosów imprezy. Odczekała dziesięć piosenek. Kiedy rozległ się przebój grupy Salt-n-Pepa, wróciła do środka i weszła na górę. Spojrzała na drugi koniec sali.

On stał na parapecie pijany, krzyczał, nie podejrzewała, że ma tak muskularne ciało. Biodra przepasał żelową maską na oczy, pożyczoną od jakiejś dziewczyny, a do głowy przywiązał sobie bandażem butelkę po wodzie. Ani krzty godności, ale, Jezu, ile piękna. Miał dziwną twarz, jakby kiedyś był urodziwy, i z daleka wciąż świetnie wyglądał. Wcześniej widziała go tylko w pełnym ubraniu i nie sądziła, że jest tak dobrze zbudowany. Obmyśliła wiele wersji, ale nie przewidziała, że ugną się pod nią nogi i w jednej chwili zapragnie się z nim pieprzyć.

W myślach rozkazała mu, żeby podniósł głowę i ją zobaczył. Podniósł głowę. Zobaczył ją. Jego twarz zastygła. Znieruchomiał. Poczuła dreszcze na karku. On wskoczył w tłum, przewracając jakąś biedną, małą dziewczynę, przepłynął wśród tańczących i podszedł do Mathilde. Był od niej wyższy. Ona miała metr osiemdziesiąt, w tych szpilkach metr dziewięćdziesiąt; rzadko spotykała wyższych od siebie mężczyzn. Podobało jej się to nieoczekiwane uczucie, że jest mniejsza, bardziej delikatna. On dotknął jej dłoni. Uklęknął na jedno kolano.

– Wyjdź za mnie! – krzyknął.

Nie wiedziała, co zrobić; zaśmiała się, spojrzała na niego z góry i powiedziała:

– Nie!

Kiedy on potem opowiadał tę historię, w czasie tylu przyjęć i kolacji, ona słuchała jej z uśmiechem, przechylając głowę, śmiejąc się, on twierdził, że odpowiedziała: „No jasne!". Nigdy go nie poprawiła, ani razu. Niech sobie wierzy w tę iluzję, jeśli to go uszczęśliwia. Uwielbiała go uszczęśliwiać. No jasne! To nie była prawda, przyjęła jego oświadczyny dopiero dwa tygodnie później, ale przecież jego kłamstwo nikomu nie wyrządzało krzywdy.

Lotto opowiadał tę historię tak, jakby zakochali się w sobie od pierwszego wejrzenia, a był urodzonym opowiadaczem. Przekształcał rzeczywistość w prawdy różnego rodzaju. Według niej była to miłość od pierwszego pieprzenia. Ich małżeństwo zawsze opierało się na seksie. Poszła z nim do łóżka dopiero wtedy, kiedy zakończyła wcześniejszą relację, a oczekiwanie rozpaliło ich oboje. Potem pożądanie na długo przysłoniło im cały świat.

Nawet wtedy dobrze wiedziała, że nie istnieje coś takiego jak: „No jasne". Nic nie jest jasne. Bogowie uwielbiają robić nas w konia.

To prawda, przez krótki czas ich szczęście było absolutne, pewne, całkowicie ją pochłonęło. Zamglony dzień, kamienista plaża. Odnajdowała radość nawet w chwilach irytacji, kiedy gryzły ją muchy piaskowe, kiedy marzła albo kiedy ostre kamienie na plaży w Maine rozcięły jej palec jak winogrono i kulejąc, wracała do domu, który wynajęli na noc poślubną. Mieli po dwadzieścia dwa lata. Cały świat stał przed nimi otworem. Byli u szczytu możliwości. Ogrzała dłonie o plecy męża i muskała palcami mięśnie poruszające się pod jego skórą. W jej kręgosłup wbiła się muszla. Poczuła, jak go w siebie zagarnia. Ich pierwszy raz po ślubie. Wyobraziła sobie węża boa połykającego cielaka.

Jeśli wtedy miał wady, nie dostrzegała ich; może to była prawda, może faktycznie znalazła jedyną osobę na świecie pozbawioną wad. Nie potrafiłaby go sobie nawet wymarzyć. Niewinny, czarujący, zabawny, lojalny. Bogaty. Lancelot Satterwhite. Lotto. Tamtego ranka wzięli ślub. Cieszyła się, że piasek wdziera się w każde zagłębienie w jej ciele; nie ufała przyjemności w czystej formie.

Ten małżeński pierwszy raz skończył się bardzo szybko. On zaśmiał się do jej ucha, ona ze śmiechem wtuliła twarz w jego szyję. To nie miało znaczenia. Stali się jednością. Nie była już sama. Przepełniała ją nieznośna wdzięczność. On pomógł jej wstać, schylili się po ubrania, a ocean i wydmy zgotowały im aplauz. Przez cały weekend rozpierała ją radość.

Jeden weekend musi wystarczyć. Wie, że nie zasługuje na wiele. Mimo to jest chciwa.

Świeciło wspaniałe majowe słońce, kiedy wracali ze swojej krótkiej podróży poślubnej. Lotto, który zawsze był rozchwiany jak nastolatek, prowadził i ze łzami w oczach słuchał jakiejś rzewnej ballady. Przyszło jej na myśl tylko jedno: położyła głowę na jego udach i zajęła się Małym Lottem, żeby Duży Lotto przestał płakać. Mijająca ich półciężarówka zatrąbiła z uznaniem.

W Poughkeepsie, jeszcze przed wejściem do swojego mieszkania, powiedziała:

– Chcę wiedzieć o tobie wszystko. Chcę jak najszybciej spotkać twoją matkę, ciotkę i siostrę. Po rozdaniu dyplomów jedźmy na Florydę. Chcę pożreć twoje życie.

Zaśmiała się – trochę z powodu własnej szczerości. Och, mieć matkę, rodzinę! Od tak dawna żyła samotnie. Czasem śniła na jawie o teściowej, która zabiera ją do spa na cały dzień, która jako jedyna rozumie niektóre jej żarty, z którą wysyłają sobie nawzajem drobne prezenty z liścikami: „Zobaczyłam to i pomyślałam o tobie".

Ale coś poszło nie tak. Po chwili Lotto pocałował kostki jej dłoni i wymruczał:

– M. Kochana. Mamy na to resztę życia.

Przeszył ją chłód. Co to ma znaczyć? Waha się? Może już się jej wstydzi. Przed oczami stanął jej dyptyk Cranacha: Adam i Ewa z długimi udami, malutkimi głowami, wielkimi stopami z posiniałymi od chłodu kostkami. Nawet w raju żyją węże.

– Muszę napisać końcową pracę z socjologii – dodał przepraszająco. – Zostało mi sześć godzin, ale jak tylko ją oddam, wrócę do domu z kolacją. Kocham cię ponad wszystko.

– Ja ciebie też – odparła i zamknęła drzwi samochodu, próbując zdusić w sobie narastającą panikę.

Wróciła do mieszkania, które się skurczyło, wypełniło się jej szarym minionym życiem. Wzięła gorącą kąpiel i ucięła sobie drzemkę pod puchową kołdrą. Z głębokiego snu wyrwał ją telefon. Oczekiwała złych wiadomości. Tylko nieszczęście mogło tak pilnie domagać się uwagi.

Przygotowała się na najgorsze.

– Halo.

– Dzień dobry. – W słuchawce rozległ się miękki, słodki głos. – Pomyśleć, że dowiaduję się o istnieniu synowej, choć Kain mi jej nie przedstawił.

Dopiero po chwili Mathilde zdołała wydusić z siebie odpowiedź.

– Pani Satterwhite. Tak się cieszę, że mogę z panią wreszcie porozmawiać.

Głos w słuchawce mówił nieprzerwanie:

– Muszę wyznać, że jak każda zatroskana o swoje dziecko matka postanowiłam sprawdzić, kim jesteś i skąd pochodzisz. Moje śledztwo zaprowadziło mnie w osobliwe rejony. Jesteś urocza, tak jak mi mówiono. Widziałam twoje zdjęcia, szczególnie spodobał mi się ten katalog z biustonoszami, choć twoje piersi wydają się nieco małe, ciekawe, kto cię zatrudnił, żebyś je pokazywała. Szczerze mówiąc, niespecjalnie przypadła mi do gustu ta rozkładówka w czasopiśmie dla nastolatek, na której wyglądałaś jak zmokły terier. Zabawne, że ktoś postanowił zapłacić ci, żeby pokazywać cię na zdjęciach w negliżu. Ale przyznaję, niektóre twoje fotografie są śliczne. Jesteś bardzo ładna. Gdyby brać pod uwagę tylko twój wygląd, byłabyś idealną dziewczyną dla mojego Lancelota.

– Dziękuję – odparła ostrożnie Mathilde.

– Ale nie chodzisz do kościoła, a to, prawdę powiedziawszy, trochę mnie martwi. Poganka w rodzinie. Nie podoba mi się to. A jeszcze bardziej zaniepokoiło mnie to, czego dowiedziałam się o twoim wujku i ludziach, z którymi się zadawał. Bardzo podejrzane towarzystwo. Wiele można się dowiedzieć o człowieku, kiedy poznaje się jego rodzinę. Bardzo mnie martwi to, co odkryłam. A poza tym z rezerwą traktuję osobę, która uwiodła tak wrażliwego chłopca jak mój syn i wyszła za niego w takim pośpiechu. Coś takiego mogłaby zrobić tylko niebezpieczna i wyrachowana kobieta. Podsumowując, dochodzę do wniosku, że ty i ja nigdy nie dojdziemy do porozumienia. Przynajmniej nie w tym życiu.

– No cóż, Antoinette. W takim razie połączy nas taka relacja, jaka zazwyczaj wiąże teściowe i synowe.

Obie się zaśmiały.

– Możesz mi mówić pani Satterwhite – powiedziała matka Lotta.

– Mogę. Ale nie zamierzam – odparowała Mathilde. – A jak ci się podoba: mamo?

– Nie dajesz za wygraną, prawda? Cóż, mój Lancelot ma tak łagodne serce, że pewnie powinien poślubić kobietę z charakterem. Obawiam się jednak, że to nie ciebie wybierze.

– Już wybrał. W czym mogę ci pomóc? Czego chcesz?

– Pytanie brzmi, moja droga, czego ty chcesz. Jak się domyślam, wiesz, że Lancelot pochodzi z majętnej rodziny. Oczywiście, że to wiesz! Dlatego za niego wyszłaś. Spotykaliście się tylko dwa tygodnie, nie ma mowy, żebyś tak szybko zakochała się w moim synu, choć faktycznie jest przeuroczy. Jak go znam, pewnie nie powiedział ci jeszcze, że póki żyję, a ty będziesz jego żoną, nie zobaczysz ani centa z moich pieniędzy. Oznajmiłam mu to wczoraj rano, kiedy zadzwonił do mnie, żeby się pochwalić, co zrobiliście. Oboje jesteście w gorącej wodzie kąpani. Zachowujecie się jak dzieci. A teraz zostaliście bez centa przy duszy. Ciekawe, jak się teraz czujesz. Tak mi przykro, że zrujnowałam twoje plany. – Mathilde mimowolnie wstrzymała oddech. Antoinette kontynuowała. – Oczywiście to oznacza, że wyjdziesz na tym znacznie lepiej, jeśli anulujecie małżeństwo. Weź sto tysięcy dolarów i będziemy kwita.

– Ha! – zakrzyknęła Mathilde.

– Kochanie, w takim razie ty wyznacz cenę. Wszystko mi jedno. W takich sytuacjach nie należy oszczędzać. Powiedz tylko słowo, a ja wszystko załatwię. Pomyśl, czego potrzebujesz, żeby zacząć życie po studiach, a ja jeszcze dziś po południu prześlę ci pieniądze. Ty podpiszesz wymagane dokumenty i znikniesz. Zostawisz w spokoju moje biedne dziecko, niech się wyszumi, a potem znajdzie sobie jakąś dobrą, uroczą dziewczynę i wróci do mnie na Florydę.

– Interesujące – uznała Mathilde. – Jak na kogoś, kto nie odwiedził syna przez okrągły rok, jesteś bardzo zaborcza.

– No cóż, kochanie, dziecko nosi się w łonie przez prawie rok, a potem widzi się w nim odbicie siebie samej i swojego męża. To oczywiste, że jestem zaborcza. To moja krew. Ja go stworzyłam. Sama się o tym przekonasz.

– Nie sądzę.

– Pięćset tysięcy? Nie? Może milion? – drążyła Antoinette. – Wystarczy, że zdezerterujesz. Weź pieniądze i uciekaj. Z milionem dolarów możesz żyć, jak zechcesz. Podróżować, zwiedzić obce kraje. Otworzyć własną firmę. Zwabić bogatszych mężczyzn. Świat stanie przed tobą otworem, Mathilde Yoder. Potraktuj to jako pierwsze ziarenko piasku, które kiedyś stanie się perłą.

– Z pewnością masz dar tworzenia pięknych metafor. W pewnym sensie to podziwiam.

– Twój komentarz każe mi się domyślać, że doszłyśmy do porozumienia. Doskonały wybór. Nie jesteś głupia. Zadzwonię do swojego prawnika i za kilka godzin jego asystent przyniesie ci dokumenty.

– Och, cudownie – powiedziała łagodnie Mathilde. – To będzie takie wspaniałe.

– Tak, moja droga. Postępujesz bardzo rozsądnie, przyjmując moją propozycję. To niezłe pieniądze.

– Nie to miałam na myśli. Z rozkoszą będę wymyślała kolejne sposoby, by go do ciebie nie dopuścić. To będzie nasza mała gra. Zobaczysz. W czasie wakacji, w twoje urodziny albo kiedy się rozchorujesz, twój syn będzie musiał zostać ze mną. Będzie przy mnie, a nie przy tobie. Wybierze mnie, a nie ciebie. Mamo. Tak mówi do ciebie Lotto i ja też już wkrótce zacznę cię tak nazywać. Doprowadzę do tego, że w końcu przeprosisz, zmuszę cię do uległości, w przeciwnym razie już nigdy go nie zobaczysz.

Delikatnie odłożyła słuchawkę, wyłączyła telefon z gniazdka i poszła wziąć drugą kąpiel, bo jej podkoszulek zrobił się mokry od potu. Po kilku dniach dostała pierwszy z wielu najeżonych wykrzyknikami liścików od Antoinette. W odpowiedzi Mathilde wysłała jej zdjęcia: Lotto i Mathilde się uśmiechają; Lotto i Mathilde przy basenie; Lotto i Mathilde w San Francisco; Mathilde w ramionach Lotta, który przenosi ją przez wszystkie progi w ich nowym mieszkaniu. Kiedy Lotto wrócił tamtego wieczoru, nic mu nie powiedziała. Obejrzeli serial komediowy. Razem wzięli prysznic. Potem nago zjedli calzone.

5

Po śmierci Lotta czas się wykoleił.

Sallie doszła do wniosku, że wszelkie próby porozumienia się z Mathilde nie mają sensu. Mathilde wciąż była odrętwiała. Rozpacz otaczała ją niczym pole siłowe, przez które nikt nie potrafił się przedrzeć. Sallie wróciła do Azji, tym razem do Japonii. Powiedziała, że przyjedzie za rok, jak Mathilde przestanie się boczyć.

– Już zawsze taka będę – oświadczyła Mathilde.

Sallie położyła suchą brązową dłoń na jej twarzy i uśmiechnęła się łagodnie.

Tylko siostra Lotta uparcie do niej wracała. Kochana, słodka Rachel, kobieta o czystym sercu.

– Masz tu szarlotkę – mówiła. – Masz tu bochenek chleba. Masz tu bukiet chryzantem. Masz tu moją córkę, weź ją na ręce, ukoi twój smutek.

Wszyscy inni dali jej przestrzeń. I czas.

– Jezu, kto by pomyślał, że Mathilde to taka suka – dziwili się jej przyjaciele, bezskutecznie usiłujący wyciągnąć ją z rozpaczy. – Kiedy żył Lotto, zachowywała się zupełnie inaczej. Nie uwierzysz, co mi powiedziała.

– Opętał ją demon – dodawał ktoś inny.

– To z rozpaczy – powtarzali z mądrymi minami i wydawało im się, że przejrzeli ją na wylot.

Milcząco zawarli umowę: postanowili wrócić, kiedy Mathilde znowu będzie elegancka i uśmiechnięta. Zamiast ją odwiedzać, przysyłali prezenty. Od Samuela dostała bromelię w doniczce. Od Cholliego górę belgijskiej czekolady. Danica przysłała do niej swojego osobistego masażystę, którego Mathilde po prostu zignorowała. Arnie podarował jej skrzynkę wina, a Ariel długą czarną suknię z kaszmiru, którą Mathilde przez wiele dni tuliła do siebie. Dziwne, że to właśnie dawny szef przysłał jej ten idealny, miękki w dotyku prezent.

Kiedyś w nocy ocknęła się na długim, prostym pasie drogi w najnowszym mercedesie, który Lotto kupił tuż przed śmiercią. Jego matka umarła pół roku przed nim i odziedziczyli taką fortunę, że głupio im było jeździć piętnastoletnią hondą civic z niesprawnymi poduszkami powietrznymi. Lotto martwił się o pieniądze tylko wtedy, kiedy chodziło o jego komfort; w innych sprawach pozwalał, by to inni zajmowali się tym problemem.

Wcisnęła pedał gazu. Zajebiste przyspieszenie. Samochód jechał z prędkością stu dwudziestu, stu czterdziestu, stu sześćdziesięciu kilometrów na godzinę.

Wyłączyła światła i ciemność wyrosła przed nią jak sen na jawie.

Bezksiężycowa noc. Samochód jak ryba otarł się o ściany tunelu. Po chwili tak długiej jak całe jej życie zamarła zawieszona w ciemności. Spokój.

Samochód uderzył w przepust, przejechał po nadbrzeżu, wpadł na ogrodzenie z drutu kolczastego i dachował. Wylądował pośrodku stada śpiących krów.

Mathilde czuła krew w ustach. Prawie odgryzła sobie język. I co z tego. Przecież do nikogo się już nie odzywa. Poza tym nic jej się nie stało.

Wypełzła z samochodu, przełykając ciepłą ciecz o metalicznym smaku. Krowy rozpierzchły się, obserwowały całą scenę zza lip osłaniających je przed wiatrem. Tylko jedna klęczała obok samochodu. Kiedy Mathilde do niej podeszła, zobaczyła, że kark zwierzęcia broczy krwią.

Długo patrzyła, jak czerwona ciecz spływa na trawę. Nic nie mogła zrobić. Co teraz? Miała czterdzieści sześć lat, to jeszcze nie czas, by na zawsze rezygnować z miłości. Wciąż była w kwiecie wieku. Świetnie wyglądała. Budziła pożądanie. I została sama, na dobre.

Nie takie historie o kobietach się nam opowiada.

Opowieści o kobietach to historie miłosne o tym, jak ludzie się w sobie zatracają. Poprawka: o tym, jak bardzo pragną się w sobie zatracić. Kobiety, pogrążając się w samotności, biorą sprawy we własne ręce: trutka na szczury, koła rosyjskiego pociągu. Istnieją oczywiście mniej tragiczne warianty tej opowieści. Taka historia, zarówno w wersji ludowej, jak i w mieszczańskim sztafażu, to zawsze obietnica miłości na stare lata, składana wszystkim porządnym dziewczynom na tym świecie. Budzące rozbawienie stare ciała w czasie kąpieli, drżące dłonie męża mydlą obwisłe piersi żony, penis w erekcji jak różowy peryskop wychyla główkę z piany. Widzę was! Długie spacery chwiejnym krokiem pod platanami, całe historie zawierające się w jednym spojrzeniu z ukosa, w jednym słowie. On powiedziałby: „Mrowisko!", a ona „Martini!"; wróciłaby do nich intensywność jakiegoś dawnego żartu. Śmiech, piękne echo. Potem szliby we mgle na wcześniejszą kolację, zasypiali, oglądając film i trzymając się za ręce. Ich ciała jak guzowate patyki owinięte pergaminem. Jedno kładzie drugie na łożu śmierci, podaje zabójczą dawkę, umiera następnego dnia, na świecie nie ma już miłości bez oddechu drugiej połowy. Och, związek. Och, romans. Och, spełnienie. Wybaczcie jej, jeśli wierzyła, że będą na zawsze jej udziałem. Siły potężniejsze od niej pozwoliły jej się łudzić.

Miłość zawsze zwycięża! To wszystko, czego ci potrzeba! To największy dar! Poddaj się jej!

Kobiety, od kiedy tylko były na tyle duże, żeby same ubrać się w tiul, przełykały całe to gówno jak gęsi, którym do gardeł wtłacza się kukurydzę.

Jak głosi stara mądrość, każda potrzebuje drugiej osoby, żeby domknąć wszystkie obiegi, by zapłonąć pełnym ogniem.

[Kiedyś zweryfikuje poglądy. Gdy nadejdą te mroczne czasy, po osiemdziesiątce, daleko za horyzontem, będzie siedziała samotnie nad herbatą w jadalni w londyńskim domu, a kiedy podniesie wzrok, zobaczy swoją dłoń jak starą mapę, a potem popatrzy na okno, przez które do środka zajrzy niebieska papużka, naturalizowana obywatelka w tym nienaturalnym subtropikalnym świecie. W krótkim błękitnym rozbłysku zrozumie, że w jej życiu miłość wcale nie była najważniejsza. Owszem, kochała. Ciepło i magia. Lotto, jej mąż. Jezu, on naprawdę istniał. O tak, jej życie wypełniło się czymś więcej niż tylko miłością].

Jednak teraz, kiedy skąpe światło księżyca prześlizgiwało się po wgniecionej karoserii, krowim mięsie i szkle, czuła tylko ugryziony język i usta pełne krwi. Gorąca powódź o smaku rdzy. I wielkie „Co teraz?" rozciągające się w nieskończoność.

6

Pewnego dnia mała Aurélie stała z niebieską walizeczką w ręku i włosami zaczesanymi do tyłu. Miała pięć albo sześć lat.

– Jedziesz do babci do Paryża – poinformowała ją druga babcia, wysoka Bretonka.

Babcia z Paryża zawsze miała w sobie coś odstręczającego, coś żenującego; matka nigdy o niej nie mówiła; rzadko rozmawiały przez telefon. Aurélie nigdy jej nie spotkała. Nigdy nie dostawała od niej paczek z prezentami na imieniny.

Stały na korytarzu w pociągu. Twarz babci wykrzywił grymas.

– Matka twojej matki to jedyna krewna, która zgodziła się tobą zaopiekować – powiedziała.

– Wszystko mi jedno – odparła Aurélie.

– Nie dziwi mnie to – skwitowała babcia. Dała jej paczkę z kanapkami, jajkami na twardo, słoikiem ciepłego mleka i dwoma ciastkami z musem jabłkowym, a do płaszcza przyczepiła jej karteczkę. – Ani się waż ruszyć ze swojego miejsca. – Cmoknęła dziewczynkę w policzek, otarła jej zaczerwienione oczy wykrochmaloną chusteczką i wyszła.

Pociąg zahuczał. Cały świat, który znała Aurélie, zniknął gdzieś w tyle. Wieś: czarno-białe krowy, kury, wielki gotycki kościół, piekarnia. Kiedy pociąg się rozpędził, już wiedziała, czego szuka. Właśnie tego. Rozbłysku. Białego samochodu zaparkowanego pod cisem. Jej matka, blada, w granatowej sukience, włosy [tak, jasny blond] pod chustką, z założonymi rękami patrzyła na odjeżdżający pociąg. Jej usta jak czerwona smużka na białym tle. Pęd powietrza poderwał w górę jej chustkę i sukienkę. Nie było widać wyrazu jej twarzy. Po chwili zniknęła.

Naprzeciwko Aurélie siedział mężczyzna i przez cały czas się na nią gapił. Miał bladą, lśniącą skórę i zmęczone spojrzenie. Zamknęła oczy, żeby na niego nie zerkać, ale kiedy tylko je otworzyła, on wciąż na nią patrzył. Czuła, co się święci, ogarnął ją strach. Próbowała go stłumić. Ścisnęła kolana, ale na nic się to zdało. Włożyła obie dłonie między nogi, żeby powstrzymać mocz.

Mężczyzna się do niej nachylił.

– Moja mała – powiedział. – Zaprowadzę cię do ubikacji.

– Nie – odparła.

On sięgnął w jej kierunku, żeby ją pogłaskać, a ona krzyknęła tak głośno, że gruba dama siedząca w przeciwległym rogu przedziału z pieskiem na kolanach otworzyła oczy i posłała jej karcące spojrzenie.

– Cisza – warknęła.

– Zaprowadzę cię do toalety – zaproponował znów mężczyzna, obnażając drobne zęby.

– Nie – uparła się Aurélie i popuściła.

Poczuła przyjemnie ciepły mocz na udach.

– Fuj! – Mężczyzna skrzywił się i wyszedł z przedziału, a mocz powoli stygł.

Pociąg przez kilka godzin jechał na wschód, gruba dama zastygła we śnie, a jej piesek łakomie węszył, jakby smakował powietrze.

Nagle wjechali na stację.

Przed Aurélie stanęła babcia. Była tak piękną kobietą jak matka dziewczynki, miała rumiane policzki i gęste brwi, tylko jej oczy otaczała siateczka zmarszczek. Była zachwycająca. Miała wspaniałe, choć znoszone ubranie. Pachniała drogimi perfumami, a jej zgrabne palce wyglądały jak ołówki w miękkim aksamitnym etui. Nachyliła się, odebrała Aurélie paczkę i zajrzała do środka.

– Ach! Dobre wiejskie jedzenie – pochwaliła. Nie miała dolnego siekacza, przez co jej uśmiech miał w sobie coś intrygującego. – Zjemy dziś pyszną kolację.

Kiedy Aurélie wstała, mokra plama stała się widoczna. Babcia postanowiła tego nie zauważyć, wyglądała tak, jakby jej twarz zasłoniła roleta.

– Chodź – powiedziała jakby nigdy nic, a Aurélie ruszyła za nią, niosąc walizeczkę.

Mocz wysechł po drodze, podrażniając skórę na jej udach.

W drodze do domu kupiły kiełbaskę u rzeźnika, który w milczeniu zionął gniewem. Babcia wzięła bagaż Aurélie i wręczyła wnuczce biały pakunek. Kiedy dotarły do ciężkich niebieskich drzwi domu, dłonie dziewczynki były brudne od lepkiego czerwonego tłuszczu.

Mieszkanie babci było skromne, ale czyste. Nagie deski podłogowe zostały wyszorowane tak, że przypominały umytą skórę. Na ścianach wisiały kiedyś obrazki, ale zostały po nich tylko ciemne plamy na jasnej tapecie w kwiatowy deseń. W środku nie było cieplej niż na zewnątrz, tylko nie wiał wiatr. Babcia zauważyła, że Aurélie trzęsie się z zimna, i powiedziała:

– Ogrzewanie jest drogie. – Kazała jej na rozgrzewkę podskoczyć pięćdziesiąt razy. – Podskakiwanie nic nie kosztuje! – dodała.

Sąsiadka z dołu zastukała miotłą w sufit, żeby je uciszyć.

Zjadły kolację. Aurélie zobaczyła swój pokój: garderobę ze złożoną na pół na podłodze kołdrą udającą łóżko – nad tym posłaniem niczym baldachim wisiały ubrania babci, pachnące tak jak jej skóra.

– Przeniosę cię tutaj na noc, ale na razie możesz spać w moim łóżku – powiedziała babcia.

Obserwowała, jak dziewczynka zmawia modlitwę.

Aurélie patrzyła, jak babcia dokładnie się myje, szoruje zęby sodą oczyszczoną, poprawia makijaż i się perfumuje. Wyszła. Aurélie wpatrywała się w pękate żarówki na suficie. Obudziła się, kiedy przenoszono ją do garderoby. Drzwi się zamknęły. W sypialni głos mężczyzny, głos babci, skrzypienie łóżka. Następnego dnia postanowiono, że dziewczynka od razu pójdzie spać w garderobie, a babcia dała jej należące kiedyś do matki Aurélie książeczki o Tintinie i latarkę. Z czasem dziewczynka nauczyła się rozpoznawać głosy trzech mężczyzn: jeden głęboki, jakby otaczała go warstewka tłuszczu, drugi piskliwy jak po inhalacji helem, a trzeci szorstki jak kamień.

Babcia przechowywała nietrwałą żywność na parapecie, czasem wykradały ją gołębie albo szczury. Mężczyźni pojawiali się i znikali. Aurélie marzyła o przygodach w dziwnych krainach z kolorowanek, ignorowała hałasy, w końcu nauczyła się przy nich zasypiać. Poszła do szkoły i zachwycił ją porządek, pióra na naboje, papier milimetrowy, przejrzystość ortografii. Uwielbiała podwieczorki podawane w szkole: magdalenki z nadzieniem czekoladowym i mleko w woreczkach. Z zachwytem obserwowała rozrabiające dzieci. Trwało to około sześciu lat.

Wiosną, kiedy skończyła jedenaście lat, po powrocie do domu znalazła babcię nagą na łóżku. Była sztywna i lodowata. Z ust wystawał jej język. Na szyi miała siniaki, a może ślady po pocałunkach. [Nie]. Zerwane dwa paznokcie – na koniuszkach palców zastygła krew.

Aurélie powoli zeszła na parter. Nie zastała dozorczyni w domu. Wymknęła się na ulicę i pchnęła drzwi warzywniaka, gdzie stanęła roztrzęsiona w kącie, czekając, aż ekspedient zważy szparagi dla pani w futrzanej czapie. Sprzedawca był dla Aurélie miły, dawał jej w zimie pomarańcze. Kiedy zostali sami, nachylił się do niej i uśmiechnął, a kiedy powiedziała mu, co zobaczyła, jego twarz skamieniała. Wybiegł ze sklepu.

Potem wsadzono ją do samolotu lecącego za ocean. Poniżej kłębiły się chmury. Gdy się rozstępowały, woda się marszczyła i wygładzała. Nieznajomy obok niej miał biceps jak poduszka i delikatną dłoń, która długo gładziła głowę Aurélie, dopóki wreszcie dziewczynka nie zasnęła. Obudziła się w swoim nowym kraju.

Jej nauczyciele francuskiego w Vassar byli zachwyceni.

– Mówisz bez akcentu.

– Och, cóż – odpowiadała nonszalancko. – Może w poprzednim życiu byłam małą Francuzką.

W tym życiu była Amerykanką i mówiła z amerykańskim akcentem. Jej ojczysty język pozostał w ukryciu. Ale czasem zakłócał jej angielszczyznę jak korzenie, które wypychają od spodu płyty chodnikowe. Niekiedy używała francuskich wyrażeń, które w jej ustach brzmiały tak wyraziście, kobieco.

– Moje zadanie polega na tym, Lotto, żeby twoje życie wyglądało *comme il faut**.

Mąż patrzył na nią wtedy jakoś dziwnie.

– Chcesz powiedzieć, żeby wyglądało, tak jak trzeba? – poprawiał ją.

– Oczywiście.

Myliły jej się niektóre słowa. *Faux amis***. Były podobne do francuskich wyrazów, ale znaczyły co innego.

– Nie mogę oddychać – powiedziała, kiedy w wieczór premiery w teatrze Lotta otoczył tłum. – Co za agitacja.

Chciała powiedzieć „poruszenie", ale nasunęło jej się francuskie *agitation*. Cóż, agitacja też od biedy pasowała.

Choć doskonale opanowała angielski, zdarzało jej się przesłyszeć albo błędnie zinterpretować słowa. Przez całe dorosłe życie wydawało jej się, że wszystkie ważne rzeczy – testament, świadectwo narodzin, paszporty, zdjęcie z dzieciństwa – przechowuje się w banku, w miejscu o nazwie skrytka bankowa. Bezpieczeństwo wydawało jej się hipotetyczne – trzeba je było udowodnić.

---

* *Comme il faut* (franc.) – Jak trzeba.
** *Faux amis* (franc.) – dosłownie: fałszywi przyjaciele. Podobnie brzmiące wyrazy w języku angielskim mają odmienne znaczenie.

7

Jej język wciąż goił się po wypadku. Mówiła niewiele. Bolał ją, to prawda, ale milczenie jej odpowiadało. Kiedy decydowała się odezwać, okazywała pogardę.

Wieczorami wychodziła i podrywała facetów. Lekarza, który jeszcze nie zdjął kitla, otoczonego zapachem jodyny i goździkowych papierosów. Chłopca pracującego na stacji benzynowej, z delikatnymi wąsami, który potrafił pompować godzinami jak samotny szyb wiertniczy na teksańskiej pustyni. Burmistrza miasteczka, w którym z Lottem żyli tak szczęśliwie; właściciela kręgielni; nieśmiałego rozwodnika, który gustował w kwiecistej pościeli. Kowboja w butach, które jak ją z dumą poinformował, kosztowały czterysta dolarów. Czarnego saksofonistę jazzowego, który przyjechał do miasta grać na weselu.

W tamtym czasie wyrobiła sobie o nich opinię, nie mówiąc ani słowa. Dyrektor szkoły; właściciel obozu myśliwskiego; trener cross fitu o barkach jak ręczne granaty; słynny w pewnych kręgach poeta poznany kiedyś z Lottem w mieście przyjechał do niej w odwiedziny, kiedy pod wpływem impulsu wyprawił się na pielgrzymkę, by odbyć żałobę po Lotcie. Wsunął w nią trzy palce, a ona poczuła chłód jego obrączki.

Poderwała grubego, łysego kierowcę szkolnego autobusu. Chciał tylko trzymać ją w ramionach i płakać.

– To obrzydliwe. – Stała pośrodku pokoju w motelu w biustonoszu. Tego dnia pływała z włosami związanymi aksamitką. Jej loki wiły się na powierzchni jak węże wodne. – Przestań się mazgaić – rozkazała.

– Nie mogę – odparł. – Przykro mi.

– Przykro ci – powtórzyła.

– Jesteś taka śliczna. A ja taki samotny – szlochał. Usiadła ciężko na krawędzi łóżka. Na kołdrze widniała scena z dżungli.

– Mogę oprzeć głowę na twoich kolanach? – zapytał.

– Jeśli musisz.

Położył policzek na jej udach. Przygotowała się na ciężar jego głowy. Miał miękkie włosy i pachniał nieperfumowanym mydłem, gdy patrzyła na niego z góry, miał piękną różową i miękką skórę jak świnka.

– Moja żona umarła – wychlipał, a jego usta łaskotały jej nogę. – Pół roku temu. Rak piersi.

– Mój mąż umarł cztery miesiące temu – powiedziała. – Tętniak. – Pauza. – Wygrałam.

Jego rzęsy musnęły jej skórę, kiedy się nad tym zastanawiał.

– Wiesz więc, jak to jest?

– Tak. – Światło migające na skrzyżowaniu ulic przed motelem wypełniło pokój czerwienią, ciemnością, czerwienią, ciemnością. – Jak żyjesz? – zapytała.

– Kobiety przynoszą mi garnki pełne jedzenia. Dzieci dzwonią codziennie. Zapisałem się na kurs budowania latawców. Straszne głupoty.

– Nie mam dzieci.

– Przykro mi.

– A mnie nie. To była najlepsza decyzja mojego życia.

– A jak ty żyjesz? – zapytał.

– Pieprząc się do nieprzytomności z okropnymi facetami.

– Hej! – zawołał i zaśmiał się głośno. – I jak ci się to podoba?

– To ohydne.

– To czemu to robisz?

– Mąż był drugim mężczyzną, z którym uprawiałam seks. Byłam mu wierna przez dwadzieścia cztery lata. Chcę wiedzieć, co mnie ominęło – wyjaśniła.

– I co cię ominęło? – zapytał.

– Nic. Mężczyźni są do niczego w łóżku. Wszyscy poza moim mężem.

Pomyślała: no dobra, może zdarzyła mi się niespodzianka, może dwie, ale zazwyczaj było okropnie.

Mężczyzna odwrócił w jej stronę twarz okrągłą jak księżyc w pełni. Zostawił różowe wilgotne zagłębienie w jej udzie. Spojrzał na nią z nadzieją.

– Podobno jestem świetnym kochankiem – powiedział.

Włożyła sukienkę przez głowę i zasunęła zamki w wysokich butach.

– Okazja przemknęła ci przed nosem – mruknęła.

– Och, nie bądź taka. To nie potrwa długo.

– Jezu Chryste. – Położyła dłoń na klamce.

– Baw się dobrze jako dziwka. – W jego głosie słychać było gorycz.

– Jesteś małym, smutnym facetem – oświadczyła i wyszła, nawet się nie odwracając.

Mathilde nie mogła na to nic poradzić. Przemykające jej przed oczami obrazy przyprawiały ją o ból głowy; książki pozostawiały w niej pustkę. Nużyły ją stare sposoby opowiadania, wszystkie te zużyte schematy narracyjne, znajoma gęstwina intrygi, grube powieści o tematyce społecznej. Potrzebowała czegoś bardziej chaotycznego, czegoś ostrzejszego, co wybuchłoby w niej jak bomba.

Wypiła dużo wina i zasnęła, a kiedy się obudziła, leżała na łóżku po stronie męża. Wtedy z dojmującą goryczą uświadomiła sobie, że Lotto nigdy jej nie rozumiał.

W jakiś sposób, choć była tak inteligentnym strategiem, stała się żoną, a żony, jak wiadomo, są niewidzialne. To elfy troszczące się o małżeństwo, wychodzące na świat o północy. Dom na wsi, mieszkanie w mieście, podatki, pies – to ona o wszystko dbała: on nie wiedział, jak ona spędza czas. Dzieci tylko by ją pogrążyły; dzięki Bogu za bezdzietność. Było coś jeszcze: wiele z jego sztuk, co najmniej połowę, poprawiła, zakradłszy się w nocy do jego gabinetu, udoskonalając to, co on napisał. [Nie pisała od nowa; redagowała, cyzelowała, dodawała blasku]. Zajmowała się kwestiami biznesowymi; nachodziły ją przerażające wizje, że on marnotrawi pieniądze z powodu swojej lekkomyślności i niezaradności.

Kiedyś, w czasie przedpremierowych pokazów *Domu w gaju*, kiedy wydawało się, że sztuka zrobi klapę, Mathilde poszła do biura administracji teatru. Późne popołudnie, deszcz i kawa. Z tak uroczą złośliwością beształa kierownika produkcji, że ugięły się pod nim nogi i biedny chłopiec musiał usiąść na karmazynowej otomanie, żeby nad sobą zapanować.

– Zwalniam cię – oznajmiła na koniec.

Chłopiec wstał i wybiegł z biura. Nie zauważyła, że w cieniu na korytarzu czai się Lotto.

– Aha, wbrew temu, co mi się wydawało, reżyserzy nie przysyłają do ciebie członków zespołu na motywującą pogadankę. Myślałem, że dajesz im magiczne ciasteczka i kawę z mlekiem, a oni wypłakują się na twoim ramieniu.

– Niektórzy potrzebują motywacji innego typu – odparła.

Wstała i przechyliła głowę w jedną i drugą stronę.

– Nie uwierzyłbym, gdybym nie zobaczył tego na własne oczy.

– Mam przestać? – zapytała.

Gdyby przestała, wylądowaliby w przytułku. Mogła jednak działać nieco dyskretniej, żeby on się o niczym nie dowiedział.

Wszedł i zamknął za sobą drzwi na klucz.

– Tak naprawdę mnie to podnieciło – powiedział, podchodząc do niej. – Widzę ją jako dziewiczą Walkirię, jak wjeżdża na rumaku w okrąg, wśród grzmotów i błyskawic, a potem opuszcza go z martwym ciałem bohatera przewieszonym przez siodło.

Podniósł ją i owinął sobie jej uda wokół bioder, odwrócił się i przycisnął jej plecy do drzwi.

To był cytat? Nie obchodziło jej to. W jego głosie słychać było ogromny podziw. Zamknęła oczy.

– Wio, koniku – ponagliła go.

On cicho zarżał jej do ucha.

Nie poświęciła mu całego swojego życia. Pisała, i to nie tylko jak duch, w jego manuskryptach. Pewnie mu się wydawało, że nocą za sprawą magii same się poprawiają. Pisała też własne teksty z pogranicza prozy i poezji, ukrywała je jak sekretną broń. Publikowała pod pseudonimem. Zaczęła z desperacji, kiedy dobiegała czterdziestki, po tym jego wypadku na schodach – w czasie rekonwalescencji Lotta wydawało jej się, że mąż się od niej oddala. Było coś jeszcze, coś znacznie gorszego. Kiedy zaczęła pisać, zostawiła go. On pogrążył się w pracy. Kiedy wróciła, nawet nie wiedział, że go opuściła.

Gdy odwiozła Lotta do domu pracy twórczej, obejrzała ośrodek dokładnie. Lunch podawany w wiklinowym koszyku, chatka z kamienia, długie nocne rozmowy nad płomieniem świecy. Niebo na ziemi. Objęła dłońmi jego twarz, kiedy usiadła na nim na skrzypiącym łóżku, ale on ją odwrócił, a kiedy drżał, dyszał i kładł głowę na jej plecach, żeby złapać oddech, poczuła falę chłodu. Ze śmiechem oddaliła od siebie złe przeczucia i odjechała. Na kilka tygodni została sama w wiejskim domu z Bóg.

Początkowo nie opuszczał jej optymizm. Jej biedny mąż męczył się przez całe lato. Spadł ze schodków na lotnisku i połamał sobie kości. Za dużo pił, za mało czasu poświęcał nowej sztuce, tak bardzo przygnębiało go to, że przez tyle miesięcy nie może pracować na najwyższych obrotach, brać udziału w warsztatach, próbach i innych zawodowych przedsięwzięciach. Cieszyła się, że może się nim opiekować w domu, okazywać mu miłość, piekąc mu babeczki, podając mrożoną herbatę, kąpiąc go i oddając mu mnóstwo drobnych przysług, z radością zabrała go do Podunk, do niewielkiej opery położonej wśród pastwisk, obserwowała jego twarz, kiedy nachylony do przodu wsłuchiwał się w muzykę. W jego oczach lśniły łzy. W czasie przerwy obserwowała smugę kondensacyjną na niebie, kiedy jakaś kobieta, cała w pąsach z powodu ciepła jego sławy, podeszła do niego, żeby się przywitać. Lotto – połamany, z łagodnym wyrazem twarzy, nieomal w ekstazie. Od tak dawna nie wykorzystywał wszystkich swoich mocy.

Dlatego bez obaw zostawiła go samego w tamten szary listopadowy dzień, żeby przez kilka tygodni odpocząć od obowiązku opieki nad nim. Miał pracować z młodym kompozytorem oper o nazwisku Leo Sen.

Już w pierwszym tygodniu bez Lotta jej życie i dom wydały jej się puste. Zapominała o posiłkach, na kolację jadła tuńczyka prosto z puszki, o wiele za długo leżała w łóżku, oglądając filmy. Czas upływał. Kolejne dni robiły się coraz chłodniejsze i ciemniejsze. Niekiedy w ogóle nie zapalała światła, wstawała, gdy słońce niemrawo wschodziło, i zasypiała o wpół do piątej, kiedy powoli się wykrwawiało. Stała się niedźwiedziem. Z Norwegii. Mąż dzwonił coraz rzadziej, najpierw raz dziennie, potem co kilka dni. W półśnie nawiedzały ją dzikie koszmary, w których Lotto oświadczał jej, że już jej nie potrzebuje, odchodzi, bo zakochał się w innej. W gorączce wyobrażała sobie poetkę, delikatną i młodą jałówkę z biodrami dobrymi do rodzenia dzieci, dziewczynę, która samodzielnie zapracowała sobie w świecie sztuki na szacunek, na jaki Mathilde nie mogła liczyć. Wyobrażała sobie Lotto po rozwodzie z nią: z kochanką o cichym głosie w mieszkaniu w mieście, w wirze seksu i imprez, wśród dzieci, niezliczonych dzieci – każde miało jego twarz w miniaturze. Poetka z wyobraźni przybrała dla niej niemal namacalne kształty. Dławiła się swoją samotnością. Dzwoniła i dzwoniła, ale on nie odbierał. Kontaktował się z nią coraz rzadziej, w ostatnim tygodniu tylko raz. Nie próbował z nią rozmawiać o seksie, co było bardzo dziwne, jakby go wykastrowano.

Nie przyjechał na Święto Dziękczynienia, choć zaplanowali spotkanie z rodziną i przyjaciółmi w domu na wsi; musiała je odwołać, wyjadła krem waniliowy z upieczonego dzień wcześniej placka dyniowego, a resztę wyrzuciła przez okno szopom. Kiedy rozmawiała z nim przez telefon, jej głos drżał. Lotto mówił jakby z bardzo daleka. Powiedział, że przedłużył pobyt w ośrodku do połowy grudnia. Ona rzuciła jakiś zjadliwy komentarz i się rozłączyła. Dzwonił trzy razy, ale nie odebrała. Postanowiła, że odbierze dopiero za czwartym. Czekała przy telefonie, ale dzwonek milczał.

Kiedy mówił o Senie, w jego słowach drgało podekscytowanie. Nagle wyczuła smak jego zauroczenia, zostawiło gorycz na jej języku.

Śnił jej się Leo Sen. Z tych kilku biogramów dostępnych w internecie dowiedziała się, że to młody człowiek. Nie wątpiła, że Lotto jest w stu procentach heteroseksualny, o czym upewniały ją codziennie jego złaknione dotyku dłonie. Zarazem wiedziała, że jej mąż pragnie gonić i schwytać blask osoby zamkniętej w ciele, a nie samo ciało. W jej mężu zawsze tlił się głód piękna. Z pewnością ciało Sena nie mogłoby skraść jej męża. Ale niewykluczone, że ten chłopiec, za sprawą swojego genialnego talentu, potrafiłby zająć w sercu Lotta miejsce Mathilde. A to byłaby prawdziwa tragedia. We śnie Mathilde i Leo siedzieli przy stole, na którym stał wielki różowy tort, i choć to Mathilde była głodna, to Leo jadł jeden delikatny kęs za drugim, a ona mogła tylko go obserwować, uśmiechając się nieśmiało, póki tort nie zniknął.

Bardzo, bardzo długo siedziała przy kuchennym stole i z każdą chwilą jej gniew nabierał ciężaru, robił się coraz mroczniejszy i potężniał.

— Już ja mu pokażę — powiedziała głośno do psa, smutno zamerdał ogonem.

Bóg też tęskniła za Lottem.

Dziesięć minut zajęły jej przygotowania, a dwadzieścia pakowanie siebie i psa. Minęła drzewa wiśniowe, z trudem powstrzymując się, by się nie odwrócić i nie spojrzeć na biały domek. Bóg cała się trzęsła, kiedy oddawała ją do schroniska. Ona trzęsła się przez całą drogę na lotnisko i w samolocie, przestała dopiero wtedy, kiedy zażyła dwie tabletki nasenne i przespała cały lot do Tajlandii. Obudziła się skołowana, z rozwiniętą infekcją dróg moczowych, bo w czasie snu za długo zaciskała pęcherz.

Kiedy wyszła z budynku terminalu i otoczyło ją parne, zatęchłe, tropikalne powietrze, gęsty tłum i wiatr, ugięły się pod nią nogi.

Wokół niej przepływał różowy i złoty Bangkok, roje ciał w świetle latarni. Na gałęziach drzew wiły się lampki świąteczne zawieszane tylko ze względu na turystów. Skóra Mathilde była spragniona wilgotnego wiatru, który raz przywiewał stęchły bagienny zapach błota i trzciny, innym razem aromat eukaliptusa. Hotel był zbyt sterylny, a podenerwowanie nie pozwalało jej zasnąć, więc znowu wyszła na ciemną ulicę. Przygarbiona kobieta zamiatała chodnik miotłą z gałązek, na murze przysiadł szczur. Chciała poczuć na języku cierpki gin z tonikiem i ślepo podążyła za muzyką, która zaprowadziła ją przez bramę z portykiem do nocnego klubu, jeszcze pustego z powodu wczesnej pory. Wnętrze miało kilka kondygnacji i balkony, już przygotowano scenę dla zespołu. Barmanka, podając Mathilde drinka, poklepała ją po dłoni – ciepło jej ciała na skórze, a potem chłód szklanki – Mathilde chciała dotknąć gęstych czarnych rzęs kobiety. Ktoś obok niej usiadł, Amerykanin, ledwie mieszczący się w swoim podkoszulku, z meszkiem na głowie jak na dojrzałej brzoskwini. Obok niego zajęła miejsce pulchna i roześmiana Tajka. W jego głosie rozbrzmiewały intymne tony, już wziął ją w posiadanie. Mathilde miała ochotę chwycić jego słowa, zmiąć je w dłoni i wcisnąć mu z powrotem do gardła. Zamiast tego wyszła, znalazła drogę do hotelu, położyła się do łóżka i do świtu nie zmrużyła oka.

Rano stała na pokładzie łodzi na wyspy Phi Phi, wiatr zostawiał sól na jej wargach. Wynajęła dla siebie cały bungalow. Zapłaciła z góry za miesiąc, wyobrażając sobie, że Lotto wraca do pustego domu, nigdzie nie ma psa, szuka Mathilde we wszystkich pokojach, nie znajduje jej i przerażenie ściska jego serce. Ktoś ją porwał? Uciekła z wędrownym cyrkiem? Dostosowywała się do Lotta z elastycznością akrobatki. Jej bungalow był biały i pełen rzeźbionych drewnianych mebli; w czerwonej misie na stoliku lśniły wypolerowane egzotyczne owoce, a na łóżku leżał ręcznik złożony w kształt słonia.

Otworzyła oszklone drzwi wychodzące na szemrzące morze, z oddali dobiegały głosy dzieci bawiących się na plaży. Ściągnęła narzutę z łóżka, żeby zarazki poprzednich lokatorów nie przeszły na jej skórę, położyła się, zamknęła oczy i poczuła, że nękające ją tak długo poczucie klęski powoli się oddala.

Kiedy się obudziła w porze kolacji, poczucie klęski natychmiast do niej wróciło, szczerząc ostre zęby, którymi wygryzało w niej dziurę.

Płakała, patrząc w lustro, wkładając sukienkę i szminkując usta, płakała tak bardzo, że nie mogła pomalować oczu. Siedziała sama przy stoliku wśród kwiatów i lśniących sztućców, a uprzejmi ludzie uprzejmie ją obsługiwali, usadzili ją tak, by mogła patrzeć na morze i płakać w spokoju. Zjadła jeden kęs, wypiła butelkę wina i wróciła boso po piasku do swojego bungalowu.

Tylko jednego dnia wyszła się poopalać w białym bikini, które spadało z niej, bo tak bardzo schudła. Kelnerzy zauważyli łzy wypływające spod jej okularów i bez pytania przynieśli jej zimny sok owocowy. Mimo że słońce parzyło, siedziała na plaży, póki na jej skórze nie pojawiły się pęcherze.

Następnego ranka obudził ją słoń, który pojawił się za oknem. Powoli wiózł na swoim grzbiecie dziewczynkę prowadzony za uzdę przez szczupłą młodą kobietę w sarongu. Nocą gniew przegonił smutek. Z powodu oparzenia słonecznego Mathilde była cała obolała. Usiadła i przejrzała się w lustrze przy łóżku. Miała czerwoną twarz i piorunujące spojrzenie, podjęła decyzję.

Koniec z Mathilde, do jakiej nie przywykła, z tą, która o nic nie walczyła. Prawdziwa posługiwała się dyskretną i subtelną taktyką wojenną, zawsze była waleczna. Powtarzała sobie, że tę poetkę tylko sobie wymyśliła, a chudy muzyk o imieniu Leo nie stanowi dla niej zagrożenia, jest bezsilny. Oczywiście, że może go pokonać. Dlaczego skapitulowała?

Dwa dni po przyjeździe samolot uniósł ją znowu w powietrze. Od sześciu dni topiła się w środku. Odebrała psa ze schroniska – Bóg była tak szczęśliwa na jej widok, że wbiła nos w jej klatkę piersiową. Mathilde wróciła do lodowatego domu. W powietrzu unosił się smród śmieci, których nie chciało jej się wynieść do kubła. Wstawiła walizkę do szafy na górze, żeby później ją rozpakować, i usiadła przy stole kuchennym z filiżanką herbaty, by obmyślić strategię. Zastanawiała się nie nad tym, co zrobić, ale raczej nad tym, czego nie powinna robić. Miała wiele możliwości do wyboru.

Po chwili usłyszała samochód na podjeździe. Ktoś szedł po żwirze, kulejąc.

W drzwiach stanął jej mąż. Pozwoliła mu czekać.

Potem spojrzała na niego z dużego dystansu. Był chudszy i bardziej wątły niż przed wyjazdem. Wymizerowany. Miał wyraz twarzy, którego wolała nie oglądać, dlatego spuściła wzrok.

On wciągnął nosem powietrze, ale ona nie chciała słyszeć jego narzekań na smród śmieci i chłód, gdyby zaczął zrzędzić, coś by w niej pękło, już nie mogłaby do niego wrócić, dlatego przeszła przez kuchnię i przycisnęła usta do jego ust. Jego smak po tak długim czasie wydał jej się dziwny, jego usta były jak z gumy. Szok. Nie poznawała go. Coś się w nim poruszyło, jakby się skulił w środku. Już miał się odezwać, ale ona zakryła mu usta dłonią. Gdyby tylko mogła, wsunęłaby mu dłoń do środka, żeby nie wypuścić z niego słów. Zrozumiał. Uśmiechnął się, postawił torbę, przycisnął Mathilde plecami do ściany. Jego wielkie ciało na niej.

Bóg skowycząca u jego stóp. Dziko chwyciła męża za biodra i zaciągnęła go przez korytarz na górę.

Z całej siły go popchnęła, a on, kiedy wylądował na łóżku, syknął, bo jego lewy bok wciąż jeszcze był obolały. Spojrzał na nią, przez jego twarz przemknęło zaintrygowanie, znów próbował coś powiedzieć, ale ona zamknęła mu dłonią usta, potrząsnęła głową, zdjęła mu buty i skarpetki, rozpięła koszulę i spodnie. Och, te bokserki z dziurą przy gumce, na ich widok pękło jej serce. Widać było każde żebro w jego bladej klatce piersiowej. Ogromny wysiłek odcisnął się piętnem na jego ciele. Wyjęła z szafy jego cztery krawaty, pamiętające jeszcze czasy liceum, które teraz rzadko nosił. Śmiał się, kiedy przywiązywała jego nadgarstki do wezgłowia, choć w środku czuła tylko niesmak. Śmiertelny niesmak. Kolejnym krawatem zasłoniła mu oczy. Jęknął, ale czwartym krawatem zakryła mu usta i zawiązała go bardzo mocno, błękitny jedwab wrzynał się w jego policzki.

Przez dłuższą chwilę siedziała na nim, czując ogromną moc. Nie zdjęła bluzki, żeby ukryć poparzoną, łuszczącą się skórę; powiedziała mu, że jej twarz zaczerwieniła się z powodu długiej przejażdżki na rowerze w słońcu. Musnęła biodrem koniuszek jego penisa, łagodnie, przez przypadek. Jej dotyk wywoływał u niego przeszywające dreszcze. Stał się tylko długim, oczekującym na nią ciałem, jakby pozbawiła go oczu i języka. Kiedy dyszał, ona ciężko na niego opadła, nie dbając o to, że coś go zaboli. Myślała... o czym? O nożyczkach rozcinających materiał. Tak dawno tego nie robili. Czuła się obco. Pod nią naprężony brzuch jak warstewka karmelu na crème brûlée. Lotto cały czerwony z wysiłku; poruszał wargami jak ryba wyjęta z wody, jakby chciał się wyswobodzić, ona wbiła paznokcie w jego skórę, na której pojawiły się malutkie krwawe sierpy. Jego plecy wygięły się w łuk. Żyły na jego szyi nabrzmiały, nabierając niebieskiego odcienia.

On doszedł pierwszy, więc ona nie zdążyła. To nie miało znaczenia. Udało jej się pochwycić coś w ciemności. Czuła, że słowa, których nie pozwoliła mu wypowiedzieć, rozrastały się w nim, pęczniały, aż ciśnienie stało się nieznośne. Odsłoniła mu oczy, ale zostawiła krawat na jego ustach, ucałowała jego sine nadgarstki. Patrzył na nią zagadkowo, na jedwabiu pojawiła się ciemna, owalna plama śliny. Nachyliła się i pocałowała go w miejsce między brwiami. On objął ją lekko w pasie, a ona czekała, dopóki się nie upewniła, że on nie zacznie jej opowiadać o tym, co przeszedł, i dopiero wtedy zdjęła ostatni krawat. Usiadł i pocałował pulsujące miejsce na jej szyi. Tak bardzo tęskniła za jego ciepłem. Za bukietem zapachów jego ciała. On uszanował jej milczenie. Wstał i wziął prysznic, a ona zeszła na dół, żeby ugotować makaron. Spaghetti alla puttanesca. Spaghetti *à la* kurtyzana. Nie mogła sobie darować tej drobnej uszczypliwości.

Kiedy przyszedł do kuchni, pokazał jej ślady po paznokciach na całym ciele.

– Kobieta kot – powiedział, patrząc na nią ze smutkiem.

Nie potrafiła jednak uznać sprawy za zamkniętą. Wciąż wpisywała do wyszukiwarki internetowej nazwisko Sena. Kiedy na tydzień przed Bożym Narodzeniem przeczytała wiadomość o tragicznej śmierci chłopca w odmętach oceanu, najpierw ogarnął ją niepokój. Po chwili jednak zaczęło się w niej rozrastać gorące i okropne poczucie triumfu. Odwróciła twarz od ekranu, bo nie mogła patrzeć na swoje odbicie.

Lotto pracował na górze pochłonięty pisaniem nowej sztuki, a ona pojechała do sklepu po gazetę. Przyniosła ją jednak z samochodu dopiero w Wigilię i położyła na stoliku pod lustrem przy drzwiach frontowych. Wiedziała, że właśnie tam Lotto będzie czekał na przyjazd swojej siostry z jej żoną i dziećmi. Uwielbiał święta, ciepło i radość odpowiadały jego usposobieniu. Wiedziała, że Lotto, niecierpliwie wypatrując gości jadących wiejską drogą, zauważy gazetę. Wtedy się domyśli, że ona o wszystkim wie. Usłyszała jego pogwizdywanie, wyszła z sypialni i stanęła u góry schodów, obserwując go. Uśmiechnął się do siebie w lustrze, przyjrzał się sobie z profilu i nagle jego dłoń wylądowała na gazecie. Przyjrzał jej się i zaczął czytać. Zbladł i oparł się o stolik, jakby zrobiło mu się słabo. Rachel i Elizabeth otworzyły tylne drzwi i weszły do kuchni, przekomarzając się, dzieci zaczęły piszczeć z radości, a pies witał je radosnym szczekaniem. Wyjęła gazetę dopiero teraz, bo wiedziała, że mąż nie zrobiłby jej awantury przy gościach, nie pogorszyłby sytuacji, mówiąc, co mu leży na sercu. A jeśli nie powie tego od razu, zachowa to dla siebie na zawsze. Lotto spojrzał do lustra i zobaczył Mathilde.

Ona też na niego patrzyła. Przez jego twarz przemknął cień zrozumienia; w ułamku sekundy pojął to, co skrywało się w jej wnętrzu, nie chciał tego dłużej oglądać.

Ona zeszła o stopień niżej.

– Wesołych świąt! – zawołała.

Była czysta. Pachniała jak sosnowy las. Schodziła na dół, lekka jak powietrze. Była dzieckiem.

„*Welch Dunkel hier!*" – śpiewa Florestan w *Fideliu* Beethovena, operze o małżeństwie.

To prawda, większość oper o tym opowiada. Jednak zaledwie kilka małżeństw zasługuje na miano operowych.

„Jak tu ciemno!" – śpiewa Florestan.

Nowy Rok był jedynym dniem w jej życiu, kiedy wierzyła w Boga. [Ha!] Rachel, Elizabeth i dzieci wciąż spały w pokoju gościnnym na górze. Mathilde upiekła rogaliki i frittatę. Jej życiowa rola sprowadzała się zawsze do zapewniania wszystkim wokół rozrywki.

Włączyła telewizor. Wir czerni i złota, pożar w nocy. Ujęcie równych rzędów przykrytych ciał przypominających namioty rozstawione na równinie. Sczerniały i pozbawiony dachu budynek z łukowatymi oknami. Ktoś nagrywał telefonem to, co się działo bezpośrednio przed wybuchem pożaru, zespół na scenie odliczał sekundy do nadejścia nowego roku, jarzyły się zimne ognie, zewsząd rozlegały się śmiechy, krzyki. Teraz na zewnątrz ci sami ludzie leżeli na ziemi, niektórym pomagano wejść do karetki. Spalona sczerniała skóra. Trudno oprzeć się skojarzeniom z mięsem. Mathilde poczuła narastające powoli mdłości. Rozpoznała to miejsce, była tam zaledwie kilka dni wcześniej. Tłum napierający na zablokowane drzwi, duszący dym i krzyki. Ta seksowna dziewczyna obok wielkiego Amerykanina na wysokim stołku przy barze. Barmanka o gęstych rzęsach, dotyk jej lodowatej dłoni na skórze Mathilde. Kiedy usłyszała Rachel na schodach, wyłączyła telewizor, szybko wyszła z Bóg do ogrodu na tyłach domu, żeby się uspokoić.

Tego wieczoru przy kolacji Rachel i Elizabeth oznajmiły, że Elizabeth znowu jest w ciąży.

Kiedy Mathilde płakała i płakała w łóżku, czując jednocześnie wdzięczność, wyrzuty sumienia i przerażenie z powodu tej tragedii, której cudem uniknęła, Lotto myślał, iż to dlatego, że los potraktował ich tak niesprawiedliwie, obdarowując jego siostrę gromadką dzieci, a im nie dając potomka. Potem sam też płakał, wtulając twarz w jej włosy. Przepaść między nimi zniknęła, znowu stali się jednością.

8

Ogłuszający hałas na lotnisku. Jedenastoletnia Aurélie była sama, nic nie rozumiała. Wreszcie zauważyła mężczyznę z tabliczką z jej imieniem i z ulgą dotarło do niej, że to pewnie jej wujek, dużo starszy brat matki. Babcia zawsze nazywała go dzieckiem swojej dzikiej młodości, choć na starość zachowywała się równie dziko. Mężczyzna był radosny, korpulentny, czerwony na twarzy, pełen współczucia. Od razu go polubiła.

– Nie, *mamzelle** – powiedział. – *Non oncle***. Kierowca.

Nie zrozumiała, więc gestem pokazał jej, że chodzi mu o jazdę samochodem. Zdusiła w sobie rozczarowanie.

– Nie *parlez français**** – powiedział kierowca łamaną francuszczyzną. – Tylko *voulez-vous coucher avec moi*****. – Kiedy zamrugała, dodał: – Nie, nie, nie, nie, nie. Nie *vous*. *Excusez-moi******. Nie *voulez coucher avec vous*******.

Zaczerwienił się jeszcze bardziej i śmiał się przez całą drogę do domu.

---

* *Mamzelle* (franc.) – Panienko.
** *Non oncle* (franc.) – Nie wujek.
*** Nie *parlez français* – Nie mówię po francusku.
**** *Voulez-vous coucher avec moi* (franc.) – Czy chcesz iść ze mną do łóżka?
***** *Excusez-moi* (franc.) – Przepraszam.
****** *Voulez coucher avec vous* (franc.) – Ja nie chcieć się z panią przespać.

Zjechał z autostrady, żeby kupić Aurélie koktajl truskawkowy. Wypiła wszystko, bo nie chciała mu sprawić przykrości, chociaż ją zemdliło i rozbolał ją brzuch. Bała się, że poplami napojem skórzane siedzenie, i ostrożnie trzymała w dłoniach kubek przez całą drogę do domu wujka.

Zatrzymali się na żwirowym podjeździe. Jak na człowieka, który wynajmował własnego szofera, wujek mieszkał dość skromnie – w surowym domu z kamienia w stylu holenderskim. Kiedy wyglądało się z niego na zewnątrz przez okna, stare szyby ze szkła bąbelkowego zniekształcały krajobraz. Kierowca zaniósł torbę Aurélie do pokoju dwukrotnie większego niż paryskie mieszkanie jej babci. Miała nawet własną łazienkę wykładaną marmurem z zielonym dywanikiem przed kabiną prysznicową, tak gęstym jak świeża wiosenna trawa w parku. Najchętniej natychmiast by się na nim położyła i przespała kilka dni.

W kuchni kierowca wyciągnął z lodówki talerz z bladym kotletem drobiowym, sałatkę ziemniaczaną, fasolkę, dał Aurélie napisany po francusku list od wujka, który obiecał, że spotka się z nią, kiedy tylko wróci do domu. Poradził jej, żeby uczyła się angielskiego z telewizji, bo tak będzie najszybciej. Zabronił jej wychodzić z domu. Miała przygotować listę potrzebnych rzeczy, żeby kierowca je przywiózł następnego dnia.

Musiała przymknąć oko na mnóstwo popełnionych przez wujka błędów ortograficznych.

Kierowca pokazał jej, jak zamykać drzwi na klucz i włączać alarm. Jego obwisła twarz wyglądała smutno, kiedy musiał już iść.

Jadła, siedząc tuż przed telewizorem i grzejąc się w cieple dobiegającym od naelektryzowanego ekranu. Oglądała program o lampartach, choć nie rozumiała ani słowa. Umyła naczynia i odstawiła je na miejsce, a potem na paluszkach poszła na górę. Próbowała wejść po kolei do wszystkich pomieszczeń, ale tylko jej pokój był otwarty. Umyła ręce, twarz i stopy, wyszorowała zęby i położyła się. Łóżko było za duże, a pokój wypełniało zbyt wiele cieni. Przeniosła więc kołdrę i poduszkę do pustej szafy i zasnęła na jej pachnącej kurzem podłodze.

Kiedy obudziła się w środku nocy, w drzwiach, patrząc na nią, stał chudy mężczyzna. Przypominał jej babcię, miał podobne wielkie oczy i rumiane policzki. Jego uszy wyglądały jak malutkie, jasne skrzydła nietoperza. Twarz przywiodła jej na myśl matkę, którą po upływie wielu lat pamiętała jak przez mgłę.

– A oto i nasza mała diablica – powiedział po francusku.

Był rozbawiony, choć się nie uśmiechał. Aurélie wstrzymała oddech. Od razu się zorientowała, że ma do czynienia z niebezpiecznym człowiekiem, pomimo jego przyjemnej powierzchowności. Musiała uważać i trzymać się od niego z daleka.

– Nieczęsto zaglądam do domu – rzekł wujek. – Kierowca kupi ci jedzenie i wszystko, czego potrzebujesz. Zawiezie cię na przystanek, z którego pojedziesz do szkoły, a potem cię z niego odbierze. Będziemy się rzadko widywać.

Cicho mu podziękowała, bo milczenie byłoby znacznie gorsze. On przyglądał jej się przez dłuższą chwilę.

– Mnie też matka kazała spać w szafie. Spróbuj zasnąć w łóżku.

– Dobrze – wyszeptała.

Wyszedł. Usłyszała jego kroki na korytarzu, a potem kilkakrotne przekręcenie klucza, skrzypienie otwieranych i zatrzaskiwanych drzwi i znowu szczęk zamka. Słuchała ciszy, która wreszcie ją wypełniła i pozwoliła jej zasnąć.

Na pierwszej lekcji w amerykańskiej szkole chłopiec siedzący przed Aurélie odwrócił się.

– Jak podzielić cztery jabłka na pięć osób? Ugotować kompot! – wyszeptał.

Nie zrozumiała.

– Jesteś głupia – powiedział.

Na lunch podano kawał chleba z serem i mleko śmierdzące tak, jakby się zepsuło. Siedziała na placu zabaw, próbując nie zwracać na siebie uwagi, ale to okazało się trudne, bo wyróżniała się, gdyż była bardzo wysoka jak na swój wiek. Jakiś żartowniś podszedł do niej z trzema innymi chłopcami.

– Oralia! Oralia! – krzyczeli, wbijając język w policzek i wykonując taki gest, jakby wkładali sobie do ust penisa.

Tym razem zrozumiała. Poszła do przypominającej małego robaka z rzadkimi srebrnymi włosami nauczycielki, która przez cały ranek z dumą mówiła do Aurélie łamaną francuszczyzną zapamiętaną zapewne z liceum.

Aurélie powiedziała, że w Paryżu nikt nie mówił do niej po imieniu. Słysząc nazwę stolicy, nauczycielka się rozpromieniła.

– *Non?* – zapytała. – *Et qu'est-ce que c'est le nom que vous préférez?**

Aurélie myślała przez chwilę. W paryskiej szkole znała starszą o rok, niewysoką, silną i zadziorną dziewczynę z falującymi czarnymi włosami. Była tajemnicza, wyluzowana i wszystkie koleżanki próbowały wkraść się w jej łaski, przynosząc jej cukierki i komiksy. Kiedy się wściekała, potrafiła uderzać słowami niczym batem. Bardzo oszczędnie wykorzystywała swoją moc. Miała na imię Mathilde.

– Mathilde – powiedziała Aurélie.

– Mathilde – powtórzyła nauczycielka. – *Bon***.

Tak po prostu, w jednej chwili, Mathilde przylgnęła do Aurélie niczym druga skóra. Poczuła, jak spływa na nią spokój tamtej dziewczyny, jak przejmuje jej chłodne spojrzenie i refleks. Gdy siedzący przed nią chłopak odwrócił się, próbując zadrwić z jej imienia, szybko wyciągnęła rękę i uszczypnęła go w wybrzuszony policzek, aż chłopak krzyknął z bólu, a do oczu napłynęły mu łzy – kiedy nauczycielka się odwróciła, Mathilde siedziała

---

* *Et qu'est-ce que c'est le nom que vous préférez?* (franc.) – A jakie jest imię, które byś wolała?
** *Bon* (franc.) – Dobrze.

spokojnie jakby nigdy nic. Chłopiec dostał karę za hałasowanie. W ciągu godziny na jego policzku pojawiły się dwa bliźniacze sińce wielkości winogrona. Mathilde miała ochotę wbić w nie paznokcie.

Kiedyś, podczas imprezy, w czasach gdy razem z Lottem prowadzili szczęśliwe, choć bardzo biedne życie w kręgach bohemy w Greenwich Village [dziurawe skarpetki, na lunch słońce i woda], światełka wiszące na ścianie tworzyły rząd cytrynowych plam, pili najtańszą wódkę z sokiem, a ona przeglądała płyty kompaktowe, nagle usłyszała, jak ktoś woła: „Aurélie!". W jednej chwili stała się znowu tamtą zrozpaczoną, samotną i zdezorientowaną nastolatką. Odwróciła się. Jej mąż krzyczał na cały głos: „Nie wiedział, do czego służy czopek, więc go zażył oralnie!". Przyjaciele gwizdali. Dziewczyny tańczyły z kubkami w ręce. Mathilde poszła do sypialni, czując się jak robot, nawet nie spojrzała na trzy wijące się na łóżku ciała. Miała nadzieję, że jak skończą, to zmienią prześcieradło na czyste. Weszła do szafy, w której unosiły się drobiny jej skóry i zapach drewna cedrowego. Skuliła się wśród butów. Zasnęła. Kilka godzin później obudził ją Lotto – otworzył drzwi, zaśmiał się, podniósł ją delikatnie i położył do łóżka. Dotyk materaca bez prześcieradła był całkiem przyjemny – nareszcie sama z mężem, jego gorąca, rozochocona dłoń na jej szyi, jej udzie.

– Tak.

Nie miała ochoty, lecz to było bez znaczenia. Ciężar jego ciała wypychał ją ku teraźniejszości. Mathilde powoli powracała. [A Aurélie, ta smutna, zagubiona dziewczynka, znowu zniknęła].

Aurélie była spokojna i łagodna, Mathilde wrzała pod gładką skórą.

Kiedyś grała w piłkę z kolegą z klasy, który wygrywał, więc z premedytacją rzuciła w niego tak mocno, że kiedy piłka uderzyła go w twarz, on upadł i uderzył głową o asfalt. Dostał wstrząsu mózgu. Innym razem usłyszała, jak kilka dziewczyn ją wyśmiewa. Zaczekała na odpowiedni moment. Tydzień później w czasie lunchu usiadła obok najpopularniejszej z tych dziewczyn i kiedy ta ugryzła kanapkę, pod stołem wbiła jej widelec w udo. Dziewczyna wypluła jedzenie i wrzasnęła, a Mathilde zdążyła ukryć widelec. Swoimi wielkimi oczami tak patrzyła na nauczycielkę, że ta uwierzyła w jej niewinność.

Od tamtej pory pozostałe dzieci spoglądały na nią ze strachem. Mathilde ze spokojem przepływała przcz kolejne dni, jakby żyła w chmurach, z których bez emocji spoglądała w dół. Chłodny i ciemny dom wujka w Pensylwanii był dla niej tylko tymczasowym miejscem postoju. Wyobrażała sobie inne życie, chaotyczne i szalone, z sześcioma siostrami, w radiu głośny pop, zapach lakieru do paznokci, na toaletce wsuwki do włosów. Nocne gry z popcornem i walkami na poduszki wśród krzyków. W nocy głos dobiegający z sąsiedniego łóżka. W domu wujka witał ją tylko ciepły pomruk telewizora. Drwiąco naśladowała głosy aktorów grających w operze mydlanej *Gwiazdy w twoich oczach*, aż wreszcie straciła francuski akcent. Wujka nigdy nie było w domu. Czy umierała z ciekawości, zastanawiając się, co kryje się za zamkniętymi drzwiami? Tak. Nie próbowała jednak ich otworzyć. [To, że się powstrzymała, należy uznać za cud]. W każdą niedzielę kierowca zabierał ją do sklepu, a jeśli szybko zrobiła zakupy i zostawało trochę czasu, jechali do małego parku nad rzeką, żeby karmić kaczki białym chlebem.

Jej ogromna samotność nabrała namacalnych kształtów, stała się długim korytarzem na piętrze, z rzędami drzwi zamkniętych na klucz.

Pewnego razu, kiedy pływała w rzece, do wnętrza jej uda przyssała się pijawka, tak blisko jej intymności, że ją to podekscytowało, dlatego jej nie oderwała, całymi dniami myślała o swojej niewidocznej dla innych przyjaciółce. Kiedy odpadła pod prysznicem, a Mathilde nieopatrznie ją rozdeptała, rozpłakała się.

Żeby jak najmniej czasu spędzać w domu, zapisała się na czasochłonne zajęcia pozalekcyjne, które nie wymagały od niej mówienia. Pływała, chodziła na kółko szachowe, w szkolnej orkiestrze nauczyła się grać na flecie, który wydawał jej się instrumentem upokarzającym, ale łatwym do opanowania.

Wiele lat później, u szczytu szczęścia, przypominała sobie tamtą samotną dziewczynę z głową ponuro spuszczoną jak jakiś cholerny przywiędły tulipan, a w jej wnętrzu rozszalał się huragan. Miała ochotę z całej siły jej przyłożyć. Albo wziąć ją w ramiona, zasłonić jej oczy i zanieść ją czym prędzej w bezpieczne miejsce.

Wujek adoptował ją, kiedy skończyła dwanaście lat. O jego planach dowiedziała się dopiero w przeddzień rozprawy. Powiedział jej o tym kierowca.

W ciągu roku tak się roztył, że wyglądał, jakby wyrósł mu drugi brzuch. Kiedy wkładał zakupy do bagażnika, miała ochotę zanurzyć w nim twarz jak w miękkiej poduszce.

– Adoptuje cię! Jak to miło – powiedział. – Teraz nie musisz się już martwić, *mamzelle*, możesz tu zostać. Teraz to twój dom. – Kiedy zobaczył wyraz jej twarzy, dotknął jej, być może po raz pierwszy, głaszcząc po czubku głowy, i powiedział: – Och, kruszynko. Nie smuć się tym.

W drodze do domu jej milczenie było jak pola, które mijali: skute lodem, znużone śpiewem kosów. W samochodzie kierowca oznajmił:

– Od teraz mam do ciebie mówić panna Yoder.

– Yoder? Babcia się inaczej nazywała.

Odbite we wstecznym lusterku oczy kierowcy radośnie się rozświetliły.

– Podobno twój wujek zmienił nazwisko natychmiast po przyjeździe do Filadelfii. Wybrał pierwszą nazwę sklepu, która rzuciła mu się w oczy na Reading Terminal Market. Piekarnia Yoder. – Nagle na jego twarzy pojawiło się zaniepokojenie. – Nie powiesz nikomu, że wiesz to ode mnie?

– A komu miałabym to powiedzieć? Tylko z tobą rozmawiam.

– Jesteś przeurocza. Łamiesz mi serce. Naprawdę.

W dniu trzynastych urodzin zobaczyła, że jedne z drzwi na dole są uchylone. Weszła. To była biblioteka ze skórzanymi kanapami i lampami od Tiffany'ego. Mathilde mogła bez trudu dosięgnąć wszystkich książek poza tymi, które stały w zamkniętej witrynie. Jak się później dowiedziała, zawierała starą japońską pornografię. Zbiory były dziwne – stare tomy w twardych, podniszczonych okładkach, niektóre w płóciennych obwolutach, zostały zgromadzone na chybił trafił. Później, kiedy już nabrała obycia, uświadomiła sobie, że takie książki sprzedawano na kilogramy w celach dekoracyjnych. Ale w tamtych trudnych czasach, kiedy była nastolatką, wydawało jej się, że trafiła na przesyłkę z lepszego wiktoriańskiego świata. Przeczytała je wszystkie. Dogłębnie zapoznała się z tekstami Iana Maclarena, Anthony'ego Hope'a, Bootha Tarkingtona, Winstona Churchilla [Amerykanina], Mary Augusty Ward i Frances Hodgson Burnett. Zdania w jej wypracowaniach robiły się coraz bardziej kwieciste i okrągłe. Amerykański system edukacji jest, jaki jest, dlatego jej nauczyciele uznali jej barokowe konstrukcje za dowód niezwykłego talentu literackiego, którego tak naprawdę nie miała. W ostatniej klasie gimnazjum i przez całe liceum wygrywała konkursy na najlepsze prace. W trzynaste urodziny, zamykając za sobą drzwi do biblioteki, pomyślała, że w tym tempie do trzydziestki wejdzie do wszystkich pomieszczeń w domu.

Miesiąc później wujek przypadkowo zostawił otwarte inne drzwi.

Miało jej nie być w domu. Wróciła piechotą, bo odwołano połowę lekcji z powodu nadciągającej zamieci śnieżnej. Nie mogła dodzwonić się do kierowcy i spóźniła się na autobus. Zrobiło się tak zimno, że po pięciu minutach marszu jej odsłonięte kolana zdrętwiały. Ostatnie trzy kilometry przeszła, walcząc z napierającym wiatrem, osłaniając dłonią oczy przed śniegiem.

Kiedy stanęła wreszcie pod drzwiami kamiennego domku, musiała kucnąć na progu i wsunąć dłonie do biustonosza, żeby je ogrzać. Dopiero wtedy udało jej się przekręcić klucz w zamku. W środku usłyszała głosy dobiegające z biblioteki na końcu korytarza. Zdjęła buty, jej stopy zamieniły się w dwie bryły lodu, zakradła się do kuchni, gdzie znalazła na stole zjedzone do połowy kanapki. Z rozerwanej torebki wysypały się chipsy o smaku sosu barbecue. W filiżance na grubej warstwie popiołu dogasał papieros. Z powodu zamieci na zewnątrz zrobiło się ciemno.

Próbowała bezgłośnie wyjść na górę, ale nagle się zatrzymała. Pod schodami mieścił się niewielki pokój, do tej pory zawsze zamknięty. Usłyszała kroki i weszła do środka, cicho zamykając za sobą drzwi. Paliło się górne światło. Wyłączyła je. Schowała się za dziwną rzeźbą przedstawiającą końską głowę i zasłoniła usta. Kroki ucichły. Rozległy się męskie głosy i znowu kroki. W ciemności czuła mrowienie rozgrzewającej się skóry.

Wielkie drzwi frontowe trzasnęły, a ona czekała i czekała, choć czuła, że jest sama w pustym domu.

Włączyła światło i przyjrzała się temu, czego przed chwilą nie zdążyła obejrzeć. Wzdłuż ściany stały odwrócone tyłem obrazy i niewielkie statuetki. Podniosła jedno z płócien. Było ciężkie i masywne. Odwróciła je i nieomal upuściła. Nigdy w życiu nie widziała czegoś tak idealnego. Na dole, na pierwszym planie mężczyzna w błękitnej szacie jechał na białym koniu o krągłych kształtach, tkanina była tak mięsista, że Mathilde musiała jej dotknąć, żeby się przekonać, że nie jest prawdziwa. Za jeźdźcem kłębili się inni mężczyźni na koniach, nad nimi górowała ogromna skała. Na tle niebieskiego nieba majaczyło rozmyte, jasne miasto w kremowym kolorze – wyglądało, jakby zbudowano je z kości.

Zapamiętała każdy detal. Odstawiła obraz, zdjęła sweter i wytarła nim wodę, która skapywała na podłogę z jej włosów i ubrania. Zamknęła za sobą drzwi, a kiedy rozległ się szczęk zamka, poczuła, że coś utraciła.

Wyszła na górę i położyła się w ciemności, żeby przywołać obraz w wyobraźni. Kiedy do domu wszedł kierowca, z niepokojem ją wołając, sięgnęła za okno, wtarła we włosy dwie garście śniegu i zbiegła do kuchni.

– Och, dziecko. – Opadł ciężko na krzesło. – Myślałem, że zabrała nam cię ta zamieć.

Nie przeszkadzało jej to, że on obawiał się także o swój los, bo gdyby ona zniknęła, wpadłby w poważne tarapaty.

– Weszłam kilka minut temu – powiedziała, wciąż się trzęsąc. On wziął ją za rękę, wciąż lodowatą, a potem zrobił jej prawdziwe kakao i upiekł ciasteczka czekoladowe.

Na czternaste urodziny wujek zabrał Mathilde na kolację. W ciągu trzech lat nie zjedli razem ani jednego posiłku. W swoim pokoju znalazła czerwoną sukienkę wyglądającą jak chuderlawa dziewczyna leżąca na plecach na łóżku. Dostała też pierwsze w życiu szpilki, czarne, na ośmiocentymetrowych obcasach. Ubrała się powoli.

Restauracja mieściła się w ciepłym, zaadaptowanym budynku na farmie, podobnym do domu jej wujka, choć tu w kominku palił się ogień. W złotym świetle wujek wyglądał chorobliwie, jego skóra nabrała woskowego połysku. Bacznie go obserwowała, kiedy zamawiał jedzenie – sałatkę cezar, tatar z przepiórczym jajem i filet mignon. Z pieczonymi ziemniakami i szparagami. Do tego Côte du Rhône. Mathilde była wegetarianką, od kiedy obejrzała w telewizji program o zwierzętach hodowanych na skalę przemysłową. Zobaczyła krowy wiszące na hakach, obdzierane żywcem ze skóry, kurczaki ściśnięte w klatkach tak, że łamały im się nogi, zdychające we własnych odchodach.

Kiedy podano sałatkę, wujek nabił na widelec brązowe anchois i po francusku pogratulował jej spokoju i samodzielności. Połknął bez przeżuwania; z telewizji wiedziała, że tak jedzą rekiny.

– Nie miałam wyjścia. Jestem zupełnie sama – odparła.

Była na siebie zła, bo zdradziło ją drżenie warg. Wujek odłożył widelec i spojrzał na nią.

– Och, daj spokój, Aurélie. Nikt cię nie bije ani nie głodzi. Chodzisz do szkoły, do dentysty i do lekarza. Mnie tak nie rozpieszczano. Nie tragizuj. Nikt ci nie każe pracować w kopalni jak Oliverowi Twistowi. Byłem dla ciebie dobry.

– W fabryce czernidła. Dickens pracował w fabryce czernidła – poprawiła go. Przeszła na angielski. – Masz rację, nie powiedziałabym, że jesteś zły.

Nawet jeśli nie zrozumiał jej słów, to wyczuł ironię.

– Nieważne. Poza mną nie masz nikogo. Mówili na ciebie *diablesse*. Z ogromnym rozczarowaniem stwierdzam, że nie ma w tobie rogatej duszy. Albo jej nie masz, albo nauczyłaś się ją ukrywać jak wszystkie dobre diabły.

– Życie w strachu może wypędzić z każdego demony – wyjaśniła. – Strach to najlepszy egzorcyzm.

Wypiła wodę, nalała sobie pełny kieliszek wina i wychyliła go do dna.

– Nie spotkało cię nic strasznego. – Nachylił się i uśmiechnął. – Ale to się może zmienić, jeśli tylko chcesz.

Na moment zaparło jej dech. Może to z powodu wypitego wina widziała wszystko jak przez mgłę.

– Nie, dziękuję.

– Ależ proszę. – Wujek dokończył sałatkę i wytarł usta. – Jeszcze nie wiesz, że twoi rodzice mają nowe dzieci. Względnie nowe. Jedno ma trzy, a drugie pięć lat. Chłopcy. Chyba twoi bracia. Pokazałbym ci zdjęcie od twojej matki, ale mi zginęło.

[To dziwne, że niektóre rzeczy nierozłącznie wiążą się z określonymi emocjami: sałatka cezar zawsze oznacza przytłaczający smutek].

Uśmiechnęła się, patrząc, jak światło nad głową wujka tańczy na starym barometrze. Podświetlało od tyłu jego spiczaste uszy. Milczała. On odezwał się, kiedy podano mięso.

– Jesteś wysoka. Chuda. Masz oryginalną urodę, a to teraz modne. Możesz zostać modelką. Zarobić na studia. – Mathilde powoli i miarowo piła wodę. – Ach, wydawało ci się, że to ja cię wyślę na studia. Mam wobec ciebie zobowiązania tylko do chwili, gdy skończysz osiemnaście lat.

– Stać cię na to.

– Tak, ale ciekawi mnie, co zrobisz. Walka kształtuje charakter. Bez walki nie ma charakteru. Ja niczego nie dostałem za darmo. Niczego. Do wszystkiego doszedłem sam.

– I tak wiele osiągnąłeś – powiedziała.

Kiedy się uśmiechnął, Mathilde poczuła ciarki, bo choć przypominał jej babcię i matkę sprzed wielu lat, nie było w nim ani krzty ciepła.

– Uważaj – ostrzegł ją.

Nietknięte mięso na jej talerzu najpierw straciło kształt, a potem powoli nabrało konturów.

– Czemu mnie nienawidzisz? – zapytała.

– Och, dziecko. Nie żywię do ciebie żadnych uczuć.

Nigdy nie powiedział jej czegoś równie miłego. Siorbiąc, zjadł panna cottę. W kącikach jego ust został krem.

Przyniesiono rachunek, do wujka podszedł jakiś mężczyzna i uścisnął mu rękę, szepcąc mu coś do ucha, a Mathilde z ulgą odwróciła wzrok, bo kątem oka zauważyła jakiś ruch w drzwiach. Do sali zajrzał biały kot, wyciągnął przednie łapy, wpatrując się w stos drewna. Mały tygrys na łowach. Przez chwilę jak zaczarowana obserwowała nieruchome zwierzę, tylko delikatnie drżący koniuszek jego ogona świadczył o tym, że kot żyje. Nagle bez ostrzeżenia skoczył. Kiedy się odwrócił, z jego pyszczka zwisał miękki, bezwładny szary strzęp. Mysz polna – pomyślała Mathilde. Kot odmaszerował, dumnie prężąc ogon. Kiedy się odwróciła, wujek i jego znajomy patrzyli na nią z rozbawieniem.

– Dmitri powiedział, że jesteś kotem. Ten kot jest tobą – powiedział wujek.

Nieprawda. Nienawidziła kotów. Było w nich tyle gniewu. Odłożyła serwetkę na stół i uśmiechnęła się, obnażając wszystkie zęby.

9

Tylko Rachel wracała, wracała i wracała.

Gotowała zupę i piekła focaccię, którymi Mathilde karmiła psa.

Rachel wracała sama, z Elizabeth, z dziećmi, które biegały po
łące z psem, aż padł ze zmęczenia, a potem wyczesywały z jego
sierści wszystkie liście i rzepy, a kiedy wreszcie dawały mu spokój,
przez wiele godzin leżał, ciężko dysząc.

– Nie chcę cię widzieć! – krzyknęła pewnego razu Mathilde
do Rachel, która przyniosła jej drożdżówki z serem i świeży sok. –
Idź sobie.

– Możesz krzyczeć, ile ci się żywnie podoba – odparła Rachel.

Postawiła talerz na podłodze i stanęła, dzika, w mglistym
świetle poranka. Na ramieniu miała ohydny tatuaż, pajęczą sieć,
syrenę i małą rzepę – symbol zniewolenia, a może pojemna metafora. Cała rodzina przejawiała ogromny talent do myślenia fi-
guratywnego.

– Nie odejdę – oświadczyła Rachel. – Będę wracać, aż poczujesz się lepiej.

– Ostrzegam – powiedziała Mathilde przez szklane drzwi. –
Jestem najgorszą osobą pod słońcem.

– To nieprawda. Jesteś jedną z najlepszych i najhojniejszych
osób, jakie w życiu spotkałam. Kocham cię jak siostrę.

– Ha, nie znasz mnie.

– Owszem, znam.

Rachel się zaśmiała i choć Mathilde przez całe życie smuciła się, że szwagierka w niczym nie przypomina wspaniałego i promiennego Lotta, teraz dostrzegła rysy męża w twarzy jego młodszej siostry, ten sam dołeczek w policzku, mocne zęby. Mathilde zamknęła oczy i zatrzasnęła drzwi. Ale i tak Rachel niestrudzenie wracała i wracała, i wracała.

Mathilde zasnęła w altanie przy basenie. Pół roku po śmierci Lotta, w ponurym sierpniowym upale. Ich stary przyjaciel Samuel przyjechał rano, żeby zrobić jej awanturę, ciężko dyszał, a ona schowała się w altanie, kiedy chodził po domu i wykrzykiwał jej imię.

Och, mały Samuel! – pomyślała, nasłuchując. – Dobry syn skorumpowanego senatora. To, co mu się przydarzało, zakrawało na żart, aż trudno było uwierzyć, jakim próbom poddawał go los. Został skazany za jazdę po pijanemu, zachorował na raka, w wieku trzydziestu lat spalił dom. Rok wcześniej jakiś rasista napadł go, kiedy Sam wracał wieczorem z kina, i pobił go tak, że miał wstrząs mózgu. Nie należał do osób najinteligentniejszych ani najodważniejszych, ale miał nadnaturalną pewność siebie. W porównaniu z nim Hiob był zwykłym mazgajem.

Kiedy się obudziła, Samuela już nie było. Jej skóra lśniła od potu. W ustach czuła papier ścierny i smołę, pomyślała o jagodach czekających na nią na blacie kuchennym, już czuła na języku smak ciasta. Masło, skórka cytrynowa, sama esencja lata, sól. Usłyszała kolejne auto na żwirowym podjeździe. Bóg szczekała w kuchni. Mathilde przeszła przez zbyt jasny trawnik do domu, żeby z sypialni na górze zobaczyć, kto przyjechał. Pociły się nawet lilie, które przyniosła z ogrodu.

Niewysoka osoba wysiadła z niedrogiego, małego samochodu: to był hyundai albo kia. Wynajęte auto. Chłopiec z miasta. Chłopiec, no cóż. Mężczyzna pod trzydziestkę. Mathilde od tak dawna była sama, wydawało jej się, że jest pomarszczona i stara. Kiedy przejrzała się w lustrze, zaszokowała ją własna niespodziewanie młoda twarz.

Kiedy przybyły przechodził przez podjazd, poruszał się z taką swobodą, że Mathilde nie mogła oderwać od niego oczu. Był średniego wzrostu, przystojny i ciemnowłosy. Miał długie rzęsy i mocno zarysowaną szczękę. W jej piersi coś zaterkotało nieprzyjemnie, w ostatnich miesiącach nauczyła się rozpoznawać tę mieszaninę gniewu i pożądania. No cóż, istniał tylko jeden sposób, by wypędzić z siebie tę bestię! Powąchała pachy. Nie śmierdziały.

Spłoszyła się, gdy zobaczyła, że chłopiec patrzy na nią, stojąc pod drzwiami: zaczęła nosić białe koszulki Lotta, a ta była już tak przepocona, że prześwitywały przez nią jej sutki jak dwa powitalne prezenty. Włożyła tunikę, zeszła na dół i otworzyła drzwi. Bóg obwąchała jego buty, a on ukląkł i ją pogłaskał. Wstał, żeby podać rękę Mathilde, jego dłoń była pokryta psią sierścią i lepka od potu. Kiedy tylko jej dotknął, wybuchł płaczem.

– Aha, kolejny z żałobników – zadrwiła.

Jej mąż, patron wszystkich niewydarzonych aktorów. Od razu się zorientowała, że ten chłopiec to jeden z nich. Promieniowała od niego pewność siebie, bystrość i spostrzegawczość. Tylu z nich odwiedziło ich, żeby dotknąć szat mistrza, ale teraz nie zostało po nim ani jedno ubranie, Mathilde prawie wszystkie rozdała albo spaliła, zatrzymała tylko książki i manuskrypty. Została tylko ona, jak pusta skorupa po Lotcie. Jego stara żona.

– Nie znałem go, ale można powiedzieć, że jestem w żałobie. – Chłopiec, odwracając się, otarł łzy. Kiedy znowu na nią spojrzał, był cały czerwony ze wstydu. – Przepraszam.

– Zrobiłam mrożoną herbatę – powiedziała Mathilde, zaskakując samą siebie. – Proszę usiąść na werandzie, przyniosę ją.

Kiedy wróciła, chłopiec już był spokojny. Na jego skroniach perlił się pot. Postawiła tacę na stoliku i włączyła górny wentylator. Wzięła kawałek ciasta cytrynowego. Od miesięcy żyła tylko winem i słodyczami – a co, do cholery, nie miała dzieciństwa, a przecież rozpacz to tylko przeciągające się w nieskończoność fochy. Chyba można im zaradzić, uprawiając seks i objadając się słodyczami?

Chłopiec wziął herbatę i dotknął tacy kupionej w jakimś londyńskim sklepie ze starzyzną. Przesunął palcem po herbie i przeczytał napis.

– *Non sanz droict.* – Poderwał się na krześle i oblał się herbatą. – O Boże, to herb rodziny Szekspira…

– Proszę się uspokoić. To podróbka z epoki wiktoriańskiej. On zareagował dokładnie tak samo. Pomyślał, że mamy coś, czego dotykał stary Willie, i prawie się posikał.

– Tyle lat marzyłem o tym, żeby tu przyjechać. Tylko po to żeby się przywitać. Marzyłem, że zaprosi mnie do środka, zjemy kolację i będziemy rozmawiać bez końca. Byłem pewien, że doskonale się zrozumiemy, on i ja. Lancelot. I ja.

– Przyjaciele mówili na niego Lotto. A ja mam na imię Mathilde.

– Wiem. Smoczyca. Jestem Land.

– Nazwałeś mnie Smoczycą? – wycedziła Mathilde.

– Och. Przepraszam. Tak mówili na panią wszyscy aktorzy z zespołu, kiedy grałem w *Grimoire* i *Jednookim królu*. We wznowieniu, nie w prapremierze. Oczywiście wie pani o tym. To dlatego, że pani tak o niego dbała. Pilnowała pani, żeby dostawał honorarium na czas, chroniła go pani przed ludźmi, a jednocześnie była pani tak miła. Wydawało mi się, że nazwali tak panią, bo budziła pani ich szacunek. Myślałem, że słyszała pani to żartobliwe określenie.

– Nie – odparła. – Nie słyszałam.

– Oj.

– To prawda – przyznała po chwili. – Czasem ziałam ogniem.

Przypomniało jej się, że w ostatnich latach na Lotta mówiono Lew. Gdy się wściekał, potrafił głośno ryczeć. Przypominał lwa: miał złotą grzywę z pojedynczymi, srebrnymi pasmami i wysokie, mocno zarysowane kości policzkowe. Kiedy któryś aktor kaleczył napisaną przez niego kwestię, wskakiwał na scenę i kroczył po niej szybko i zwinnie, powarkując. Miał piękne, smukłe ciało.

Potrafił być śmiertelnie niebezpieczny. Dziki. To przezwisko do niego pasowało. Mathilde widziała prawdziwe lwy. Przepiękne samce wylegiwały się tylko na słońcu. To lwice, o wiele mniej urocze, przynosiły zdobycz.

Chłopiec się pocił. Na jego niebieskiej koszuli pod pachami pojawiły się mokre plamy. Wydzielany przez niego zapach nie był nieprzyjemny. To była woń czystości. Zabawne – pomyślała, patrząc ponad rzędami lwich paszczy na rzekę. Jej matka pachniała chłodem i rybią łuską, a ojciec kamiennym pyłem i psem. Wyobrażała sobie, że wokół matki jej męża, której nigdy nie spotkała, unosi się odór zgniłych jabłek, choć jej papeteria pachniała talkiem i różanymi perfumami. Sallie to były krochmal i cedr. Jej nieżyjąca matka – drzewo sandałowe. Wujek – szwajcarski ser. Jej mówiono, że czuć ją czosnkiem albo kredą lub że jest zupełnie bezwonna. Lotto pachniał kamforą na szyi i brzuchu, jak naelektryzowana moneta pod pachami, jak chlor w pachwinach.

Przełknęła ślinę. Takie szczegóły, ledwie rejestrowane przez świadomość, już nigdy nie wrócą.

– Land – powiedziała Mathilda. – Nie pasuje do pana to imię.

– Skrót od Rolanda – wyjaśnił chłopiec.

Tam gdzie sierpniowe słońce ogrzewało rzekę, utworzyła się zielonkawa chmura. Wciąż było przeraźliwie gorąco. Ptaki przestały śpiewać. Dziki kot zwinnie przemknął przez drogę. Zanosiło się na deszcz.

– No dobrze, Rolandzie. – Mathilde powstrzymała się przed westchnieniem. – Mów.

Land powiedział jej to, co już wiedziała. Był aktorem. Grał rólkę w operze mydlanej, niewielką, ale dzięki niej płacił wszystkie rachunki.

– *Gwiazdy w twoich oczach*. Słyszała pani o niej? – Przez chwilę patrzył na nią z nadzieją w oczach, a potem się uśmiechnął. – Rozumiem. Nie ogląda pani takich seriali. Ja też nie. To chałtura. Ale dostałem tę pracę zaraz po przeprowadzce do Nowego

Jorku. Piętnaście lat temu, to był mój pierwszy casting. Niezła kasa. Latem, kiedy nie kręcimy, mogę grać w teatrze. – Wzruszył ramionami. – Nie jestem gwiazdą, ale mam stałą pracę. Można to chyba uznać za sukces.

– Nie musisz mi tłumaczyć, jakie korzyści wynikają ze stałej pracy. – Poczuła się zuchwała i nielojalna. – Lotto nigdy nie dostał takiego angażu jako aktor. Żyłoby nam się o wiele łatwiej, gdyby przez te wszystkie lata przynosił do domu stałą pensję. Ja harowałam od świtu do nocy, a on, zanim zaczął pisać, zarabiał najwyżej siedem tysięcy rocznie.

– Dzięki Bogu, zaczął pisać.

Zwierzył jej się, że w każde urodziny bierze wolne i jedzie na plażę, żeby czytać *Źródła*. Geniuszowi Lancelota nigdy nie oddano należnego hołdu.

– On by się z tobą zgodził – powiedziała oschle Mathilde.

– Właśnie za to go podziwiałem. Za jego arogancję.

– Ja też.

Na niebie chmury jak dżem z czarnej porzeczki, na północy grzmot jak ciche dudnienie parowaru. Wszystko to, co mogłaby zrobić, gdyby nie marnowała teraz czasu, gromadziło się w chłodnym cieniu domu za jej plecami, obserwowało ją z okien. Siedziała jak przykuta do krzesła.

Ten chłopiec jej się spodobał, bardzo, bardziej niż wszyscy mężczyźni, których poznała po śmierci Lotta. Był tak słodki, że mogłaby otworzyć usta i go schrupać. Miał w sobie luz i łagodność, które tak uwielbiała w męskich mężczyznach.

– Prawdę powiedziawszy, panią chciałem poznać tak bardzo jak jego.

– Dlaczego? – Zaczerwieniła się. Flirt? Niewykluczone.

– Jest pani nieopowiedzianą historią. Tajemnicą.

– Jaką tajemnicą? – zapytała.

– Kobietą, z którą on postanowił spędzić życie. O nim lat wo się czegoś dowiedzieć. Udzielił miliona wywiadów, napisał wiele sztuk, przewidział dla pani rolę. Ale pani znowu usunęła się w cień, ukrywa się pani. To pani budzi zaciekawienie.

Przez dłuższą chwilę siedzieli na werandzie, pocąc się w milczeniu, aż wreszcie odezwała się Mathilde.

– Jestem zupełnie nieinteresująca.

Dobrze wiedziała, że jest bardzo interesująca.

– Nie umie pani kłamać.

Spojrzała na niego i wyobraziła go sobie w łóżku, te cudowne palce z wypolerowanymi paznokciami, szyję z widocznymi ścięgnami, mocno zarysowaną szczękę, to doskonałe ciało widoczne pod ubraniem, tę wrażliwą twarz i już wiedziała, że potrafiłby się świetnie pieprzyć.

– Wejdźmy do środka. – Podniosła się z miejsca.

On zamrugał zbity z tropu. Potem wstał, otworzył jej drzwi i wszedł za nią do domu.

Był uważny, delikatny, kiedy trzeba, silny w jej ramionach. Ale coś nie grało. Nie chodziło o to, że była od niego dużo starsza. Szacowała, że o dziesięć lat. Najwyżej piętnaście. Nie chodziło też o to, że go nie znała. Nie znała przecież żadnego z tych facetów, z którymi poszła do łóżka w ciągu ostatnich sześciu miesięcy. Podobało jej się właśnie to, że nie zna ich historii. Kochali się w łazience, on stał za nią, a ona obserwowała jego twarz z wysokimi kośćmi policzkowymi, on chwycił jej krótkie włosy i złapał ją za ramię – choć było jej tak dobrze, nie mogła się skupić.

– Nie wytrzymam już dłużej – wysapał. Lśnił od potu.

– Nie musisz – powiedziała, a on jak gentleman wyszedł z niej, jęknął i poczuła ciepło na plecach, tuż nad kością ogonową.

– Przyjemnie. Seksowny koniec, jak z filmu porno.

On zaśmiał się i wytarł ją ciepłym ręcznikiem. Za oknem wiatr przyciskał do ziemi krzewy rosnące nad rzeką, z nieba zaczęły spadać pojedyncze, ciężkie krople deszczu.

– Przepraszam. Nie wiedziałem, co jeszcze mogę zrobić. Nie chciałem, no wiesz, żebyś zaszła w ciążę.

Stanęła prosto i wyciągnęła ramiona nad głową.

– Nie martw się. Jestem już stara.

– Nieprawda.

– Cóż. Jestem bezpłodna. – Nie dodała, że z wyboru. On skinął głową, na moment się zamyślił i nagle powiedział: – To dlatego nie mieliście dzieci? – Zaczerwienił się i założył ręce na piersi. – Przepraszam. To pytanie nie na miejscu. Zastanawiałem się po prostu, dlaczego nie mieliście. Dzieci. Ty i on.

– Właśnie dlatego.

– Z powodów zdrowotnych? Jestem wścibski. Nie odpowiadaj, jeśli nie chcesz.

– Wysterylizowano mnie, kiedy byłam młoda. – On wymownie milczał. – O niczym nie wiedział. Myślał, że jestem po prostu bezpłodna. Cierpienie w milczeniu go uszlachetniało.

Dlaczego opowiadała to wszystko temu chłopcu? Bo to nie miało już najmniejszego znaczenia. Lotto odszedł. Wyjawienie tej tajemnicy nikomu nie wyrządziłoby krzywdy. Poza tym Land jej się podobał, chciała mu coś dać; poprzedni jednorazowi kochankowie wynieśli prawie wszystko. Podejrzewała, że chłopiec ma jakiś ukryty motyw. Zamierza napisać artykuł, książkę albo wystąpienie. Gdyby opisał ich seks w czasie burzy, wyszłaby na smutną desperatkę. Taka była naprawdę. No trudno.

– Czemu mu nie powiedziałaś? – zapytał.

Och, uroczy szczeniaczek, czuł się urażony w imieniu jej męża.

– Bo świat nie potrzebuje moich genów – odparła.

– A co z jego genami? Wasze dziecko byłoby geniuszem.

Mathilde włożyła szlafrok i przeczesała dłonią krótkie włosy. Przejrzała się w lustrze, podziwiając zaróżowione policzki. Deszcz dudnił o dach. Podobał jej się ten odgłos, szary dzień dobiegający końca za oknem zrobił się tak przytulny.

– Lotto byłby fantastycznym ojcem. – Zamyśliła się. – Ale dzieci nigdy nie dziedziczą geniuszu po rodzicach.

– To prawda.

Dotknęła jego twarzy, a on się odruchowo wycofał, ale potem się zbliżył, kładąc policzek na jej dłoni. Jak mały psiak – pomyślała.

– Ugotuję ci kolację.

– Chętnie ją z tobą zjem.

– A potem chcę się z tobą znowu pieprzyć.

– Chętnie będę się z tobą pieprzyć.

Kiedy się obudziła o świcie, panująca w domu cisza powiedziała jej, że Land odjechał.

Szkoda. Mogłaby go zatrzymać na dłużej. Zostałby czyścicielem basenu. Ludzką maszyną do treningu wytrzymałościowego. Bóg warczała za drzwiami, bo czuła się opuszczona. Kiedy Mathilde je otworzyła, pies wbiegł do sypialni i wskoczył na łóżko.

W kuchni sałatka owocowa macerowała się w swoim soku. Land zaparzył dzbanek kawy, która teraz była już letnia. W niebieskiej misie z dojrzewającymi powoli zielonymi pomidorami z ogrodu ten uroczy chłopiec zostawił jej liścik w kopercie. Leżał tam jeszcze przez kilka tygodni, zanim Mathilde go wreszcie otworzyła, sprawiał, że po raz pierwszy od śmierci męża poczuła się tak, jakby w domu towarzyszył jej ktoś dobry i łagodny. Coś bardzo gorącego w jej wnętrzu zaczęło się ochładzać i przez to rozprężać.

„Uczyń mnie szczęśliwym – błagało Monstrum swojego stwórcę, doktora Frankensteina. – A znów stanę się prawy"*.

---

* Mary Shelley, *Frankenstein*, tłum. Paweł Łopatka, Kraków 2001, s. 73.

10

Mathilde miała szesnaście lat; nauczyła się już spać w łóżku. Kiedy się obudziła, stał nad nią wujek. Powtarzał:
– Nie schodź na dół. Rozumiesz? Nie schodź na dół.

W końcu zamilkł, a wtedy usłyszała dobiegające z dołu męskie głosy, krzyki i muzykę. Jego twarz była pozbawiona wyrazu, ale na policzkach pojawiły się wyraźne rumieńce. Domyśliła się, że wujek pełni ważną funkcję w jakiejś organizacji przestępczej. Często jeździł do Filadelfii. Syczącym głosem wydawał polecenia do nieporęcznego telefonu komórkowego, jednego z pierwszych na rynku, znikał bez wyjaśnienia na całe tygodnie i wracał mniej lub bardziej opalony. [Wciąż wyzierał z niego mały chłopiec kwilący z zimna i głodu. Zło zrodzone z chęci przetrwania wydaje się mało atrakcyjne]. Wyszedł, a ona przez jakiś czas leżała jak skamieniała. W krzykach nie słyszała radości, tylko gniew i strach. Kiedy wreszcie mogła się ruszyć, odsunęła od ściany kanapę, ułożyła za nią kołdrę i poduszkę. Dokładnie tyle miejsca potrzebowała – szybko zasnęła w kryjówce. W nocy najprawdopodobniej nikt nie przyszedł do jej pokoju. Ale i tak czuła w powietrzu napięcie, jakby o mały włos uniknęła nieszczęścia.

Przez czas kiedy była nastolatką, przemknęła jak mysz. Flet, pływanie i książki – zajęcia niewymagające mówienia. Stała się niepozorna, by wujek o niej zapomniał.

W ostatniej klasie liceum przyszedł do niej list z informacją, że przyjęto ją na jedną z uczelni, do których złożyła podanie, tylko z tego powodu, że spodobały się dziwaczne tematy jej esejów w formularzu zgłoszeniowym. Takie drobiazgi mogą zadecydować o ludzkim losie. Ale pożar radości szybko zgasł, zostawiając po sobie tylko popiół, kiedy uświadomiła sobie, że nie stać jej na studia. Nie miała pieniędzy, więc nie mogła studiować. Proste jak drut.

Pojechała pociągiem do miasta. Jak się potem okazało, pociągi naznaczyły piętnem całe jej życie.

Sobotni ekspres. Jej serce uwięzione w klatce piersiowej śpiewało rozpaczliwą pieśń. Na peronie gazeta powoli wirowała na wietrze.

Włożyła czerwoną sukienkę, którą dostała od wuja na czternaste urodziny, i szpilki – pantofle strasznie ją cisnęły. Zaplotła i upięła warkocze. W lustrze nie widziała ani krzty piękna w swoich ostrych rysach, dziwnych rzęsach i okropnie mięsistych ustach, ale miała nadzieję, że komuś się spodoba. Potem było jej wstyd, kiedy okazało się, o jak wielu rzeczach nie ma pojęcia. Że powinna włożyć biustonosz i skrócić włosy łonowe, żeby wyglądać jak dziewczynka. Trzeba było przynieść zdjęcia, a ona nawet nie wiedziała, że istnieje coś takiego jak fotografia portretowa.

Jakiś mężczyzna zajmujący miejsce na końcu wagonu obserwował ją, kiedy wsiadała do pociągu. Patrzył na jej niebezpiecznie wysunięty podbródek i uśmiechał się, widząc, jak się porusza, jakby właśnie odpakował nowiutkie ciało. Po jakimś czasie przeszedł między rzędami foteli i usiadł naprzeciwko niej, choć w wagonie nie było nikogo poza nimi. Czuła na sobie jego spojrzenie, ale ignorowała go tak długo, jak tylko się dało. Kiedy podniosła wzrok, on wciąż się na nią gapił.

Zaśmiał się. Miał okropną twarz mastifa, wyłupiaste oczy i obwisłe policzki. Jego wysoko uniesione brwi klauna nadawały mu taki wygląd, jakby skrycie wymyślał jakiś pieprzny dowcip i za chwilę miał wyszeptać jej puentę do ucha. Mimowolnie nachyliła się do przodu. Chciała wywołać taki efekt jak on, naśladując go, szybko nawiązać nić porozumienia. On był milczącą duszą towarzystwa; nie mówił ani słowa, ale wszyscy uważali, że jest bardzo sympatyczny.

Spojrzał na nią, a ona udawała, że czyta książkę, choć w jej głowie płonął ogień. On też się nachylił. Położył jej dłoń na kolanie, jego kciuki delikatnie dotykały wnętrza jej ud. Pachniał smakowicie werbeną i skórą.

Podniosła głowę.

– Mam dopiero osiemnaście lat – powiedziała.

– Tym lepiej.

Wstała i przerażona poszła do toalety, siedziała wsłuchana w stukot pociągu, otulając się ramionami, póki konduktor nie oznajmił, że dojechali na Penn Station. Kiedy wysiadła, poczuła się wolna, była w mieście! – miała ochotę śmiać się, biegać. Kiedy lekkim krokiem zmierzała ku swojej przyszłości, przejrzała się w witrynie cukierni i zobaczyła, że kilka kroków za nią idzie mężczyzna z pociągu. Nie spieszył się. Piekła ją skóra na pięcie, potem zrobił jej się pęcherz, a kiedy pękł na ulicy, poczuła ciepłą falę ulgi i kłucie. Była zbyt dumna, żeby się zatrzymać.

Przystanęła dopiero przed budynkiem, w którym mieściła się agencja modelek. Strażnicy przyzwyczajeni do widoku ślicznych, nieletnich, kroczących niepewnie dziewczyn rozstąpili się, żeby ją wpuścić.

W środku spędziła kilka godzin. On przesiedział ten czas w kawiarni naprzeciwko z książką w twardej oprawie i lemoniadą.

Kiedy wyszła, czuła się, jakby wyjęto jej z ciała wszystkie kości. Miała zaczerwienione powieki. Jak na tę porę roku zrobiło się tak ciepło, że jej warkocze mocno się skręciły. On szedł za nią z plastikową torbą i książką, aż wreszcie ona zaczęła kuleć, wtedy ją wyprzedził i zaprosił na kawę. Nic nie jadła od kolacji poprzedniego wieczoru. Położyła ręce na biodrach, spojrzała na niego i skręciła w prawo do sklepu z kanapkami. Zamówiła cappuccino i panini z mozzarellą.

– *Porca madonna* – powiedział. – Liczba pojedyncza. *Panino.*
Spojrzała na sprzedawczynię.
– Poproszę dwa. *Panini.* I dwa *cappuccini.*
On się zaśmiał i zapłacił. Powoli zjadła kanapki, przeżuwając każdy kęs trzydzieści razy. Rozglądała się, byle na niego nie spojrzeć. Nigdy wcześniej nie piła napoju z kofeiną, teraz czuła uniesienie nawet w koniuszkach palców. Postanowiła przepłoszyć tego faceta, stawiając mu wygórowane wymagania, zamówiła eklera i jeszcze jedno cappuccino, on zapłacił bez słowa i dalej ją obserwował.
– Nie jesz? – zapytała.
– Jem, ale mało. W dzieciństwie byłem grubasem.
Teraz dostrzegła smutne dziecko z nadwagą w twarzy z obwisłymi policzkami, zupełnie niepasującej do wąskich ramion, i poczuła w środku, jak coś ciężkiego przemieszcza się w jego kierunku.
– Kazali mi schudnąć pięć kilo – oznajmiła.
– Jesteś idealna. Niech się wypchają. Nie przyjęli cię?
– Kazali mi zrzucić pięć kilo i przysłać zdjęcia. Wtedy zlecą mi sesję do katalogu. Żebym zaczęła powoli piąć się w górę.
Patrzył na nią ze słomką w kąciku ust.
– Ale ciebie to nie zadowala. Taka dziewczyna jak ty nie chce zaczynać od zera. Jesteś młodą królową.
– Nie jestem – odparła.
Czuła, że twarz zaczyna zdradzać jej emocje, lecz zapanowała nad sobą. Zaczęło padać, krople rozpryskiwały się na gorącym chodniku. Nad ziemię wzniósł się opar i powietrze zrobiło się trochę chłodniejsze.
Słuchała dudnienia deszczu, kiedy on nachylił się, chwycił jej stopę i zdjął jej but. Przyjrzał się krwawiącemu miejscu, gdzie pękł poszarpany teraz pęcherz. Wytarł je papierową serwetką zamoczoną w wodzie z lodem i z plastikowej torby przyniesionej z apteki, do której poszedł, kiedy ona była w agencji, wydostał opakowanie

z bandażem i tubkę maści. Kiedy opatrzył jej stopę, podał jej parę plastikowych klapek z guzkami masującymi.

– Widzisz – powiedział, stawiając jej stopę na podłodze. Ulżyło jej tak, że do oczu napłynęły jej łzy. – Jestem troskliwy.

Wydobył z kieszeni chusteczkę odświeżającą i dokładnie wytarł dłonie.

– Widzę.

– Możemy się zaprzyjaźnić. Nie mam żony. Jestem dobry dla dziewczyn. Nie krzywdzę ich. Zadbam o ciebie. Jestem czysty.

Rzeczywiście, był czysty. Miał perłowe paznokcie. Jego skóra lśniła jak bańka mydlana. Dopiero później dowiedziała się o AIDS i wszystko zrozumiała.

Zamknęła oczy i wciągnęła głębiej w siebie tamtą dawną Mathilde z dziedzińca paryskiej szkoły. Otworzyła oczy i bez lusterka pomalowała sobie usta, przycisnęła do nich chusteczkę, założyła nogę na nogę i powiedziała:

– No więc?

– No więc – odparł cicho – chodź do mojego mieszkania. Ugotuję ci kolację. Możemy… – jego brwi uniosły się wysoko – porozmawiać.

– Żadnej kolacji.

On spojrzał na nią, jakby kalkulował.

– W takim razie zawrzyjmy układ. Negocjujmy. Zostań na noc. Jeśli uda ci się przekonać rodziców. Powiedz, że spotkałaś w mieście koleżankę ze szkoły. Potrafię świetnie udawać ojca licealistki.

– Rodzice to żadna przeszkoda. Mam tylko wujka, którego nie obchodzi, co się ze mną stanie.

– To co jest przeszkodą?

– Nie jestem tania.

– W porządku.

Odchylił się na oparcie. Miała ochotę zgnieść pączkujący w nim żart, którego jeszcze nie zdążył wypowiedzieć, zmiażdżyć go pięścią.

– Powiedz mi, czego najbardziej pragniesz, młoda królowo.

Zaczerpnęła powietrza i ścisnęła kolana, żeby przestały się trząść.

– Pieniędzy na studia. Na cztery lata.

On położył obie dłonie płasko na stole i zaśmiał się ostro.

– Myślałem, że torebkę. A ty chcesz się zatrudnić jako służąca.

Pomyślała: Och. [Taka młoda! Zdolna do zdumienia]. A potem pomyślała: Och, nie, on się ze mnie śmieje. Stał za nią przy drzwiach; rozpostarł płaszcz nad jej głową i przywołał taksówkę. Liczyła na to, że on jest z cukru i rozpuści się na deszczu.

Wsiadła, a on stał nachylony przy drzwiach, ale nie przesunęła się, żeby go wpuścić.

– Możemy o tym porozmawiać – powiedział. – Przepraszam. Zaskoczyłaś mnie. To wszystko.

– Zapomnij o tym.

– Jak mogę zapomnieć?

Dotknął lekko jej podbródka, a ona z trudem powstrzymała się przed zamknięciem oczu i położeniem policzka na jego dłoni.

– Zadzwoń do mnie we środę. – Podał jej wizytówkę.

Miała ochotę powiedzieć „nie", jednak tego nie zrobiła. Nie zmięła wizytówki. On rzucił banknot na przednie siedzenie i delikatnie zamknął drzwi. Potem w oknie pociągu jej blada twarz unosiła się nad moknącą w deszczu Pensylwanią. Tak się zamyśliła, że nie zauważała ani odbicia swojej twarzy, ani krajobrazu.

W następną sobotę znowu przyjechała do miasta. Wcześniej zadzwoniła, on delikatnie zasugerował próbne spotkanie. Ta sama czerwona sukienka, szpilki, fryzura. Próbne spotkanie? Przypomniała jej się babcia z Paryża, jej sfatygowana elegancja, nadgryziony przez szczury ser na parapecie, jej niegasnące poczucie godności. Mathilde wszystko słyszała z szafy, myśląc: Nigdy. Ja nigdy. Wolałabym umrzeć.

Nigdy nie mów nigdy. Nie miała lepszej oferty, a czas uciekał. Mężczyzna czekał przed budynkiem dworca, ale nawet jej nie dotknął, kiedy usiadła na obitym skórą siedzeniu limuzyny. Dochodził od niego zapach pastylek na gardło. Miała suche oczy, ale wszystko widziała jak przez mgłę. W gardle czuła dławiące rozpieranie, jakby ktoś wciskał jej pięść w przełyk.

W kamienicy kątem oka zauważyła portiera, niskiego i zarośniętego południowca, nie przyjrzała mu się dokładniej. Wnętrze było wyłożone gładkim marmurem.

– Jak masz na imię? – zapytał mężczyzna w windzie.

– Mathilde. A ty?

– Ariel.

W gładkich mosiężnych drzwiach zobaczyła swoje odbicie, plamę czerwieni, bieli i złota.

– Jestem dziewicą – powiedziała cicho.

On wyjął chusteczkę z kieszonki na piersi i otarł czoło.

– Dokładnie tego się po tobie spodziewałem.

Dla żartu ukłonił jej się zamaszyście i otworzył przed nią drzwi. Podał jej szklankę zimnej wody gazowanej. Mieszkanie było ogromne, a przynajmniej takie się wydawało, miało dwie szklane ściany. Pozostałe były białe i wisiały na nich obrazy, na każdym wirowały kolory. Ariel zdjął marynarkę, odwiesił ją i usiadł.

– Czuj się jak u siebie w domu.

Skinęła głową, podeszła do okna i spojrzała na miasto. Po chwili wyjaśnił:

– Chodziło mi o to, że w domu nie trzeba mieć na sobie ubrania.

Odsunęła się od niego. Zdjęła buty i rozpięła sukienkę, która spłynęła na podłogę. Miała czarną bawełnianą bieliznę w rozmiarze odpowiednim dla drobnej dziewczynki. Ludzie z agencji uśmiechali się, kiedy pokazała im się w niej tydzień wcześniej. Nie włożyła biustonosza, bo go nie potrzebowała. Odwróciła się z założonymi z tyłu rękami i spojrzała na niego ponuro.

– Wszystko – zażądał, a ona powoli zdjęła majtki. On bez pośpiechu się jej przyglądał. – Odwróć się. – Wykonała jego polecenie.

Na zewnątrz mgła i mrok spowijały budynki, a kiedy naprzeciwko zapaliły się światła w mieszkaniach, okna wyglądały jak kwadraty unoszące się w powietrzu.

Zaczęła się trząść, kiedy on wstał i do niej podszedł. Dotknął jej między nogami i uśmiechnął się, czując wilgoć na koniuszkach palców.

Jego kościste ciało nie pasowało do mięsistej twarzy, było niemal zupełnie pozbawione włosów, które rosły jedynie wokół sutków i w ciemnym trójkącie sięgającym od pępka do pachwin. Położył się na białej kanapie, a ona musiała tak długo stać nad nim na czworakach, że jej obolałe uda zaczęły drżeć. Wtedy on chwycił ją za biodra i nagle ściągnął w dół, uśmiechając się, kiedy jej twarz wykrzywił grymas bólu.

– Lepiej wskoczyć, niż brodzić, moja droga – powiedział. – To lekcja numer jeden.

Nie wiedziała, czemu się nie wyrywa – powinna się ubrać i uciec. Ból odczuwała jak nienawiść. Jakoś zniosła napięcie, wpatrując się w złoty kwadrat okna unoszący się w ciemności. On objął jej twarz i przysunął do siebie.

– Nie. Patrz na mnie.

Wykonała polecenie. W kącie pokoju jaśniała fluorescencyjna poświata, chyba zegar elektroniczny, który pulsując, rzucał zielony blask na jedną stronę jego głowy. Zapewne czekał, aż ona się skrzywi, ale tego nie zrobiła; siłą woli zmusiła się, by zachować kamienną twarz, poczuła narastające napięcie, a potem ulgę, kiedy się z niej wysunął. Wstała, czując skurcz w nogach i płomień we wnętrzu.

Pokroił banana na plasterki, które ułożył na jej ciele i powoli zjadł – to była cała jego kolacja.

– Jak jem więcej, to tyję.

W barze naprzeciwko zamówił dla niej kanapkę z grillowanym serem i frytki, a potem przyglądał się jej ustom, kiedy jadła. Kęs za kęsem.

– Więcej ketchupu – zakomenderował. – Zliż ser z palca.

Rano umył ją dokładnie i poinstruował, jak ma się wydepilować, a później, leżąc w wannie z gorącą wodą, patrzył, jak ona stawia nogę na krześle z drewna tekowego.

Potem kazał jej się położyć na plecach na wielkim białym łóżku i unieść kolana. Włączył film wideo. Na podwieszonym na ścianie ekranie telewizora dwie kobiety, ruda i czarnowłosa, lizały swoje ciała.

– Na początku nikt nie lubi tego, co za chwilę ci zrobię – uprzedził. – Spodoba ci się, jeśli uruchomisz wyobraźnię. Bądź ze mną. Po kilku razach zrozumiesz.

Jego wisząca nad nią nieładna twarz ją przerażała. Ciepło jego ust i szorstki zarost. Napawał się jej poniżeniem. Nigdy wcześniej nie dopuściła nikogo tak blisko. Nikt nie całował jej w usta. Zakryła twarz poduszką, odetchnęła głęboko i pomyślała o mężczyźnie bez twarzy, o muskularnym, lśniącym ciele. Czuła, jak długo i powoli wzbiera w niej ogromna, ciemna fala, która ją pochłania, aż wreszcie krzyknęła w poduszkę.

On odsunął się i nagle zalała ją powódź białego światła.

– Jesteś zaskakującą istotką – powiedział Ariel ze śmiechem.

Nie wiedziała, jak bardzo nienawidzi chińskiego jedzenia, dopóki on nie zamówił tofu mu shu, krewetek na parze z brokułami – kazał jej wszystko zjeść na podłodze do ostatniego ziarnka ryżu. Sam nie wziął do ust ani kęsa, tylko patrzył.

– Jak będziesz musiała iść do domu, weźmiesz prysznic i zawiozę cię na stację.

Pomimo twarzy gargulca miał w sobie ciepło. Mathilde skinęła głową; już trzy razy kąpała się w jego marmurowej łazience, zawsze po jedzeniu. Powoli zaczynała go rozumieć.

– Muszę zdążyć na jutrzejsze zajęcia w szkole.

– Nosisz mundurek?

– Tak – skłamała.

– O Boże – jęknął. – Włóż go w następny weekend.

Odłożyła pałeczki.

– Już postanowiłeś.

– Zależy, gdzie chcesz studiować.

Powiedziała mu.

– Jesteś mądra. Cieszy mnie to.

– Chyba jednak niezbyt mądra – zaprzeczyła, pokazując na mieszkanie i swoje nagie ciało, z ziarenkiem ryżu na piersi. Na jej twarzy pojawił się uśmiech, ale natychmiast zniknął. On jeszcze się nie zorientował, że ona potrafi być zabawna.

Wstał i podszedł do drzwi.

– Dobrze. Umowa stoi. Będziesz u mnie spędzać każdy weekend, od piątku po południu do niedzieli wieczorem. Żeby uniknąć zbędnych pytań, przedstawię cię jako swoją chrześnicę. Cztery lata. Licząc od dziś. W wakacje będziesz odbywała staż w mojej galerii. Chcę sprawdzić, czy uda mi się nauczyć cię wszystkiego, co powinnaś umieć. Możesz pracować jako modelka, jeśli musisz jakoś wyjaśnić, skąd czerpiesz dochody. Załatwię ci tabletki antykoncepcyjne. Kiedy będziemy razem, żeby uniknąć chorób i innych nieprzyjemności, nie wolno ci nikogo tknąć ani nawet spojrzeć na nikogo innego. Jeśli się dowiem, że pocałowałaś jakiegoś chłopca czy dziewczynę, rozwiążę naszą umowę.

– Nawet nie pomyślę o niczym sprośnym – obiecała, celowo wyobrażając sobie czarnego kutasa. – Dokąd idziesz?

– Kupić ci majtki i biustonosz. To hańba, że parujesz bez bielizny. Weź prysznic i się zdrzemnij, wrócę za kilka godzin.

Podszedł do drzwi, zatrzymał się i odwrócił.

– Mathilde – odezwał się łagodnie. – Nigdy nie zapominaj, że łączą nas tylko interesy. Nie wolno ci inaczej myśleć o naszej relacji.

Ona po raz pierwszy się uśmiechnęła.

– Interesy. Nie doświadczymy żadnych emocji. Będziemy jak roboty.

– Doskonale – pochwalił ją Ariel i zamknął drzwi.

Kiedy została sama, zrobiło jej się niedobrze. Dostrzegła swoje odbicie w szybie, w dole miasto powoli pulsowało. Dotknęła brzucha, piersi i szyi. Spojrzała na ręce i zobaczyła, że się trzęsą. Nie była bardziej zepsuta niż tamta dziewczyna z pociągu, ale i tak odwróciła wzrok od swojego odbicia.

Po dwóch miesiącach szkoła się skończyła, a ona przeprowadziła się do mieszkania Ariela. Niewiele zabrała z domu wujka. Kilka książek, czerwoną sukienkę i swoje zdjęcie z pozaginanymi rogami, zrobione w czasach kiedy była jeszcze niewinną i śliczną Francuzką o rumianych policzkach. Wszystko zmieściło się do jej tornistra. Kiedy kierowca poszedł do ubikacji, zostawiła list pożegnalny na siedzeniu samochodowym; gdyby zobaczyła po raz ostatni jego wielki brzuch i podbródki, wybuchłaby płaczem. Po raz pierwszy w życiu zapukała do gabinetu wujka i weszła, nie czekając na pozwolenie. On spojrzał na nią znad okularów. Na papiery na jego biurku padał z okna snop światła.

– Dziękuję, że dawałeś mi schronienie przez kilka ostatnich lat – powiedziała.

– Odchodzisz? – zapytał po francusku. Zdjął okulary i przyglądając się jej, odchylił się na oparcie fotela. – Dokąd?

– Zamieszkam u przyjaciela.

– Kłamiesz.

– Zgadza się. Nie mam przyjaciół. Nazwijmy go mecenasem.

Wujek się uśmiechnął.

– Skuteczne rozwiązanie wszystkich twoich problemów. Prawdę mówiąc, nie sądziłem, że aż do tego stopnia wykorzystasz swoje ciało. Mogłem się tego spodziewać. W końcu mieszkałaś z moją matką.

– Do widzenia. – Ruszyła w stronę drzwi.

– Szczerze powiedziawszy, miałem o tobie lepsze zdanie, Aurélie. – Mathilde zatrzymała się z ręką na klamce. – Myślałem, że popracujesz kilka lat, a potem wyjedziesz do Oksfordu. Oczekiwałem prawdziwej walki. Wydawało mi się, że jesteś do mnie podobna. Przyznaję, rozczarowałaś mnie. – Mathilde milczała. – Pamiętaj, w ostateczności zawsze znajdziesz u mnie ciepły kąt i coś do zjedzenia. Wpadaj do mnie od czasu do czasu. Chcę zobaczyć, jak się zmieniasz. Podejrzewam, że zdziczejesz albo zamienisz się w mieszczkę. Staniesz się potworem, który pożre cały świat, albo matką ośmiorga dzieci.

– Nie zamierzam urodzić ośmiorga dzieci.

Nie zamierzała go też odwiedzać. Niczego od niego nie chciała. Po raz ostatni spojrzała na jego urocze uszy w kształcie skrzydeł i okrągłe policzki maskujące jego kłamliwą naturę, kącik jej ust uniósł się w górę, wychodząc, w milczeniu żegnała się z domem i z arcydziełem ukrytym w skrytce pod schodami, które tak bardzo pragnęła jeszcze raz zobaczyć, z długimi korytarzami z rzędami drzwi zamkniętych na klucz i z ciężką bramą z dębowego drewna. Wyszła na zewnątrz. Biegła po spękanej, bitej drodze, w jaskrawym białym słońcu, każdy jej krok był małym pożegnaniem z bydłem pasącym się na polach menonitów, z czerwcowym wietrzykiem, ze skarpą porośniętą niebieskimi floksami. Ogarniało ją cudowne zmęczenie.

Długie lato w dziewiętnastym roku jej życia. Jak wiele można zrobić językiem, oddechem. Smak lateksu, zapach olejowanej skóry. Loża w Tanglewood. Krew szybciej krążyła w jej żyłach. Łagodny głos w jej uchu sprawił, że nagle dostrzegła arcydzieło w bohomazie Jacksona Pollocka. Upał, pisco sour na tarasie, męczarnia, kiedy kostka lodu powoli topiła się na jej sutku, a on obserwował ją, stojąc w drzwiach. Uczył ją. W ten sposób kroi się jedzenie. W ten sposób zamawia się wino. W ten sposób bez słowa możesz dać komuś do zrozumienia, że zgadzasz się z jego opinią.

W jego oczach pojawiła się czułość, ale ona udawała, że tego nie zauważa. Interesy – mówiła do siebie, kiedy posadzka pod prysznicem parzyła jej kolana. On wsuwał dłonie w jej włosy. Przynosił jej prezenty: bransoletki, filmy, które sprawiały, że się rumieniła, bieliznę uszytą z trzech sznurków i malutkiego kawałka koronkowego materiału.

Potem studia. Nie spodziewała się, że skończą się tak szybko. Zajęcia jak rozbłyski światła, mrok weekendów, potem znowu światło. W czasie wykładów chłonęła wiedzę. Z nikim się nie zaprzyjaźniła; Ariel całkowicie ją absorbował, oprócz tego musiała się uczyć, wiedziała, że jeśli pozna jedną osobę, poczuje głód kolejnych znajomości. W ciepłe wiosenne dni, kiedy jaskrawożółte forsycje raziły ją w oczy, jej serce się buntowało; mogłaby bez trudu zaciągnąć do łóżka pierwszego lepszego faceta, ale miała tak wiele do stracenia w zamian za krótkotrwały dreszczyk emocji. Obgryzała paznokcie do krwi, tęsknie patrząc, jak inni się przytulają i śmieją z dowcipów zrozumiałych tylko dla wtajemniczonych. W piątkowe popołudnia, jadąc pociągiem wzdłuż Hudsonu, w zapadającym zmroku wyrzucała z siebie wszystko, zostawała w niej pustka. Kiedy pozowała do zdjęć, udawała dziewczynę, która ze swobodą paraduje w samym bikini i z radością pokazuje całemu światu swój nowy koronkowy stanik. Najlepiej wychodziła na zdjęciach, kiedy wyobrażała sobie, że wyrządza krzywdę fotografowi. W mieszkaniu: otarcia od szorstkiego dywanu, zagryzione wargi. On przesuwał dłonią po jej plecach, rozsuwał jej pośladki: Interesy – myślała. Pociąg na uczelnię, każdy kilometr się rozrasta. Rok, dwa. Wakacje w mieszkaniu i galerii, jak ryba w akwarium. Uczyła się. Trzy lata, cztery.

Wiosna na czwartym roku. Przed nią całe życie. Jasność tak wielka, że trzeba odwrócić od niej wzrok. W Arielu narastał niepokój. Zabierał ją na czterogodzinne kolacje, kazał jej przychodzić do siebie, gdy był w łaziencc. Kiedy budziła się w niedzielne poranki, on ją obserwował.

– Pracuj dla mnie – zaproponował wprost, kiedy ona, po zażyciu kupionej przez niego kokainy, na poczekaniu zrobiła wykład na temat geniuszu Rothki. – Zatrudnię cię w galerii, wszystkiego cię nauczę, a potem podbijemy Nowy Jork.

– Może – odparła uprzejmie, myśląc: Nigdy.

Myśląc: Interesy. Obiecała sobie, że już wkrótce nareszcie będzie wolna.

11

Była sama przez całe popołudnie. Kiedy zeszła na dół, zobaczyła, że Bóg pogryzła dywan w kuchni i zostawiła na podłodze kałużę moczu – teraz patrzyła na nią z łobuzerskim błyskiem w oku. Mathilde wzięła prysznic, włożyła białą sukienkę, na jej ramiona skapywała woda z niewytartych włosów. Wsadziła psa do klatki, zebrała jego zabawki i jedzenie do plastikowej torby i zaniosła do samochodu. Bóg wyła przez chwilę, potem ucichła.

Stała przed supermarketem w mieście, aż wreszcie zauważyła rodzinę, którą znała z widzenia. Czasem widziała ojca, trochę niemrawego mężczyznę o twarzy koniokrada, jak odśnieżał podjazd. Matka, gruba kobieta o drobnych zębach w kolorze kości słoniowej, pracowała w recepcji u dentysty. Dzieci miały przepiękne sarnie oczy. Mathilde uklękła, spojrzała na nie i powiedziała:

– Chcę wam dać swojego psa.

Chłopiec wsadził do buzi trzy palce, spojrzał na Bóg i pokiwał głową.

– Widać pani piersi – wyszeptała dziewczynka.

– Pani Satterwhite? – odezwała się matka.

Ze zdumieniem przyglądała się Mathilde, która zorientowała się, że jest nieodpowiednio ubrana. Bez zastanowienia włożyła designerską sukienkę w kolorze kości słoniowej. Dała psa mężczyźnie.

– Wabi się Bóg.

Kobieta westchnęła i powtórzyła:

– Pani Satterwhite!

Mathilde już szła do samochodu.

– Daj spokój, Donna – usłyszała głos mężczyzny. – Nie czepiaj się tej biednej kobiety.

Pojechała do domu. W środku panowała głucha cisza. Mathilde się uwolniła. Nie musiała się już o nic martwić.

To było tak dawno. Dzień, w którym światło padało z nieba jak przez zielone dmuchane szkło.

Promienie słońca igrały w jej długich blond włosach. Skrzyżowała szczupłe nogi, czytając *Kamień księżycowy*. Zagryzła skórkę przy paznokciu do krwi, myśląc o swoim chłopaku, ich miłość kiełkowała od tygodnia, on rozświetlił jej świat. Lotto – powtarzał jadący pociąg. Lotto-Lotto-Lotto.

Zagłębiona w lekturze, nie zauważyła przyglądającego się jej niskiego chłopca z tłustymi włosami; miała swoje radości. Poza tym wtedy jeszcze nie znała Cholliego. Od kiedy Mathilde i Lotto na siebie trafili, on spędzał z nią każdą chwilę; zostawił swój pokój w akademiku swojemu przyjacielowi z dzieciństwa, który nielegalnie brał udział w zajęciach, nie był studentem. Lotto poświęcał cały czas Mathilde, wiosłowaniu i nauce.

Ale Chollie ją znał. Był na imprezie, na której Lotto podniósł wzrok i ją zobaczył, widział, jak Lotto tratuje ludzi, żeby się do niej dostać. Spotykali się od tygodnia, Chollie był pewien, że to nic poważnego. Ona była ładna, jeśli komuś podobają się dziewczyny chude jak patyk, ale nie podejrzewał, że dwudziestodwuletni Lotto zechce związać się na stałe z jedną cipką, jeśli mógł do końca życia radośnie się łajdaczyć. Chollie był przekonany, że gdyby Lotto był zabójczo przystojny, nie miałby takiego powodzenia. Fatalna cera, wysokie czoło i trochę nazbyt wydatny nos dodawały jego pięknej, nieomal dziewczęcej twarzy charakteru i seksapilu.

Tymczasem poprzedniego dnia zobaczył Lotta i Mathilde pod wiśnią, z której sypały się płatki kwiatów, i nagle poczuł, że brakuje mu powietrza. Pięknie wyglądali. Wysocy, rozpromienieni. Jej blada, naznaczona smutkiem twarz, na której nigdy nie pojawiał się uśmiech, teraz stała się radosna. Jakby całe życie spędziła w chłodnym cieniu i nagle ktoś wyciągnął ją na słońce. A on całą swoją niespożytą energię skoncentrował na niej. Ona skupiała w nim coś, co mogło się łatwo rozproszyć. Kiedy mówiła, on wpatrywał się w jej usta, delikatnie dotykał palcami jej podbródka i całował ją, zamykając powieki z długimi rzęsami, nawet kiedy ona mówiła, jej usta się poruszały i śmiała się w trakcie pocałunku. Chollie od razu się zorientował, że faktycznie wpadli po uszy. Połączył ich wybuchowy dynamizm, gapili się na nich nawet mijający ich profesorowie. Chollie uświadomił sobie wtedy, że Mathilde stanowi dla niego realne zagrożenie. On, który całe życie musiał walczyć o przetrwanie, bez trudu rozpoznawał podobnych do siebie. On, bezdomny, znalazł schronienie u Lotta. Ona chciała mu to odebrać.

[Tę sobotę Chollie spędził na dworcu, a gdy w następną drzemał w łóżku Lotta przykryty stertą ubrań, ten wszedł do pokoju, uśmiechając się tak szeroko, że Chollie postanowił milczeć, choć mógł się odezwać. Lotto jak w ekstazie podniósł słuchawkę i zadzwonił na Florydę do matki, tej grubej maciory, która wiele lat wcześniej groziła, że wykastruje Cholliego. Kłócili się. Co za dziwna relacja. Lotto powiedział matce, że się ożenił. Ożenił się! Przecież są jeszcze dziećmi. Cholliego zmroziło tak, że nie słyszał już reszty rozmowy, doszedł do siebie dopiero po wyjściu Lotta. Nie mógł w to uwierzyć. Wiedział jednak, że to prawda. Po jakimś czasie biedny Chollie płakał gorzkimi łzami schowany pod skłębionymi ciuchami].

Jednak tego dnia, na tydzień przed ich ślubem, wciąż miał jeszcze mnóstwo czasu, żeby uratować Lotta przed tą dziewczyną. Dlatego poszedł za nią, wsiadł do pociągu i usiadł za jej plecami.

Kosmyk jej włosów wsunął się w przestrzeń między fotelami. Powąchał go. Pachniał rozmarynem.

Wysiadła na Penn Station. Wyszedł za nią z zatęchłego podziemia na ciepłą i rozświetloną ulicę. Ona podeszła do czarnej limuzyny, szofer otworzył jej drzwi, a ona zniknęła w środku. W środku dnia w zatłoczonym centrum miasta Chollie rzucił się za nią w pogoń – bardzo szybko się spocił i zaczął ciężko dyszeć, a jego klatka piersiowa unosiła się miarowo. Kiedy samochód zatrzymał się przed budynkiem w stylu *art déco*, Mathilde wysiadła i weszła do środka.

Portier, goryl w liberii pochodzący pewnie ze Staten Island, wyglądał na człowieka, do którego należy walić prosto z mostu.

– Kim jest ta blondynka? – zapytał go.

Portier wzruszył ramionami. Chollie dał mu dziesięć dolarów.

– Dziewczyna faceta z 4B – odparł portier.

Chollie spojrzał na niego, ale mężczyzna tylko wyciągnął rękę po więcej i Chollie dał mu wszystko, co miał, czyli jointa. Facet się uśmiechnął i powiedział:

– Kiedy przyszła tu po raz pierwszy wiele lat temu, była o wiele za młoda. Rozumiesz, o co mi chodzi? On handluje sztuką. Nazywa się Ariel English. – Chollie czekał na więcej. – To wszystko, co mogę zdradzić za takiego małego skręta.

Potem Chollie siedział w oknie baru po drugiej stronie ulicy. Czekał i obserwował. Jego przepocona koszula wyschła, a kelnerce w końcu znudziło się pytanie go, czy podać mu coś jeszcze, i tylko dolewała mu kawy do kubka.

Kiedy cienie pochłonęły budynki po drugiej stronie ulicy, prawie się poddał i już chciał wrócić do pokoju Lotta w kampusie. Mógł szukać dalej, sprawdzić w książce telefonicznej numery galerii. Zbadać sprawę. Nagle portier wstał, otworzył drzwi i na zewnątrz wyszła chimera: mężczyzna o obwisłej twarzy i ciele, które wyglądało jak obłok wpuszczony w ubranie. W każdym jego ruchu, w jego nienagannej powierzchowności widać było bogactwo. Za nim kroczył żywy manekin. Chollie dopiero po chwili rozpoznał Mathilde. Miała za wysokie obcasy, spódniczkę od mundurka ledwie zasłaniającą krocze, wysoko upięte włosy i o wiele za mocny makijaż. [Nie zgodziła się przedłużyć umowy po czterech latach. Ariel się wściekł i dlatego ją tak wystroił – znał ją i wiedział, jak jej zrobić na złość]. Z jej twarzy zniknął gdzieś ten wieczny, ledwie widoczny uśmieszek działający jednocześnie jak magnes i tarcza. Jej twarz była pusta jak wyludniony budynek. Szła tak, jakby nie zauważała otaczającego ją świata, pod szyfonową bluzką widać było jej sutki.

Przeszli przez ulicę i Chollie wpadł w popłoch, kiedy pchnęli drzwi baru. Usiedli przy stoliku w rogu. Mężczyzna złożył zamówienie dla nich obojga: grecki omlet z samych białek dla niego, koktajl czekoladowy dla niej. Obserwował ich odwrócone odbicie w chromowanym serwetniku. Ona nie jadła, miała martwy wzrok. Chollie zauważył, że mężczyzna mówi jej coś na ucho, a jego dłoń znika w ciemności między jej udami. Ona nie protestowała, była bierna. [Ale tylko na powierzchni – pod spodem buzowały płomienie].

Chollie był przytłoczony. Coś w nim wirowało. Gniew na Lotta, strach, że on, Chollie, straci wszystko, na co tak ciężko pracował. Wzburzony wstał, wsiadł do pociągu, w zapadającym mroku przycisnął rozpaloną twarz do chłodnego szkła, a w domu, w Vassar, położył się do łóżka Lotta na krótką drzemkę, żeby się zastanowić nad tym, jak powiedzieć przyjacielowi, kim jest jego nowa dziewczyna. Dziwką. Ale zasnął. Obudził go śmiech dochodzący ze świetlicy i odgłosy z telewizora. Zegar pokazywał, że minęła północ.

Wyszedł z pokoju i stanął jak wryty. Jedyne wyjaśnienie: Mathilde ma bliźniaczkę. Pojechał do miasta za jakąś inną dziewczyną. Na kolanach Lotta siedziała dziewczyna z niedbale związanymi włosami i ubrana w jego dresy, śmiała się z tego, co on szeptał jej na ucho. Wyglądała zupełnie inaczej niż osoba, którą widział wcześniej – doszedł do wniosku, że się pomylił. A może to był sen? Na stole leżał niedojedzony muffin z jabłkami, Chollie już po niego sięgał, bo umierał z głodu.

– Hej – zawołał Lotto. – Chollie! Nie poznałeś jeszcze mojej – zaśmiał się – mojej Mathilde. Dziewczyny, w której się szaleńczo zakochałem. Mathilde, to Chollie, przyjaźnimy się całe wieki.

– Och! – westchnęła, wstała i podeszła do Cholliego. Była od niego wyższa. – Miło mi cię poznać. Już słyszałam wszystkie historie o was.

Zamilkła i objęła go. Pachniała mydłem Ivory i, no tak, szamponem rozmarynowym.

Wiele lat później, kiedy ogrodnik próbował zasadzić rozmaryn na tarasie jego luksusowego apartamentu, Chollie zrzucił pojemnik z roślinami z trzydziestego piętra na chodnik i patrzył, jak eksploduje, wzniecając obłok kurzu.

– Już cię gdzieś widziałem.

– Trudno ją przeoczyć. Ponad metr osiemdziesiąt czystego piękna, nogi do samej szyi – powiedział Lotto.

– Nie – zaprzeczył Chollie. – Dzisiaj. W pociągu do miasta. Jestem pewien, że to byłaś ty.

Lotto się zawahał.

– Pewnie widziałeś jakąś inną ślicznotkę. Mathilde przez cały dzień pisała pracę roczną z francuskiego. Prawda, M.?

Mathilde bardzo zmrużyła oczy, kiedy się zaśmiała.

– Tak, przed południem. Ale szybko skończyłam. To tylko dziesięć stron. Jak poszedłeś na lunch z kolegami z osady wioślarskiej, pojechałam do Metropolitan Museum. Na zajęcia z literatury mam napisać wiersz ekfrastyczny. Wszyscy pewnie wykorzystają ten sam okropny obraz Moneta z liliami, który wisi w galerii w kampusie. Niedawno wróciłam. A przy okazji o czymś mi przypomniałeś! – zwróciła się do Cholliego. – Przywiozłam Lottowi prezent ze sklepu w muzeum.

Z dużej torby wyciągnęła książkę. Potem, kiedy Chollie ją ukradł, zobaczył okładkę z obrazem Chagalla. Mathilde też ją ukradła, kiedy po raz ostatni wychodziła z mieszkania Ariela. Odebrała ostatni czek. Teraz mogła pójść do łóżka z Lottem.

– *Kupidyn jest ślepy* – przeczytał Lotto. – *Dzieła sztuki inspirowane dramatami Szekspira*. Och. – Pocałował ją w policzek. – Wspaniała.

Mathilde spojrzała na Cholliego. Kolejny błysk w ciemności. Tym razem niezbyt przyjazny.

No dobra – pomyślał Chollie. – Pokażę ci, jak cierpliwie potrafię czekać. Zniszczę ci życie, kiedy będziesz się tego najmniej spodziewała. [Wet za wet. Ona zniszczyła jego życie]. Gdzieś w zakamarkach jego umysłu zaczął się formować plan. Uśmiechnął się do niej i zobaczył swoje odbicie w ciemnej szybie. Spodobało mu się, bo wyglądało zupełnie inaczej niż on: było szczuplejsze, bledsze i o wiele mniej wyraziste.

12

Mąż nie obudził jej kubkiem kawy. Kiedy mieszkali pod jednym dachem, każdego dnia budził ją kubkiem kawy ze śmietanką. Stało się coś złego. Otworzyła oczy i zobaczyła światło poranka. W jej wnętrzu otworzyła się otchłań. Nie widziała jej czarnego dna. Wstała z ociąganiem. Umyła twarz. Porozmawiała z psem, który szaleńczym pędem pobiegł do drzwi. Kiedy rozsunęła zasłony, zobaczyła świat pogrążony w zimowym półśnie. Długo patrzyła na schody.

Kolba pistoletu – pomyślała.

Zostawił mnie – pomyślała. – Od kiedy zobaczyłam go po raz pierwszy, wiedziałam, że ten dzień nadejdzie.

Zeszła po ledwie widocznych schodach. Nie zastała go w kuchni. Szeptem próbowała się uspokoić, wychodząc na górę do jego pracowni na poddaszu. Zatliła się w niej nadzieja, kiedy stanęła w drzwiach i zobaczyła go przy biurku. Ze spuszczoną głową. Pewnie pracował całą noc i zasnął. Spojrzała na niego, na lwią grzywę siwiejącą na skroniach, wyniosłe czoło, miękkie, pełne usta.

Kiedy go dotknęła, okazało się, że jego skóra jest chłodna. Miał otwarte oczy puste jak lustra. Wcale nie spał.

Stanęła za nim i przylgnęła do jego pleców. Wsunęła dłonie pod jego koszulę i wyczuła pod palcami jego obwisły brzuch jak z cienkiej gumy. Zagłębiła palec w jego pępku. Potem jej dłonie powędrowały w dół, do spodni od piżamy, wyczuła jeszcze jego ciepło. Wełniste włosy łonowe. Satynowa główka, taka pokorna w jej dłoni.

Trzymała go bardzo długo. Czuła, jak stygnie. Odsunęła się od niego dopiero wtedy, kiedy przestała rozpoznawać jego ciało, jak słowo, które powtarzane w nieskończoność, stopniowo traci znaczenie.

13

Chollie zaskoczył Mathilde w basenie. Od śmierci Lotta minęło sześć miesięcy i dzień.

Zostawił samochód dwa kilometry od jej domu i przyszedł pieszo, żeby go nie usłyszała i nie ukryła się w altanie.

Tego ranka chciała opalić całe ciało, więc nie włożyła bikini. Kogo mogła zgorszyć? Wrony? Widokiem wyschłego, niekochanego ciała wdowy? Nagle Chollie zjawił się przy basenie i głośno jęknął. Spojrzała na niego przez ciemne okulary i dłonią wytarła policzki.

Mały goblin. Kiedyś w czasie imprezy próbował zaciągnąć ją do łazienki, musiała kopnąć go w jaja, żeby się go pozbyć.

– Kurwa, Chollie – zaklęła. Podpłynęła do brzegu basenu i wyszła. – Nie mam prawa do chwili samotności? Podaj mi ręcznik.

On spełnił jej prośbę, ale poruszał się strasznie powoli.

– Samotność to jedno, ale samobójstwo to co innego – powiedział. – Z tymi włosami czy raczej bez włosów wyglądasz jak po chemii.

– Po co przyjechałeś?

– Wszyscy się o ciebie martwią. Tylko w zeszłym tygodniu dzwoniło do mnie dziesięć osób. Danica boi się, że sobie zrobisz krzywdę.

– W takim razie możesz wracać do domu i przekazać wszystkim, że żyję.

– Właśnie widzę – powiedział z uśmiechem. – Wyraźnie. Na własne oczy. Jestem głodny i nie mam siły prowadzić. Nakarm mnie.

Mathilde westchnęła.

– Mam tylko lody. Pistacjowe.

Poszedł za nią do kuchni, a kiedy nakładała mu lodów do miseczki, sięgnął po list leżący w niebieskiej misce wśród pomidorów. Zawsze wtykał łapy w nie swoje sprawy. Kiedyś przyłapała go, jak w jej gabinecie czytał napisane przez nią na karteluszkach fragmenty dziwnej i chropawej prozy.

– Łapy przy sobie – warknęła. – To nie do ciebie.

Wyszli na rozgrzaną kamienną posadzkę werandy. Chollie zabrał się do jedzenia.

– Zaskakiwanie cię w najmniej odpowiednim momencie to chyba moja specjalność. – Chollie beknął i rzucił łyżkę na ziemię.

Przypomniała sobie dotyk jego rąk na swoich przedramionach dawno temu na jakimś przyjęciu, pożądanie na jego twarzy. Język, który kiedyś wsunął jej do ucha.

– Tak, wszyscy wiemy, że jesteś zboczeńcem.

– Nie. To znaczy tak, ale nie to mam na myśli. Wiesz, że kiedyś cię śledziłem? W Vassar. Jeszcze się nie znaliśmy. Zaraz po tym jak Lotto cię poznał. Czułem, że ukrywasz jakiś paskudny sekret. Pojechałem więc za tobą do miasta.

Mathilde milczała.

– Zdziwiłem się, kiedy nowa dziewczyna mojego przyjaciela wsiadła do limuzyny – kontynuował. – Może już zapomniałaś, że wtedy miałem świetną kondycję i mogłem nadążyć za samochodem. Wysiadłaś z niego i weszłaś do jakiejś kamienicy. A ja siedziałem w barze naprzeciwko. Pamiętasz ten bar?

– Jak mogłabym zapomnieć. Poza tym już wtedy byłeś gruby. Nigdy nie miałeś kondycji, Choll.

– Ha. Wyszłaś okropnie wystrojona, w prześwitującej bluzce i spódniczce tak krótkiej, jakby uszyto ją z kawałka bandaża. Obok ciebie szedł podejrzany facet o obwisłej twarzy, potem w barze włożył ci pod stolikiem łapy między nogi. Pomyślałem sobie: Hmm, mój kumpel Lotto to najlepszy człowiek pod słońcem. Cholernie lojalny i ciepły, pozwala mi nocować w swoim pokoju i jest mi bliższy niż moja rodzina. A poza tym ma talent, to prawdziwy geniusz, choć wtedy jeszcze nikt o tym nie wiedział, ale ja już czułem w nim charyzmę. Był taki łagodny, akceptował ludzi takimi, jacy są. To rzadkie, prawda? On nigdy nikogo nie oceniał. Większość nieustannie snuje w głowie jakiś paskudny monolog. Ale nie Lotto. On wolał myśleć o ludziach pozytywnie. Tak było mu łatwiej. Był dla mnie dobry. Moja rodzina była bandą sadystycznych idiotów, żeby od niej uciec, zrezygnowałem z liceum w połowie czwartej klasy i z wszystkich ludzi na świecie tylko Lotto bezustannie okazywał mi sympatię. Od kiedy skończyłem siedemnaście lat, to on był dla mnie jak rodzina. I nagle ten wspaniały, najlepszy pod słońcem facet spotyka dziewczynę, która wymyka się do Nowego Jorku, żeby się pieprzyć z jakimś staruchem? Po powrocie do domu postanowiłem, że powiem swojemu najlepszemu przyjacielowi, że jego panna się puszcza, bo tylko podła osoba mogłaby zrobić mu takie świństwo. Osoba, która dla zabawy zabija szczeniaki. Dziewczyna, która wychodzi za mąż dla pieniędzy. Ale ty wróciłaś do akademika przede mną. A może zasnąłem? Nie pamiętam. Wiem, że kiedy wyszedłem z pokoju, zobaczyłem was razem i dotarło do mnie, że nie mogę mu powiedzieć prawdy. Jeszcze nie. Widziałem, że Lotto oszalał na twoim punkcie. Tak się w tobie zadurzył, że gdybym pisnął choć słowo, on zwróciłby się przeciwko mnie.

Mathilde, mrużąc oczy, obserwowała oddział mrówek maszerujący po szarym gorącym kamieniu. Chollie czekał na jakiś jej komentarz, ale ona milczała.

— Pomyślałem więc, że lepiej się wycofać – kontynuował. – Postanowiłem poczekać i wyciągnąć asa z rękawa, kiedy nikt nie będzie się tego spodziewał.

— Minęły dwadzieścia cztery lata. On umarł, zanim zrealizowałeś swój plan – powiedziała cicho. – Fatalnie. Co za tragedia.

– Mylisz się.

Spojrzała na jego czerwoną spoconą twarz. Przypomniała sobie, jak zachowywał się Lotto przez ostatni miesiąc życia. Był ponury, odpowiadał monosylabami. Patrzył na nią z bólem w oczach. Przywołała w pamięci ich ostatnie wspólne spotkanie z Cholliem przed śmiercią męża. Przed oczami stanął jej tamten wieczór, kiedy Lotto zaciągnął ją do galerii Ariela na wernisaż pośmiertnej wystawy Natalie. Wnętrze zamieniło się w baśniowy, cienisty i mroczny las, w którym stały wielkie metalowe rzeźby z wyłaniającymi się z nich krzyczącymi twarzami. Wmawiała sobie, że po tylu latach Ariel nie stanowi już zagrożenia. Jakiś śliczny kelner oblał winem jej jedwabną sukienkę, Mathilde poszła do toalety, żeby zetrzeć plamę, a kiedy wróciła, miejsce jej męża zajmował wyglądający dokładnie jak on robot, który się nie uśmiechał na jej widok, tylko patrzył na nią z ukosa, z narastającą wściekłością. Od momentu kiedy mąż czule pocałował ją w czoło, zanim kieliszek przewrócił się na tacy i wino w potwornie zwolnionym tempie wylało się na jej sukienkę, do chwili kiedy wróciła z toalety, Chollie miał dość czasu, by powiedzieć Lottowi o jej układzie z Arielem.

Chollie się zaśmiał, widząc, że Mathilde skojarzyła wszystkie fakty. Świat zawirował jej przed oczami.

– Szach mat, kochana. Jestem bardzo cierpliwym graczem.

– Dlaczego?

– Bo mi go zabrałaś – odparł trochę za szybko, zbyt piskliwie. Poprawił okulary na nosie i złożył ręce. – Miałem tylko jego, a ty mi go zabrałaś. Poza tym jesteś zła i nigdy na niego nie zasługiwałaś.

– Ale dlaczego teraz? A nie dziesięć lat temu? Albo dwadzieścia?

– Oboje wiemy, jak bardzo nasz przyjaciel lubił waginę. Wszystkie i każdą. Szczerze mówiąc, moja droga, wiedziałem, że któregoś dnia twoja się zestarzeje. Sflaczeje i zwiotczeje. Wkrótce czeka cię menopauza. A biedny Lotto zawsze chciał mieć dziecko. Gdybyś zniknęła z jego życia, mógłby spełnić swoje marzenie. Przecież wszyscy chcieliśmy tylko zaspokajać jego pragnienia. Prawda?

Nie ręczyła za siebie. Miała ochotę podnieść łyżkę i go nią zabić. Wstała, weszła do domu i zamknęła za sobą drzwi.

Kiedy Chollie odszedł żwirowanym podjazdem, kilka godzin przesiedziała w kuchni. Nie zapaliła światła, chociaż zapadła noc. Na kolację otworzyła butelkę bardzo drogiego wina, które dostała w prezencie wiele lat wcześniej od producenta sztuk Lotta. Miało dymny aromat, który długo pozostawał na języku. Kiedy skończyła, wstała i poszła na górę do gabinetu męża. Jego grubosz, zaniedbany od tak dawna, sczerniał. Otwarte książki walały się w całym pokoju, a na biurku leżały jego papiery.

Usiadła na skórzanym fotelu i zapadła się w zagłębienie, które zrobiło się przez lata pod ciężarem ciała jej męża. Oparła głowę o ścianę za plecami, wybłyszczoną w miejscu, o które on się opierał. Spojrzała na okno, w którym on stał godzinami i marzył pogrążony w swojej wyobraźni, wypełniony mrocznym pulsowaniem. Poczuła się olbrzymia, wielka jak dom, z księżycem jak koroną, z wiatrem w uszach.

[Rozpacz to zinternalizowany ból, wrzód na duszy. Gniew to ból przekształcony w energię, nagły wybuch].

Postanowiła, że zrobi to dla Lotta.

— Będzie fajnie — powiedziała głośno do pustego domu.

14

Ceremonia wręczenia dyplomów. Fioletowe wzgórza, piekące słońce. Pochód maszerował zbyt szybko, więc wszyscy śmiali się, ciężko dysząc. Gdzieś w tłumie stojącym po bokach mignęła jej nalana twarz Cholliego. Mathilde nie raczyła powiedzieć wujkowi, że kończy studia. Chętnie zobaczyłaby się z kierowcą, ale nie znała jego prawdziwego nazwiska. Nie rozmawiała z Arielem od ostatniej wyprawy do miasta, kiedy zrealizowała ostatni czek i ich umowa wygasła. Nikt nie przyszedł jej kibicować. Cóż, nikogo się nie spodziewała.

Dotarli na dziedziniec, cierpliwie wysłuchali długich przemówień i jakiegoś komika, na którego występie Mathilde nie mogła się skupić, bo Lotto siedział przed nią, a ona wpatrywała się w różowe zakrzywienia jego ucha i miała ochotę wziąć je w usta i ssać. Kiedy wyszła na podwyższenie, rozległy się uprzejme oklaski. Jemu towarzyszyła prawdziwa owacja.

– Popularność jest okropna – powiedziała do niego później, kiedy odnaleźli się w deszczu confetti z nakrętek i pocałowali.

Szybki numerek w jego pokoju, zanim zaczęli się pakować. Jego pośladki na twardym dębowym biurku, ich śmiech ucichł, kiedy rozległo się pukanie do drzwi.

– Właśnie biorę prysznic! – zawołał Lotto. – Kończę za seksundę.

– Co? – Głos jego siostry Rachel rozległ się na wysokości klamki.

– O cholera – szepnął. – Chwileczkę – zawołał, czerwieniąc się, a Mathilde ugryzła go w ramię, żeby się nie zaśmiać.

Kiedy Rachel weszła, Lotto prychał, biorąc zimny prysznic, a Mathilde na kolanach pakowała jego buty do kartonowego pudełka.

– Cześć! – przywitała się z dziewczynką.

Biedactwo ani trochę nie przypominało swojego olśniewającego brata. Długi, wąski nos, drobna szczęka, wąsko osadzone oczy, szarobure włosy, ciało napięte jak struna w gitarze. Ile miała lat? Chyba dziewięć. Miała ładną falbaniastą sukienkę. Wpatrywała się przez chwilę w Mathilde.

– Och! Jesteś taka śliczna – powiedziała.

– Już cię lubię – odparła Mathilde.

Wstała, podeszła do dziewczynki, nachyliła się do niej i pocałowała ją w policzek. Wtedy Rachel zobaczyła swojego brata wychodzącego z łazienki w samym ręczniku, z jego ramion unosiła się para. Podbiegła do niego i objęła go w pasie, a on zawołał:

– Rachel! Mój promyczek!

Za Rachel stała ciotka Sallie, kobieta o twarzy tchórzofretki, widać było między nimi pokrewieństwo.

– Ojej. – Sallie zatrzymała się na widok Mathilde. Spod jej wysokiego koronkowego kołnierzyka wypełzł na twarz rumieniec. – Pewnie jesteś dziewczyną mojego bratanka. Zastanawiałyśmy się, czy komukolwiek uda się go sprowadzić na ziemię. Nie dziwię się, że tobie się to udało. Miło mi cię poznać, możesz mi mówić Sallie.

Stojący w drzwiach Lotto spochmurniał.

– Mama gdzieś się zatrzymała? Dopiero wchodzi po schodach?

Wydawało mu się to jasne jak słońce: kiedy tylko jego matka i żona się poznają, od razu się polubią. Och, uroczy chłopiec.

Mathilde wyprostowała plecy i uniosła głowę, czekając, aż Antoinette wejdzie, wymienią spojrzenia i staną naprzeciwko siebie. Rano w skrzynce pocztowej w kampusie znalazła liścik: „Nie zapominaj, że Cię obserwuję". Nie był podpisany, ale pachniał różami Antoinette. Mathilde schowała go do pudełka po butach, które spodziewała się kiedyś zapełnić takimi liścikami.

– Nie, przykro mi, mój mały. Przesyła pozdrowienia. Prosiła, żebym ci to przekazała.

W świetle padającym z okna widać było, że koperta, którą mu wręczyła ciotka, zawiera czek wypisany ręką Sallie, to nie matka go obdarowała.

– Och – westchnął Lotto.

– Ona cię kocha – powiedziała Sallie.

– No jasne – odparł, odwracając się.

To, co nie zmieściło się do samochodu, Lotto zostawił zbieraczom staroci. Miał tak niewiele; Mathilde zawsze podziwiała jego obojętność wobec dóbr materialnych. Kiedy już wniósł wszystko do jej mieszkania, które wynajmowała jeszcze przez tydzień, cała czwórka poszła na wcześniejszą kolację.

Mathilde sączyła wino, żeby ukryć emocje. Nie pamiętała, kiedy ostatnim razem siedziała przy stole z rodziną, i to w tak spokojnym i pięknym miejscu jak ta cicha, ozdobiona paprociami sala z białymi obrusami i mosiężnymi żyrandolami, pełna szczęśliwych absolwentów i pijących ich zdrowie rodziców. Po ich stronie stołu Lotto i Sallie prześcigali się w opowiadaniu historii rodzinnych.

– Myślałeś, że nie wiem, co majstrujecie z synem gospodyni domowej w tym starym kurniku, jak byliście mali? – powiedziała Sallie, a Lotto się zaczerwienił, jednocześnie promieniejąc z radości. – Obserwowałam was, kiedy po wyjściu się poszturchiwaliście i przepychaliście z zawstydzonymi minami. Och, mój mały, zapominasz, że widzę przez ścianę.

Wtedy skrzywiła się, jakby przypomniała sobie jakąś historię o Rachel, która w ogóle nie zwracała na nią uwagi. Tak szybko mrugała, wpatrując się w Mathilde, że ta zaczęła się obawiać, iż dziecko dostanie zapalenia spojówek.

– Fajny naszyjnik – wyszeptała dziewczynka.

Mathilde podniosła rękę i dotknęła złotego łańcuszka z dużym szmaragdem. Dostała go od Ariela w poprzednie Boże Narodzenie. Zielony kamień miał pasować do jej oczu, które później zmieniły kolor. Zdjęła go i położyła na dłoni Rachel.

– Jest twój – oznajmiła.

Później, kiedy przypominała sobie, że pod wpływem impulsu podarowała małemu dziecku naszyjnik za dziesięć tysięcy dolarów, ogarniała ją ciepła fala, nawet w ciągu tych dziesięciu lat, kiedy mieszkali w suterenie w Greenwich Village, nawet kiedy odmawiała sobie lunchu, żeby zapłacić rachunek za telefon. To była niewysoka cena za przyjaźń na całe życie.

Rachel otworzyła szeroko oczy, zacisnęła dłoń i położyła głowę na ramieniu Mathilde.

Kiedy Mathilde podniosła wzrok, zamarła. Przy sąsiednim stoliku siedział Ariel. Patrzył na nią znad nietkniętej sałatki, uśmiechał się, ale jego oczy były lodowate.

Nie odwróciła wzroku. Spokojnie patrzyła na niego, aż wreszcie przywołał kelnera. Szepnął coś do niego i kelner szybko się oddalił.

– Masz gęsią skórkę – powiedziała Rachel, dotykając ramienia Mathilde; nagle kelner stanął o wiele za blisko niej, otwierając butelkę bardzo drogiego szampana.

– Ja tego nie zamawiałam – warknęła Sallie.

– Wiem, wiem – uspokoił ją kelner. – To prezent od wielbiciela. Mogę?

– Jak miło! No proszę. Lotto ma wielu wielbicieli – wykazała się refleksem Mathilde. – Kiedy zagrał Hamleta, stał się znany w tych stronach. To geniusz.

– Och, wiem – zgodziła się Sallie.

Lotto tak się ucieszył, pękał z dumy, rozglądając się w poszukiwaniu przyjaznej duszy, która przysłała szampana. Siła jego radości sprawiała, że ci, na których spoczął jego wzrok, podnosili głowy znad talerzy, przerywali rozmowę, zaniepokojeni czerwienili się, a potem prawie wszyscy odwzajemniali jego uśmiech, w ten sposób w roziskrzony wczesny wieczór, kiedy przez okna do sali wpadały złote snopy światła, wierzchołki drzew kołysały się na wietrze, a na ulicy gromadził się rozradowany tłum, Lotto wzniecił fajerwerki niczym nieuzasadnionej radości w tak wielu osobach, wysyłając jedną falę, sprawił, że dobry nastrój stał się jeszcze lepszy. Tak działa zwierzęcy magnetyzm: każdy impuls się rozprzestrzenia, ciało przewodzi emocje. Nawet Ariel się uśmiechnął. Uśmiech pozostał na dłużej na twarzach niektórych, jakby próbowali zrozumieć, co się dzieje, i mieli nadzieję, że on jeszcze raz na nich spojrzy, a może się zastanawiali, kim on jest, bo tamtego dnia, w tamtym świecie, on był Kimś.

– Skoro już pijemy szampana – powiedziała Mathilde, patrząc na bąbelki wyskakujące z kieliszka jak pchełki – to chcieliśmy z Lottem przekazać wam ważną wiadomość.

Siedzący naprzeciwko niej Lotto spojrzał na nią, zamrugał i uśmiechnął się, a potem odwrócił do ciotki i siostry.

– Szkoda, że nie ma z nami mamy, ale nie możemy tego dłużej ukrywać. Pobraliśmy się – oznajmił, całując dłoń Mathilde.

Ona spojrzała na niego, ogarniała ją jedna fala ciepła za drugą. Dla tego mężczyzny była gotowa zrobić wszystko.

Rozległy się radosne okrzyki, goście przy sąsiednich stolikach bili brawo, bo cały czas ich podsłuchiwali, Rachel rozpłakała się ze szczęścia, a Sallie wachlowała się dłonią, choć prawdopodobnie wszystkiego domyśliła się wcześniej. Mathilde przez chwilę obserwowała Ariela, który wstał i wyszedł z sali, jego smukła sylwetka zniknęła w drzwiach. Udało mi się od niego uciec, i to na dobre – pomyślała. Ulga jak powiew chłodnego wiatru. Wypiła duszkiem szampana i kichnęła.

Tydzień po ceremonii wręczenia dyplomów Mathilde wyglądała przez dwuskrzydłowe okna wychodzące na dziedziniec z ogrodem, w którym liście klonu japońskiego kołysały się na wietrze niczym szczupłe dłonie.

Już wiedziała, że to mieszkanie stanie się jej pierwszą prawdziwą przystanią po tylu latach dryfowania. Miała dwadzieścia dwa lata. Była potwornie zmęczona. Tutaj mogła wreszcie odpocząć.

Czuła, że Lotto stoi za nią i promienieje charyzmą. Wiedziała, że za chwilę on się odwróci, zażartuje, a agentka nieruchomości zaśmieje się i po raz pierwszy w jej głosie zabrzmi ciepły ton. Zainteresuje się nimi wbrew zdrowemu rozsądkowi, wiedząc, że nie ma po co inwestować w tak młodych ludzi bez centa przy duszy. Przywiezie im quiche w dniu ich przeprowadzki; przejeżdżając w pobliżu, będzie przynosić im w prezencie cukierki. Och, Lotto – pomyślała Mathilde rozpaczliwie w nim zakochana. Jak większość zabójczo atrakcyjnych osób nosił w sobie pustkę. Ludzie najbardziej uwielbiali jej męża za to, że w jego obecności słyszeli słodkie echo swoich głosów.

Mathilde wyczuła na podłodze zapach pszczelego wosku. Usłyszała na korytarzu miauczenie kota sąsiadki i szmer liści na wietrze. Chłonęła dobrą atmosferę tego miejsca.

Zdusiła w sobie piskliwy głos, który kazał jej powiedzieć „nie" i wyjść. Nie zasługiwała na tak wiele. Wciąż jeszcze mogła dokonać sabotażu, pokręcić ze smutkiem głową i powiedzieć, że lepiej poszukać czegoś innego. Zresztą wtedy wciąż problem Lotta pozostałby nierozwiązany. Przecież to on stał się jej domem.

Jak na sygnał: żart, śmiech. Mathilde się odwróciła. Jej mąż, Boże, mój Boże, należący do niej na dobre i na złe, teraz się uśmiechnął. Objął dłońmi jej twarz i przesunął kciukami po jej brwiach.

– Wydaje mi się, że jej się podoba – powiedział, a Mathilde tylko pokiwała głową, bo nie potrafiła wydobyć z siebie ani słowa.

Mogli karmić się wyłącznie swoim szczęściem i żyć w luksusowym ubóstwie, w swoim mieszkaniu. Z powodu niedostatku stali się smukli jak nimfy, dzięki niemu mieszkanie było takie przestronne. Dar od Rachel, jej oszczędności, rozeszły się w ciągu trzech miesięcy na trzy imprezy, czynsz i jedzenie. Szczęściem można się karmić, ale nie sposób się nim najeść. Mathilde bez większych sukcesów próbowała swoich sił jako barmanka i ankieterka w Sierra Club. Gdy odcięto im prąd, palili świece ukradzione z ogródka restauracji i chodzili spać o ósmej wieczorem. Organizowali dla przyjaciół kolacje składkowe, żeby najeść się do syta, i nikt nie protestował, kiedy zatrzymywali resztki. W październiku, gdy zostały im na koncie trzydzieści cztery centy, Mathilde weszła do galerii Ariela.

On właśnie oglądał duże zielone płótno wiszące na ścianie na końcu sali. Wypowiedziała jego imię, spojrzał na nią, ale się nie poruszył.

Przyjął nową recepcjonistkę, chudą, zblazowaną brunetkę. Bez wątpienia po Harvardzie. Pretensje w spojrzeniu i długie, lśniące włosy. Potem okazało się, że to Luanne.

– Jest pani umówiona? – zapytała.

– Nie – odparła Mathilde.

Ariel założył ręce na piersi i czekał.

– Potrzebuję pracy – zawołała do niego.

– Nie mamy wolnych miejsc – poinformowała ją recepcjonistka. – Przykro mi! – Mathilde wciąż patrzyła na Ariela, w końcu recepcjonistka prychnęła z irytacją: – Proszę pani, to prywatna galeria. Proszę wyjść. Przepraszam.

– Wybaczam – powiedziała Mathilde.

– Luanne, bądź tak miła i przynieś trzy cappuccini – poprosił Ariel.

Mathilde westchnęła: cappuccini. Dziewczyna wyszła, trzaskając drzwiami.

– Wejdź – zachęcił ją Ariel. Nie widział, że Mathilde, zbliżając się do niego, toczy ze sobą wewnętrzną walkę. – Mathilde – tłumaczył łagodnie. – Niby czemu miałbym ci dać pracę? Nie jestem ci nic winny.

– Nie jesteś. Zgadzam się.

– Jak możesz mnie o to prosić po tym, co zrobiłaś?

– A co takiego zrobiłam?

– Okazałaś niewdzięczność.

– Ariel, nigdy nie byłam niewdzięczna. Dopełniłam warunków umowy. Zawsze powtarzałeś, że to tylko interesy.

– Interesy – powtórzył. Zrobił się czerwony, a jego brwi powędrowały w górę. – Wyszłaś za tego swojego Lancelota dwa tygodnie przed końcem studiów. Mogę tylko podejrzewać, że wcześniej łączyła was intymna relacja. Nie dopełniłaś więc jednak warunków umowy.

– Poznałam cię w kwietniu w ostatniej klasie liceum – przypomniała mu – więc zgodnie z moimi rachunkami nasza umowa przedłużyła się o dwa tygodnie.

Uśmiechnęli się do siebie. On zamknął oczy i westchnął. Kiedy je otworzył, były wilgotne.

– Wiem, że to były tylko interesy. Ale i tak bardzo zraniłaś moje uczucia. Dobrze cię traktowałem. Zdziwiło mnie, kiedy po rozstaniu przestałaś się ze mną kontaktować, Mathilde.

– Interesy – powtórzyła.

Przyjrzał jej się uważnie. To on kupił jej te piękne buty, które teraz są przetarte na noskach. To on kupił jej ten czarny kostium. Nie obcinała włosów od wakacji. Zmrużył oczy i przechylił lekko głowę.

– Strasznie schudłaś. Potrzebujesz pieniędzy. Rozumiem. Wystarczy, że mnie poprosisz – powiedział łagodnie.

– Ja nie proszę.

Zaśmiał się, a ponura recepcjonistka wróciła, ostrożnie niosąc tacę z kawą.

– Masz szczęście, że wciąż mam do ciebie słabość – szepnął Ariel. – Luanne, poznaj Mathilde – dodał głośniej. – Jutro do nas dołączy.

– Och. Cudownie – wykrzyknęła Luanne i wróciła na swoje miejsce.

Obserwowała ich uważnie, jakby coś wyczuła.

– Będę pracowała dla galerii – oznajmiła Mathilde, kiedy powoli szli w kierunku drzwi – a nie dla ciebie. Nie tkniesz mnie.

Ariel spojrzał na nią, a Mathilde, która znała go tak długo, wiedziała, że on myśli: Zobaczymy.

– Jak tylko mnie dotkniesz, odejdę. Przysięgam – zagroziła.

Później, kiedy miała sześćdziesiąt lat, dowiedziała się, że siedemdziesięciotrzyletni Ariel choruje. Nie pamiętała, kto jej o tym powiedział. Może niebo wyszeptało jej to do ucha. Albo powietrze. Wiedziała tylko, że zachorował na raka trzustki. Szybkiego i agresywnego. Wytrzymała dwa tygodnie, potem go odwiedziła.

Leżał na łóżku szpitalnym na tarasie swojego mieszkania. Miedź, rośliny doniczkowe, piękny widok. Otworzyła szeroko oczy i westchnęła. Zostały z niego skóra i kości.

– Lubię oglądać ptaki – wychrypiał.

Rozejrzała się, ale nie zobaczyła żadnych ptaków. – Potrzymaj mnie za rękę – poprosił.

Spojrzała na jego dłoń, ale nie spełniła jego prośby. Odwrócił głowę w jej stronę. Skóra na jego szczęce się przesunęła.

Czekała. Uśmiechnęła się do niego. Kątem oka widziała skąpane w słońcu wieżowce.

– Ach – westchnął. Ciepłe promienie oświetliły jego twarz, która przybrała nieomal radosny wygląd. – Nie zmuszę jej.

– Zgadza się – przyznała, jednocześnie myśląc: Och, mała morderczyni wróciła. Nie widziałam jej całe wieki.

– Błagam – powiedział. – Mathilde. Weź za rękę umierającego człowieka.

Chwyciła go za dłoń i na chwilę przycisnęła ją oburącz do piersi. Przemilczeli to, co powinno pozostać niewypowiedziane. On zasnął. Na palcach przyszła ponura pielęgniarka. Mathilde weszła do sterylnego, urządzonego ze smakiem mieszkania. Nie oglądała już obrazów, które znała tak dobrze, bo kiedyś wpatrywała się w nie, licząc minuty do wyjścia. Później szła w chłodnym cieniu, między budynki wdzierało się popołudniowe intensywne światło, a ona nie była w stanie się zatrzymać. Ledwie mogła oddychać; tak się cieszyła, że jeszcze raz może stanąć na swoich niezdarnych, trzęsących się ze strachu nogach, i znów nie wiedzieć, dokąd zmierza.

15

Nie tak sobie wyobrażała prywatnego detektywa wynajętego przez jej prawnika. Nie był to znużony życiem amator whisky, nie była to też dystyngowana Angielka o miękkich włosach. Mathilde z rozbawieniem uświadomiła sobie, jak bardzo lektury ukształtowały jej wyobraźnię. Na spotkanie nie przyszła panna Marple, nie pojawił się także Philip Marlowe, tylko młoda dziewczyna o nosie jak ostrze siekiery, z niedbale utlenionymi włosami. Obfity biust, nad jedną piersią delfin, który zdawał się wyskakiwać z jej dekoltu. Wielkie kolczyki. Na zewnątrz pełna entuzjazmu, w środku bardzo skupiona.

– Och – westchnęła głośno Mathilde, kiedy uścisnęły sobie ręce. Westchnienie było bezwiedne. Od tak dawna żyła w samotności, że zapomniała o dobrych manierach. Dwa dni wcześniej Chollie zaskoczył ją nagą w basenie. Spotkały się w ogródku palarni kawy na Brooklynie, nad ich głowami wiatr kołysał koronami drzew.

Dziewczyna się nie obraziła. Zaśmiała się. Otworzyła teczkę z fotografią Cholliego, jego adresem, numerem telefonu i innymi szczegółami, które Mathilde przekazała jej przez telefon.

– Nie wiem, jak dużo udało się pani dowiedzieć – powiedziała Mathilde. – On założył firmę brokerską Charles Watson Fund. Zna ją pani? Może już się pani o tym dowiedziała. Firma powstała dwadzieścia lat temu, kiedy Chollie był jeszcze dzieciakiem. Jestem pewna, że to piramida finansowa.

Dziewczyna spojrzała na nią z zainteresowaniem.

– Pani inwestuje? To o to chodzi?

– Musiałabym upaść na głowę – prychnęła Mathilde.

Dziewczyna zamrugała i odchyliła się na oparcie krzesła.

– Zresztą to na pewno piramida finansowa, trzeba to tylko udowodnić. Potrzebuję więcej informacji o nim. Czegoś osobistego. Wszystkiego, co najgorsze. Już po trzech sekundach rozmowy z nim wiadomo, że ten facet ukrywa w szafie mnóstwo szkieletów. I to dosłownie. Chcę obedrzeć żywcem ze skóry tego tłustego skurwysyna z pomarszczoną dziurą w dupie. – Uśmiechnęła się promiennie.

Dziewczyna przyglądała się Mathilde.

– Mam taką renomę, że mogę przebierać w ofertach.

– Cieszę się. Nie zamierzałam wynająć ciamajdy.

– Mój niepokój budzi tylko to, że chce pani dokonać zemsty. Takie sprawy często się komplikują.

– Och, no cóż. Morderstwo jest zbyt łatwe.

Teraz uśmiechnęła się dziewczyna..

– Podobają mi się damy z charakterem.

– Nie jestem damą.

Mathilde czuła się już zmęczona tym dziwnym flirtem. Była tak znużona, że wypiła kawę i już wstała, żeby wyjść, kiedy dziewczyna powstrzymała ją:

– Proszę jeszcze poczekać.

Rozprostowała mankiety bluzki i przekręciła ją tak, że głęboki dekolt znalazł się z tyłu – nagle zaczęła wyglądać elegancko i bardzo profesjonalnie. Zdjęła rozczochraną perukę, odsłaniając brązowe, krótko obcięte włosy. Wypięła z uszu kolczyki i usunęła sztuczne rzęsy. Teraz przed Mathildą siedziała inna osoba, surowa i inteligentna. Wyglądała jak jedyna kobieta na imprezie integracyjnej studentów matematyki.

– Charakteryzacja jak w filmie o Jamesie Bondzie – pochwaliła Mathilde. – Bardzo zabawne. Założę się, że w tym momencie każdy klient się do pani przekonuje.

– Zazwyczaj – przyznała dziewczyna z zażenowaniem.

– A delfin na piersi?

– Błędy młodości.

– Każdy z nas je popełnia – pocieszyła ją Mathilde. – Ja je bardzo cenię.

Uśmiechnęły się do siebie, siedząc po dwóch stronach stolika pokrytego kwiatowym pyłkiem.

– No dobrze, może na coś się pani przyda – uznała.

– Nie rozczaruje się pani – zapewniła dziewczyna, nachyliła się i dotknęła dłoni Mathilde w taki sposób, że sens jej słów stał się jasny.

„Gniew jest mi strawą, chociaż sam mnie trawi"*, mówi Wolumnia w *Koriolanie* Szekspira. To ona, władająca żelazną ręką, jest znacznie bardziej interesująca niż Koriolan.

Niestety, pewnie nikt nie przyszedłby na sztukę pod tytułem *Wolumnia*.

---

* William Shakespeare, *Koriolan*, tłum. Stanisław Barańczak, Poznań 1995, s. 150.

16

Chmury wisiały nisko, choć dzień za oknem wydawał się słoneczny.

Dopiero zaczęła pracę w firmie internetowej, prowadzącej stronę randkową, którą potem sprzedano za miliard dolarów. Wcześniej pracowała w galerii przez trzy lata; każdego ranka przed drzwiami brała głęboki oddech, zamykała oczy i uzbrajała się w cierpliwość. Przez cały dzień czuła na sobie wzrok Ariela. Wykonywała swoją robotę. Zajmowała się artystami, niańczyła ich i wysyłała im prezenty urodzinowe.

– Moje cudowne dziecko – przedstawiał ją Ariel. – Kiedyś to ona przejmie pałeczkę.

Kiedy tak mówił, Luanne zawsze robiła kwaśną minę. Aż kiedyś nadszedł dzień, w którym z Santa Fe przyjechał roztrzęsiony artysta, Ariel zabrał go na długą kolację, a kiedy wrócili, Mathilde siedziała w kiepsko oświetlonym biurze, przygotowując opis jednej z prac do katalogu. Podniosła głowę i zamarła. Ariel stał w drzwiach i ją obserwował. Podszedł bliżej, jeszcze bliżej. Położył jej dłonie na ramionach i zaczął ją masować. Przytulił się do jej pleców. Po długim oczekiwaniu nadszedł koniec, a ona była trochę rozczarowana, że zepsuł mu się gust: nie spodziewała się po nim czegoś tak okropnego jak ocieractwo. Wstała i oznajmiła:

– Skończyłam.

Wyszła, mijając Luanne, która obserwowała ich z daleka, a potem wzięła cały urlop i po kilku dniach znalazła sobie nową pracę, nie informując Ariela o tym, że rezygnuje z posady w galerii. Ale tego ranka Mathilde nie mogła się skupić na pracy. Poprosiła szefa o wolne, a kiedy wychodziła, on patrzył na nią zza okularów, mrużąc oczy i wykrzywiając usta.

W parku liście klonów połyskiwały, jakby ich żyłki były pozłacane. Zaszła tak daleko, że się zgubiła, a po powrocie do domu miała kolana jak z waty. Czuła gorycz na języku. Przerażona, wyciągnęła papierek z opakowania, które trzymała ukryte pod stosem ręczników. Nasikała na niego. Czekała. Wypiła cały bidon wody. Powtórzyła test jeszcze raz, jeszcze raz i jeszcze raz. Za każdym razem urządzenie wyświetlało znak plus. Tak. Wpadłaś! Włożyła papierki do torebki i wepchnęła ją na samo dno śmietnika.

Kiedy usłyszała, że Lotto wchodzi, przemyła oczy zimną wodą.

– Cześć, kochanie – zawołała. – Jak ci minął dzień?

On się rozgadał, opowiadał o przesłuchaniu do byle jakiej reklamy, nawet nie chciał tej roboty, to było poniżające, ale zobaczył chłopca z serialu telewizyjnego z lat siedemdziesiątych, tego z kosmykiem włosów opadającym na czoło, z dziwnymi uszami, pamiętasz? Ona wysuszyła twarz, przeczesała dłonią włosy i długo ćwiczyła przed lustrem uśmiech, dopóki wreszcie nie przestał wyglądać tak dziko. Wyszła z łazienki i włożyła płaszcz.

– Właśnie idę po pizzę – powiedziała.

– Weźmiesz śródziemnomorską? – zapytał.

– Tak.

– Kocham cię do szaleństwa.

– Ja ciebie też – odparła, nie odwracając się.

Zamknęła drzwi frontowe i usiadła na schodach, które prowadziły do mieszkania starszej pani na górze, położyła się, zasłaniając rękami oczy, bo co mogła teraz zrobić, co miała teraz zrobić?

Nagle poczuła nieprzyjemny zapach stóp. Na stopniu obok swojej głowy zobaczyła parę znoszonych, wyszywanych pantofli związanych sznurkiem.

Stała nad nią Bette, sąsiadka z góry.

– Chodź – zarządziła z napuszonym brytyjskim akcentem.

Mathilde cała zdrętwiała poszła za starą kobietą na górę. Kot obskakiwał ją jak mały klaun. Mathilde zdziwiła się na widok lśniącego czystością mieszkania umeblowanego w stylu, który w latach pięćdziesiątych uchodził za bardzo nowoczesny. Błyszczące bielą ściany. Na stole wiązka gałązek magnolii – soczyście zielone, lśniące liście, pod spodem ciemnobrązowe. Na kominku jarzyły się trzy chryzantemy w kolorze burgunda. Mathilde nie spodziewała się zobaczyć takiego mieszkania.

– Usiądź – zaproponowała Bette.

Mathilde usiadła. Bette gdzieś poszła.

Po chwili wróciła z filiżanką gorącej herbaty z rumianku i ciemną czekoladą. Jej smak przeniósł Mathilde na szkolny dziedziniec: kurz w snopach światła między liśćmi, ciche pstryknięcie nowego naboju w piórze.

– Nie dziwię ci się. Ja też nigdy nie chciałam mieć dzieci – oznajmiła stara kobieta, patrząc na Mathilde z góry. Miała okruszki na wardze.

Mathilde zamrugała.

– Za moich czasów o niczym nie wiedziałyśmy. Wtedy nie miałyśmy wyboru. Robiłam sobie płukanki z lizolem. Ciemnota. Kiedy przyszedł na mnie czas, poszłam do babki mieszkającej nad sklepem papierniczym. Użyła cienkiego noża. Okropne. Chciałam umrzeć. Zresztą byłam bliska śmierci. Ale dostałam dar bezpłodności.

– Jezu – wyjęczała Mathilde. – Mówiłam do siebie na głos.

– Nie.

– To skąd pani wie? Ja sama dopiero co się o tym dowiedziałam.

– Mam taką moc – powiedziała Bette. – Widać to w sposobie poruszania się. Wielokrotnie wpakowałam się w tarapaty, robiąc komuś nieprzyjemną niespodziankę. W twoim przypadku jestem pewna od dwóch tygodni.

Przesiedziały razem całe popołudnie. Mathilde zapatrzyła się na chryzantemy i przypomniała sobie o herbacie, dopiero kiedy wystygła.

– Wybacz – powiedziała Bette – ale z mojego punktu widzenia dziecko to jeszcze nie tragedia. Masz męża, który cię uwielbia, pracę, dom. Chyba dobiegasz trzydziestki, to już odpowiedni wiek. Dziecko w waszym domu to naprawdę nic takiego. Mogłabym czasem go popilnować, nauczyłabym je wierszyków, które znam od swojej babci. Ene due rike fake. Albo nie, szedł ścieżyną pstry robaczek. Karmiłabym je ciastkami. Gdyby tylko wolno mu było jeść ciastka. To jeszcze nie tragedia.

– To tragedia – upierała się Mathilde. – To niesprawiedliwe dla świata. I dla dziecka. Poza tym mam dopiero dwadzieścia sześć lat.

– Dwadzieścia sześć! – wykrzyknęła Bette. – Twoja wagina to prawie zabytek. Twoje jajeczka wkrótce się przeterminują. Myślisz, że urodzisz potwora? Hitlera? Daj spokój. Spójrz na siebie. Wygrałaś los na loterii genetycznej.

– Możesz się śmiać. Ale moje dzieci urodzą się z kłami i pazurami. – Bette uważnie jej się przyjrzała. – Ukryję je.

– Nie zamierzam cię osądzać.

– Wiem.

– Pomogę ci. Nie wpadaj w panikę. Pomogę ci. Nie zostawię cię samej.

– Ależ to długo trwało – marudził Lotto, kiedy wreszcie weszła z pizzą.

Był tak głodny, że spojrzał na Mathilde dopiero po zjedzeniu czterech kawałków. Tymczasem ona doszła do siebie.

Nocą śniły jej się istoty mieszkające w ciemności. Wijące się ślepe robaki z perłowym połyskiem jak falujący pergamin z błękitnymi żyłkami. Śliskie i wilgotne.

Zawsze nienawidziła kobiet w ciąży, kojarzyły jej się z koniem trojańskim.

Przerażała ją myśl, że w człowieku może mieszkać inny człowiek. Oddzielny mózg z własnymi myślami. Dużo później w sklepie Mathilde obserwowała kobietę tak nabrzmiałą, jakby za chwilę miała wybuchnąć, kiedy ta sięgała po lizaki na najwyższej półce, i wyobraziła sobie, jak to jest nosić w sobie istotę ludzką, której się nie połknęło w całości. Która nie była z góry skazana na klęskę. Kobieta spojrzała z irytacją na olbrzymią Mathilde, tak wysoką, że mogłaby bez trudu jej pomóc, a potem zrobiła minę, której Mathilde najbardziej nie lubiła u ciężarnych – minę rozmodlonej świętej.

– Mogę pani w czymś pomóc? – zapytała głosem słodkim jak miód, a Mathilde czym prędzej się odwróciła.

Teraz wstała z łóżka, w którym pogrążony w słodkim śnie Lotto miarowo oddychał, i poszła z butelką rumu do Bette.

Stała przed drzwiami i choć nie zapukała, otworzyły się. Pojawiła się w nich Bette w brudnym szlafroku, z kołtunem siwych włosów na głowie.

– Wchodź.

Posadziła Mathilde na kanapie, przykryła ją wełnianym kocem i położyła jej na kolanach kota. Po chwili przy prawej dłoni Mathilde pojawiła się gorąca czekolada suto zaprawiona rumem. W telewizji czarno-biała Marilyn Monroe. Bette położyła się na otomanie i pochrapywała. Mathilde na palcach zeszła na dół, zanim Lotto się obudził, ubrała się jak do pracy i zadzwoniła do galerii, żeby wziąć chorobowe. Bette, z twarzą tuż przy kierownicy, siedząc na poduszkach z kanapy, zawiozła ją do kliniki.

[Modlitwa Mathilde: chcę być falą. A jeśli nie falą, to pęknięciem na dnie. Tą straszną pierwszą szczeliną, która otwiera się w ciemności].

Potem bardzo długo czuła się oślizgła w środku. Na powierzchni spękana warstwa szarej gliny. Niczego nie żałowała; po prostu o mały włos uniknęła nieszczęścia. Lotto się od niej oddalił, siedział na szczycie wzgórza, na które ona nie miała siły się wspiąć. Szła przez życie, pozwalając, by każdy kolejny dzień włókł ją za sobą. Ożywiała się na widok małych cudów. W mosiężnej skrzynce pocztowej różany makaronik w woskowanej kopercie. Wielka jak główka kapusty niebieska hortensja leżąca przed drzwiami. Zimne, pomarszczone dłonie na policzkach, kiedy szła po schodach. Drobne podarunki od Bette. Światełka w mroku.

– To trudna decyzja. Ale słuszna – pocieszała ją Bette w poczekalni. – To, co teraz czujesz, z czasem osłabnie.

Rzeczywiście tak się stało.

Kiedy miała dwadzieścia osiem lat, a Lotto wyjechał na tydzień do Los Angeles, żeby zagrać rólkę w jakimś dramacie policyjnym, umówiła się na sterylizację.

– Jest pani pewna? – zapytał lekarz. – Jest pani młoda, może jeszcze zmieni pani zdanie. Nigdy nie wiadomo, kiedy obudzi się w pani instynkt macierzyński.

– Mój instynkt macierzyński nigdy się nie obudzi – odparła.

Przyjrzał się jej wysokim butom, blond włosom i obwiedzionym czarną konturówką kocim oczom z kreskami przy zewnętrznych kącikach. Wydawało mu się, że gdzieś już ją widział, i uwierzył w jej próżność. Skinął głową i na chwilę się odwrócił. Wprowadził do jej ciała cienkie rurki; potem jadła galaretkę i oglądała kreskówki, a pielęgniarki zmieniały jej cewnik. To było bardzo przyjemne popołudnie.

Gdyby musiała, zrobiłaby to jeszcze raz. Żeby uchronić się przed koszmarem. Żeby ocalić siebie. Gdyby musiała, zrobiłaby to jeszcze raz i jeszcze raz, i jeszcze raz, i jeszcze raz, i jeszcze raz, i jeszcze raz, i jeszcze raz.

17

Mathilde nie rozpoznała pracownicy agencji detektywistycznej na schodach Metropolitan Museum. Szukała dziewczyny spotkanej dwa tygodnie wcześniej w palarni kawy na Brooklynie, a raczej jednego z jej wcieleń, źle uczesanego, z delfinem na piersi albo eleganckiego i inteligentnego. Zobaczyła rodzinę korpulentnych turystów, uważnie przyjrzała się młodemu mężczyźnie o nieskazitelnej cerze i uniosła brwi na widok licealistki o blond włosach w spódniczce i żakiecie, z wypchanym po brzegi plecakiem. Usiadła koło niej, a dziewczyna puściła do niej oko.

– O Boże – powiedziała Mathilde. – Identyczny język ciała. Tyczkowate nogi i postawa. Wydawało mi się, że patrzę na siebie samą sprzed trzydziestu lat.

– Wcześniej uważnie ci się przyjrzałam. Kocham to, co robię.

– To ty byłaś tą dziewczynką z pudłem na kostiumy.

Agentka uśmiechnęła się ze smutkiem. Przez chwilę wyglądała na swój wiek.

– Byłam aktorką – oznajmiła. – Chciałam być młodą Meryl Streep.

Mathilde milczała.

– Tak, wiem, kim był twój mąż, a nawet go poznałam. W młodości grałam w jednej z jego sztuk. W czasie warsztatów na ACT w San Francisco wystawiliśmy *Grimoire*. Wszyscy go kochali.

Zawsze myślałam o nim jak o rybie. Lancelot Satterwhite wśród wielbicieli czuje się jak ryba w wodzie. Chciał się pławić w oceanie uwielbienia, które nigdy nie przenikało przez jego twarde łuski.

– Zgadza się – przyznała Mathilde. – Faktycznie go znałaś.

– Może nie powinnam tego mówić – zawahała się dziewczyna. – Ale teraz, kiedy on nie żyje, chyba nie robię mu krzywdy. Sama najlepiej wiesz, jaki był. Podczas pracy nad przedstawieniem wymyśliliśmy taką zabawę: kiedy ktoś coś spaprał w czasie prób, musiał wrzucić ćwierćdolarówkę do puszki. Zgromadzone pieniądze zgarnąłby ten, komu udałoby się uwieść Lancelota. Grała w to cała nasza dwunastka, dziewczyny i faceci.

– Kto wygrał? – zapytała Mathilde. Kącik jej ust zadrgał.

– Nie denerwuj się. Nikt. Po premierze daliśmy pieniądze kierownikowi sceny, bo właśnie urodziło mu się dziecko. – Dziewczyna wyciągnęła teczkę z plecaka i podała ją Mathilde. – Wciąż zbieram informacje o życiu prywatnym. Coś w trawie piszczy, ale muszę głębiej zbadać sprawę. Na razie przekupiłam informatora w Charles Weston. Wicedyrektora. Uważa się za szlachetnego demaskatora, ale wcześniej zdążył zgromadzić fortunę, kupić dom w Hamptons. Jest obrzydliwie bogaty. Dokumenty w tej teczce to czubek góry lodowej. Gigantycznej góry lodowej.

Mathilde przejrzała papiery. Kiedy podniosła głowę, ulicę zalało światło słoneczne.

– Jasna cholera – zaklęła.

– To nie wszystko. Okropne bagno. Wkurzy się wielu bogatych ludzi. Bez względu na nasze motywacje oddajemy światu przysługę.

– Ach, nie lubię przedwcześnie się cieszyć. Kiedy przyniesiesz mi informacje o jego życiu osobistym, uczcimy to z pompą.

– Uczcimy? Ty i ja, szampan w apartamencie w Regis? – zapytała dziewczyna, wstając.

Mathilde spojrzała na jej odsłonięte, silne nogi, wąskie biodra i skupioną twarz pod blond peruką. Uśmiechnęła się i poczuła, jak zardzewiały mechanizm flirtu zaczyna się poruszać. Nigdy nie była z kobietą. Wyobrażała sobie, że taki seks przypomina jogę, łagodną i mniej siłową. To byłoby coś nowego.

– Może – odparła. – Zależy, co od ciebie dostanę.

Dziewczyna zagwizdała.

– W takim razie zabieram się do roboty.

Cztery lata po śmierci Lotta, kiedy Mathilde skończyła pięćdziesiąt lat, kupiła bilet do Paryża.

Gdy wysiadła z samolotu, musiała założyć okulary przeciwsłoneczne. Ale i tak światło wdzierało się do jej oczu i obijało o mózg jak kauczukowa piłeczka. Poza tym nie chciała, by ktoś zobaczył łzy w jej oczach, kiedy zapachy miasta wróciły do niej, by ją spustoszyć.

Znowu zrobiła się mała. W tym języku potrafiła stać się niewidzialna. Zapanowała nad sobą w kawiarni na lotnisku. Kiedy kelner podawał jej espresso i *pain au chocolat* w plastikowej torebce, mówił do niej po francusku, choć do siedzącego przy sąsiednim stoliku eleganckiego towarzystwa odzywał się nienaganną angielszczyzną. Kiedy chciała zapłacić, zupełnie zapomniała o euro. W torebce szukała franków.

W ten szary chropawy dzień Paryż obezwładnił ją zapachami. Spaliny, mocz, chleb, gołębie odchody, kurz, opadłe liście i wiatr.

Kierowca taksówki, którego nos z powodu rozszerzonych porów wyglądał jak z gąbki, przyjrzał jej się we wstecznym lusterku i zapytał, czy dobrze się czuje. Nie odpowiedziała.

– Złotko, tu może pani płakać. Ile dusza zapragnie. Nie przeraża mnie widok łez w oczach pięknej kobiety.

W hotelu wzięła prysznic i włożyła czyste ubranie. Wynajęła białego mercedesa i jeździła po mieście. Hałaśliwa rzeka samochodów koiła jej amerykańską duszę.

Ronda robiły się mniejsze, a ulice węższe. Wreszcie wjechała na bitą drogę. Mijała krowy, traktory i w połowie opuszczone wioski z domkami z pokrytego sadzą szarego kamienia.

To, co w jej pamięci wydawało się tak ogromne, okazało się malutkie. Stiuki na fasadzie odświeżono i pomalowano na biało pod warstwą pnącego się bluszczu. Podjazd wysypano nowym kremowym żwirem, każdy kamyczek był zaokrąglony. Cisy urosły. Z przystrzyżonymi koronami wyglądały jak chłopcy pierwszego dnia szkoły. Za domem jak okiem sięgnąć wiła się zielona winorośl, docierając do dawnego pastwiska należącego do jej babci.

Na podjeździe mężczyzna trochę młodszy od Mathilde przykręcał koło motocykla. Miał kurtkę do jazdy na motorze i faliste włosy zaczesane na żelu. Miał takie same długie palce jak Mathilde i jej długą szyję. Tak samo zagiętą małżowinę lewego ucha.

– Tata – powiedziała głośno, choć miała więcej lat od niego.

W oknie stanęła kobieta, tęga, ze zmęczonymi oczami, wyraźnie starsza, choć zafarbowała włosy na atramentową czerń. Na dolnych powiekach namalowała sobie grube kreski. Przyglądała się Mathilde siedzącej w samochodzie i jej wydęte usta się poruszyły, jakby coś jadła. Dłoń ściskająca zasłonę była zaczerwieniona i spierzchnięta, jakby spędzała cały czas wśród ryb o złotych brzuchach.

Mathilde przypomniała sobie obezwładniający zapach dobiegający z szafy pełnej dojrzewających serów. Zamroczyło ją na chwilę. Odjechała.

W wiosce kościół wydał jej się żenująco mały. Zapamiętała monumentalną, zapierającą dech w piersiach gotycką katedrę, a teraz zobaczyła romański kamyczek. W sklepiku ze słowem TABAC* na szyldzie sprzedawano jaja z obeschniętymi kawałkami kurzych gówienek. Dochodziło południe, a *boulangerie*** już zamykano. Weszła do budynku, w którym sprzedawano pizzę na wynos i jednocześnie mieściło się tam *mairie****.

---

* *Tabac* (franc.) – sklep z wyrobami tytoniowymi.
** *Boulangerie* (franc.) – piekarnia.
*** *Mairie* (franc.) – merostwo.

Kiedy pani mer usiadła i Mathilde powiedziała jej, w jakiej sprawie przychodzi, kobieta zamrugała tak gwałtownie, że na szkłach jej okularów pojawiły się smużki czarnego tuszu do rzęs.

– Jest pani pewna? – zapytała. – Ten dom należy do rodziny od stuleci.

– Dla mnie to jedyny dom na świecie – wyznała Mathilde.

Z łatwością przypomniała sobie bretoński akcent. Silny jak jałówka, twardy jak kamienie na polach.

– To będzie panią sporo kosztowało – orzekła pani mer. – To biedna rodzina, nie ma zbyt wiele pieniędzy.

Wydęła usta i koniuszkami palców potarła klatkę piersiową.

– Wiem, że tam będę szczęśliwa – powiedziała Mathilde. – Tam i tylko tam. Chciałabym tu przyjeżdżać latem. Może nawet otworzę sklepik z antykami i herbaciarnię, żeby przyciągnąć turystów. – Twarz pani mer złagodniała. Mathilde wyciągnęła kremową wizytówkę swojego prawnika i położyła ją na biurku. – Proszę załatwiać wszystkie sprawy z tym człowiekiem. Oczywiście dostanie pani pięć procent prowizji.

– Sześć.

– Może być nawet siedem. To nie ma znaczenia. Dam tyle, ile trzeba – powiedziała Mathilde, a pani mer skinęła głową. Mathilde wstała. – Proszę użyć magii – rzuciła na odchodne.

Wracając do Paryża, czuła się tak, jakby ktoś inny kierował samochodem. Nie jadła od dwudziestu czterech godzin. Usiadła przy stoliku w La Closerie des Lilas. W Paryżu są lepsze restauracje. Ta jednak jest najbardziej literacka. Włożyła srebrzystą jedwabną sukienkę i upięła włosy. Na jej twarzy pojawił się rumieniec.

Podszedł do niej kelner.

– Całe wieki nie byłam we Francji. Tęsknię za tutejszym jedzeniem. Mój głód jest jak ból fantomowy.

W jego brązowych oczach pojawił się błysk. Poruszył wąsikiem jak spłoszona mysz.

– Podam pani nasze najlepsze dania – obiecał.

– I proszę dobrać do nich odpowiednie wino.

– Ależ oczywiście – powiedział z udawanym oburzeniem. – Z pewnością nie popełnię bluźnierstwa.

Kiedy postawił przed nią butelkę szampana i langustę w ziołowym majonezie, podziękowała mu zadowolona.

Jadła z przymkniętymi oczami.

Wyobrażała sobie, że siedzi przed nią Lotto i rozkoszuje się jedzeniem. Spodobałby mu się ten wieczór, pochwaliłby jej sukienkę, jedzenie i wino. Wzbierało w niej nieznośne pożądanie. Nie podnosiła głowy, bo wiedziała, że zobaczy przed sobą tylko puste krzesło.

Kiedy zjadła sery, kelner przyniósł jej na talerzu owoce w marcepanie w pastelowych kolorach, a Mathilde się do niego uśmiechnęła.

– *À la victoire**.

– *À l'amour*** – dodał kelner z błyskiem w oku.

Wróciła spacerem do hotelu, nad kocimi łbami unosiła się delikatna mgiełka, bo kiedy Mathilde jadła kolację, nad miastem przeszła krótka wiosenna burza. Obok niej kroczył jej cień. Weszła do łazienki, usiadła na żółtej wannie z trawertynu, nachyliła się i zwymiotowała.

Wróciła do małego białego domku z wiśniowym sadem. Zakup domu we Francji trwał wiele miesięcy. Kiedy transakcja została sfinalizowana za drobny ułamek tego, co Mathilde była gotowa zapłacić, choć i tak za o wiele więcej, niż dom był wart, jej prawnik przysłał jej butelkę Château d'Yquem.

Zadzwoniła do niego.

– Dobra robota, Klaus – pochwaliła go.

– Dziękuję, pani Satterwhite. Oni… mieli wymagania.

– To wymagający ludzie – powiedziała niefrasobliwie. – Obawiam się, że mam dla ciebie kolejne zlecenia.

---

* *À la victoire* (franc.) – za zwycięstwo.
** *À l'amour* (franc.) – za miłość.

– Doskonale. Od tego jestem.

– Zburz ten dom, żeby nie został kamień na kamieniu. Winorośl rosnąca za domem ma zniknąć. Do ostatniego pędu. Wiem, że to zabytek i burzenie go jest sprzeczne z prawem, dlatego zrób to szybko, żeby nikt się nie zorientował. Tak szybko, jak tylko się da.

On wahał się tylko przez ułamek sekundy. Podziwiała jego dyskrecję.

– Jak pani sobie życzy.

Tydzień później przesłał jej fotografie, na których komin nie zasłaniał już nieba, a tam gdzie kiedyś stały czterystuletnie kamienne mury, teraz otworzył się widok na ogród. Dom został zrównany z ziemią.

Pomyślała, że patrzy nie tyle na zwłoki, ile raczej na miejsce, w którym je pogrzebano.

Jej serce pękło i zaczęło krwawić. Dopięła swego.

Wysłała Klausowi samochód o wiele lepszy od tego, którym sama jeździła. Kiedy następnym razem do niego zadzwoniła, w jego głosie usłyszała rozbawienie.

– Zadanie wykonane, ale nie obyło się bez dzikich awantur, gniewu i morza łez. Obawiam się, że w najbliższej przyszłości nie może się pani pokazać w tej mieścinie.

– No cóż, to wiem nie od dziś.

Zabrzmiało to niefrasobliwie, ale jednocześnie czuła, że budzi się w niej stara bestia.

18

– Jesteś patologicznie prawdomówna – powiedział do niej kiedyś Lotto, a ona się zaśmiała i przytaknęła.

Wtedy jeszcze nie wiedziała, czy mówi prawdę, czy kłamie.

Ogromne połacie jej życia były dla jej męża tylko białymi plamami. Na każde szczere wyznanie przypadał jeden sekret. Można kłamać, mówiąc lub milcząc. Mathilde okłamywała Lotta, nie wyjawiając mu całej prawdy.

Nigdy mu nie powiedziała, że nie ma mu za złego tego, że zanim skończyli trzydziestkę, to ona przez długie lata musiała ich utrzymywać, że czasem nie jadła lunchu, a na kolację mogła pozwolić sobie tylko na ryż z fasolą, że musiała przelewać pieniądze z jednego lichego konta na drugie, żeby zapłacić najpilniejsze rachunki, ani nawet tego, że musiała przyjmować pieniądze od jego młodszej siostry, która dawała im je, bo była jedną z niewielu prawdziwie dobrych osób na tym świecie. Uważał, że ona się poświęca, dlatego czuł, że ma wobec niej dług wdzięczności.

Miała mu za złe co innego: żałowała, że jej mąż nie jest lepszy w tym, co robi.

Tyle czasu spędzał, czekając w deszczu na swoją kolej. Mówił monolog i wracał do domu, żeby tam warować przy telefonie, choć nikt nie oddzwaniał z propozycjami pracy. Snuł się po mieszkaniu, pił i urządzał imprezy. Tył, łysiał, tracił urok. Rok po roku.

Ostatniej zimy spędzanej w mieszkaniu w suterenie pomalowała sufit na złoto, żeby pokój wyglądał jak skąpany w słońcu, chciała się rozweselić i dodać sobie odwagi, by wreszcie usiąść z Lottem i delikatnie powiedzieć mu prawdę: wierzyła, że osiągnie sukces, ale niekoniecznie w tym fachu. Najwyraźniej aktorstwo było nie dla niego.

Zanim zebrała się na odwagę, nadszedł Nowy Rok. On jak zwykle się upił, ale nie odpłynął w sen, tylko przez całą noc w gorączce spisywał to, co leżało mu na sercu od wielu lat. Kiedy obudziła się o świcie i spojrzała na komputer, w pierwszej chwili poczuła pieczołowicie skrywaną zazdrość, obawiając się, że on rozmawia ze ślicznym blond awatarem jakiejś zagubionej, smutnej szesnastolatki. Podniosła laptop i przeczytała to, co napisał. Zdziwiła się na widok sztuki teatralnej, w której na dodatek tliła się iskra geniuszu.

Usiadła z komputerem w szafie w sypialni i gorączkowo pracowała nad tekstem. Redagowała go, kondensowała, czyściła dialogi i zmieniała przebieg scen. Kiedy się obudził, nie pamiętał, co napisał. Bez trudu mu wmówiła, że to wyłącznie jego dzieło.

Kilka miesięcy później *Źródła* były gotowe. Wygładzone. Kiedy Lotto zasypiał, ona zamykała się w szafie i raz po raz czytała sztukę. Wiedziała, że to świetny tekst.

Choć ten wspaniały dramat zmienił później ich życie, nikt nie chciał go czytać. Lotto pokazywał go producentom i reżyserom. Zostawił im kopie, ale oni się nie odzywali. Mathilde widziała, że płomyk, który rozjarzył się na nowo w jej mężu, powoli znowu przygasa. Wyglądał tak, jakby powoli umierał w trakcie operacji, powolutku, ale nieustannie się wykrwawiał.

Zainspirował ją kolejny list od Antoinette – zawierał wyrwany z gazety artykuł o Hanie van Meegerenie, fałszerzu obrazów, który swoje prace sprzedawał na całym świecie jako dzieła Vermeera, choć każdy namalowany przez niego Jezus miał jego twarz. Matka Lotta zakreśliła fotografię przedstawiającą zdjęcie rentgenowskie jednego z płócien, na którym pod okrągłą uduchowioną twarzyczką dziecka widać było zamalowaną przez Meegerena scenę na farmie, kaczki i konewki. „Warstwa fałszu przykrywająca podłe wnętrze. Z kim ci się to kojarzy?" – napisała Antoinette.

W weekend, kiedy Lotto z Samuelem i Cholliem pojechali pod namiot w góry Adirondack, poszła do biblioteki. To ona wysłała męża na te krótkie wakacje, żeby się go na chwilę pozbyć. W ciężkiej księdze znalazła to, czego szukała. Ilustracja przedstawiała jeźdźca w niebieskich szatach na białym koniu na tle innych koni i monumentalnej budowli na wzgórzu pod niebieskim niebem. Wiele lat wcześniej, w czasie studiów, odkryła, że to obraz Jana van Eycka. Na widok slajdu, który pokazano im na zajęciach, wstrzymała oddech.

I pomyśleć, że trzymała to arcydzieło w rękach w niewielkiej skrytce pod schodami w domu wuja. Czuła jego zapach: stare drewno, olej lniany, czas.

– Skradziony w 1934 roku – wyjaśnił wykładowca. – Stanowił część większego ołtarza. Podejrzewa się, że został zniszczony wiele lat temu.

Kliknął, żeby pokazać kolejne zaginione malowidło, ale ona miała przed oczami tylko roziskrzoną mgłę.

W bibliotece zapłaciła za kolorową kserokopię i napisała na maszynie list. Bez zwrotu grzecznościowego. Zaczęła od: „Wujku".

Wysłała list i kserokopię.

Tydzień później gotowała spaghetti i miksowała zioła na pesto, a Lotto siedział na kanapie z egzemplarzem *Fragmentów dyskursu miłosnego* w ręce, nie potrafił się jednak skupić na czytaniu, oddychał przez usta.

Kiedy zadzwonił telefon, podniósł słuchawkę.

– Coś takiego – powiedział po chwili, zrywając się na równe nogi. – Tak, proszę pana. Tak, proszę pana, Tak, proszę pana. Oczywiście. Jestem bardzo szczęśliwy. Jutro o dziewiątej. Och, dziękuję. Dziękuję.

Odwróciła się, trzymając w ręce parującą łyżkę.

– Kto dzwonił? – zapytała.

Blady jak ściana Lotto pocierał skronie.

– Nie wiem nawet… – zaczął i opadł ciężko na kanapę.

Podeszła do niego, stanęła między jego nogami i położyła mu dłoń na ramieniu.

– Kochanie? Coś się stało? – zapytała.

– To był pracownik Playwrights Horizons. Wystawiają *Źródła*. Jakiś prywatny sponsor oszalał na punkcie sztuki i postanowił sfinansować całą produkcję.

Położył czoło na jej klatce piersiowej i się rozpłakał. Pocałowała go w czubek głowy, żeby ukryć twarz, która z pewnością wyrażała gniew i smutek.

Kiedy kilka lat później prawnik zadzwonił do niej do teatru, w którym Lotto pomagał dobrać obsadę do swojej nowej sztuki, wysłuchała go uważnie. Wujek nie żyje [napaść; łom]. Zapisał cały majątek na rzecz domu dla ubogich matek. Aurélie zostawił tylko kolekcję japońskiej pornografii.

– To nie mnie pan szuka. Mam na imię Mathilde – powiedziała i się rozłączyła.

Kiedy książki mimo wszystko dostarczono do jej mieszkania, sprzedała je na pchlim targu, a za uzyskane pieniądze kupiła Lottowi zegarek wodoodporny do stu pięćdziesięciu metrów.

W wieczór premiery *Źródeł* Mathilde stała z Lottem w ciemności.

Broadway! Debiut na wielką skalę! Nie mógł uwierzyć, że ma tak ogromne szczęście; Mathilde uśmiechnęła się, bo przecież to ona pomogła szczęściu.

Próby przebiegały koncertowo; rolą Miriam zainteresowała się laureatka nagrody Tony: rozedrgana, leniwa, kipiąca gniewem, matka. Aktorów grających Manfreda i Hansa, ojca i syna, wtedy jeszcze nikt nie znał, ale dziesięć lat później mieli już wyrobioną markę i występowali w filmach fabularnych.

Przyszła garstka nieznajomych i kilku nieustraszonych amatorów awangardy. Reżyser w czasie spotkania w cztery oczy szeptem wyznał Mathilde, że w przeddzień premiery do popołudnia sprzedano zaledwie kilka biletów. Od rana do wieczora wisiała na telefonie i wreszcie udało jej się zapełnić teatr przyjaciółmi. Na widowni czuło się dobrą energię, a zanim zgasły światła, w teatrze zapanowała radosna i życzliwa atmosfera. Tylko Lotto potrafił w ostatniej chwili przyciągnąć trzystu lojalnych sprzymierzeńców, którzy przyszli z sympatii dla niego. Kochano go głęboką, wyjątkową miłością.

Teraz, w ciemności, obserwowała jego subtelną transformację. W ciągu ostatnich stresujących miesięcy wychudł i znowu stał się tym trochę za wysokim chłopcem, za którego wyszła. Kurtyna poszła w górę. Najpierw z rozbawieniem, następnie ze wzruszeniem, a potem nieomal z zachwytem obserwowała, jak jej mąż bezgłośnie wypowiada wszystkie kwestie i wczuwa się w każdą postać, kiedy tylko pojawiała się na scenie. W ciemności rozgrywał się teatr jednego aktora.

Gdy przyszła kolej na scenę śmierci Manfreda, twarz Lotta zrobiła się gładka i lśniąca. Wydawało jej się, że to pot, a nie łzy. Nie widziała wyraźnie. [Łzy].

Owacja na stojąco, aktorzy osiem razy wychodzili z ukłonami nie tylko dlatego, że na widowni siedzieli wielbiciele Lotta, ale również dlatego, że jego sztuka osiągnęła magiczną wręcz harmonię, zakrzepła w chwili, gdy ją wystawiono. Kiedy Lotto wyszedł z kulis na scenę, ryk publiczności dał się słyszeć w małym barze na rogu, gdzie zgromadzili się ci jego przyjaciele, którzy przyjęli zaproszenie, ale w kasie dowiedzieli się, że bilety wyprzedano, więc postanowili wcześniej rozpocząć bankiet.

Blask nie gasł przez cały wieczór, nawet po zamknięciu baru, kiedy Mathilde i Lotto nie mogli złapać taksówki, więc postanowili wrócić do domu piechotą, trzymając się za ręce – rozmawiali o wszystkim i o niczym, śmierdzący oddech metra wydobywał się z otworów wentylacyjnych.

– Chtoniczny zapach – powiedział.

Alkohol wyzwalał w nim głęboko zakorzenioną pretensjonalność, którą ona uważała za uroczą i traktowała jako przywilej ludzi sukcesu. Było tak późno, że ulice całkowicie opustoszały, i wydawało im się, że całe miasto należy tylko do nich.

Pomyślała o życiu toczącym się pod ich stopami, mijali je, niczego nieświadomi.

– Wiesz, że wszystkie mrówki na Ziemi ważą tyle samo co wszyscy ludzie na Ziemi? – zapytała.

Choć nigdy dużo nie piła, teraz musiała przyznać, że jest wstawiona; w ten wieczór kamień spadł jej z serca. Kiedy kurtyna opadła, zasłaniając scenę, wielki głaz stojący na drodze do ich szczęśliwej przyszłości odsunął się na bok.

– One przetrwają długo po naszym zniknięciu – wybełkotał, pociągając z butelki. Zanim wrócili do domu, zdążył się upić. – Mrówki, meduzy i karaluchy. To one zapanują na Ziemi. – Rozbawiła go; jego, który tak często się zalewał.

Jego biedna wątroba. Wyobraziła ją sobie jako przerażonego szczura, który zrobił się różowy, kiedy opalono go nad ogniem.

– Zasługują na to bardziej niż my – powiedziała. – Zmarnowaliśmy wszystko, co dostaliśmy w darze.

On się uśmiechnął i podniósł głowę. Z powodu smogu nie było widać gwiazd.

– Wiedziałaś, że niedawno ustalono, że tylko w naszej Galaktyce istnieje miliard planet, na których może rozwinąć się życie? Cały miliard! – poinformował, naśladując głos Carla Sagana.

Poczuła ukłucie między brwiami, nie miała pojęcia, czemu ta myśl tak ją wzruszyła.

On to zauważył i zrozumiał. [Znał ją; pod ciężarem tego, czego o niej nie wiedział, mógłby zatonąć transatlantyk; znał ją].

– Jesteśmy tu osamotnieni – mruknął. – To prawda. Ale nie sami.

W mglistej otchłani, w którą wpadła po jego śmierci, kiedy żyła w bezczasowej, podziemnej rozpaczy, obejrzała w internecie film o tym, co się stanie z naszą Galaktyką za miliardy lat. Nasza galaktyka tańczy nieskończenie powolne tango z galaktyką Andromedy, a obie mają kształt spirali z rozciągającymi się ramionami, zbliżają się do siebie jak wirujące ciała. W pewnym momencie nabiorą prędkości i zaczną się z nich sypać niebieskie iskry, czyli nowe gwiazdy, aż wreszcie znajdą się obok siebie. Wtedy galaktyki tęsknie wyciągną długie ramiona i w ostatniej chwili złapią się za ręce, i zaczną wirować w przeciwnym kierunku, połączą się, krążąc wokół siebie po raz drugi, spotkają się, uścisną i pocałują. Wtedy w samym sercu wiru, kiedy się ze sobą splotą, otworzy się gigantyczna czarna dziura.

Następnego ranka po triumfie pierwszej sztuki Lotta, kiedy świat stał się dobry, a miękkie światło niosło ze sobą nieskończone możliwości, Mathilde kupiła gazetę, pudełko drożdżówek z czekoladą i jabłkami i croissanty. W drodze błyskawicznie zjadła przepyszne ciastko z migdałami. W domu, w ich przytulnej norze ze złotym sufitem, nalała sobie szklankę wody – Lotto ze zmierzwionymi od snu włosami czytał gazetę, a kiedy się odwrócił, jego szeroka, urocza twarz była biała jak ściana. Zrobił dziwny grymas, opuszczając dolną wargę i odsłaniając zęby. Chyba po raz pierwszy w życiu nie wiedział, co powiedzieć.

– Och – westchnęła, przysunęła się do niego i przeczytała artykuł. – Ta recenzentka może sobie wsadzić ten swój tekst w dupę.

– Kochanie, nie wyrażaj się – upomniał ją automatycznie Lotto.

– Mówię poważnie. Jak ona się nazywa? Phoebe Delmar. Ona nienawidzi wszystkich. Zmasakrowała ostatnią sztukę Stopparda, bo stwierdziła, że autor się nad sobą użala. Oznajmiła też, że Suzan-Lori Parks nie udało się zostać drugim Czechowem, co jest czystą brednią, bo Suzan-Lori Parks nawet nie próbuje zostać drugim Czechowem. Bycie Suzan-Lori Parks to wystarczające wyzwanie. Przecież podstawowe zadanie krytyka polega na ocenianiu dzieła jako autonomicznej całości. A ta suka zachowuje się jak niewydarzona poetka, która nic nie wie, ale próbuje sobie wyrobić nazwisko, niszcząc innych. Zawsze pisze negatywne recenzje. Nie przejmuj się nią.

– Tak – odparł bez przekonania.

Wstał i przez chwilę bezradnie chodził w kółko jak wielki pies, który zamierza się położyć na trawie i zdrzemnąć, potem poszedł do sypialni, ukrył się pod kołdrą i nie reagował nawet wtedy, kiedy Mathilde weszła do pokoju nago na czworakach, wyciągnęła koniec kołdry spod materaca i wpełzła do środka, a jej głowa wyłoniła się po drugiej stronie na wysokości jego karku; jego ciało było bezwładne, a oczy zamknięte, nie reagował nawet wtedy, kiedy położyła jego dłonie na swoich pośladkach, palce żałośnie zsunęły się po jej skórze, jakby nie było w nich kości.

W tej sytuacji zastosowała terapię szokową. Zaśmiała się do siebie; och, tak bardzo kochała tego nieszczęśnika. Wyszła do ogrodu, który po śmierci Bette zupełnie zdziczał, wykonała kilka telefonów i o czwartej po południu do drzwi zadzwonił Chollie, idąc pod ramię z Danicą, która krzyknęła do ucha Mathilde: „Buziak", a potem dodała: „Pierdol się, nienawidzę cię, wyglądasz przepięknie", zjawiły się też Rachel i Elizabeth, trzymając się za ręce, obie miały na nadgarstkach wytatuowaną rzepę, ale chichocząc, odmówiły wyjawienia sensu tego obrazka, Arnie zrobił musujące drinki z ginem, a Samuel przyniósł swoje dziecko w nosidełku na piersi. Kiedy Mathilde udało się wreszcie ubrać Lotta w elegancką niebieską koszulę i spodnie khaki i zaciągnąć go do przyjaciół, widziała, że każdy uścisk i każdy wyraz szczerego zachwytu nad jego sztuką stopniowo stawia go na nogi, że jego twarz znowu nabiera kolorów. Lotto łykał komplementy jak biegacz uzupełniający elektrolity.

Kiedy dostarczono pizzę, Mathilde otworzyła drzwi i choć miała na sobie legginsy i półprzezroczystą bluzkę, to i tak dostawca nie mógł oderwać wzroku od stojącego pośrodku pokoju Lotta, który jak potwór rozpostarł ramiona i wybałuszył oczy, opowiadając o tym, jak napadnięto go kiedyś w metrze i przystawiono mu pistolet do głowy. Znowu emitował światło. Zrobił kilka chwiejnych kroków i padł na kolana, a dostawca pizzy wlepił w niego wzrok, nie zwracając nawet uwagi na pieniądze, które wręczała mu Mathilde.

Kiedy tylko zamknęła drzwi, podszedł do niej Chollie.

– W ciągu godziny zamieniłaś świnię w człowieka. Odwrotnie niż Czircze.

Mathilde zaśmiała się bezgłośnie. Powiedział Czircze, jakby Kirke była żyjącą współcześnie Włoszką.

– Och, nasz biedny samouk. Mówi się Kirke.

Zrobił urażoną minę, po czym tylko wzruszył ramionami.

– Nie sądziłem, że kiedyś to powiem, ale masz na niego dobry wpływ. Coś takiego! – Teraz mówił z ostrym florydzkim akcentem. – Głupiutka blond modelka bez przyjaciół wychodzi za niego za mąż dla pieniędzy i nagle okazuje się najlepszą żoną pod słońcem. Kto by pomyślał? Najpierw podejrzewałem, że jak tylko położysz łapę na pieniądzach, to zwiejesz. Ale nie. Lottowi się poszczęściło. – Swoim normalnym głosem dodał: – Jeśli uda mu się dokonać czegoś wielkiego, stanie się to dzięki tobie.

Choć trzymała gorącą pizzę, przeszył ją zimny dreszcz. Wytrzymała spojrzenie Cholliego.

– Beze mnie też byłby kimś wielkim – zaprotestowała.

Pozostali siedzieli na kanapie i śmiali się z opowieści Lotta, tylko Rachel stała przy blacie kuchennym i obserwowała Mathilde, obejmując się ramionami.

– Tego nawet ty nie potrafiłabyś wyczarować, wiedźmo – powiedział Chollie, wziął od niej jedno z pudełek, otworzył je, złożył razem trzy kawałki pizzy i odłożył opakowanie na stos pozostałych, a potem zaczął pożerać ściśnięty w dłoni ochłap, uśmiechając się do niej ustami pełnymi tłustej masy.

Przez te wszystkie lata, kiedy Lotto wiedział, że nieźle mu idzie, i czuł się bezpieczny, nawet gdy stale pracował, a jego sztuki publikowano, a także regularnie i coraz częściej wystawiano w całym kraju, więc mógł dzięki nim prowadzić wygodne życie – nawet wtedy Phoebe Delmar go prześladowała.

Kiedy ukazała się *Telegonia*, Lotto miał czterdzieści cztery lata. Sztuka zyskała natychmiastowy i niemal jednogłośny poklask. To Mathilde zasiała w jego głowie pomysł na tę sztukę, jej zaś pomysł ten podsunął Chollie, kiedy porównał ją do Kirke. Dramat opowiadał historię Telegonosa, syna Kirke i Odyseusza – po ucieczce ojca matka wychowywała go samotnie na wyspie Ajaja w pałacu w głębi lasu, chronionym przez tygrysy i świnie. Kiedy jak wszyscy bohaterowie Telegonos musiał opuścić dom, matka podarowała mu włócznię z kolcem jadowitej płaszczki. Na swoim stateczku popłynął na Itakę, zaczął kraść bydło Odyseusza i wreszcie wdał się z nim w bójkę – nie wiedząc, z kim ma do czynienia, zabił własnego ojca.

[Telegonos poślubił Penelopę, żonę Odyseusza, która wiele wycierpiała, czekając na powrót męża. Telemach, syn Penelopy i Odyseusza, ożenił się z Kirke; przyrodni bracia stali się dla siebie ojczymami. Mathilde zawsze czytała ten mit jako pean na cześć seksownych starszych kobiet].

W tej sztuce Lotto subtelnie nawiązywał też do dziewiętnastowiecznej koncepcji telegonii, głoszącej, że potomstwo może odziedziczyć genetyczne cechy poprzednich kochanków matki. Telegonos w dramacie Lotta miał świński ryj, uszy wilka i tygrysie cętki będące spuścizną po kochankach zamienionych przez Kirke w zwierzęta. Postać tę zawsze grano w przerażającej masce, dzięki której małomówny Telegonos zyskiwał większą moc. Dla żartu Lotto kazał również Telemachowi nosić okrągłą maskę z dwudziestoma oczami i dziesięcioma ustami i nosami wszystkich zalotników Penelopy, którzy ubiegali się o jej rękę, kiedy Odyseusz tułał się po Morzu Śródziemnym.

Akcja rozgrywała się współcześnie w Telluride. Sztuka oskarżała społeczeństwo demokratyczne o to, że znalazło się w nim miejsce dla miliarderów.

– Czy Lancelot Satterwhite nie pochodzi z bogatej rodziny? To hipokryta – powiedział głośno jakiś mężczyzna w foyer teatru.

– Och, nie, został wydziedziczony za to, że ożenił się z niewłaściwą kobietą. To taka tragiczna historia – wyjaśniła pokrótce jego towarzyszka.

Historia przechodziła z ust do ust, rozprzestrzeniła się. Opowieść o Mathilde i Lotcie, epicki romans. On stracił rodzinę, stał się wyrzutkiem, nie mógł wrócić do domu na Florydę. Wszystko dla Mathilde. Z miłości do Mathilde.

O Boże – pomyślała Mathilde. Hipokryzja! Już na dźwięk tego słowa zrobiło jej się niedobrze. Ale ze względu na męża nie dementowała tej historyjki.

A potem, może tydzień po premierze, kiedy bilety sprzedawano z dwumiesięcznym wyprzedzeniem, a Lotto tonął w morzu e-maili i telefonów z gratulacjami, w środku nocy mąż przyszedł do niej do łóżka – natychmiast się obudziła i zapytała:

– Płaczesz?

– Nie płaczę! – odparł. – Nigdy. Jestem męskim mężczyzną. Do oka wpadła mi kropla burbona.

– Lotto.

– No dobrze, kroiłem cebulę w kuchni. Przecież każdy lubi czasem posiekać szalotkę w ciemności.

Usiadła na łóżku.

– Powiedz prawdę.

– Phoebe Delmar. – Westchnął ciężko i podał jej laptop.

Poświata z ekranu padła na jego struchlałą twarz. Mathilde przeczytała recenzję i zagwizdała.

– Ta baba powinna się mieć na baczności – stwierdziła ponuro.

– Ma prawo do swojej opinii.

– Ona? Nie. Tylko ona skrytykowała *Telegonię*. To wariatka.

– Uspokój się. – Jej gniew go ukoił. – Może ma rację. Może jestem przeceniany.

Biedny Lotto. Nie potrafi znieść sprzeciwu.

– Znam cię na wylot – oznajmiła Mathilde. – Znam każdą kropkę i elipsę w twoich tekstach, byłam przy tobie, kiedy powstawały. To ja, a nie ta napuszona, rzucająca na oślep petardami pijawka, wiem, że nie sposób cię przecenić. To nie ty jesteś przeceniany, tylko ona. Powinni jej odciąć palce, żeby przestała pisać.

– Dziękuję, że nie przeklinałaś.

– A poza tym powinien ją ktoś wydymać rozgrzanymi do białości widłami. Wbić je w sam środek jej brudnej dupy – dodała.

– Aha. „Brawo. Pielęgnuj mi ten dowcip"*.

– Spróbuj zasnąć – powiedziała, całując męża. – Napisz następną sztukę. Lepszą. Twoje sukcesy to jej klęski. Gorzkie jak żółć.

– Ona jedna na całym świecie mnie nienawidzi – poskarżył się ze smutkiem Lotto.

Skąd się u niego wzięła ta maniacka potrzeba powszechnego uwielbienia? Mathilde czuła się niewarta niczyjej miłości, a on pragnął, by wszyscy go kochali. Powstrzymała się przed westchnieniem.

– Napisz jeszcze jedną sztukę. Ona się do ciebie przekona – zapewniła go jak zawsze.

A on jak zawsze napisał następną sztukę.

---

* William Shakespeare, *Romeo i Julia*, tłum. Józef Paszkowski, Gdańsk 2000, s. 50.

19

Mathilde coraz dłużej biegała po wzgórzach. Dwie–trzy godziny. Czasem, kiedy Lotto jeszcze żył i pracował pełną parą w swoim gabinecie na poddaszu, a ona nawet z ogrodu słyszała, jak się śmieje, wypowiadając kwestie postaci, dla każdej wymyślając inny głos, wkładała sportowe buty i wybiegała na drogę, w przeciwnym razie poszłaby na górę, żeby ogrzać się w cieple jego szczęścia; biegała w nieskończoność, żeby sobie przypomnieć, że posiadanie silnego ciała to przywilej.

Po odejściu Lotta smutek przenikał całe jej ciało. Po kilku miesiącach od jego pogrzebu musiała zatrzymać się kilkanaście kilometrów od domu i przez dłuższą chwilę posiedzieć na ławce, bo nagle okazało się, że jej organizm nie funkcjonuje tak, jak powinien. Kiedy wstała, powłóczyła nogami jak staruszka. Zaczął padać deszcz i przemokło jej ubranie, włosy przykleiły się jej do czoła i uszu. Powoli wróciła do domu.

W kuchni czekała na nią agentka wynajęta do prowadzenia śledztwa. Włączyła światło nad zlewem. Na zewnątrz zapadał bury mglisty październikowy zmrok.

– Pozwoliłam sobie wejść – powiedziała dziewczyna. – Dosłownie przed chwilą.

Miała makijaż i obcisłą czarną sukienkę. Wyglądała jak typowa Niemka, elegancka, ale nieładna. Jej kolczyki w kształcie ósemki, symbole nieskończoności, kołysały się z każdym poruszeniem jej głowy.

Mathilde westchnęła, zdjęła buty, skarpetki, mokrą koszulkę i wysuszyła włosy ręcznikiem psa.

– Nie wiedziałam, że znasz mój adres.

Agentka machnęła tylko ręką.

– Jestem dobra w tym, co robię. Nie masz nic przeciwko temu, że nalałam sobie wina? Też się napijesz, jak zobaczysz, czego się dowiedziałam o twoim przyjacielu Cholliem Watsonie. – Zaśmiała się, jakby to odkrycie sprawiło jej przyjemność.

Mathilde wzięła od niej szarą kopertę i razem wyszły na werandę z kamienną posadzką. Wodniste słońce zachodziło za wzgórzami w kolorze chłodnego błękitu. Obserwowały je razem, Mathilde zaczęła się trząść z zimna.

– Jesteś na mnie zła – powiedziała dziewczyna.

– To moja przestrzeń – odparła Mathilde bardzo łagodnie. – Nikogo tu nie wpuszczam. Gdy cię tu zobaczyłam, poczułam się tak, jakby ktoś się tu włamał.

– Przepraszam. Nie wiem, co sobie wyobrażałam. Wydawało mi się, że jest między nami chemia. Czasem mam skłonność do przesady.

– Ty? Naprawdę? – zapytała Mathilde, rozluźniając się i pijąc wino.

Dziewczyna się uśmiechnęła, odsłaniając białe zęby.

– Twój gniew za chwilę minie, jak zobaczysz, co wyszperałam. Powiedzmy, że twój kumpel ma wielu przyjaciół. Jednocześnie.

Postukała w kopertę, którą wręczyła Mathilde, i się odwróciła. Mathilde wyciągnęła zdjęcia. Dziwnie się czuła, dowiadując się, że ktoś, kogo znała tak długo, tak się uwikłał. Po obejrzeniu czterech fotografii cała się trzęsła, tym razem nie z powodu zimna. Potem obejrzała wszystkie.

– Dobra robota – pochwaliła. – To obrzydliwe.

– I bardzo kosztowne. Uznałam, że nie przesadzasz, mówiąc, że cena nie gra żadnej roli.

– Nie gra.

Dziewczyna podeszła bliżej i dotknęła Mathilde.

– Twój dom mnie zaskoczył. Jest idealny. Zadbałaś o każdy szczegół. Dziwne, że ktoś tak bogaty mieszka tak skromnie. Tu jest tylko światło, gładkie powierzchnie i białe ściany. Jakby mieszkali tu mnisi.

– Prowadzę klasztorne życie – odparła Mathilde, mając na myśli coś więcej niż tylko wystrój wnętrz.

Usiadła z założonymi rękami. Przed nią na stole stał kieliszek wina i zdjęcia. Agentka nachyliła się do niej i ją pocałowała. Miała miękkie usta – błądziły na wargach Mathilde, która się uśmiechnęła, ale nie odwzajemniła pocałunku. Dziewczyna zajęła miejsce naprzeciwko.

– Och, no dobrze. Przepraszam. Warto było spróbować.

– Nie przepraszaj – powiedziała Mathilde, ściskając jej przedramię. – Po prostu nie zachowuj się jak czubek.

Małżeństwo Lotta i Mathilde można by przedstawić jako nieprzerwany ciąg przyjęć i imprez. Uśmiechnęła się do męża, który razem z innymi mężczyznami brał udział w plażowym wyścigu zdalnie sterowanych samochodzików. Wyglądał jak sekwoja wśród sosen, w jego przerzedzonych włosach igrało światło, jego śmiech rozbrzmiewał wśród szumu fal; muzyka sącząca się w tajemniczy sposób z sufitu, rozmowy kobiet na ocienionej werandzie, picie mojito i obserwowanie uczestników zawodów. Była mroźna zima. Wszyscy mieli na sobie bluzy z polaru. Udawali, że nie czują chłodu.

Ani Mathilde, ani Lotto nie zauważyli, że przyjęcie dobiega końca.

To był tylko lunch, który wydali Chollie i Danica, żeby pokazać wszystkim swój nowy dom. Tysiąc metrów kwadratowych, pomoc domowa na stałe, kucharz i ogrodnik. To głupota – pomyślała Mathilde – co za idioci. Po śmierci Antoinette ona i Lotto mogli pozwolić sobie na znacznie większy dom. Później, w samochodzie, śmiali się ze swoich przyjaciół, którzy tak głupio marnowali pieniądze, choć on też dorastał w takim przepychu, zanim jego ojciec kopnął w kalendarz; oboje przeczuwali, że taki styl życia to tylko oznaka pychy. Mathilde sama sprzątała dom i mieszkanie, wynosiła śmieci, myła sedes i okna i płaciła rachunki. Gotowała, zmywała naczynia i czasem jadła na lunch resztki z poprzedniego dnia.

Kiedy ciało oddzieli się od swoich przyziemnych potrzeb, człowiek upodabnia się do ducha.

Otaczające ją kobiety były jak zjawy. Z naciągniętą skórą. Po trzech kęsach pysznego jedzenia oznajmiały, że się najadły. Pobrzękiwały platyną i diamentami. Wrzody na duszy.

Jednej z nich Mathilde nie znała. Piegowata brunetka bez makijażu wydawała się zupełnie normalna. Miała ładną, ale niedrogą sukienkę. Z jej twarzy nie znikała skwaszona mina. Mathilde podeszła do niej i szepnęła:

— Jeszcze słowo na temat pilatesu i wybuchnę.

Nieznajoma zaśmiała się cicho.

— Wszyscy robimy pompki, a Ameryka idzie na dno.

Rozmawiały o książkach, o podręczniku dla sadomasochistów sprzedawanym jako powieść dla nastolatków i o komiksie poskładanym z pieczołowicie dobranych zdjęć ulicznego graffiti. Kobieta zgodziła się, że nowa i bardzo modna wegetariańska restauracja w Tribece jest interesująca, ale dodała, że jeśli do każdego dania dodaje się topinambur, to *menu* robi się nieco monotonne.

— Powinni uwzględnić inne dobre warzywa.

— Chyba za bardzo skupili się na robieniu dobrego wrażenia — uznała nieznajoma.

Drobnymi krokami oddalały się od pozostałych, aż wreszcie znalazły się same przy schodach.

— Przepraszam, nie pamiętam, jak się nazywasz.

Kobieta wstrzymała oddech. Westchnęła. Uścisnęła rękę Mathilde.

– Phoebe Delmar.

– Phoebe Delmar – powtórzyła Mathilde. – Och, jesteś recenzentką.

– Zgadza się.

– Jestem Mathilde Satterwhite. Żona Lancelota Satterwhite'a. Dramatopisarza. To ten dryblas, który tak głośno się śmieje. Od piętnastu lat masakrujesz jego sztuki.

– Poznałam cię. Ryzyko zawodowe. Czasem wpadam na takie przyjęcia jak marudna stara ciotka. Przyszłam z facetem. Nie spodziewałam się, że was tu spotkam. Nie chciałam zepsuć wam zabawy swoją obecnością. – W głosie Phoebe Delmar słychać było smutek.

– Zawsze mi się wydawało, że jak cię spotkam, to się na ciebie rzucę z pazurami – powiedziała Mathilde.

– Dzięki, że tego nie zrobiłaś.

– No cóż, jeszcze nie podjęłam ostatecznej decyzji.

Phoebe położyła dłoń na ramieniu Mathilde.

– Nie chciałam robić mu przykrości. Taką mam pracę. Traktuję twojego męża poważnie. Chcę, żeby był lepszy. – Mówiła bez cienia ironii.

– Och, daj spokój. Mówisz o nim tak, jakby był chory.

– Bo jest. Złapał wirusa artystowskiego. Bardzo powszechny wśród wielkich amerykańskich twórców. Każdy chce być coraz większy i mówi coraz głośniej. Wspina się na najwyższą grzędę, chce zostać hegemonem. Nie sądzisz, że to schorzenie dopada mężczyzn, kiedy próbują swoich sił jako artyści w tym kraju? Powiedz mi, czemu Lotto napisał sztukę wojenną? Bo dramat wojenny uważa się za bardziej istotny niż dramat o emocjach, mimo że bardziej kameralne sztuki o życiu rodzinnym są zazwyczaj lepiej napisane, bardziej błyskotliwe i interesujące. Ale to opowieści o wojnie zdobywają nagrody. Głos twojego męża brzmi najdobitniej, kiedy jest cichy i wyraźny.

Spojrzała na twarz Mathilde, zrobiła krok w tył i westchnęła.

– Podano lunch! – zawołała Danica z werandy, dzwoniąc wielkim mosiężnym dzwonkiem.

Mężczyźni podnieśli samochodziki, zgasili cygara w piachu i szli po wydmach z podwiniętymi nogawkami i skórą zaróżowioną z zimna. Usiedli przy długim stole, stawiając przed sobą talerze z górą jedzenia z bufetu. Z piecyków elektrycznych zamaskowanych gałązkami wydobywały się ciepłe podmuchy. Mathilde usiadła między Lottem i żoną Samuela, która pokazywała na ekranie telefonu zdjęcia najmłodszej córeczki, piątego dziecka.

– Ta małpka wybiła sobie ząbek na placu zabaw – powiedziała. – Ma dopiero trzy lata.

Po drugiej stronie stołu Phoebe Delmar w milczeniu słuchała mężczyzny, który mówił tak głośno, że Mathilde słyszała fragmenty ich rozmowy.

– Problem polega na tym, że na Broadwayu robi się przede wszystkim przedstawienia dla turystów… August Wilson to jedyny wielki dramatopisarz amerykański… nie chodzę do teatru. To rozrywka dla snobów i ludzi z Boise w Idaho.

Phoebe spojrzała na Mathilde, która zaśmiała się nad stekiem z łososia. Żałowała, że polubiła tę kobietę. Gdyby ją znienawidziła, byłoby jej o wiele łatwiej.

– Kim jest ta kobieta, z którą rozmawiałaś? – zapytał Lotto w samochodzie.

Uśmiechnęła się, całując kostki jego palców.

– Nie pamiętam jej nazwiska.

Po premierze *Eschatologii* Phoebe Delmar wpadła w zachwyt. Sześć tygodni później Lotto nie żył.

„Często mówiłam, że zamierzam napisać książkę pod tytułem »Żony geniuszów, z którymi siadywałam«. Siedziałam obok tylu z nich. Siadywałam z żonami geniuszów, które nie były ich prawdziwymi żonami, i z prawdziwymi żonami geniuszów, którzy nie byli prawdziwymi geniuszami. Jednym słowem, siadywałam często i długimi godzinami z różnymi żonami i żonami różnych geniuszów"*. Gertruda Stein włożyła te słowa w usta swojej partnerki Alicji B. Toklas. To niby ona była geniuszem, a Alicja żoną.

„Jestem tylko wspomnieniem po niej" – powiedziała Alicja po śmierci Gertrudy.

Kiedy Mathilde dachowała w mercedesie, przyjechał policjant. Dla lepszego efektu otworzyła usta, z których wylała się krew.

W błękitnym i czerwonym świetle wyglądał na przemian to jak chory, to jak zdrowy. Przejrzała się w jego twarzy jak w lustrze. Była blada i chuda, miała ogoloną głowę, a po jej podbródku, szyi, ramionach i dłoniach płynęła krew.

Uniosła w górę dłonie pocięte o drut kolczasty, kiedy przechodziła przez ogrodzenie, żeby dostać się na drogę.

– Stygmaty – powiedziała ze śmiechem, próbując jak najmniej poruszać językiem.

---

* Gertuda Stein, *Autobiografia Alicji B. Toklas*, tłum. Mira Michałowska, Warszawa 1979, s. 35.

20

Nieomal zrobiła to, co powinna. Najpierw, tego jasnego kwiet-
niowego poranka po *Hamlecie* w Vassar, po tym jak poprzedniego
wieczoru poznała Lotta, czuła, że miłość w jej krwiobiegu szemrze
jak pszczoły w ulu.

Obudziło ją ciche kliknięcie, kiedy uliczne latarnie się wyłączyły.
Wciąż miała na sobie ubranie, nic nie czuła tam w dole. Zatem do-
trzymała obietnicy danej Arielowi. Nie uprawiała seksu z Lottem.
Nie złamała warunków umowy. Tylko spała obok tego uroczego
chłopca. Zajrzała pod kołdrę. Lotto był nagi. Jak dziwnie wyglądał.

Przysunął pięści pod brodę, we śnie, kiedy jego błyskotliwość
nie dawała o sobie znać, wyglądał pospolicie. Na policzkach blizny
po trądziku. Gęste włosy wijące się wokół uszu, długie rzęsy, mocno zarysowana szczęka. Nigdy w życiu nie widziała takiej niewin-
ności. W każdym tkwiła przynajmniej drobina zła. Ale nie w nim:
wiedziała to już wtedy, kiedy zobaczyła go poprzedniej nocy, jak
stał na parapecie, a za jego plecami błyskawica zaszokowała świat.
Jego entuzjazm i głęboka dobroć stanowiły tylko efekt jego uprzy-
wilejowania. Spał spokojnie, bo urodził się jako mężczyzna, bogaty i biały Amerykanin, w czasie *prosperity* wszystkie wojny toczyły
się daleko od domu. Ten chłopiec od urodzenia słyszał tylko, że
może zrobić, co tylko zechce. Wystarczyło spróbować. Mógł po-
pełniać błędy, a cały świat i tak czekał, aż wreszcie mu się uda.

Powinna czuć do Lotta odrazę. Ale nie potrafiła jej w sobie znaleźć. Miała ochotę przytulić się do niego, żeby ta piękna niewinność ją też naznaczyła.

Głos, który przez tyle lat próbowała zignorować, kazał jej odejść. Nie narzucać się. Nigdy nie była temu głosowi posłuszna, ale wyobraziła sobie Lotta, jak się budzi i widzi ją obok – szkody byłyby nieodwracalne, dlatego wykonała polecenie: ubrała się i uciekła.

Chociaż wciąż było ciemno, osłoniła policzki kołnierzem płaszcza, żeby nikt nie zobaczył jej niepokoju.

W mieście był bar, w głębi jednej z szarych, mniej roziskrzonych ulic, tam gdzie nie zapuszczali się studenci Vassar. Dlatego tak uwielbiała to miejsce. Tłuszcz, zapach, kucharz psychopata tłukący kotlety tak, jakby ich nienawidził, i kelnerka, która wydawała się neurologicznie upośledzona, z kucykiem przekrzywionym w kierunku jednego ucha i wzrokiem uciekającym w stronę sufitu, kiedy odbierała zamówienie. Na jednej dłoni miała długie paznokcie, a na drugiej krótkie i pomalowane na czerwono.

Mathilde usiadła przy swoim ulubionym stoliku, zasłoniła się *menu* i pozwoliła, by uśmiech zniknął z jej twarzy, a kelnerka bez słowa postawiła przed nią czarną kawę, tost z żytniego chleba – przyniosła także niewielką lnianą chusteczkę obszytą niebieską nicią, jakby już spodziewała się łez. No cóż. Może Mathilde by się rozpłakała, choć nie robiła tego od czasu, gdy była Aurélie. Kelnerka mrugnęła jednym okiem i wróciła na swoje miejsce obok radia, z którego sączyła się muzyka puszczana przez krzykliwego DJ-a, wokół siarka i poczucie klęski.

Mathilde wiedziała, jak potoczyłoby się jej życie, gdyby tylko na to pozwoliła. Już się zorientowała, że mogłaby wyjść za Lotta, gdyby tylko podszepnęła mu ten pomysł. Nie była pewna, czy potrafi go zostawić. Każdy byłby dla niego lepszy niż ona.

Patrzyła, jak kelnerka za plecami kucharza psychopaty sięga po kubek stojący pod kontuarem. Zobaczyła, jak kładzie dłonie na biodrach, a on przypadkiem ociera się o nią pośladkami, wyglądało to jak scena ze slapstickowej komedii, pocałunek bioder. Mathilde czekała, aż kawa i tost wystygną. Zapłaciła, zostawiając o wiele za wysoki napiwek. Potem wstała i wyszła, wstąpiła do Caffè Aurora na cannoli i kawę i wróciła do pokoju Lotta z dwiema aspirynami, kieliszkiem wina i jedzeniem, on zatrzepotał rzęsami wyrwany ze snu o jednorożcach, krasnalach i radosnych leśnych bachanaliach i zobaczył ją obok siebie.

– Och – westchnął. – Wydawało mi się, że nie istniejesz. Myślałem, że jesteś najpiękniejszym snem.

– Nie jestem snem – odparła. – Jestem prawdziwa. Jestem tutaj.

Położył jej dłoń na swoim policzku i przytrzymał ją przez chwilę.

– Wydaje mi się, że umieram – wyszeptał.

– Masz potężnego kaca. Poza tym rodzimy się po to, by umrzeć.

Zaśmiał się, a ona dotykała jego ciepłego, szorstkiego policzka, wiążąc się z nim na wieczność.

Dobrze wiedziała, że nie powinna była tego robić. Ale jej miłość do niego była tak nowa, a jej miłość do siebie samej była stara, od tak dawna mogła polegać tylko na sobie. Miała już dość samotnej walki ze światem. On pojawił się w doskonałym momencie jej życia, choć wyszedłby na tym lepiej, gdyby ożenił się z łagodną, pobożną kobietą, którą zaakceptowałaby jego matka. Na przykład Bridget potrafiłaby ich uszczęśliwić. Mathilde nie była ani łagodna, ani pobożna. Ale obiecała sobie, że on nigdy nie zobaczy ogromu jej mroku ani żyjącego w niej zła, że obdarzy go tylko wielką miłością i światłem. Chciała wierzyć w to, że on odwzajemni jej dar.

– Może po rozdaniu dyplomów pojedziemy na Florydę? – zaproponował Lotto, wtulając się w jej szyję.

Od ich ślubu upłynęło najwyżej kilka dni. Przypomniała sobie rozmowę telefoniczną z Antoinette, która próbowała ją przekupić. Milion dolarów. Żenada. Przez chwilę chciała mu powiedzieć o tej rozmowie, ale nie potrafiła tego zrobić, za mocno by go zraniła.

Postanowiła go chronić. Lepiej, żeby myślał, że matka go ukarała, niż że była po prostu okrutna. Światło wpadające przez okna z ulicy sprawiało, że mieszkanie Mathilde nad sklepem z antykami z dziewiętnastego wieku wydawało się dziwnie wydłużone.

– Nie byłem w domu od piętnastego roku życia. Chcę ci pokazać wszystkie miejsca, w których popełniałem młodociane przestępstwa. – Jego głos stał się głęboki.

– Nie ma takiego wyrażenia – wyszeptała.

Całowała go długo, by zapomniał o tej małej uszczypliwości.

Kiedy indziej:

– Kochanie – powiedział, stawiając bosą stopę na papierowym ręczniku, żeby wytrzeć wodę, którą rozlał na dębowym parkiecie w ich nowym, wynajętym mieszkaniu w Greenwich Village, jeszcze zupełnie pustym, dlatego wydawało się tak przestronne. – Może w któryś weekend wybierzemy się w odwiedziny do Sallie i mamy. Pójdziemy na plażę, chcę zobaczyć na twoim pięknym ciele opaleniznę.

– Koniecznie. Ale poczekajmy, aż dostaniesz pierwszą dużą rolę. Powinieneś tam wrócić jako zwycięzca. Poza tym twoja matka pozbawiła nas pieniędzy. – Kiedy spojrzał na nią z wahaniem, podeszła bliżej, wsunęła dłonie za pasek jego jeansów i wyszeptała: – Jeśli zdobędziesz dużą rolę, wrócisz tam jako zwycięzca, król dżungli.

On spojrzał na nią i zaryczał jak lew.

Kiedy indziej:

– Wydaje mi się, że mam sezonowe zaburzenia afektywne – wyznał, patrząc, jak deszcz ze śniegiem pada na chodnik, który nabiera cynowego połysku. Trząsł się z zimna, z okien wychodzących na ulicę dochodził chłodny podmuch. – Jedźmy na święta do domu, ogrzejemy się w słońcu.

– Och, Lotto. Za co? Właśnie wydałam trzydzieści trzy dolary i garść ćwierćdolarówek na zakupy. – Z powodu irytacji do oczu napłynęły jej łzy.

Lotto wzruszył ramionami.

– Sallie zapłaci za bilety. Wystarczy, że do niej zadzwonię, i sprawa będzie załatwiona.

– Z pewnością. Ale jesteśmy zbyt dumni, żeby przyjmować jałmużnę. Już o tym zapomniałeś?

Nie powiedziała mu, że dzwoniła w zeszłym tygodniu do Sallie i że to od niej dostała pieniądze na czynsz za dwa miesiące i na opłacenie rachunku za telefon.

Lotta przeszył dreszcz.

– No tak – zgodził się zasępiony, patrząc na odbicie swojej smutnej twarzy w szybie. – Jesteśmy bardzo dumni, zbyt dumni, prawda.

Kiedy indziej:

Wyszedł z sypialni z telefonem po cotygodniowej rozmowie z Sallie, która przekazywała mu najnowsze wieści o matce.

– Nie mieści mi się w głowie, że jesteśmy małżeństwem od dwóch lat, a ty nigdy nie spotkałaś mojej matki. To czyste szaleństwo.

– Zgadzam się – przytaknęła Mathilde.

Wciąż nie mogła zapomnieć o ostatnim liście, który Antoinette przysłała jej do galerii. Tym razem nie napisała ani słowa. W kopercie znajdowało się tylko wyrwane z jakiegoś czasopisma zdjęcie obrazu Andrei Celestiego *Królowa Jezabel ukarana przez Jehu* – psy rzucały się na nim na zwłoki kobiety, która wypadła z okna. Mathilde otworzyła kopertę i zaśmiała się ze zdumienia; Ariel spojrzał jej przez ramię.

– Och. Taka sztuka nas nie interesuje – powiedział.

Przypomniała sobie ten list i dotknęła zawiązanej na głowie trójkątnej chustki, którą niedawno zafarbowała na pomarańczowo. Wieszała na ścianie obraz wyciągnięty ze śmietnika obok galerii; ta tańcząca błękitna plama towarzyszyła jej przez całe życie, dłużej niż wszystkie miłości i cielesne żądze. Spojrzała na Lotta.

– Ona chyba nie chce mnie poznać. Wciąż ma ci za złe, że się ze mną ożeniłeś, dlatego ani razu nas nie odwiedziła.

On podniósł ją i oparł o drzwi. Ona owinęła nogami jego biodra.

– Jeszcze zmięknie. Dajmy jej trochę czasu.

Jej mąż był przezroczysty. Święcie wierzył w to, że jeśli tylko udowodni matce, iż postąpił słusznie, żeniąc się z Mathilde, wszystko będzie w porządku. Boże, tak bardzo potrzebowali pieniędzy. – Nie miałam matki – powiedziała Mathilde. – Mnie też boli to, że Antoinette nie chce mnie znać, choć jestem członkiem jej rodziny. Kiedy ostatni raz się widzieliście? W drugiej klasie liceum? Dlaczego cię nie odwiedziła? Ksenofobia to straszne cholerstwo.

– Agorafobia – poprawił ją. – To poważna choroba, Mathilde.

– Właśnie to miałam na myśli – zgodziła się. [Ona, która zawsze mówiła to, co chciała powiedzieć].

Kiedy indziej:

– Mama zaproponowała, że przyśle nam bilety, jeśli w tym roku zechcemy z nią świętować Dzień Niepodległości.

– Och, Lotto, bardzo bym chciała. – Mathilde odłożyła pędzel i przyjrzała się ścianie pomalowanej na granat w dziwnym zielonkawym odcieniu. – Nie zapominaj jednak, że organizuję w galerii ważny wernisaż i to zajmie cały mój czas. Ale ty możesz jechać. Jedź! Nie martw się o mnie.

– Bez ciebie? – zapytał. – Przecież chodzi właśnie o to, żeby ona cię pokochała.

– Następnym razem – odparła.

Podniosła pędzel, delikatnie musnęła jego nos i zaśmiała się, kiedy wytarł plamkę farby o jej odsłonięty brzuch, zostawiając na nim rozmazane białe ślady.

Tak toczyło się ich życie. Chronicznie brakowało im pieniędzy, a kiedy coś zarobili, on musiał akurat występować, a jak on akurat nie grał, to ona musiała ciężko pracować nad jakimś ważnym projektem, a potem jego siostra przyjechała na weekend, a innym razem musieli iść na przyjęcie, bo przyjęli zaproszenie, a może lepiej by było, gdyby to Antoinette ich odwiedziła? Przecież ma mnóstwo pieniędzy i nie pracuje, a skoro tak bardzo chce się z nimi zobaczyć, może w każdej chwili wsiąść do samolotu. Oni mają tyle na głowie, ich terminarze są zapełnione, a weekendy to czas tylko dla nich, tak rzadko mają okazję, by przypominać sobie, dlaczego wzięli ślub! Poza tym Antoinette nie starała się o dobre kontakty z nimi, nawet nie przyjechała na ceremonię wręczenia dyplomów, nie oglądała przedstawień, w których grał, ani inscenizacji jego dramatów. Które. Sam. Napisał. Niech ją szlag. Nie warto nawet wspominać, że nigdy nie widziała ich pierwszego mieszkania w suterenie w Greenwich Village, nigdy nie obejrzała ich drugiego apartamentu i nigdy nie odwiedziła ich w domku z wiśniowym sadem, który dostarczył Mathilde tyle radości, kiedy własnymi rękami go odnowiła. Tak, oczywiście, agorafobia to straszna przypadłość. Ale Antoinette nie chciała rozmawiać z Mathilde przez telefon. Prezenty urodzinowe i świąteczne przysyłała im Sallie. Czy Lotto nie wiedział, jak bardzo cierpi jego żona? Nie miała matki ani żadnej innej rodziny, odrzucono ją. Czy nie zdawał sobie sprawy, jak bolesna jest dla niej świadomość, że matka ukochanego mężczyzny jej nie akceptuje?

Lotto mógł pojechać sam. Oczywiście. Ale przecież to ona organizowała im życie. On nigdy nie kupił biletu samolotowego ani nie wynajął samochodu. Naturalnie, istniał też znacznie poważniejszy powód – tak mroczny, że Lotto odwracał od niego wzrok, kiedy tylko sobie go uświadamiał: rozżarzony do czerwoności gniew ignorowany tak długo, rozrośnięty do takich rozmiarów, że Lotto nie potrafił go już dopuścić do świadomości.

Ich rozgoryczenie trochę się rozproszyło, kiedy Antoinette kupiła komputer i zamiast rozmawiać z nią przez telefon co niedziela, Lotto mógł zobaczyć ją na ekranie. Matka nie musiała wychodzić z domu, żeby jej biała twarz pojawiła się w ich pokoju jak balonik. Przez dziesięć lat co niedziela Lotto zamieniał się w rezolutne i wygadane dziecko, którym pewnie kiedyś był. Kiedy zaczynała się rozmowa, Mathilde musiała wychodzić z domu.

Kiedyś Lotto zostawił otwarte okienko czatu i poszedł po recenzję albo artykuł, który chciał matce przeczytać. Mathilde, niczego nie podejrzewając, weszła do pokoju, właśnie wróciła z joggingu, była spocona i miała na sobie sportowy biustonosz, odgarnęła mokre włosy z policzków i rozciągała się na wałku z gąbki, leżąc na boku, plecami do komputera, aż jej biodra się rozluźniły. Dopiero wtedy się odwróciła i zobaczyła patrzącą na nią z ekranu Antoinette, która tak się zbliżyła do kamerki, że jej czoło zrobiło się ogromne, a podbródek zamienił się w ostry szpic, jej uszminkowane usta wyglądały jak czerwona rana – z dłońmi zanurzonymi we włosach obserwowała Mathilde z taką intensywnością, że ta zamarła. Polną drogą przejechał traktor i po chwili ucichł w oddali. Dopiero wtedy Mathilde usłyszała kroki Lotta na schodach, wstała i odeszła. W holu usłyszała jego głos.

– Mamo, szminka! Chciałaś być piękna dla mnie.

– Sugerujesz, że nie zawsze jestem piękna? – powiedziała słodkim, łagodnym głosem.

Lotto się zaśmiał, a Mathilde wybiegła do ogrodu, miała kolana jak z waty.

Kiedy indziej:

– Och, kochanie, nie płacz, oczywiście, że trzeba odwiedzić Antoinette, jeśli tak ciężko choruje, waży co najmniej sto pięćdziesiąt kilo, ma cukrzycę, jest tak otyła, że z trudem przemieszcza się z łóżka na kanapę. Musimy. Koniecznie. Zrobimy to. [Tym razem Mathilde naprawdę chciała ją odwiedzić].

Zanim jednak zdążyła zaplanować podróż, Antoinette zadzwoniła do niej w środku nocy i zbolałym, ledwie słyszalnym głosem poprosiła:

– Pozwól mi zobaczyć syna. Niech Lancelot do mnie przyjedzie.

Kapitulacja. Mathilde smakowała tę chwilę. Antoinette westchnęła z irytacją, jakby chciała okazać swoją wyższość, a Mathilde rozłączyła się bez słowa. Lotto pracował w swoim gabinecie na poddaszu.

– Kto dzwonił? – zawołał.

– Pomyłka – odkrzyknęła Mathilde.

– O tej porze? Ludzie nie mają sumienia.

Pomyłka. Nalała sobie burbona. Wypiła go w łazience, patrząc w swoje odbicie w lustrze. Widziała, jak z jej policzków znikają rumieńce, wzrok się uspokaja, a źrenice rozszerzają. Nagle naszło ją dziwne uczucie, jakby jakaś dłoń objęła jej płuca i mocno ścisnęła.

– Co ja wyrabiam? – zapytała siebie samą na głos.

Postanowiła nazajutrz zadzwonić do Antoinette i powiedzieć: Oczywiście, że Lotto może cię odwiedzić. Przecież jest jej jedynym synem. Teraz było za późno, lepiej zadzwonić z samego rana. Z samego rana? No, może po czterdziestokilometrowej przejażdżce na rowerze. Lotto i tak wstałby z łóżka dopiero po jej powrocie. Spała dobrze i wyszła z domu, kiedy niebo o świcie rozświetlało się na niebiesko. Poranna mgła, szybka jazda po malowniczych wzgórzach, chłodny deszczyk, słońce suszące mokry asfalt. Zapomniała zabrać wody. Wróciła po przejechaniu dziesięciu kilometrów. Sunęła wiejską drogą do białego domku.

Kiedy weszła do środka, Lotto stał w drzwiach, zakrywając twarz dłońmi. Spojrzał na nią blady i zbolały.

– Matka nie żyje – powiedział.

Rozpłakał się dopiero po godzinie.

– Och, nie – jęknęła Mathilde.

Wydawało jej się, że śmierć nigdy nie zabierze Antoinette. [To, co je od siebie oddzielało, było tak wielkie i nieśmiertelne]. Podeszła do męża, on wtulił twarz w jej spocone ciało, a ona podtrzymywała jego głowę. Nagle ogarnęła ją rozpacz, poczuła przeszywający ból w skroniach. Z kim ma teraz walczyć? Nie tak to zaplanowała.

Pewnego razu w czasie studiów Mathilde pojechała z Arielem do Milwaukee.

On załatwiał tam interesy, a ona mu towarzyszyła przez cały weekend, żeby mógł z nią robić to, co mu się żywnie podobało.

Większość czasu spędziła, siedząc w oknie w pokoju hotelowym i trzęsąc się z zimna. Na dole polerowany mosiądz, talerze pełne ciastek, ściany obwieszone olejnymi portretami wiktoriańskich starych panien i kobieta, której nadęta mina świadczyła o tym, co o niej myśli.

W nocy spadł gęsty śnieg. Pługi oczyściły ulice, tworząc na chodnikach ogromne zaspy. Ta nieskazitelna biel oddziaływała na Mathilde kojąco.

Patrzyła, jak ulicą idzie dziewczynka w czerwonym kombinezonie w fioletowe paski, rękawiczkach z jednym palcem i za dużej czapce. Chyba się zgubiła, bo zaczęła krążyć w kółko. Potem próbowała przebrnąć przez zaspę i wyjść na ulicę. Ale była za słaba. W połowie drogi zjechała z powrotem na dół. Raz po raz próbowała ponownie, wbijając stopy głęboko w śnieg. Mathilde wstrzymywała oddech i wypuszczała powietrze z płuc, kiedy dziecko się przewracało. Wyglądało jak karaluch, który wpadł do kieliszka z winem i nie potrafi się wspiąć po gładkim szkle.

Kiedy Mathilde spojrzała na długą kamienicę z cegły, ozdobioną w stylu lat dwudziestych, zauważyła w trzech oddalonych od siebie oknach przyglądające się dziewczynce kobiety.

Zaczęła je obserwować. Jedna z nich, bardzo zmysłowa, odwróciła się, zaśmiała i powiedziała coś do osoby w głębi pokoju. Druga, nieco starsza, piła herbatę. Trzecia, blada i naburmuszona, założyła chude ręce na piersi i wydęła usta.

Wreszcie dziewczynka ze zmęczenia osunęła się na ziemię i oparła głowę o zaspę. Z pewnością płakała.

Kiedy Mathilde podniosła wzrok, zobaczyła, że kobieta z założonymi rękami patrzy na nią wściekle, a jej spojrzenie przenika przez szybę, chłodne powietrze i śnieg. Mathilde była przerażona, wydawało jej się, że nikt jej nie zobaczy. Kobieta zniknęła. Po chwili wyszła na ulicę w cienkim ubraniu z tweedu. Przebrnęła przez hałdę śniegu przed budynkiem, przecięła jezdnię, chwyciła dziewczynkę za rękę i przeniosła ją nad zaspą. Zrobiła to samo po drugiej stronie ulicy. Matka i córka zniknęły w budynku przyprószone na biało.

Mathilde długo myślała o tej kobiecie i o tym, co sobie wyobrażała, obserwując kolejne upadki dziecka. Zastanawiała się nad tym, jak ogromny gniew nosi w sercu, jeśli potrafiła patrzeć na bezowocną walkę małej dziewczynki i na jej łzy, ale nie spróbowała jej pomóc. Mathilde wcześnie przekonała się o tym, że matki zawsze skazują swoje potomstwo na samotną walkę.

Pomyślała, że życie ma kształt stożka, teraźniejszość to jego szeroka podstawa, a przeszłość zwęża się ku ostremu wierzchołkowi. Im dłużej się żyje, tym bardziej rozszerza się podstawa, a rany i zdrady, których wcześniej się nie zauważało, rozrastają się jak plamki na powoli nadmuchiwanym balonie. Drobna skaza u dziecka staje się w dorosłym życiu okropną i nieodwracalną deformacją o postrzępionych brzegach.

W mieszkaniu matki dziewczynki zapaliło się światło. Mała pochyliła głowę nad zeszytem. Po jakimś czasie matka postawiła przed córką parujący kubek, a ona podniosła go i trzymała w obu dłoniach. Mathilde poczuła na języku dawno zapomniany, słonawy smak gorącego mleka.

Patrząc na pustą ulicę i płatki śniegu znikające w ciemności, pomyślała, że może się pomyliła. Może matka nie pospieszyła dziecku na pomoc z jakiegoś tajemniczego powodu, którego ona sama nie potrafiła zrozumieć. Może tym powodem była bezgraniczna miłość.

Po oddaniu psa innej rodzinie, by mógł z nimi zacząć nowe życie, Mathilde obudziła się o północy. Na zachmurzonym niebie majaczył księżyc, basen wyglądał jak napełniony smołą. Wciąż miała na sobie długą suknię w kolorze kości słoniowej. Zaczęła bezwiednie wołać psa.

– Bóg! – krzyczała. – Bóg!

Ale Bóg do niej nie przybiegła. Nie rozległ się najcichszy szmer, w ciszy i ciemności czuła narastające napięcie. Serce zaczęło jej

walić jak młotem. Chodziła po domu, wołając: „Bóg! Bóg!". Zaglądała do szaf i pod łóżka. Dopiero kiedy zobaczyła, że zniknęła
klatka, przypomniała sobie, co zrobiła.

Oddała psa obcym, jakby nie był częścią jej.

Z trudem wytrzymała do rana. Ledwie na ciemnym niebie pojawiła się pomarańczowa szrama, pukała do drzwi dwupoziomo-
wego domu pośrodku pól. Mężczyzna otworzył jej, położył palec
na ustach i wyszedł boso za próg. Zajrzał do środka, zagwizdał
i Bóg przybiegła do nich z fioletową wstążką zawiązaną na szyi,
piszcząc i skamląc, przywarła jej do nóg, gdy uklękła, żeby wtulić
twarz w sierść. Mathilde spojrzała na mężczyznę.

– Przepraszam. Niech pan przeprosi w moim imieniu dzieci.

– Proszę nie przepraszać. Jest pani w żałobie. Gdyby moja żona
umarła, spaliłbym nasz dom.

– Już to zaplanowałam. – Mathilde zaśmiała się ponuro.

Mężczyzna wstawił klatkę i zabawki do jej samochodu. Potem
wrócił z żoną, która przeszła na palcach przez oszronioną trawę,
niosąc jakieś parujące naczynie. Nie uśmiechała się, wyglądała na
zmęczoną i miała nieuczesane włosy. Przez okno podała Mathilde
muffiny z jagodami, nachyliła się do niej i powiedziała:

– Nie wiem, czy powinnam panią spoliczkować, czy ucałować.

– Słyszę to przez całe życie.

Kobieta wyprostowała się i odeszła. Mathilde patrzyła na nią,
naczynie parzyło ją w dłonie. We wstecznym lusterku zobaczyła
lisią twarz Bóg i jej migdałowe oczy.

– Wszyscy mnie zostawili. Nie waż się mnie opuszczać.

Pies ziewnął, obnażając ostre zęby i wystawiając wilgotny język.

Ariel z pewnością czuł, że w ciągu ostatniego roku ona zbiera
siły, choć o niczym mu nie powiedziała. Ich umowa miała wkrótce wygasnąć. Świat stawał przed nią otworem, nowe możliwości
przyprawiały ją o ból głowy. Wciąż była tak młoda.

Zaplanowała swoje życie po studiach, gdy już pozbędzie się Ariela. Zamierzała zamieszkać w pomalowanym na kremowo pokoju z wysokim sufitem i jasną podłogą. Chciała ubierać się na czarno, pracować wśród ludzi i z kimś się zaprzyjaźnić. Nigdy nie miała prawdziwych przyjaciół. Nie wiedziała, o czym się z nimi rozmawia. Postanowiła co wieczór wychodzić na kolację, a każdy weekend spędzać samotnie w wannie, z książką i butelką wina. Z radością by się starzała w samotności, kontaktując się z innymi wtedy, gdy przyszłaby jej na to ochota.

Miała też ochotę pieprzyć się z kimś w swoim wieku. Z kimś, kto patrzyłby jej prosto w oczy. W marcu, tuż przed poznaniem Lotta, który nadał jej życiu kolory, weszła do mieszkania Ariela – już na nią czekał. Ostrożnie postawiła torbę. On siedział nieruchomo na kanapie.

– Masz ochotę coś przegryźć? – zapytał.

Była głodna, ostatni posiłek jadła poprzedniego wieczoru.

– Sushi – odparła bez namysłu.

To był błąd, już nigdy więcej nie tknęła sushi.

Ariel kazał jej nago otworzyć drzwi i zapłacić dostawcy. Na jej widok chłopcu zaparło dech w piersi.

Ariel wziął od niej styropianowe opakowanie, otworzył je, pomieszał sos sojowy i wasabi i zanurzył w nim kawałek nigiri. Położył go na podłodze w kuchni. Posadzka, tak jak całe mieszkanie, była nieskazitelnie czysta.

– Padnij – zakomenderował Ariel, szczerząc zęby w uśmiechu. – Czołgaj się. Nie pomagaj sobie rękami. Masz to podnieść samymi zębami. A teraz zliż z podłogi to, co zostawiłaś.

Pełznąc po parkiecie, czuła ból w dłoniach i kolanach. Nienawidziła tej małej i gorącej części siebie, która zapaliła się w niej w chwili, gdy padła na podłogę. Była nieprzyzwoita. Płonęła. Obiecała sobie, że już nigdy nie uklęknie przed mężczyzną. [Później mawiała, że bogowie uwielbiają się nami bawić; została żoną].

– Jeszcze jeden? – spytał Ariel. Zanurzył kawałek w sosie i położył go na końcu korytarza, osiemnaście metrów dalej. – Czołgaj się – powiedział ze śmiechem.

Słowo „żona" pochodzi od praindoeuropejskiego rdzenia *weip*.

Weip oznacza odwrócić, okręcić lub owinąć.

Niektórzy etymologowie twierdzą, że słowo „żona" wywodzi się z praindoeuropejskiego *ghwibh*.

Ghwibh oznacza srom. Albo wstyd.

21

Pracownica agencji detektywistycznej przyszła pod sklep spożywczy. Gdy Mathilde wstawiła zakupy do bagażnika i usiadła za kierownicą, czekała już na nią w środku z pudełkiem na kolanach.

Wyglądała seksownie z oczami pomalowanymi na ciemno i czerwonymi ustami.

– Boże! – zawołała z przerażeniem Mathilde. – Prosiłam cię, żebyś się nie zachowywała jak czubek.

Dziewczyna się zaśmiała.

– To silniejsze ode mnie. – Pokazała na pudełko. – Proszę bardzo. Zdobyłam wszystkie informacje. Ten facet już nigdy nie wyjdzie z więzienia. Kiedy zamierzasz go odstrzelić? Chcę to obejrzeć w telewizji, zajadając popcorn.

– Faza pierwsza zacznie się za kilka dni. Wtedy ujawnię jego prywatne zdjęcia. Idę na przyjęcie. Chcę, żeby trochę pocierpiał, zanim rozpocznę fazę drugą.

Przekręciła kluczyk w stacyjce i ruszyła do swojego domu.

To nie było ani tak dziwne, ani tak seksowne, jak sobie wyobrażała. Czuła tylko smutek, patrząc na żyrandol i czując, jak ogarnia ją znajome ciepło; po lesbijce można by się spodziewać większej wprawy, tymczasem Lotto był od niej o wiele lepszy. Och, Jezu, był lepszy od wszystkich pod każdym względem. Po nim seks z innymi jej nie zadowalał. To nie miało sensu. Teraz, w małym, łóżkowym dramacie, nie było szansy na drugi akt, tylko na powtórkę pierwszego, postacie zamieniły się rolami, nie nastąpił ekscytujący, porywający punkt kulminacyjny, tak naprawdę Mathilde sama nie wiedziała, co czuje, kiedy zbliżała twarz do łona innej kobiety. Poczuła, że orgazm rozpłomienia jej czoło, uśmiechnęła się, kiedy dziewczyna wyłoniła się spod prześcieradeł.

– To było... – zaczęła Mathilde.

– Nie, wszystko rozumiem. Widać wyraźnie, że kobiety cię nie kręcą.

– Trochę mnie kręcą.

– Kłamczucha. – Dziewczyna potrząsnęła głową, a jej czarne włosy ułożyły się w kształt kapelusza. – Ale dobrze się stało. Teraz możemy się zaprzyjaźnić.

Mathilde usiadła i spojrzała na agentkę wkładającą biustonosz.

– Nigdy nie miałam przyjaciółki. Poza szwagierką.

– Przyjaźnisz się tylko z facetami?

Dopiero po dłuższej chwili Mathilde odpowiedziała:

– Nie.

Dziewczyna patrzyła na nią przez moment, a potem nachyliła się i ucałowała ją w czoło jak matka.

Zadzwonił do niej agent Lotta. Drżącym głosem oznajmił, że powinna z powrotem zająć się prowadzeniem interesów. Wcześniej kilka razy poczęstowała go swoim jadem. Milczała tak długo, że on się zaniepokoił.

– Halo? Halo?

Miała ogromną ochotę pożegnać się na zawsze ze sztukami męża i zwrócić się ku nieznanej przyszłości.

Ale nie odłożyła słuchawki. Rozejrzała się. Lotta nie było w domu, nie leżał po swojej stronie łóżka, nie pracował w gabinecie na poddaszu. W szafach nie było jego ubrań. Nie było go też w ich pierwszym mieszkanku w suterenie, gdzie pojechała kilka dni wcześniej i zaglądała przez okna wychodzące na ulice, zobaczyła tam tylko fioletową kanapę nowych lokatorów i mopsa próbującego doskoczyć do klamki. Choć przez cały czas uważnie nasłuchiwała, jej mąż nie zatrzymywał samochodu na podjeździe. Nie mieli dzieci, w których twarzach zachowałyby się, w pomniejszeniu, jego rysy. Nie istniało piekło ani niebo. Po śmierci nie połączy się z nim ani w obłokach, ani w ognistej czeluści, ani na łące pełnej złocieni. Z Lottem mogła się spotkać, tylko czytając jego teksty. To cud, że da się przenieść czyjąś duszę do innego ciała, i to na kilka godzin. Każdy jego dramat był fragmentem jego samego, razem ze swą sztuką Lotto tworzył zamkniętą całość.

Poprosiła agenta, żeby przysłał jej listę spraw do załatwienia. Nie mogła pozwolić, by sztuki Lancelota Satterwhite'a i zachowane w jego dziełach fragmenty jego duszy popadły w zapomnienie.

Dokładnie osiem miesięcy po śmierci męża Mathilde poczuła, że pod jej stopami trzęsie się ziemia. Wysiadła z taksówki i stanęła na ciemnej ulicy w środku miasta. W srebrzystej sukience, koścista, z tlenionymi, krótko obciętymi włosami wyglądała jak Amazonka. Na nadgarstkach miała bransoletki z dzwoneczkami. Chciała, by usłyszeli, że nadchodzi.

– O Boże – zawołała Danica, kiedy Mathilde otworzyła drzwi i weszła do mieszkania, wręczając płaszcz pokojówce. – Wdowieństwo ci służy jak cholera. Jezu, świetnie wyglądasz.

Danica nigdy nie była ładna, niedostatki urody tuszowała sztuczną opalenizną i botoksem. Dzięki jodze miała mocne mięśnie. Była tak chuda, że jej delikatne żebra stykające się pośrodku klatki piersiowej prześwitywały przez skórę. Za naszyjnik zapłaciła tyle, ile wynosiła średnia roczna pensja na kierowniczym stanowisku. Mathilde nienawidziła rubinów. Uważała, że wyglądają jak wyschnięte i wypolerowane czerwone krwinki.

– Och – westchnęła. – Dzięki.

Pozwoliła, by jej przyjaciółka ucałowała ją, nie dotykając ustami jej skóry.

– Boże, gdybym miała gwarancję, że będę tak wyglądała jako wdowa, codziennie karmiłabym Cholliego bekonem.

– Wygadujesz bzdury – oburzyła się Mathilde.

– Och, przepraszam – zmitygowała się Danica ze łzami w oczach. – Chciałam zażartować. Jestem taka nietaktowna. Zawsze palnę jakąś głupotę. Wypiłam o kilka martini za dużo i nic nie zjadłam, żeby zmieścić się w tę kieckę. Mathilde, przepraszam, ale ze mnie idiotka. Nie płacz.

– Nie płaczę.

Mathilde wyjęła Cholliemu z dłoni szklankę i wypiła gin duszkiem. Położyła na fortepianie prezent dla Daniki, apaszkę od Hermèsa, którą kilka lat temu przysłała jej w prezencie urodzinowym Antoinette, a raczej Sallie. Nawet jej nie wyjęła z krzykliwego pomarańczowego pudełka.

– Och, jesteś taka hojna!

Danica pocałowała Mathilde w policzek, po czym otworzyła drzwi i przywitała kolejnych gości, byłego kandydata na burmistrza i jego żonę z mocno polakierowanymi włosami.

– Wybacz jej. Upiła się – powiedział Chollie.

Jak zwykle podszedł bezszelestnie.

– No cóż, rzadko bywa trzeźwa – odparła Mathilde.

– Jesteś uszczypliwa. Ale ona sobie na to zasłużyła. Życie jej nie rozpieszcza. Wydaje jej się, że nic nie znaczy w porównaniu z wszystkimi tymi arystokratami czystej krwi. Może chcesz pójść do łazienki, żeby nad sobą zapanować?

– Zawsze nad sobą panuję.

– To prawda – przyznał Chollie. – Ale twoja twarz wygląda jakoś… dziwnie.

– Och, to dlatego że się nie uśmiecham. Przez tyle lat nie pozwalałam, by ktokolwiek zobaczył mnie bez uśmiechu. Nie wiem, czemu dopiero teraz przestałam. To taka ulga.

On spojrzał na nią z niepokojem. Ściskał dłonie i zaczerwienił się, przyglądając się jej kątem oka.

– Zdziwiłem się, że przyjęłaś nasze zaproszenie. Dałaś dowód ogromnej dojrzałości. Przebaczyłaś mi po tym, co ci powiedziałem. Okazałaś mi dobroć. Nie sądziłem, że cię na to stać.

– Ach, wiesz, Chollie, byłam wtedy wściekła. Miałam ochotę cię udusić sznurówkami albo zadźgać łyżeczką do lodów. Potem jednak uświadomiłam sobie, jaki z ciebie skurwiel. Lotto nigdy by mnie nie zostawił. Jestem o tym przekonana. Bez względu na to, co zrobiłeś, nie zaszkodziłeś naszemu związkowi. Tego, co nas łączyło, nie potrafiłbyś zniszczyć żadnym sposobem. Jesteś uciążliwy jak mały komar. Jak ugryziesz, to potem trochę swędzi, ale twój jad nie zabija. Znaczysz dla mnie mniej niż zero.

Chollie chciał coś powiedzieć, ale tylko posłał jej zmęczone spojrzenie i westchnął.

– Zresztą mimo wszystko jesteśmy starymi przyjaciółmi – powiedziała, ściskając jego przedramię. – W życiu spotyka się ich tak niewielu. Tęskniłam za tobą. Za wami obojgiem. Nawet za Danicą.

Przez chwilę stał nieruchomo, przyglądając jej się.

– Zawsze byłaś miła, Mathilde – powiedział wreszcie. – Nie zasługujemy na to.

Spocił się. Odwrócił się od niej, zirytował się, a może wzruszył. Przez chwilę wertowała leżącą na stoliku bogato ilustrowaną książkę pod tytułem *Kupidyn jest ślepy*, którą chyba już gdzieś widziała, ale zdjęcia wirowały jej przed oczami i po chwili nie potrafiła już sobie przypomnieć, po co właściwie je oglądała.

Później, kiedy wszyscy przeszli do jadalni, Mathilde została na chwilę w salonie, udając, że podziwia kupiony niedawno przez Cholliego obraz Rembrandta. Jak na Rembrandta, malowidło było wyjątkowo pozbawione wyrazu. Klasyczna kompozycja, trzy postacie w ciemnym pomieszczeniu, jedna wylewa z wazy jakieś mazidło, druga siedzi, trzecia mówi. Cóż, Chollie nie grzeszył dobrym gustem. Podeszła do fortepianu. Wyciągnęła z torebki drugi podarunek, zawinięty w jasnoniebieski papier cienki pakunek o rozmiarach koperty. Nie było na nim karteczki z życzeniami, ale

Mathilde była pewna, że Chollie nigdy nie dostał równie wspaniałego prezentu. Na nieomal artystycznej fotografii w stroboskopowym świetle widać było jego nagie ciało wśród innych, nieznajomych ciał. Następnego dnia po urodzinach Daniki czekała do południa na telefon. Czytała gazetę, siedząc w piżamie w jadalni. Kiedy tylko telefon zadzwonił, odebrała go z uśmiechem.

– Zostawiła mnie – wycedził Chollie – ty pieprzona suko z piekła rodem.

Mathilde odsunęła okulary do czytania na czoło. Dała psu kawałek naleśnika.

– Spójrz na to inaczej. Szach mat – zadrwiła. – Ja chyba jestem cierpliwszym graczem. Jeszcze nie wiesz, jaką niespodziankę dla ciebie szykuję.

– Zabiję cię – syknął Chollie.

– Nie możesz. Umarłam osiem miesięcy temu.

Delikatnie odłożyła słuchawkę.

Siedziała w kuchni, rozkoszując się triumfem. Pies leżał na łóżku, za oknem świecił księżyc. Pomidory w pięknej niebieskiej misie pomarszczyły się i wydzielały słodki ziemny zapach, co oznaczało, że wkrótce zgniją. List od Landa leżał wśród nich od dwóch miesięcy, a ona wyobrażała sobie jego treść. Co? Wyrazy wdzięczności? Przepełnione erotyzmem pożegnanie? Zaproszenie do miasta? Bardzo jej się spodobał. Z jakiegoś powodu działał na nią jak balsam. Mogła do niego jechać, spędzić noc w o wiele za drogim mieszkaniu z ceglanymi ścianami w modnej dzielnicy na brzegu rzeki, a potem wróciłaby o świcie do domu, czując się jak idiotka. Oczywiście mogłaby też poczuć się piękna i wytworna albo na cały głos śpiewać przeboje sprzed trzydziestu lat. Znowu byłaby seksowna. Młoda.

Właśnie wróciła z przedostatniego spotkania z detektywem z FBI. Zaczął się ślinić, gdy go poinformowała, jakie zgromadziła informacje. Pikantne fotografie Cholliego podziałały jak magiczne zaklęcie. [Trzy miesiące później Danica została obrzydliwie bogatą rozwódką]. Pudełko z teczkami, które następnego dnia miała wręczyć niskiemu, spoconemu agentowi z bokobrodami, służyło jej teraz za podnóżek. Spoglądała w dół, gdzie w ciemności srebrzyło się jak muchomor w świetle księżyca.

Oglądała na laptopie francuski film. W dłoni trzymała kieliszek czerwonego wina. Coś w niej ucichło, uspokoiła się. Wyobraziła sobie, jak Chollie spada na łeb na szyję, jak na ekranie telewizora pojawia się jego nalana twarz, policja wpycha go do samochodu, a on wygląda jak zagubiony dzieciak.

Ktoś zadzwonił do drzwi. Na progu stały Rachel i Sallie, jakby pod ich postacią na chwilę wrócił do niej mąż.

Mathilde na moment znalazła ukojenie w ich mocnych ramionach, po raz pierwszy od bardzo dawna poczuła ulgę w całym ciele.

Otworzyła dla nich zmrożonego szampana. [Niby czemu nie!]

– Świętujemy? – zapytała Rachel.

– Tym mi powiedz – odparła Mathilde.

Zauważyła zagięty kołnierzyk Sallie i przekręcony pierścionek na palcu Rachel. Denerwowały się. Coś się stało, ale jeszcze nie chciały jej tego powiedzieć. Piły. O zmierzchu pociągła twarz Rachel o ostrych rysach wyglądała jak odlana w żywicy; Sallie prezentowała się elegancko w jedwabnym żakiecie, z modną fryzurą. Mathilde wyobraziła sobie ją w trakcie jej podróży, zobaczyła obfitość, owoc w kształcie łabędzia, kochanków wśród przepoconych prześcieradeł. W słowach „stara panna" skrywała się wolność; dlaczego Mathilde nie dostrzegła tego wcześniej?

Rachel odstawiła kieliszek i nachyliła się do przodu. Nad jej dekoltem powoli, trzykrotnie zakołysał się szmaragd, potem błysnął niemrawo i zawisł w powietrzu.

Mathilde zamknęła oczy.

– Mówcie.

Sallie wyjęła z torby grubą teczkę i położyła ją na kolanach Mathilde, która palcem wskazującym otworzyła ją i zajrzała do środka. Jej oczom ukazał się rejestr jej przewin, od najstarszej do tej ostatniej. Za większość z nich nie ponosiła odpowiedzialności. Od najświeższych do najstarszych. Wszystkie popełniła przed śmiercią Lotta. Ziarniste zdjęcie przedstawiające ją na plaży w Tajlandii, gdy bezskutecznie próbowała od niego odejść. Mathilde całująca Arniego w policzek na rogu ulicy. [To niedorzeczne, nawet gdyby miała ochotę zdradzić z nim męża, Arnie wydawał jej się zbyt śliski]. Młoda Mathilde, chuda jak patyk, wchodzi do kliniki aborcyjnej. Jej wujek. Dziwne, dokumenty na kredowym papierze wykradzione z tajnych akt, które zawierały dowody na wszystkie przestępstwa popełnione przez niego do 1991 roku. Dużo później czytała je jak najlepszą powieść. Wreszcie kartoteka jej babci z Paryża, uśmiechającej się zalotnie do obiektywu, pod zdjęciem podpis jak piętno: „*prostituée*"*.

Między zdjęciami wielkie luki. Misternie spleciona tkanina jej życia. Dzięki Bogu to, co najgorsze, nie wyszło na jaw. Ariel. Sterylizacja wbrew woli Lotta, któremu pozwoliła się łudzić, że kiedyś urodzi mu dzieci. To, co wiele lat wcześniej zrobiła Aurélie. Wszystkie postępki mrocznej Mathilde, świadczące o tym, że nie ma w niej dobroci.

Dopiero po chwili zaczęła znowu oddychać. Podniosła głowę.

– Śledziłyście mnie?

– Nie. To robota Antoinette – odparła Sallie, uderzając zębami o krawędź kieliszka. – Od początku do końca.

– Przez tyle lat? Uwzięła się na mnie.

Poczuła bolesne ukłucie. Przez cały ten czas teściowa nie przestawała o niej myśleć.

– Mamie nie brakowało cierpliwości – przyznała Rachel.

Mathilde zamknęła teczkę i ułożyła dokumenty w schludny stos. Rozlała szampana po równo do kieliszków. Kiedy spojrzała na Rachel i Sallie, obie zrobiły groteskowe, nadęte miny. Przeraziła się. Po chwili obie się zaśmiały.

---

* *Prostituée* (franc.) – prostytutka.

– Mathilde myśli, że chcemy jej zrobić krzywdę – powiedziała Sallie.

– Kochana M. – uspokoiła ją Rachel. – Nie bój się.

Sallie westchnęła i wytarła twarz.

– Nie martw się. Chroniłyśmy cię. Antoinette trzy razy wysyłała do Lotta listy. Pierwszy raz zaraz po waszym ślubie, żeby go poinformować o twoim wujku i aborcji. Drugi raz, kiedy go zostawiłaś. Zapomniała, że to ja wrzucałam listy do skrzynki pocztowej na końcu ulicy.

Rachel się zaśmiała.

– Testament, który mi przysłała, żebym zaniosła go do notariusza, gdzieś zaginął. Część majątku należącą do Lotta przekazała na rzecz schroniska dla szympansów. Biedne małpki będą musiały obejść się bez bananów. – Wzruszyła ramionami. – Mama była sama sobie winna. Nie spodziewała się, że ktoś tak słodki i łagodny jak ja wykaże się taką perfidią.

Mathilde zobaczyła swoje odbicie w szybie okiennej. Nie, to tylko sowa siedziała na jednej z gałęzi drzewa wiśniowego.

Z trudem nad sobą panowała. Nie spodziewała się takiego obrotu spraw. Te kobiety były dla niej tak dobre. Ich oczy lśniły w półmroku. Przejrzały ją na wylot. Nie wiedziała, jak im się to udało. Mimo wszystko ją pokochały.

– Jeszcze jedno – dodała Rachel tak szybko, że Mathilde z trudem się skupiła, by jej wysłuchać. – Nie wiesz o czymś, o czym my dowiedziałyśmy się dopiero po śmierci mamy. Przeżyłyśmy szok. Musiałyśmy się z tym oswoić. Chciałyśmy załatwić tę sprawę i dopiero potem wyjawić ten sekret Lottowi, ale on…

Nie dokończyła. Mathilde zobaczyła, że w zwolnionym tempie jej twarz smutnieje. Rachel wręczyła jej album fotograficzny oprawiony w tanią skórę. Mathilde go otworzyła.

To, co zobaczyła w środku, przyprawiło ją o zawrót głowy. Dziwnie znajoma twarz. Piękna. Ciemne włosy. Uśmiech. Na każdym kolejnym zdjęciu twarz młodniała. Ostatnie fotografie przedstawiały rumiane, pomarszczone niemowlę śpiące pod szpitalnym kocem.

Zaświadczenie o adopcji.

Akt urodzenia. Satterwhite, Roland, urodzony 9 lipca 1984 roku. Matka: Watson, Gwendolyn, wiek: 17 lat. Ojciec: Satterwhite, Lancelot, wiek: 15 lat.

Mathilde upuściła album

[Zagadka, która wydawała jej się rozwiązana, miała trwać wiecznie].

22

Tak naprawdę Mathilde zawsze była jak zaciśnięta pięść. Tylko przy Lotcie stawała się otwartą dłonią.

Ta sama noc, gnijące pomidory. W powietrzu wciąż unosi się zapach perfum Sallie, choć ona i Rachel smacznie śpią w pokojach gościnnych na piętrze. Za oknem księżyc w pełni. Przed Mathilde połać białego papieru gładkiego jak policzek niemowlęcia. [Napisz to, Mathilde. Wtedy zrozumiesz].

Floryda – napisała. – Wakacje. Lata osiemdziesiąte. Nad oceanem wisi nieznośne słońce. W pomieszczeniu beżowy dywan. Chropowaty sufit. W oliwkowej kuchni podstawki pod garnki z nadrukiem przedstawiającym Florydę, półwysep o nieprzyzwoitym kształcie, po lewej syreny, po prawej rakiety. Winylowe leżaki; na ekranie telewizora bestiarium współczesnej Ameryki. Chłopiec i dziewczyna snują się po domu jak po dusznej jaskini. Bliźniaki. Charles zwany Cholliem; Gwendolyn zwana Gwennie.

[To dziwne, że potrafiła z taką łatwością przywołać ten obraz. Jakby śniła bolesny sen. Życie, które wyobrażała sobie tak często, że traktowała je nieomal jak swoje wspomnienia; przecież nie dorastała w latach osiemdziesiątych wśród Amerykanów z klasy średniej].

W pokoju dziewczyna smarowała usta wazeliną, w lustrze jej odbicie jak biała smuga.

Wyszła w piżamie, kiedy do domu wrócił ojciec, nieposłuszne loki zaplotła w warkoczyki, podgrzała mu kolację: kurczaka z gotowanymi warzywami. Ziewnęła i udawała, że jest śpiąca. Brat dotrzymywał ojcu towarzystwa w kuchni, wyobrażając sobie, jak w pokoju na górze jego siostra ulega metamorfozie: robi peeling nóg, wkłada minispódniczkę, maluje oczy ciemnym cieniem. Zmienia się w dziwną istotę zupełnie inną od siostry, którą znał, i ucieka przez okno, znikając w ciemności.

Przeobrażała się nocą pomimo lęku. A może po to, by go zaznać. Jak na piętnastolatkę była niewysoka, każdy chłopiec mógłby ją z łatwością obezwładnić. Zostawiała w domu dziewczynę, która uczy się już rachunku różniczkowego i zdobywa nagrody w konkursach dla konstruktorów robotów. Drżąc, szła ciemną ulicą do sklepu, czując mrowienie w nietkniętym przez nikogo miejscu pod spódnicą. Szła między regałami. Burt Bacharach; kasjer gapił się na nią z otwartymi ustami, z powodu bielactwa miał plamy na skórze. Mężczyzna w białym dresie obserwował ją spod lodówki z napojami, w jego kieszeni pobrzękiwały monety.

– Poproszę jednego – powiedział.

Chodziło mu o tłustego hot doga z grilla.

Na zewnątrz, w słabym świetle latarni przyciągającym ćmy, trzech albo czterech chłopaków jeździło na deskorolkach. Nie znała ich. Byli starsi, może nawet mieli po dwadzieścia lat, ale chyba nie studiowali. Tłuste włosy, kaptury. Stała przy budce telefonicznej, raz po raz przyciskając palec do otworu na monety. Nie mam drobnych, nie mam drobnych, nie mam drobnych. Powoli jeden z nich do niej podszedł. Miał błękitne oczy i zrośnięte brwi.

Trudno powiedzieć, jak długo trwały zaloty. Im dziewczyna inteligentniejsza, tym szybciej załatwi sprawę. Erotyczne podboje wymagają błyskotliwej ekwilibrystyki: przyjemność nie płynie z dopełnienia aktu, ale ze sposobu jego wykonania, to rozkosz zemsty wbrew początkowej grze, szczebiotowi i wzbudzonym oczekiwaniom. Seks to bunt przeciwko odwiecznej kolei rzeczy. [Brzmi znajomo? No cóż. To najbardziej pospolita historia pod słońcem].

Przez rok oszałamiający splot palców i języków. Wychodziła w nocy przez okno, co noc; zaczęła się szkoła, spotkania w klubie dyskusyjnym i próby zespołu. Pod sercem coś krzepło jak schnąca guma arabska. Ciało wie o tym, czego umysł nie przyjmuje do wiadomości. Nie była głupia. Na ratunek przyszła jej moda: olbrzymie bluzy do kolan. W Wigilię matka wróciła do domu późno. W pierwszy dzień świąt dziewczyna zeszła na dół tylko we flanelowym szlafroku, a matka odwróciła się ze śpiewem na ustach. Zobaczyła jej wydatny brzuch i upuściła ciastko cynamonowe, które właśnie upiekła.

Dziewczynę zabrano do chłodnego pomieszczenia. Traktowano ją uprzejmie. Wyszorowano ją od środka. Łagodne szepty. Kiedy wyszła, była już kimś zupełnie innym.

[Ludzkie losy częściowo się ze sobą splatają. Opowieść oświetla czasem to, co kryje się w ciemnościach. Mózg to cudowna maszyna; ludzie to istoty, które snują historie. Odłamki składają się w nową całość].

Wiosną bliźnięta skończyły szesnaście lat. W oknach i drzwiach zainstalowano nowe zamki. Brat nagle przerósł ją o siedem centymetrów. Zaczął za nią łazić jak niezdarny cień.

– Zagramy w monopoly? – spytał, kiedy weszła do pokoju w nudny sobotni wieczór.

– Nie martw się o mnie – odparła.

Była uziemiona, musiała rozmawiać cichaczem z deskorolkarzami kręcącymi się przy bramie szkoły i z dziewczynami, które znała od dzieciństwa i które teraz zapraszały ją do siebie na wspólne oglądanie *Ciemnego kryształu*, jedzenie popcornu i karbowanie włosów. Zawsze cieszyła się większą popularnością niż jej brat bliźniak, ale wkrótce naznaczyło ją piętno seksu. Został jej tylko brat. I Michael.

Michael był piękny. W połowie Japończyk, wysoki i rozmarzony, z modną grzywką opadającą na oko. W czasie lekcji wyobrażała sobie, że liże jasną skórę po wewnętrznej stronie jego nadgarstka. On marzył o chłopcach; Gwennie marzyła o nim. Chollie niechętnie się z nim zaprzyjaźnił; jej brat wymagał absolutnej lojalności i ofiarności, a tego Michael nie mógł im dać. Ale wspólnie wypalony joint na tyle go rozluźnił, że Chollie zaczął żartować i się uśmiechać. W ten sposób toczyło się ich życie do końca szkoły. Jej matka w San Diego, Milwaukee, Binghamton; jako pielęgniarkę wzywano ją w odległe miejsca, by zajmowała się niemowlętami tak słabymi, że mogły w każdej chwili umrzeć.

Poznali Lotta, okropnie wysokiego chłopaka o gołębim sercu, z trądzikiem na policzkach. Przed nimi rozciągało się lato; rozmaite narkotyki, piwo, wąchanie kleju. Mogli robić, co chcieli, jeśli tylko zjawiali się w domu na kolacji. Gwennie jednoczyła chłopców, krążyli wokół niej jak satelity.

[Ich *ménage à quatre* trwało krótko. Kiedy lato się skończyło, z nastaniem października wszystko uległo zmianie].

Na blankach starego hiszpańskiego fortu odurzyli się tlenkiem azotu z ukradzionych puszek po sprayu. W dole połyskiwało St. Augustine tłumnie odwiedzane przez turystów. Michael opalał się, a jego idealnie gładkie ciało poruszało się w rytm muzyki z magnetofonu. Lotto i Chollie jak zwykle pogrążyli się w rozmowie. Ocean pod nimi iskrzył się w słońcu. Chciała zwrócić na siebie uwagę. Stanęła na rękach na krawędzi dwunastometrowego muru, w każdej chwili mogła spaść na łeb na szyję. Uprawiała gimnastykę, póki ciało jej nie zdradziło i nie wyrosły jej piersi; utrzymała równowagę. Widziała ich twarze na tle błękitnego nieba, jej brat zerwał się przerażony na równe nogi. Zeszła na dół i nieomal zemdlała, bo krew napłynęła jej do głowy. Usiadła. Dudniło jej w uszach tak głośno, że nie słyszała, co mówi Chollie. Machnęła tylko ręką.

– Wyluzuj się, kurwa, Choll. Wiem, co robię.

Lotto się zaśmiał. Gwennie patrzyła na wyrzeźbiony brzuch Michaela, kiedy ten podniósł się, żeby spojrzeć na Lotta.

Na początku października spędzili dzień na plaży. Ojciec znowu zaczął im ufać, a może wierzył, że Chollie nie pozwoli jej zejść na złą drogę, dlatego poleciał do Sacramento, żeby spędzić weekend z matką. Przed nimi dwa wolne dni jak głęboka przepaść. Przez parę godzin pili piwo na plaży i zasnęli, kiedy się obudziła, była cała poparzona od słońca, a Lotto tworzył jakąś wielką, skierowaną w stronę morza budowlę z piasku, już miała dwa metry wysokości i pięć metrów długości. Zamroczona, wstała i zapytała go, co to jest.

— Spiralny falochron — odparł.

— Z piasku?

Uśmiechnął się.

— W tym cała jego uroda.

W tym momencie coś w niej wybuchło i zaczęło się rozszerzać. Spojrzała na niego. Zauważyła w nim coś szczególnego, czego do tej pory nie widziała. Chciała wniknąć w niego, żeby go zrozumieć. Jego nieśmiałość i młodość skrywały w sobie światło. Słodycz. Nagle dopadł ją dawny głód, zapragnęła wziąć w siebie część jego i na chwilę go posiąść.

Zamiast zaspokoić tę chęć, schyliła się i zaczęła mu pomagać, pozostali się do nich przyłączyli, potem, kiedy skończyli, siedzieli do białego rana w milczeniu, tuląc się do siebie, by ochronić się przed zimnym wiatrem, i patrzyli, jak przypływ pożera ich dzieło. Wszystko się zmieniło. Wrócili do domu.

Następnego dnia, w niedzielę, zjadła kanapkę z jajkiem, żółtko płynęło jej po palcach. Leżała w łóżku do trzeciej po południu. Kiedy wyszła z pokoju, żeby coś zjeść, zobaczyła uśmiechniętego Cholliego z twarzą poparzoną od słońca.

— Załatwiłem kwas — pochwalił się.

Tylko w ten sposób mogli przetrwać organizowaną wieczorem imprezę w opuszczonym domu na bagnach. Obleciał ją strach.

– Świetnie – odparła bez cienia emocji.

Wzięli burgery i poszli znowu na plażę. Ktoś wykopał spod piasku wieżyczkę ratownika, którą zagrzebali po jednej stronie spiralnego falochronu. Stała pionowo jak uniesiony w górę środkowy palec. Nie zażyła narkotyku, chłopcy wzięli po działce. Poczuła, że dziwna więź z Lottem się wzmacnia. Siedział tuż obok niej. Chollie wdrapał się na wieżyczkę i stanął z butelką rumu na tle rozgwieżdżonego nieba, drąc się wniebogłosy.

– Jesteśmy bogami! – krzyczał.

Tego wieczoru mu wierzyła. Jej przyszłość była jak te gwiazdy, zimna, wspaniała i pewna. Wiedziała, że kiedyś zadziwi cały świat. Czuła to. Zaśmiała się, patrząc na brata, którego oświetlały fajerwerki i gwiazdy. Nagle Chollie wrzasnął, podskoczył i zatrzymał się na chwilę w powietrzu jak pelikan z obwisłą szyją, niezdarnie machając rękami. Kiedy wylądował, rozległ się trzask. Jej brat zaczął krzyczeć, podtrzymywała mu głowę, Lotto pobiegł szybko po samochód ciotki, a kiedy przyjechał na plażę, Michael wziął Cholliego na ręce, położył go na tylnym siedzeniu, usiadł za kierownicą i odjechał bez Gwennie i Lotta.

Pozostawieni sami sobie, patrzyli, jak światła reflektorów pną się w kierunku autostrady. Kiedy ucichły krzyki Cholliego, słychać było tylko głośne wycie wiatru.

Poprosiła Lotta, żeby poszedł z nią powiedzieć o wszystkim ojcu, i on odparł, że nie ma sprawy. [Lo, chłopiec o złotym sercu].

W domu zmyła makijaż, wyjęła kolczyki, zaplotła włosy w dwa warkocze i włożyła różowy dres. Nigdy nie widział jej nieumalowanej, ale powstrzymał śmiech. Samolot ojca lądował o siódmej, a o wpół do ósmej jego samochód zatrzymał się pod zadaszeniem przed garażem. Ojciec wszedł z marsową miną widoczną już od progu; pewnie weekend z matką nie przebiegł po jego myśli, ich małżeństwo chwiało się w posadach. Ojciec Gwennie, choć niższy o głowę od Lotta, wypełnił sobą cały pokój, a Lotto zrobił krok w tył.

Na twarzy ojca malowała się wściekłość.

– Gwennie, powiedziałem wyraźnie, żadnych chłopców w domu. Natychmiast odprowadź go do drzwi.

– Tatusiu, to Lotto, przyjaciel Cholliego. Chollie zeskoczył z wieżyczki i złamał nogę, pojechał do szpitala, a Lotto przyszedł przed chwilą, żeby ci o tym powiedzieć, bo nie mogliśmy się do ciebie dodzwonić. Przepraszam.

Ojciec spojrzał na Lotta.

– Charles złamał nogę? – zapytał.

– Tak, proszę pana.

– Pod wpływem alkoholu? Narkotyków? – dopytywał się ojciec.

– Nie, proszę pana.

– Gwennie to widziała?

Wstrzymała oddech.

– Nie, proszę pana – odparł Lotto bez zmrużenia powieki. – Widuję ją tylko w szkole. Ona się koleguje tylko z najlepszymi uczniami.

Ojciec przyjrzał im się uważnie. Skinął głową i nagle już nie zajmował całej przestrzeni.

– Gwendolyn, zadzwoń do matki – poprosił. – Ja pojadę do szpitala. Dziękuję za informację, chłopcze. A teraz już idź.

Posłała Lottowi wymowne spojrzenie, ojciec szybko odjechał, po chwili stanęła w drzwiach frontowych w najkrótszej spódniczce, bluzce odsłaniającej brzuch i z byle jak zrobionym makijażem. Lotto czekał na nią ukryty za krzewem azalii.

– Mam go w dupie – oznajmiła Gwennie. – Idziemy na imprezę.

– Lubisz kłopoty – powiedział z podziwem Lotto.

– A żebyś wiedział.

Pojechali na rowerze Cholliego. Ona siedziała na kierownicy, a Lotto pedałował. Na drodze panowała taka ciemność, jakby jechali w tunelu. Żaby śpiewały swoją żałobną pieśń, z bagien dobiegał stęchły odór. Lotto zatrzymał rower i okrył Gwennie swoją bluzą. Przyjemnie pachniała płynem do płukania. Najwyraźniej ktoś się nim troskliwie opiekował. Kiedy zjeżdżali w dół, Lotto stanął na pedałach, oparł głowę na jej ramieniu, a ona odchyliła się do tyłu. Wyczuła na jego pryszczatych policzkach zapach maści przeciwtrądzikowej. Dom oświetlały fajerwerki, po lewej stronie stał samochód z zapalonymi reflektorami. W środku kłębiły się już tłumy gości, z głośników ryczała ogłuszająca muzyka. Stali oparci o siding z nieoheblowanych desek i pili piwo, choć nalano im głównie pianę. Czuła na sobie wzrok Lotta, ale udawała, że niczego nie zauważa. Zbliżył się do jej ucha, jakby chciał jej coś powiedzieć szeptem, a on co robił? Lizał ją? Nagle spojrzała przed siebie jak rażona piorunem i ruszyła w stronę ogniska.

– Co ty sobie, kurwa, wyobrażasz? – warknęła.

Uderzyła kogoś w ramię. Michael uniósł głowę, miał na ustach rozmazaną szminkę. Odsunął się od nieznajomej blondynki.

– O, cześć, Gwennie. Lotto, hej stary.

– Co ty sobie, kurwa, wyobrażasz? – powtórzyła Gwennie.
– Miałeś się zatroszczyć o mojego brata. O Cholliego.

– Och, nie, uciekłem, jak przyszedł twój stary – wyjaśnił Michael. – Boję się tego świra. Ta laska mnie podwiozła.

– Jestem Lizzie – przedstawiła się dziewczyna. – W weekendy pracuję jako wolontariuszka w szpitalu.

Wtuliła twarz w klatkę piersiową Michaela.

– Ale laska – wyszeptał Lotto.

Gwennie chwyciła go za rękę i zaciągnęła do domu. Na parapetach świece i latarki rzucające światło na ściany, ciała kłębiące się na materacach przyniesionych specjalnie na tę okazję, lśniące nagie pośladki, plecy i ręce. Z każdego pomieszczenia dobiegała inna muzyka. Gwennie zaprowadziła go po schodach na górę i przez okno wyszli na dach. Usiedli. Była chłodna noc. Słyszeli dudnienie dobiegające z dołu, widzieli tylko poświatę dochodzącą od ogniska. W milczeniu wypalili na spółkę papierosa, ona otarła twarz i go pocałowała. Ich zęby uderzyły o siebie. On wprawdzie opowiadał o takich rozbieranych imprezach organizowanych na zadupiu, z którego pochodził, ale Gwennie nie podejrzewała go, że wie, jak posłużyć się wargami i językiem. Zaskoczył ją. Poczuła znajomą miękkość w stawach. Przycisnęła do siebie jego dłoń, pozwoliła mu wsunąć palce za gumkę majtek, żeby się przekonał, jak bardzo wilgotna się zrobiła. Popchnęła go, żeby położył się na plecach. Usiadła na nim okrakiem, wyciągnęła z jego spodni penisa i patrzyła, jak rośnie, a potem wsunęła go w siebie. On westchnął zdumiony, potem chwycił jej biodra i zabrał się do roboty. Zamknęła oczy. Lotto podsunął jej bluzkę w górę i ściągnął jej biustonosz, jej piersi sterczały jak dzioby rakiet. Nagle zrobiło się straszliwie gorąco, jakby znaleźli się w samym centrum słońca. Nigdy wcześniej nie czuła takiego ciepła. Lotto wbił się w nią, a potem wysunął, kiedy otworzyła oczy, on z przerażoną miną zsuwał się z dachu na ganek. Zeskoczył i się przewrócił. Rozejrzała się i zobaczyła języki ognia wydobywające się z okna. Poszła w ślady Lotta, jej spódnica uniosła się, a to, co on w niej zostawił, wyciekło, kiedy spadała na ziemię.

[Podniecenie jest chyba nie na miejscu, kiedy ożywia się tę martwą dziewczynę i martwego chłopca, żeby mogli się pieprzyć].

W areszcie trzęsła się całą noc. Kiedy wróciła do domu, rodzice patrzyli na nią z ponuro zaciętymi twarzami.

Lotto nie pojawiał się przez następny tydzień, dwa, miesiąc. Chollie na stoliku przy łóżku znalazł list informujący go, że matka wysłała Lotta, tego biednego frajera, do męskiego liceum z internatem. Powiedział o tym Gwennie, ale ona miała to gdzieś. Wszyscy imprezowicze, strażacy i policjant widzieli, jak ona i Lotto baraszkują na dachu. Cała szkoła uważała ją za dziwkę. Skończyły się dobre czasy. Została pariaską. Michael nie wiedział, co powiedzieć; odsunął się od niej, znalazł sobie innych przyjaciół. Gwennie przestała się odzywać.

Wiosną, kiedy jej stanu nie dało się już dłużej ukrywać, ukradli z Cholliem samochód sąsiada. Sam był sobie winien, mógł nie zostawiać kluczyków w stacyjce. Wjechali na podjazd, patrząc na sagowce, trawnik i malutką różową skrzynkę na listy osadzoną na palikach. Chollie nie ukrywał rozczarowania; wbrew jego oczekiwaniom rodzina Lotta nie była obrzydliwie bogata. [Choć przecież nie zawsze widać to gołym okiem]. W trawie kusząco żółciły się astry przypominające kształtem sutki. Zapukali. Otworzyła im niewysoka kobieta z surową miną i zaciśniętymi ustami.

– Lancelota nie ma – oznajmiła. – Powinniście o tym wiedzieć.

– Przyszliśmy do Antoinette – powiedział Chollie.

Poczuł na ramieniu dłoń siostry.

– Właśnie wychodziłam na zakupy. No dobrze, wejdźcie. Jestem Sallie, ciotka Lancelota.

Przez dziesięć minut siedzieli przy stole, pijąc mrożoną herbatę i zajadając kruche ciasteczka. Nagle drzwi się otworzyły i stanęła w nich druga kobieta z misternie uczesanymi włosami. Wysoka, dostojna, pulchna. Mimo to wydawała się lekka jak piórko, może z powodu zwiewnego stroju, a może dlatego, że z gracją gestykulowała, było w niej coś rozbrajająco lekkiego.

– Jak miło – wyszeptała. – Nie spodziewałyśmy się gości.

Chollie uśmiechnął się, przypatrując się Antoinette. Nie podobało mu się to, czego się domyślił.

Gwennie czuła na sobie badawcze spojrzenie matki Lotta i pokazała na swój brzuch. Twarz Antoinette wyglądała jak kartka papieru, którą trawi ogień. Po chwili uśmiechnęła się beztrosko.

– To pewnie sprawka mojego syna. On uwielbia dziewczyny. Ojej.

Chollie nachylił się, żeby coś powiedzieć, ale nagle z sypialni wyszło dziecko w pieluchach, z włosami związanymi w dwa kucyki. Zamknął usta. Antoinette posadziła sobie córeczkę na kolanach.

– Przywitaj się, Rachel! – zaszczebiotała i pomachała do nich pulchną rączką dziecka.

Rachel wsadziła do buzi piąstkę i z niepokojem przyglądała się gościom brązowymi oczami.

– Czego ode mnie chcecie? – zapytała Antoinette. – Aborcja to bilet do piekła, dobrze o tym wiesz. Nie zapłacę za zabieg.

– Chcemy, żeby sprawiedliwości stało się zadość – powiedział Chollie.

– Sprawiedliwości? – powtórzyła łagodnie Antoinette. – Każdy jej pragnie. I pokoju na świecie. I żeby jednorożce miały gdzie hasać. O co ci dokładnie chodzi, chłopczyku?

– Jeszcze raz nazwiesz mnie chłopczykiem, ty stara macioro, a dostaniesz ode mnie w pysk.

– Przeklinając, dajesz świadectwo ubóstwa duchowego – upomniała go Antoinette. – Mój syn, niech będzie błogosławione jego czyste serce, nigdy nie używa wulgaryzmów.

– Pierdol się, pizdowata macioro – rzucił Chollie.

– Mój drogi – powiedziała łagodnie Antoinette, kładąc rękę na dłoni Cholliego, żeby go uciszyć – to bardzo ładnie, że chronisz siostrę. Ale jeśli nie chcesz, żebym odrąbała ci męskość tasakiem, to poczekaj w samochodzie. Dojdę do porozumienia z twoją siostrą bez twojej pomocy.

Chollie zbladł, otworzył usta, rozprostował dłonie, zacisnął je w pięści, wyszedł, wsiadł do samochodu, otworzył okno i przez godzinę słuchał w radiu przebojów z lat sześćdziesiątych.

Kiedy zostały sam na sam, uśmiechały się uprzejmie do Rachel, póki dziewczynka nie zniknęła w sypialni.

– Zrobimy tak – zaczęła Antoinette, nachylając się do przodu.

Gwennie miała powiedzieć bratu i rodzicom, że usunęła ciążę. Tydzień później miała uciec i ukryć się w mieszkaniu w St. Augustine. Prawnicy Antoinette zatroszczą się o wszystko. Gwennie może liczyć na opiekę, pod warunkiem że nie będzie wychodziła z domu. Prawnicy zajmą się adopcją. Po urodzeniu dziecka Gwennie ma zostawić noworodka w szpitalu i wrócić do normalnego życia. W zamian za milczenie dostanie co miesiąc okrągłą sumkę.

[Echa, wszędzie. Zakulisowe manipulacje powodują tyle cierpienia, pieniądze liczą się bardziej niż uczucia. Dobrze. Przyciśnij ranę palcami; wytrzymaj].

Dziewczyna słuchała oceanu, którego szum tłumiły okna. Rachel wróciła, włączyła telewizor, usiadła na dywanie i zaczęła ssać kciuk. Gwennie obserwowała ją i miała ochotę rzucić się z pazurami na tę babę pachnącą różami i talkiem. Wreszcie z kamienną twarzą spojrzała na Antoinette.

– Nie da pani nazwiska swojemu wnukowi? – zapytała.

– Lancelota czeka świetlana przyszłość. Ale dziecko może pokrzyżować jego plany. Zadanie matki polega na tym, by otworzyć przed synem jak największe możliwości. Poza tym z pewnością spotka lepszą kandydatkę na matkę swoich dzieci – zawiesiła głos ze słodkim uśmiechem na ustach – która urodzi mu ładniejsze dzieci.

W brzuchu Gwennie wił się wąż.

– Dobrze – odparła.

[Ile w tym domysłów i projekcji? Bardzo wiele. Ani trochę. Nie widziałaś tej sytuacji. Ale znałaś Antoinette, wiedziałaś, że jej spokój i słodycz to tylko maska, pod którą wrze gniew. Kiedyś powtórzyła ten monolog, ale za drugim razem chybiła celu. Ach, tak. Znałaś Antoinette na wylot].

Gwennie wróciła do samochodu. Chollie prowadził. Było mu nieswojo, kiedy jego siostra płakała, zasłaniając twarz przedramieniem.

– Wysłałaś ją do wszystkich diabłów? – zapytał.

Chciał pozwać tę maciorę i wydusić od niej w sądzie cały majątek. Miał gdzieś to, że jest matką Lotta. Odebrałby jej wszystko do ostatniego centa i zamieszkałby w jej domku na plaży, do końca życia pławiąc się w bogactwie.

Gwennie odsłoniła twarz.

– Zapłaciła za moje milczenie. Nie kłóć się ze mną. Podpisałam umowę.

Bez słów próbował wyrazić to, czego nie mógł powiedzieć na głos, ona jednak nie zwracała na niego uwagi.

– Polubiłam ją – skłamała.

Wrócili do rodzinnego domu, bo tylko tam chcieli teraz się znaleźć. Okra, kurczak i chleb kukurydziany w kartonowym opakowaniu, matka odłożyła szpatułkę i wyszła im na powitanie z otwartymi ramionami. Nad puddingiem karmelowym Gwennie powiedziała im o ciąży i aborcji. Nie chciała mieszać do tego brata. Ojciec oparł czoło o krawędź kuchennego stołu i się rozpłakał. Matka zaniemówiła, następnego dnia poleciała do pracy w El Paso. Gwennie bez trudu mogła upozorować ucieczkę z domu. Zapakowała rzeczy do małej torby, wsiadła do samochodu, który przyjechał po nią, kiedy powinna być w szkole, i zamieszkała w dwupokojowym luksusowym mieszkaniu z kremowym dywanem i plastikowymi kubkami, co tydzień odwiedzała ją pielęgniarka, ktoś zostawiał jej na progu zakupy, mogła do woli oglądać telewizję, co było jej na rękę, bo nawet gdyby znalazła tu książkę, co było mało prawdopodobne, i tak nie dałaby rady jej czytać w tym ponurym apartamentowcu z turkusowymi fontannami i cyprysami rosnącymi w czerwonej ziemi.

Dziecko tak wiele jej odbierało. Wyczerpywało jej ciało, zabierało jej młodość dzień po dniu. Gwennie jadła niewiele i przez cały dzień oglądała *talk-show*. „Drogi Lotto" – zaczęła list, który napisała kiedyś do chłopca zesłanego na zimną, przygnębiającą północ, ale zdała sobie sprawę, że co drugie zdanie w nim to kłamstwo, więc go podarła, wyrzuciła do śmieci i przykryła zużytym filtrem do kawy. Tylko leżąc w wannie, odczuwała ulgę.

Jej życie się zatrzymało. Dziecko przyszło na świat w okamgnieniu. Gwennie dostała znieczulenie wewnątrzoponowe; wydawało jej się, że śni. Jej pielęgniarka przyszła do szpitala i wszystkim się zajęła. Pozwoliła Gwennie potrzymać noworodka na rękach, ale kiedy tylko wyszła z sali, Gwennie z powrotem położyła dziecko do łóżeczka. Wciąż je do niej przywożono, choć powtarzała, że nie chce go oglądać. Jej ciało dochodziło do siebie. Piersi wróciły do właściwego rozmiaru. Minęły dwa–trzy dni. Dostawała zieloną galaretkę w filiżance i chleb z serem. Któregoś dnia podpisała stosowne dokumenty i dziecko zniknęło. W plecaku znalazła kopertę pełną pieniędzy. Wyszła ze szpitala w gorący lipcowy dzień. Czuła w sobie tylko dojmującą pustkę.

Powlokła się piechotą do domu oddalonego o dwadzieścia kilometrów. Zastała Cholliego w kuchni, właśnie pił colę. Upuścił szklankę. Zrobił się czerwony i krzyczał, że rodzice zaangażowali w poszukiwania policję, ojciec co noc wałęsał się po ulicach miasta, a jemu samemu śniło się, że ją zgwałcono. Wzruszyła ramionami, postawiła plecak na podłodze, usiadła w salonie i włączyła telewizor. Po jakimś czasie brat przyniósł jej jajecznicę i tost, usiadł obok niej i patrzył, jak światło tańczy na jej twarzy. Mijały tygodnie. Ciało Gwennie żyło swoim życiem niezależnie od umysłu, który błądził gdzieś daleko, na drugiej półkuli. Coś ściągało ją w dół jak rzucona w głębię kotwica. Każdy ruch wykonywała z ogromnym wysiłkiem.

Rodzice chodzili wokół niej na palcach. Pozwalali jej wagarować, wozili ją do psychoterapeuty. Na nic się to zdało. Całe dnie spędzała w łóżku.

– Gwennie, daj sobie pomóc – błagał ją brat.

Nie słuchała. Nie patrząc na nią, wziął ją za rękę. Tak delikatnie, z takim uczuciem, że nie czuła zażenowania. Nie kąpała się całymi tygodniami. Nie miała siły jeść.

– Śmierdzisz – irytował się Chollie.

Ty też śmierdzisz, cały czas – pomyślała, ale nie powiedziała tego na głos. Chollie się o nią martwił, wychodził z domu tylko do szkoły. Ojciec od razu po pracy wracał do domu. Zostawała sama tylko na trzy godziny. Pewnego dnia miała więcej energii niż zazwyczaj. Zadzwoniła do sąsiada Michaela, dealera. Przyszedł i widząc jej skołtunione włosy i dziecinny szlafrok, zawahał się. Nie chciał jej dać papierowej torebki. Wcisnęła mu w dłoń banknoty i zatrzasnęła za nim drzwi. Ukryła narkotyki pod materacem. Każdy dzień wyglądał tak samo. Lepka warstewka kurzu na wirujących nad jej głową ramionach wentylatora. Dość tego.

Chollie pokazał jej woreczek z ecstasy.

– Tak zaczyna się moja wyprawa po władzę nad światem – pochwalił się. Zamierzał przez całą noc rozprowadzać tabletki na imprezie i zapytał, czy Gwennie sobie bez niego poradzi.

– Idź – odparła. – Zarabiaj.

Poszedł. Ojciec spał w swoim pokoju. Położyła kopertę z pieniędzmi od Antoinette pod poduszką brata i zamyśliła się; zmieniła mu pościel i znowu schowała pieniądze pod poduszką. Wyciągnęła papierową torebkę spod materaca, zażyła jedną pigułkę i poczekała, aż narkotyk zacznie działać. Wsypała do ust zawartość całej fiolki i popiła mlekiem z kartonu. Rozbolał ją brzuch.

Zamroczyło ją. Powietrze zrobiło się gęste jak błoto. Opadła na łóżko. Słyszała, jak ojciec wychodzi do pracy. Sen ogarnął ją jak fale, które przyniosły jej spokój i ukojenie.

[No dalej, wściekła kobieto, niech twoje łzy zmieszają się z winem, masz za sobą pół życia. Jak myślisz, co wyjdzie ci na spotkanie z ciemności? Jak zawsze ranek podejdzie pod okna, pies obudzi się na posłaniu ze snu o wiewiórkach; nikt nie zmartwychwstaje. Ale tobie się udało, prawda? Wskrzesiłaś tę biedną dziewczynę. I co teraz? Stoi przed tobą żywa jak dawniej, a twoje przeprosiny znaczą dla niej tyle co nic].

Kiedy Chollie wrócił do pogrążonego w głuchej ciszy domu, wiedział, że coś się stało. Ojciec był już w pracy, a on się spóźnił, bo koncert się przedłużył. Stał w drzwiach – nie usłyszał najcichszego nawet dźwięku, pobiegł do pokoju Gwennie. Znalazł to, co znalazł. Przeżył wstrząs. Czekając na karetkę, ułożył plan, postanowił go zrealizować, choćby miało mu to zająć wiele lat. Trzymał głowę siostry na kolanach. Karetkę jadącą na sygnale słychać było z odległości dwóch kilometrów.

O świcie w oddali rozsnuła się blada mgła. Mathilde się trzęsła, ale nie z zimna. Gardziła tchórzami. Ona też rozpaczała; ona też błądziła po omacku w ciemności, ale nie zamierzała pójść na łatwiznę i się poddać. Złamałaby reguły gry. Garść tabletek, coś do popicia, jeden łyk. Krzesło się przewraca, płomienie w gardle. Minuta bólu, a potem spokój. Godny pożałowania brak dumy. Już lepiej czuć wszystko, płonąć długo i powoli.

Serce Mathilde przepełniała gorycz, żądza zemsty i gniew. [To prawda].

Serce Mathilde przepełniała dobroć. [To prawda].

Mathilde przypomniała sobie piękne, umięśnione i smukłe plecy Landa z delikatnie wybrzuszonymi kręgami. Lotto też miał takie plecy. I takie same usta, kości policzkowe i rzęsy. Duch przenikający żywe ciało. Mogła dać chłopcu ten dar. Nie miał ojca ani matki, wujek był jego jedynym krewnym. Chollie znał Lotta prawie tak dobrze jak ona; mógł powiedzieć Landowi, kto jest jego ojcem, stworzyć żywą osobę z tego, co dla Landa było tylko garstką nieistotnych szczegółów: wywiady, sztuki teatralne, jedna noc spędzona z wdową. Ale Mathilde nie otwierała się przed nikim, oddała mu tylko swoje ciało, nie poznał jej naprawdę. Chollie mógł opowiedzieć mu o Gwennie, jego matce. Mathilde mogła dać Landowi coś, co żyło. Mogła dać jemu i jego wujkowi czas.

Wstała. To, co przez ostatnie miesiące tak ją uskrzydlało, teraz gdzieś zniknęło, wydawało jej się, że ma kości z granitu, a skóra przykrywa je jak stary brezent. Podniosła pudełko, czując ciężar całego zła, jakie wyrządził Chollie, i wstawiła je do zlewu.

Zapaliła zapałkę i patrzyła, jak błękitny u dołu płomień pożera drewienko, a po chwili jaśnieje. Wstrzymała oddech, który mógł zgasić ogień. Niech to szlag, Chollie zasłużył na najgorszą karę za to, co zrobił Lancelotowi w ostatnich dniach jego życia, przez niego jej mąż w nią zwątpił. Coś jednak nie pozwoliło jej zgasić płomienia. [Wewnętrzny impuls, to nie nasza zasługa]. Ogień nie zdążył osmalić jej palców, wrzuciła zapałkę do pudełka. Ponuro patrzyła, jak papiery płoną, a klątwa, którą nałożyła na Cholliego, idzie z dymem. Później do obu wysłała napisane odręcznie listy. Land przez całe życie codziennie dzwoniłby do swojego odnalezionego po latach wujka. Chollie wyprawiłby Landowi wesele w swoim nadmorskim pałacu. Nie opuściłby żadnej ceremonii rozdania dyplomów, gdy dzieci Landa kończyłyby studia, dawałby im w prezencie porsche, którym przyjechał. Land byłby kochany.

– To bardzo wiele – powiedziała głośno.

Bóg się obudziła i na widok ognia zaczęła szczekać. Kiedy Mathilde podniosła wzrok znad spalonych papierów, zobaczyła, że ożywiona przez nią mała ciemnowłosa dziewczynka już zniknęła.

23

Kilkadziesiąt lat później pielęgniarka weszła do saloniku w domu Mathilde. [Na ścianie niebieskie malowidło; chłodny zmierzch przypominający o sercu złamanym w młodości]. Przyniosła talerz biszkoptów, bo Mathilde nie jadła już nic innego. Kobieta mówiła i mówiła – bezustannie, bo wtedy Mathilde się uśmiechała. Ale kiedy jej dotknęła, zorientowała się, że staruszki już nie ma. Nie oddychała. Jej skóra stygła. Ostatnia iskra w mózgu Mathilde prowadziła ją w stronę morza przez piaszczystą plażę, ognista miłość jak pochodnia ledwie widoczna w nocy na brzegu.

Chollie, który dowiedział się o jej śmierci godzinę później, wsiadł do samolotu. Rankiem otworzył wytrychem zamki w londyńskim mieszkaniu Mathilde i wszedł do środka, ciężko dysząc. Z ogromnym brzuchem wyglądał jak stary piec. Wbrew wszystkim przeciwnościom losu przetrwał – jak szczury, meduzy i karaluchy. Włożył do torby trzy napisane przez Mathilde niewielkie książki, które przeszły bez echa. [*Alazon, Eiron, Bomolochos*; wymyślne, choć mało subtelne tytuły. W jednym z pokoi w jego domu reszta nakładu leżała w kartonowych pudłach zjadana przez karaluchy]. Był stary, ale nie stracił błyskotliwości.

Nalał sobie burbona, ale odstawił szklankę i zabrał na poddasze całą butelkę. Przez całą noc przeglądał cenne manuskrypty sztuk Lancelota Satterwhite'a przechowywane w pudłach na archiwalia. Szukał mocno pożółkłego wydruku pierwszej wersji *Źródeł*. Był wart więcej niż cały ten dom. Nie znalazł go. Tekst nie należał do wdowiej kolekcji sztuk Lancelota, od kiedy pewnego razu o świcie opuścił Mathilde skradziony przez młodego człowieka, który obudził się w obcym domu, czując wstyd i gniew, a potem, choć było jeszcze ciemno, wypuścił Bóg, żeby się wysikała, i nie zapalając światła zrobił sałatkę owocową oraz zaparzył kawę. Ukrył wydruk pod koszulą, ogrzał go swoim ciałem, wracając do miasta. W ostatecznym rozrachunku nie miało to żadnego znaczenia. Land miał do niego pełne prawo. Chłopiec przyznał się do kradzieży w liście, który zostawił w dużej niebieskiej misce pełnej dojrzewających pomidorów. Czuł w kościach to, co tak naprawdę wiedziała tylko jedna osoba.

Dwa lata po śmierci męża Mathilde pojechała odwiedzić Landa w New Jersey. Grał Kalibana w inscenizacji *Burzy*. Poradził sobie, ale nie zachwycał. Dzieci geniuszy rzadko są geniuszami, i tak dalej. Jego największy dar, piękną twarz, zasłoniła lateksowa maska.

Kiedy ucichły oklaski, wyszła przed teatr. Zapadł zmrok. Nie obawiała się, że Land ją rozpozna. Przytyła i wyglądała zdrowo, odrosły jej włosy – niefarbowane, miały naturalny brązowy kolor. On stał przed teatrem, palił papierosa, nie zdjął maski, wciąż był ubrany w łachmany i miał garb na plecach.

– Co ty sobie wyobrażasz, Mathilde? – zawołał ponad głowami ludzi spieszących się na kolację lub na drinka przed powrotem do swoich dzieci, którymi opiekuje się niania.

Jezu, posłał jej takie spojrzenie, jakby przejrzał ją na wylot i brzydziło go to, co zobaczył w jej sercu.

No cóż, Lotto też miał niezłomne zasady. Czy zdołałby jej przebaczyć, gdyby się dowiedział o wszystkim, co zrobiła, gdyby się zorientował, z kim ma do czynienia, gdyby poznał jej gniew iskrzący się na jej skórze, kiedy słyszała, jak po pijanemu radośnie się przechwala przy gościach, i nienawidziła każdego słowa wychodzącego z tych pięknych ust, gdyby wiedział, że miała ochotę spalić jego buty, które rozrzucał po całym mieszkaniu, gdyby wiedział, jak ją drażni to, że bezmyślnie rani uczucia innych, bo ma *ego* większe niż granitowa skała, na jakiej stał ich dom, gdyby wiedział, że ona czasem nie znosiła jego ciała kiedyś do niej należącego, jego zapachu, obwisłego brzucha i okropnych włosów porastających to ciało, z którego teraz zostały tylko kości? Och, tak, oczywiście, że by jej przebaczył.

Zatrzymała się. Stań prosto – upomniała się w myślach. Posłała Landowi promienny uśmiech.

– Nie trać nadziei. Naprzód! – krzyknęła.

Kiedy nocą wracała szybko do domu i psa, przed oczami miała jego twarz. Jakże okropnie może czasem wyglądać przystojny mężczyzna. Może nie doceniła zdolności aktorskich Landa. Z pewnością grał lepiej niż Lotto. Cóż, mogła podejrzewać, jak on się czuje.

Puste teatry są cichsze niż inne puste miejsca. Kiedy teatry śpią, śnią o hałasie, świetle i wrzawie. Znalazła tylko jedne otwarte drzwi i wyszła na ulicę. Wiał zimny wiatr. Pewnie teraz koścista Danica i śliczna Susannah znudziły się już ploteczkami, odesłały kelnera i zaczęły ją obgadywać za to, że je wystawiła do wiatru. Trudno. Przez cały dzień w pracy nękał ją niepokój, bo Lancelot nie odpowiadał na jej SMS-y, a kiedy nie wrócił do domu, postanowiła go poszukać. Na afiszu *Gacy*. Sztuka o człowieku pożeranym od środka przez zło. Podążała za głosem męża, po omacku szła przez ciemny korytarz na tyłach sceny, ostrożnie stąpając. Nie włączyła światła, żeby się nie zorientował, że przyszła. Wreszcie stanęła w kulisach i zobaczyła go na scenie, jak w przygaszonych światłach rampy mówił:

– „Biedny mój panie, zgubą twoją było dobre twe serce. O, jak rzadki człowiek, którego głównym grzechem zbytnia dobroć! Kto by śmiał teraz być na pół tak dobrym, gdy właśnie dobroć, która tworzy bóstwo, pędzi człowieka w boleść i ubóstwo"*.

Dopiero na końcu sceny zorientowała się, że to *Tymon Ateńczyk*. Według niej najmniej udana z wszystkich sztuk Szekspira. On zaczął kolejną scenę. Och. Zamierzał wyrecytować całą sztukę. Sam. Przed pustą widownią.

Ukryła się bezpiecznie w ciemności. Pozwoliła sobie na cichy śmiech. Co za nieracjonalny, uroczy człowiek. Jej rozbawienie niebezpiecznie podrażniło przeponę, zaczęła oddychać głęboko i miarowo, żeby się nie zdradzić parsknięciem ze swoją obecnością. On był taki zabawny, dryblas, który potajemnie wdarł się na scenę. Grając, podtrzymywał przy życiu dogorywające, stare marzenie; jego dawne ja, które rzekomo umarło, wciąż żyło w ukryciu. Mówił za głośno, z afektacją. Tylko mu się wydawało, że jest dobrym aktorem.

Stała otulona czarną kurtyną, a Lotto, kiedy skończył, kłaniał się i kłaniał. Złapał oddech i wrócił do swojego ciała. Wyłączył reflektory. Oświetlając sobie drogę telefonem komórkowym, opuścił scenę. Ona uciekła przed snopem światła. Mąż przeszedł tuż obok niej, wyczuła jego zapach: pot, kawa i zapach człowieka, może też burbona, który go trochę rozluźnił. Zaczekała, aż drzwi się zamkną, a potem trochę szybciej wróciła po omacku na korytarz i wyszła na oblodzoną ulicę, złapała taksówkę, żeby wrócić

---

* William Shakespeare, *Tymon Ateńczyk*, tłum. Leon Ulrich, [w:] tenże, *Dzieła dramatyczne*, t. V: *Tragedie*, Warszawa 1973, s. 643.

przed nim do domu. Dotarł tam kilka minut po niej, kiedy oparł głowę o jej kark, jego włosy pachniały zimą. Delikatnie objęła jego głowę, czując, jak pulsuje w nim sekretne szczęście.

Później pod przybranym nazwiskiem opublikowała sztukę pod tytułem *Wolumnia*. Zagrano ją w teatrze z widownią na pięćdziesiąt osób. Dała z siebie wszystko.

[Nie powinna się dziwić, gdyby nikt nie przyszedł].

24

Tak dawno temu. Była wtedy taka mała. Między tym, co zrobiła, a konsekwencjami jej czynu rozciągała się przepastna ciemność. Coś się otworzyło. Czterolatka to małe dziecko. Jak można nienawidzić małego dziecka za to, że zachowuje się jak małe dziecko i popełnia dziecięce błędy?

Może zawsze istniała inna opowieść; może Mathilde ją stworzyła, żeby coś sobie wyjaśnić. Ale zawsze pod tą pierwszą historią kryła w sobie drugą, tocząc okropną i cichą walkę ze swoją pewnością. Musiała uwierzyć, że prawdziwa jest ta lepsza historia, choć ta gorsza narzucała jej się z całą mocą.

Miała cztery lata i usłyszała, że jej brat bawi się w pokoju na piętrze w domu babci, kiedy reszta rodziny jadła bażanty upolowane rankiem przez ojca. Z okna widziała bliskich – siedzieli pod drzewem, na stole obok talerzy z cassoulet leżały bagietki, obok stała butelka wina. Matka odchyliła do tyłu głowę i wystawiła do słońca rumianą twarz. Ojciec dał Bibiche kawałek mięsa. Usta babki, zazwyczaj wygięte w podkowę, teraz były prostą kreską, co oznaczało, że jest szczęśliwa. Zerwał się wiatr, liście zaszemrały. W powietrzu rozchodził się zapach dobrego nawozu, a na blacie kuchennym już czekał przepyszny bretoński flan ze śliwkami. Dziewczynka skorzystała z ubikacji i chciała wyjść na zewnątrz, ale usłyszała śpiew braciszka i jego tupanie. Miał spać. Niegrzeczny chłopiec.

Poszła na górę, ścierając kurz koniuszkami palców.

Otworzyła drzwi do pokoju. Braciszek na jej widok roześmiał się radośnie. „Chodź" – powiedziała. Wygramolił się z łóżka. Poszła za nim na schody, złoty dębowy parkiet lśnił dzień po dniu polerowany przez domowników chodzących po nim w pantoflach. Braciszek chwiejnie stał przed schodami, wyciągał do niej ręce, chciał, żeby mu pomogła. Przywarł do niej. Ale ona nie chwyciła go za rączkę, odsunęła nogę, o którą się opierał. Tak naprawdę nie chciała, no może trochę, może jednak zrobiła to z premedytacją. Chłopiec się zachwiał. Patrzyła, jak powoli spada po schodach, a jego głowa jak orzech kokosowy uderza o każdy stopień.

Leżał na dole jak mały tobołek. Albo rozrzucone pranie.

Kiedy podniosła wzrok, zobaczyła, że w drzwiach do łazienki na piętrze stoi jej dziesięcioletnia kuzynka, której wcześniej nie zauważyła.

Taka była gorsza wersja. Potwierdziły ją wszystkie późniejsze wydarzenia. Była tak prawdziwa jak wszystkie inne. Odtwarzały się w jej pamięci nieustannie, jednocześnie.

Mathilde nigdy do końca w nią nie uwierzyła. Na pewno później sobie wmówiła, że odsunęła nogę. Nie wierzyła, a jednak coś kazało jej wierzyć, ta sprzeczność, którą w sobie nosiła, nadała bieg całemu jej późniejszemu życiu.

Pozostały tylko fakty. Przed tym wydarzeniem była kochana. Potem miłość jej odebrano. Nieważne, czy go popchnęła czy nie. Rezultat był ten sam. Nie wybaczono jej. Była taka mała. Jak to możliwe, jak rodzice mogą zrobić coś takiego, dlaczego jej nie wybaczyli?

25

Małżeństwo jest czystą matematyką. Wbrew pozorom nie polega na dodawaniu, tylko na mnożeniu.

Ten nerwowy, wysoki i szczupły mężczyzna w za małym o jeden rozmiar garniturze. Ta kobieta w odsłaniającej uda sukience z zielonej koronki, z białą różą zatkniętą za ucho. Jezu, tacy młodzi. Stali przed kobietą pastorem. Jej obcięte krótko przy skórze włosy połyskiwały w słońcu wpadającym do środka przez okno z witrażem. Na zewnątrz budziło się Poughkeepsie. Za nimi mężczyzna w stroju dozorcy płakał cicho, siedząc obok mężczyzny w piżamie z jamnikiem: ich świadkowie. Wszystkim błyszczały oczy. W powietrzu czuło się miłość. A może seks. A może wtedy było to jedno i to samo.

– Tak – powiedziała ona.

– Tak – powiedział on.

Tego właśnie pragnęli.

Nasze dzieci będą tak cholernie piękne – pomyślał, patrząc na nią.

Dom – pomyślała, patrząc na niego.

– Możecie się pocałować – oznajmiła urzędniczka.

Pocałowali się. Właśnie tego chcieli.

Podziękowali wszystkim i roześmiani podpisali dokumenty, przyjęli powinszowania i stali przez moment, jakby nie chcieli opuszczać tego mieszczańskiego saloniku, gdzie spłynęła na nich taka łagodność. Nowożeńcy jeszcze raz nieśmiało podziękowali zgromadzonym i wyszli na zewnątrz. Był chłodny poranek. Zaśmiali się z nadzieją. Weszli jako liczby całkowite, wyszli podniesieni do potęgi.

Jej życie. W oknie papużka. Niebieska plamka jaśniejąca w londyńskim zmierzchu. Minęły wieki, od kiedy naprawdę żyła. Dzień spędzony na kamienistej plaży, żyjątka w kałuży na brzegu morza. Te zwyczajne popołudnia, słuchanie kroków w mieszkaniu na górze, odgadywanie, jakie kryją się w nich emocje.

To prawda: to nie wielkie, przełomowe wydarzenia, ale błaha codzienność stanowi treść życia. Setki razy pracowała w ogródku, każde wbicie łopaty w ziemię dostarczało jej satysfakcji, bardzo często właśnie ta czynność, nacisk i rozluźnienie, i intensywny zapach ziemi sprawiały, że odnajdywała ciepło w domu z wiśniowym sadem. Albo to: każdego dnia budzili się z mężem w tym samym miejscu, on przynosił jej do łóżka kawę, w której wirowała jeszcze biała śmietanka. Jak łatwo nie docenić tych drobnych uprzejmości. On przed wyjściem całował ją w czoło, a ona czuła, że w jej wnętrzu coś wychodzi mu na spotkanie. To właśnie takie krótkie chwile intymności budują małżeństwo, a nie ceremonie, przyjęcia, premiery, święta i efektowne skoki w bok.

Zresztą ten rozdział się już skończył. Szkoda. Ogrzewała dłonie o filiżankę herbaty. Wyglądały tak, jakby zrobiono je z wełny na drutach, a potem jakieś dziecko zmięło je brudnymi rączkami. Po kilkudziesięciu latach ciało paraliżuje jeden wielki skurcz. Kiedyś była seksowna, a nawet jeśli nie wszyscy tak uważali, to na pewno jej oryginalna uroda przyciągała uwagę. Przez okno widziała, że jej życie było dobre. Niczego nie żałowała.

[To nieprawda, Mathilde; a gen głos w uchu?]

Och, Jezu. Tak, faktycznie tlił się w niej żal.

Wyrzucała sobie, że przez całe życie mówiła „nie". Od początku dopuszczała do siebie tak niewielu ludzi. Tamtej pierwszej nocy jego młoda twarz jaśniała w półmroku, ciała wiły się wokół nich, a ona raptem coś sobie uświadomiła z dojmującą jasnością; nagle spłynął na nią spokój, po raz pierwszy, od kiedy była dzieckiem. Bez powodu. W tę noc pełną niespodzianek, kiedy na zewnątrz szalała burza i czarne niebo nad kampusem przecinały błyskawice, ona czuła w środku ciepło, pieśń, pożądanie i zwierzęcy lęk. On ją zobaczył, skoczył, przepłynął przez tłum i wziął ją za rękę. Dzięki niemu mogła wreszcie odpocząć. Ten uroczy, roześmiany chłopiec nie tylko oddał jej się bez reszty, podarował jej całą przeszłość, która go ukształtowała, ciepłe ciało, które tak ją poruszyło swoim pięknem, i całą przyszłość, która już na nich czekała w zalążku. Poza tym to on niósł pochodnię w ciemności i od razu, w jednym rozbłysku, zobaczył w niej dobro. W tym darze tkwiło gorzkie ziarno żalu. Niemożliwa do przeskoczenia przepaść oddzielała prawdziwą Mathilde od Mathilde, którą on zobaczył. Ostatecznie to kwestia perspektywy.

Wolałaby być tą dobrą Mathilde. Tą, którą stworzyła jego wyobraźnia. Spojrzałaby na niego z góry; jego słowa: „Wyjdź za mnie", otworzyłby przed nią nowy świat. Nie zamilkłaby, nie zawahała się. Zaśmiałaby się i po raz pierwszy dotknęła jego twarzy. Poczułaby na dłoni jego ciepło. „Tak – odpowiedziałaby. – No jasne".

PODZIĘKOWANIA

Moje wyrazy wdzięczności należą się przede wszystkim Clayowi, którego po raz pierwszy zobaczyłam w 1997 roku, jak wychodził z pokoju socjalnego na Amherst College – miał długie czarne włosy związane w kucyk, a ja spojrzałam na niego z zachwytem i powiedziałam przyjaciółce, że wyjdę za niego, choć nie wierzyłam w sens małżeństwa. Ta książka zaczęła swoje życie w MacDowell Colony, a pisząc ją, korzystałam z tekstów Anne Carson, Evana S. Connella, Jane Gardam, Thomasa Manna i Williama Shakespeare'a, a także wielu innych autorów; powieść wiele zyskała, kiedy zajął się nią mój agent Bill Clegg i moi wspaniali przyjaciele: Jami Attenberg, Kevin A. González, Elliott Holt, Dana Spiotta, Laura van den Berg i Ashley Warlick. Wydawnictwo Riverhead wzięło ją (i mnie) pod swoje skrzydła, zaś szczególne podziękowania należą się Jynne Martin i Sarah McGrath, która imponuje mi niewzruszonym spokojem i jak nikt inny edytuje teksty. Dziękuję wszystkim, którzy pomogli mi zweryfikować fakty i zredagować kolejne wersje tej książki. Dziękuję też jej czytelnikom. A przy okazji chcę podziękować czytelnikom wszystkich książek. Beckett i Heath dostarczają mi czystej radości i chronią mnie przed rozpaczą, ale kiedy pracuję, ktoś inny musi się nimi zająć. Zadedykowałam tę książkę Clayowi, więc i jego znów przywołuję: kucyk został obcięty, trochę się postarzeliśmy i choć nadal trochę powątpiewam w sens małżeństwa, nie mogę uwierzyć, że nasz związek dał mi tyle szczęścia.

SPIS TREŚCI

E-book dostępny na
woblink.com